P9-CRO-919

Deux mondes

Deux mondes

A Communicative Approach

Tracy D. Terrell
UNIVERSITY OF CALIFORNIA, SAN DIEGO

Claudine Convert-Chalmers

Marie-Hélène Bugnion
UNIVERSITY OF CALIFORNIA, SAN DIEGO

Michèle Sarner

Elizabeth M. Guthrie
UNIVERSITY OF CALIFORNIA, IRVINE
ACADEMIC ADVISOR

RANDOM HOUSE, NEW YORK *This is an EBI book.*

First Edition
9 8 7 6 5 4 3 2 1

Library of Congress Cataloging-in-Publication Data

Deux mondes : a communicative approach / Tracy D. Terrell . . . [et al.].
p. cm.
Includes index.
ISBN 0-394-37539-4
1. French language—Textbooks for foreign speakers—English.
2. French language—Grammar—1950- I. Terrell, Tracy D.
PC2129.E5D48 1988
448.2′421—dc19 87-35437
CIP
ISBN 394-37539-4 (Student Edition)
394-37540-8 (Teacher Edition)

Manufactured in the United States of America

Production: Stacey C. Sawyer
Copyeditor: Cathy de Heer
Text and cover design: Albert Burkhardt
Illustrations: Sally Richardson
Cover illustration: Fernand Léger, *The Circus,* 1918, the Louvre, Paris. Courtesy of Art Resource, New York
Photo research: Judy Mason
Typesetting: Graphic Typesetting Service

Acknowledgment is made here for use of photographs appearing on part openers: Part One photo, p. 1: © Peter Menzel/Stock, Boston; Part Two photo, p. 315: © Alan Carey / The Image Works.

Contents

To the Instructor

Deux mondes is a complete package of instructional materials for beginning French courses in which the primary goal is proficiency in communication skills. The package provides both oral and written activities that can be used as starting points for communication. The class-tested approach is designed to encourage you and your students to feel free to interact in French as naturally and as spontaneously as possible. *Deux mondes* is an exciting approach to language instruction that offers a true alternative to the methodology of most French language textbooks available in the United States today.

Components

There are two student texts: *Deux mondes: A Communicative Approach,* the main text, and *Deux mondes: Cahier d'exercices,* the workbook, which is both a laboratory and a writing manual.

The main text consists of four preliminary chapters, **Premières étapes 1–4;** and fourteen regular chapters. All chapters are organized around language functions and vocabulary groups that are essential to communication at the beginning level. A wide variety of cultural materials provides a context for language acquisition. Each regular chapter is divided into three parts:

- **Activités orales,** with **Vocabulaire;**
- **Lectures supplémentaires;**
- **Grammaire et exercices.**

The **Activités orales** are materials for oral communication in the classroom; some readings are included in this section as well. The **Vocabulaire** at the end of each activities section is a reference list of all the new vocabulary introduced in that chapter section. The **Lectures supplémentaires** are readings, but the section also includes dialogues, cultural notes, short stories, and so on. The **Grammaire et exercices** section provides concise explanations of grammar and word usage and short verification exercises.

The *Cahier d'exercices* is organized much like the main text. It also contains the four preliminary chapters, **Premières étapes 1–4,** followed by fourteen chapters, each of which corresponds exactly to the chapters in the main text. Each chapter of the *Cahier d'exercices* consists of five sections:

- **Activités de compréhension** (coordinated with tapes);
- **Exercices de prononciation et d'orthographe** (with tapes);
- **Le verbe français;**
- **Activités écrites.**

Additional parts of the instructional program include:

- The *Instructor's Edition,* with marginal notes contains suggestions for using and expanding the materials in the student text, hints for teaching, and materials for listening comprehension.
- The *Instructor's Manual* (bound into the back of the *Instructor's Edition*), which provides a general introduction to the Natural Approach and to the types of acquisition activities

contained in the program. The *Instructor's Manual* contains many pre-text activities designed for use *before* covering the activities in the student text, as well as other suggestions for implementing the Natural Approach.

- The *Testing Package*, with both vocabulary and grammar exams for each chapter and four-skills examinations for the mid-term and final.
- A *Tapescript*, containing the text of all the materials in the *Cahier d'exercices*.

Characters

The people who appear in the student materials of *Deux mondes* belong to three groups of repeating characters:

- **Les amis américains,** a group of students who are studying French at Tulane University, New Orleans;
- **Les amis francophones,** people from various parts of the French-speaking world;
- Characters in **le feuilleton** "*Entre amis*", the Leblanc and Michaud families and their neighbors and friends, all from a fictional soap opera set in an average French city.

Characters from the different groups appear in the drawings, activities, readings, examples, and exercises of *Deux mondes* whenever possible. While there is no "story line" that must be followed, the appearance of people from the regular cast of characters gives *Deux mondes* a sense of unity and makes the materials seem less artificial to students.

Theory

The materials in *Deux mondes* are based on Tracy D. Terrell's Natural Approach to language instruction, which, in turn, draws on aspects of Stephen D. Krashen's theoretical model of second-language acquisition. This theory consists of five interrelated hypotheses, each of which is mirrored in some way in *Deux mondes*.

1. The *Acquisition-Learning Hypothesis* suggests that there are two kinds of linguistic knowledge that people use in communication. "Acquired knowledge" is normally used unconsciously and automatically to understand and produce language. "Learned knowledge," on the other hand, may be used consciously, to produce carefully thought-out speech or to edit writing. *Deux mondes* is designed to develop both acquired and learned knowledge. The following sections of the course materials are planned to help students achieve both goals.

ACQUISITION

Activités orales
Lectures supplémentaires
Activités de compréhension
Activités écrites

LEARNING

Grammaire et exercices
Exercices de prononciation et d'orthographe
Le verbe français

2. The *Monitor Hypothesis* explains the functions of acquired and learned knowledge in normal conversation. Acquired knowledge, the basis of communication, is used primarily to understand and create utterances. Although learned knowledge is used primarily as an editor when we write, some speakers are able to "monitor" their speech using learned knowledge to make minor corrections before actually producing a sentence. Exercises in the **Grammaire et exercices** ask students to pay close attention to the correct application of learned rules.

3. The *Input Hypothesis* suggests that the acquisition of language occurs when the acquirer comprehends natural speech; that is, acquisition takes place when acquirers are trying to understand and convey messages. For this reason, comprehension skills are given extra emphasis in *Deux mondes*. "Teacher-talk" (input in the target language) is indispensable, and no amount of explanation and practice of grammar can substitute for real communication experiences.

4. The *Natural Order Hypothesis* suggests that forms and syntax are acquired in a "natural order." For this reason, a topical-situational syllabus is followed in the **Activités orales** and other acquisition-oriented sections; students learn the vocabulary and grammar they need to meet the communication demands of a given section. A grammatical syllabus not unlike those in most beginning French textbooks is the basis for the introduction of grammar in the **Grammaire et exercices** sections, but activities to encourage the acquisition of forms and syntax are spread out over subsequent chapters. The Natural Order Hypothesis is also the basis for our recommendation that speech errors be expanded naturally by the instructor using correct grammar during acquisition activities and that they be corrected clearly and directly during learning-oriented (grammar) exercises.

5. The *Affective Filter Hypothesis* suggests that acquisition will take place only in "affectively" positive, nonthreatening situations. *Deux mondes* tries to allow the instructor the freedom to create such a positive classroom atmosphere by stressing student interest and involvement in two sorts of activities: those relating directly to students and their lives and those relating to the Francophone world. Hence the *Deux mondes* of the title.

Application of Natural Approach Theory

The general guidelines, which folow from the preceding five hypotheses, are used in *Deux mondes* and characterize a Natural Approach classroom.

1. *Comprehension precedes production.* Students' ability to use new vocabulary and grammar is directly related to the opportunities they have to listen to vocabulary and grammar in a natural context. Multiple opportunities to express their own meaning in communicative contexts must follow comprehension.

2. *Speech emerges in stages. Deux mondes* allows for three stages of language development:

Stage 1. Comprehension	**Première étape**
Stage 2. Early speech	**Deuxième–Quatrième étapes**
Stage 3. Speech emergence	**Chapitres 1–14**

The activities in **Première étape** are designed to give the students an opportunity to develop good comprehension skills without being required to speak French. The activities in **Deuxième–Quatrième étapes** are designed to encourage the transition from comprehension to an ability to make natural responses with single words or short phrases. By the end of the **Chapitre préliminaire,** most students are making the transition from short answers to longer phrases and complete sentences using the material of the chapter; their ability to communicate even at this early stage surpasses that of students learning by most other methods.

With the new material in each chapter, students will pass through the same three stages. The activities in the *Instructor's Edition,* the student text, and the *Cahier d'exercices* are designed to provide comprehension experiences with new material before production.

3. *Speech emergence is characterized by grammatical errors.* It is to be expected that students will make many errors when they begin putting words together into sentences, because it is impossible to monitor spontaneous speech. These early errors do not become permanent, nor do they affect students' future language development. It is best to correct only factual errors and to expand and rephrase students' responses into grammatically correct sentences.

4. *Group work encourages speech.* Most of the activities lend themselves to pair or small-group work, which allows for more opportunity to interact in French during a given class period and provides practice in a nonthreatening atmosphere.

5. *Students acquire language only in a low-anxiety environment.* Students will be most successful

when they are interacting in communicative activities that they enjoy. The goal is for them to express themselves as best they can and to enjoy and develop a positive attitude toward their second-language experience. The Natural Approach instructor will create an accepting and enjoyable environment in which to acquire and learn French.

6. *The goal of the Natural Approach is proficiency in communication skills.* Proficiency is defined as the ability to convey information and/or feelings in a particular situation for a particular purpose. The three components of proficiency are discourse (ability to interact with native speakers), sociolinguistic (ability to interact in different social situations), and linguistic (ability to choose correct form and structure and express a specific meaning). Grammatical correctness is part of proficiency, but it is neither the primary goal nor a prerequisite for developing communicative proficiency.

STUDENT MATERIALS

Deux mondes: A Communicative Approach

The main text contains the **Activités orales,** which aim to stimulate the acquisition of vocabulary and grammar. These activities are organized by topic. Several types of oral activities are repeated from chapter to chapter:

Model dialogues
Scrambled dialogues
Open dialogues
Situational dialogues
Interviews
Affective activities
Interactions
Association activities
Autograph activities
Narration series
Definitions
Matching activites
Personal opinion activities
Newspaper ads
TPR (Total Physical Response) activities
Student-centered input
Photo-centered input

The **Vocabulaire** at the end of the **Activités orales** contains all the new words that have been introduced in the oral activities (excluding readings) in the chapter and is classified by topic. These are the words students should *recognize* when they are used in a communicative context. Many of these words will be used "actively" later by students in subsequent chapters as the course progresses.

The main text also stresses reading skills as an aid to acquisition. Readings are found within the **Activités orales** under an appropriate topic and in the **Lectures supplémentaires** sections. The readings in the **Lectures supplémentaires** are the more challenging; to understand them, students must use context more frequently to guess at the meanings of words. There are several categories of readings in *Deux mondes: A Communicative Approach:*

Les amis francophones
Les amis américains
Dans le journal
Notes culturelles
Le feuilleton
La fiction
Éditorial

Grammar plays an important part in the main text, since it represents the learning side of the Acquisition-Learning Hypothesis. We have set the **Grammaire et exercices** apart from the **Activités orales** for easier study and reference. However, in most **Activités orales** sections, there are references (marked **Attention!**) to the pertinent grammar section. The separation of the **Grammaire et exercices** from the **Activités orales** also permits the instructor to adopt a deductive, an inductive, or a mixed approach to grammar instruction. In the **Grammaire et exercices** sections, there are short explanations of the rules of morphology (word formation), syntax (sentence formation), and word usage (lexical sets). Orthographic and pronunciation rules and practice as well as additional explanations and practice with French verb forms are found in the *Cahier d'exercices*. Most of the grammar exercises are short and contextualized. The answers are given in Appendix 2 of the student text so that students can verify their responses.

Deux mondes: Cahier d'exercices

The workbook contains both acquisition activities and learning exercises for study outside the classroom.

The **Activités de compréhension** are recorded oral texts of various sorts:

Dialogues
Narratives
Radio/television commercial announcements
Newscasts
Interviews

Each oral text is accompanied by a list of new vocabulary, a drawing that orients students to the contents of the text, and verification activities and comprehension questions that help students determine whether they have understood the main ideas (and some supporting detail) of the recorded material.

The **Exercices de prononciation et d'orthographe** provide explanations of the sound system and orthography as well as additional practice in pronunciation and spelling.

The optional section called **Le verbe français** gives additional explanation of and practice with the regular conjugation patterns as well as most common irregular verbs. The **Activités écrites** are open-ended writing activities, coordinated with the topical-situational syllabus of the **Activités orales.**

Authors

Each of the four authors contributed to many parts of *Deux mondes*. Tracy David Terrell (University of California, San Diego) directed the project and wrote the first draft of the grammar sections. Claudine Convert-Chalmers wrote many of the readings and cultural notes. Marie-Hélène Bugnion wrote many of the grammar exercices. Michèle Sarner wrote many of the oral activities, readings, and cultural notes, and some of the grammar exercices. In addition, Sanford A. Schane (University of California, San Diego) wrote most of the pronunciation and spelling sections as well as **Le verbe français** sections of the workbooks.

Acknowledgments

Some of the activities, readings, and exercises in *Deux mondes* are based on materials in *Dos mundos: A Communicative Approach* (Random House, 1986). For this reason, the authors of this text would like to acknowlege the contributions of three of the *Dos mundos* authors, Magdalena Andrade (University of California, Irvine), Jeanne Egasse (Irvine Valley College), and Elías Miguel Muñoz (The Wichita State University, Kansas) to *Deux mondes*. Similarly, the authors wish to thank the many students and instructors who have used earlier versions of Natural Approach materials and who provided us with the indispensable information on how to make Natural Approach ideas "do-able" in the French classroom. Special thanks also go to the many members of the language teaching profession who read sections of *Dos mundos* at various stages of its development and offered valuable suggestions that helped to shape the format and methodology of that text and, consequently, of *Deux mondes* as well.

We gratefully acknowledge in particular the work of one individual, Dr. Elizabeth M. Guthrie (University of California, Irvine), who read the final version of the entire manuscript and offered many useful suggestions and comments. She kept us "on target" in many instances, and her comments about the appropriateness of activities and exercises for students from nontraditional backgrounds were particularly helpful.

The native-speaking teaching assistants of the University of California, San Diego, gave constant help with the linguistic accuracy of several versions of these materials. From that group, Françoise Santore, Philip Mercier, Elizabeth Convert, and Slimane Gueddi deserve special mention for their help with questions of language usage and cultural content in the final manuscript. We would also like to acknowledge the help of Evelyn Pegna and André Fertey with questions of linguistic and cultural accuracy.

We especially acknowledge our debt to our editor, Thalia Dorwick, who guided the development of these materials on a day-by-day and word-by-word basis. We appreciate her continuing belief in the viability of the Natural Approach and in the validity of the innovations in the materials. We would also like to thank the following Random House associates for their excellent work on this project, as well as for their patience and perseverance: Charlotte Jackson, Eileen LeVan, Stacey Sawyer, Jaime Sue Brooks, and Cathy de Heer. Extra special thanks go to our artist, Sally Richardson, who once again made a large cast of characters come alive.

And, finally, we would like to thank each other for this period of cooperation that helped the Natural Approach French materials move from idea into print. The acceptance of the materials in other areas has been gratifying. If our peers in French feel that we have made a meaningful contribution to the direction textbook materials take, our time will have been well spent.

To the Student

The course you are about to begin is based on a methodology called the Natural Approach. It is an approach to language learning with which we have experimented during the past several years in various high schools, colleges, and universities. It is now used in many foreign-language classes across the country, as well as in classes in "English as a second language."

This course is designed to give you the opportunity to develop the ability to understand and speak "everyday French"; you will also learn to read and write French. Two kinds of experiences will help you develop language skills: "acquisition" and "learning." "Acquired" knowledge is the "feel" for language that develops from practical communication experiences. It is the unconscious language knowledge you use when communicating information to others. "Learned" knowledge comes from studying. Learning is based on lectures or textbooks and leads to knowledge about the language or culture. In this course we want you to both acquire and learn. We will try to provide you with real communication experiences for acquisition as well as factual information in order for you to learn about the French language and the French-speaking world.

Of the two kinds of knowledge, acquired knowledge is the most useful for understanding and speaking a second language. Learned knowledge is useful when we are writing, or when we have time to prepare ahead of time what we want to say (in a speech, for example). In normal conversations, however, it is very difficult to think consciously about what we have learned and then to apply this knowledge, while at the same time thinking about the content of what we want to say. It is preferable to concentrate on the message—what we want to say—and let the language flow naturally. This doesn't happen after only a few days' experience with a new language, of course, but with experience in communicative situations, as your acquired knowledge develops, it becomes easier and easier. For these reasons, class periods in this course will be dedicated to providing you with opportunities to use French to communicate information and ideas.

The interesting thing about acquisition is that it seems to take place best when you listen to a speaker and understand what is being said. This is why your instructor will always speak French to you and will do everything possible to help you understand without using English. You need not think about the process of acquisition, only about what your instructor is saying. You will begin to speak French naturally after you can comprehend some spoken French without translating it into English.

These Natural Approach materials are designed to help you with your acquisition and learning experiences. There are two textbooks: *Deux mondes: A Communicative Approach,* and *Deux mondes: Cahier d'exercices.* Each text and the various parts of the texts serve different purposes. *Deux mondes: A Communicative Approach,* the main text for the class hour, will be used as a basis for the oral acquisition activities you will participate in with your instructor and classmates. The main section contains the **Activités orales** (*Oral activities*), which are springboards for your instructor, your classmates, and you to engage in conversation in French about topics of interest to you and to French speakers. The main text also contains the **Grammaire et exercices** (*Grammar and exercises*) that provide you with learning activities to supplement what you do in class. The **Grammaire et exercices** section contains explanations and examples of grammar rules followed by exercises whose goal is to provide you with a mechanism to verify whether you have understood the grammar explanation. It is important to realize that the exercises only teach you *about* French; they do not teach you *French*. Only real communication experiences of the type based on the oral activities will do that.

The *Cahier d'exercices* (*Workbook*) gives you more opportunities to listen to French outside class and to write about topics that are linked to the oral classroom activities. Many of the activities are recorded on the tapes that accompany the workbook.

Using *Deux mondes*

Activités orales (*Oral activities*)

The purpose of the oral activities is to provide you with the opportunity to hear and speak French. Since the goal of an activity is acquisition, it is important that during these activities you concentrate on the topic rather than the fact that French is being spoken. Remember that acquisition will take place only if you are not focused on learning French, but rather on using French to talk about something. The point of an acquisition activity is to develop a natural conversation, not just to finish the activity. It isn't necessary to finish every activity. As long as you are listening to and understanding French, you will acquire it.

It is important to relax during an acquisition activity. Don't worry about not understanding every word your instructor says. Concentrate on getting the main idea of the conversation. Nor should you worry about making mistakes. All beginners make mistakes when trying to speak a second language. Mistakes are natural and do not hinder the acquisition process. You will make fewer mistakes as your listening skills improve, so keep trying to communicate your ideas as clearly as you can at a given point. Don't worry about your classmates' mistakes, either. Some students will acquire more rapidly than others, but everyone will be successful in the long run. In the meantime, minor grammatical or pronunciation errors do no great harm. Always listen to your instructor's comments and feedback since he or she will almost always rephrase what a student has said in a more complete and correct manner. This is done not to embarrass anyone, but to give you the chance to hear more French spoken correctly. Remember, acquisition comes primarily from listening to and understanding French.

How can you get the most out of an acquisition activity? First and most importantly, remember that the purpose of the activity is simply to begin a conversation. Expand on the activity. Don't just rush through it; rather, try to say as much as you can. Some students have reported that it is helpful to look over an activity before doing it in class. You should certainly not engage in an activity you do not understand. Other students have suggested that a quick look before class at the new words to be used in the activity makes it easier to participate.

Finally, speak French; avoid English. If you don't know a word in French, try another way to express your idea. It's better to express yourself in a more round-about fashion in French than to insert English words and phrases. If you simply cannot express an idea in French, say it in English and your instructor will show you how to say it in French.

Lectures (*Readings*)

There are many reasons for learning to read French. Some students may want to be able to read research published in French in their field. Others may want to read French literature. Many of you will want to read signs, advertisements, and menus when you travel in a French-speaking country. Whatever your personal goal is in learning to read French, reading is also a skill that can help you *acquire* French.

There are at least four reading skills you should already have in English that you can transfer to reading French: scanning, skimming, intensive reading, and extensive reading.

- Scanning is searching for particular information. You scan a menu, for example, looking for something that appeals to you. You scan newspaper ads for items of interest. There are a number of ads from French newspapers and magazines in *Deux mondes* to give you scanning practice. You do not need to understand every word in an ad to search for the information you need or desire. Listen to the questions your instructor asks and scan for that particular piece of information.
- Skimming is getting an overview of the main ideas in a reading. You often skim newspaper articles. Or you skim a new chapter in a textbook before deciding which section to concentrate on. You should always skim a reading selection before reading it.
- Intensive reading is what you do when you are studying. For example, you read a chemistry assignment intensively, thinking about almost every sentence, making sure you understand every word. In *Deux mondes: A Communicative Approach* you will read the selections in the first few chapters intensively in order to start reading in French. But for the most part we want you to avoid intensive reading in order to learn to read extensively.
- Extensive reading skills are used for most reading purposes. When you read extensively, you understand the main ideas and most of the content. You do not study the material, however, and there are usually words you do not understand. When reading extensively you use context and common sense to guess at the meaning of the words you do not understand. Sometimes there will be whole sentences (or even paragraphs) that you only vaguely understand. You use a dictionary only when an unknown word prevents you from understanding the main ideas in the passage. Extensive reading is associated with reading large amounts. Most of the readings we have provided are for practice with extensive reading.

We do not expect you to understand every word, nor all the structures used in the reading. Instead, we want you to read quickly, trying to get the main ideas. In fact we have purposely included unknown words and grammar in most readings to force you to get used to skipping over less important details.

A final point but, in our opinion, the most important one: Reading is not translation. If you look at the French text and read in English, you are not reading, but translating. This is an extremely slow and laborious way of getting the meaning of a French text. We want you to read French *in French*, not in English. We recognize that translating into English will be your natural inclination when you first start to read in French, but you must resist that temptation and try to think in French. If you are looking up a lot of words in the end vocabulary and translating into English, you are not reading. The meanings of some words are glossed in English. These are more difficult words or expressions that may cause confusion when you read, or words and phrases whose meaning you really need to know in order to comprehend fully the passage you are reading. You need not learn the glossed words, but you should use them to help you understand what you are reading.

Some readings are scattered throughout the **Activités orales** sections. The meaning of new, unglossed words in these readings is included in the **Vocabulaire** list (see the next section). Other readings are included in the **Lectures supplémentaires** (*Additional readings*) sections. The new, unglossed words that appear in these readings do *not* appear in the chapter **Vocabulaire**. You will generally be able to guess the meaning of these words from context. Even if you can't guess them, you can safely ignore them as long as you understand the main ideas of the passage. In fact, the purpose of the **Lectures supplémentaires** is to give you experience in working with context and getting the main idea.

Vocabulaire (*Vocabulary*)

Each chapter contains a vocabulary list classified by topics or situations. This list is mainly for reference and review. You should *recognize* the meaning of all these words whenever you hear them in context; however, you will not be able to *use* all these words in your speech. What you actually use will be what is most important or what is needed in your particular situations. Relax, speak French as much as possible, and you will be amazed at how many of the words you recognize will soon become words you use in speaking as well.

Grammaire et exercices (*Grammar and exercises*)

The final section of each chapter is a study and reference manual. Here, you will study French grammar and verify your comprehension by doing the exercises. Since it is usually difficult when speaking to think of grammar rules and to apply them correctly, most of the verification exercises are meant to be written in order to give you time to check the forms you are unsure of in the grammar and/or dictionary.

We do not expect you to learn all the rules in the grammar sections. Read the explanations carefully and look at the examples to see how the rule in question applies. At the beginning of each subsection of the **Activités orales**, there is a reference to the appropriate section in the grammar. As you begin a new section, read the specific grammar section or sections that apply.

Getting to Know the Characters

In *Deux mondes* the people you will read and talk about reappear in activities and exercises throughout the text. Some are American students and others are French or French-speaking people who live and work in various countries. Several are characters in a fictitious French soap opera called **"Entre amis"**—that is, "*Among Friends.*"

First there is a group of students at Tulane University in New Orleans. Although they are all majoring in different subjects, they know each other through Professor Anne Martin's 8:00 A.M. French class. You will meet six students in the class: Steve (Étienne), Chantal, Al (Albert), Ellen (Hélène), Monique, and Louis. Each student uses the French version of his or her name. Professor Martin was born and raised in Montréal, Canada, and is completely bilingual in French and English.

The **amis francophones** (*French-speaking friends*) live in various parts of the French-speaking world. In Canada you will meet Sylvie Legrand and her boyfriend, Charles Duroc. You will also get to know the Durand family. Raoul Durand lives with his parents in Montréal, but is currently studying engineering at Tulane University in New Orleans; he knows many of the students in Professor Martin's class. Raoul is originally from Trois-Rivières, a small town near Québec, where his grandmother, Marie Durand, still lives. Raoul has twin sisters named Marise and Clarisse.

In France you will meet Charlotte Mercier, a student at the Université de Toulouse. Charlotte is studying biology and wants to be a doctor. Her best friend is Roger Varenne, who is also a student at the Université de Toulouse. Mireille Monet is a friend of both Charlotte and Roger. She is from Bordeaux, but is currently working in Toulouse.

In Paris you will accompany an American student, Claire White, on her travels. Her best friends in Paris are Paulette Rouet and Joseph Laplanche.

In Abidjan, Côte-d'Ivoire, you will get to know Richard Kambé, who is 18 and has just graduated from high school.

In Marseille you will meet Adrienne Bolini, who is single and who works for a computer company. Adrienne travels a lot and speaks several languages in addition to French.

On radio and television you will listen to Julien Leroux, who works as an interviewer and news broadcaster for TF1 (Télévision Française 1). Julien is from Bruxelles, Belgique, and he now lives in Paris.

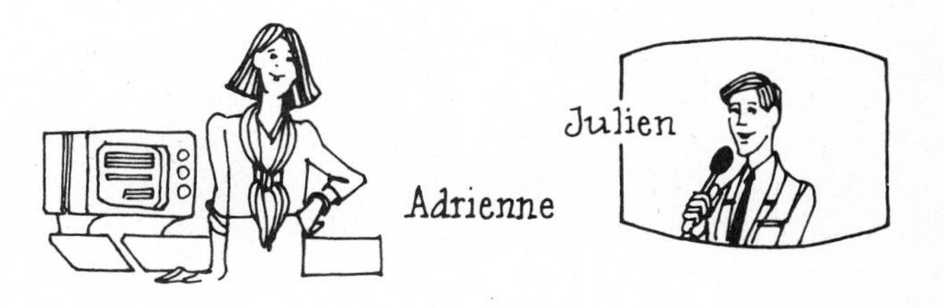

Finally, in Lyon you will meet the Tour family, Irène and Bernard and their three children. Irène and Bernard live and work in Lyon, but they travel extensively, so we will follow them on many different occasions.

On television we will follow a soap opera (**un feuilleton**) called "**Entre amis.**" It takes place in an average French city, mostly in one neighborhood. The main characters are the Leblanc family: Jean-Luc and Martine, their son, Jeannot, and their daughters, Marion and Pauline. Jeannot's best friend is his cousin, Gustave Valette. The Leblanc neighbors are the Michaud family: Pierre Michaud, a writer who works at home and takes care of the children, and Marguerite, a businesswoman who is president of l'Entreprise Mécajeux, which manufactures toys. They have two children: Antoinette, who studies at the Lycée La Fontaine with Gustave, and Guillaume, who is younger than Antoinette. There are others in the neighborhood, as well, such as Edouard Vincent and Armand Olivier, Florence Barthe, Marie-Rose Saulnier, and the young Daniel Gautier, who considers himself something of a don Juan with the women, and his **petite amie** (girlfriend), Isabelle Roi. You will meet these people and others in due course.

Remember that the best way to acquire French in a Natural Approach course is to relax and enjoy yourself. Most of all, don't worry about mistakes: all beginners make mistakes. We hope you like these materials and this Natural Approach to the acquisition of French. Acquiring French will be fun!

CHAPITRE PRÉLIMINAIRE

Understanding a New Language

Understanding a new language is not difficult once you realize that you can understand what someone is saying without understanding every word. What is important in communication is grasping the ideas, the message the person is trying to convey. There are several techniques that will help you develop good listening comprehension skills.

First, and most important, you must *guess* at meaning! There are several ways to improve your ability to guess accurately. The most important factor in good guessing at meaning is to pay close attention to context. If someone greets you at three in the afternoon by saying **Bonjour**, chances are good that they have said *Good afternoon*, and not *Good morning* or *Good evening*. Here, the greeting context and the time of day help you to make a logical guess about the message being conveyed. If someone you don't know says to you, **Je m'appelle Robert**, you can guess from the context and from the key word **Robert** that he is telling you what his name is.

In the classroom, ask yourself what you think your instructor has said even if you haven't understood most or any of the words. What is the most likely thing he or she would have said in a particular situation? Context, gestures, and body language will all help you guess more accurately. Be logical in your guesses and try to follow along by paying close attention to the flow of the conversation. People try to make sense when they talk, and they do not usually talk without meaning.

The next most important factor in good guessing is to pay attention to key words. These are words that carry the basic meaning of the sentence. In the class activities, for example, if your instructor points to a picture and says (in French), *Does the man have brown hair?* you will know from the context and intonation that a question is being asked. If you can focus on the key words *brown* and *hair* you will be able to answer the question correctly.

Second, it is important to realize that you do not need to know grammar to be able to understand much of what your instructor says to you. In the previous sentence, for example, you would not need to know the words *does, the,* or *have* in order to get the gist of the question. Nor would you have needed to study rules of verb conjugation. However, if you do not know the meaning of key vocabulary words, you will not be able to make good guesses about what was said.

Vocabulary

Since comprehension depends on your ability to recognize the meaning of key words used in the conversations you hear, the preliminary chapters will help you become familiar with many new words in French, probably well over one hundred. You should not be concerned about pronouncing these words perfectly; saying them easily will come a little later. Your instructor will write all the key vocabulary words on the board. You should copy them in a vocabulary notebook as they are introduced, for future reference and study. Copy them carefully, but don't worry about spelling rules.

Include English equivalents if they help you remember the meaning. Do review your vocabulary lists frequently. Look at the French and try to visualize the person (for words like *man* or *child*), the thing (for words like *chair* or *pencil*), a person or thing with particular characteristics (for words like *young* or *long*), or an activity or situation (for words like *stand up* or *is wearing*). You do not need to memorize these words, but you should concentrate on recognizing their meaning when you see them and when your instructor uses them in conversation with you in class.

Classroom Activities

In the first preliminary chapter, **Première étape** (*First step*), you will be doing three kinds of class activities: TPR, descriptions of classmates, and descriptions of pictures.

TPR: This is "Total Physical Response," a technique developed by Professor James Asher at San Jose State University in northern California. In TPR activities your instructor gives a command, which you then act out. TPR may seem somewhat childish at first, but if you relax and let your body and mind work together to absorb French, you will be surprised at how quickly and how much you can understand. Remember that you do not have to understand every word your instructor says, only enough to perform the action called for. In TPR, "cheating" is allowed! If you don't understand a command, "sneak" a look at your fellow classmates to see what they are doing.

Description of students: On various occasions, your instructor will describe each of the students in the class. You will have to remember the names of each of your classmates and identify who is being described. You will begin to recognize the meaning of the French words for colors and clothing and for some descriptive words like *long, pretty, new,* and so on.

Description of pictures: Your instructor will take many pictures to class and describe the people in them. Your goal is to identify the picture being described by the instructor.

In addition, just for fun, you will learn to say a few common phrases of greeting and leave-taking in French: *hello, good-bye, how are you?* and so on. You will practice these in short dialogues with your classmates. Don't try to memorize the dialogues; just have fun with them. Your pronunciation will not be perfect, of course, but it will improve as your listening skills improve.

Chapitre préliminaire

PREMIÈRE PARTIE

Le monde de l'étudiant

Un groupe d'étudiants devant la Sorbonne, à Paris.

In the **Première étape** you will learn to understand a good deal of spoken French and get to know your classmates. The listening skills you develop during these first days of class will enhance your ability to understand French whenever you hear it spoken and will also make learning to speak French easier.

Des étudiants après les cours au Quartier Latin, à Paris.

PREMIÈRE ÉTAPE

THÈMES

- Classroom Commands
- Identifying Your Classmates
- Describing People (Part 1)
- Colors
- Clothing
- Numbers (to 60)
- Greetings and Other Useful Phrases

GRAMMAIRE

A.1. Commands: **vous** Forms
A.2. Identifying People: **Qui est-ce? Est-ce que c'est... ?**
A.3. Identifying People: Subject Pronouns + **être**
A.4. Sentence Negation: **ne... pas**
A.5. Color Adjectives
A.6. Expressing Existence: **il y a** + *Number*
A.7. Addressing Others: **tu** and **vous**

ACTIVITÉS ORALES

LA COMMUNICATION EN CLASSE

ATTENTION! Voir Grammaire A.1.

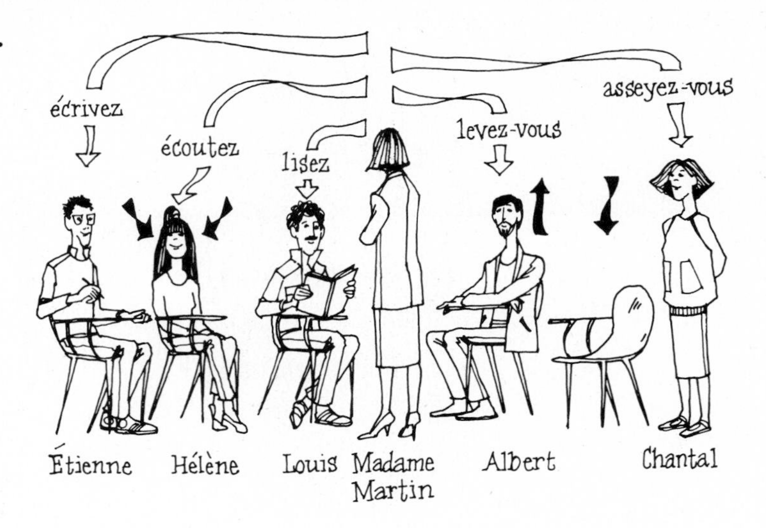

Activité 1. Les ordres

a. Tournez!
b. Ouvrez le livre!
c. Fermez le livre!
d. Prenez un stylo!
e. Marchez!
f. Sautez!
g. Courez!
h. Levez la tête!

LES CAMARADES DE CLASSE

ATTENTION! Voir Grammaire A.2.

—Qui est-ce?
—C'est Albert.

—Comment vous appelez-vous?
—Je m'appelle Hélène Dubois.

—Est-ce que c'est Louis?
—Oui, c'est Louis.

Activité 2. Les amis

—Comment s'appelle l'ami de ____?
—Il s'appelle ____.

—Comment s'appelle l'amie de ____?
—Elle s'appelle ____.

DESCRIPTION DES PERSONNES (Première partie)

ATTENTION! Voir Grammaire A.3–A.4.

être	
je **suis**	nous **sommes**
tu **es**	vous **êtes**
il/elle **est**	ils/elles **sont**

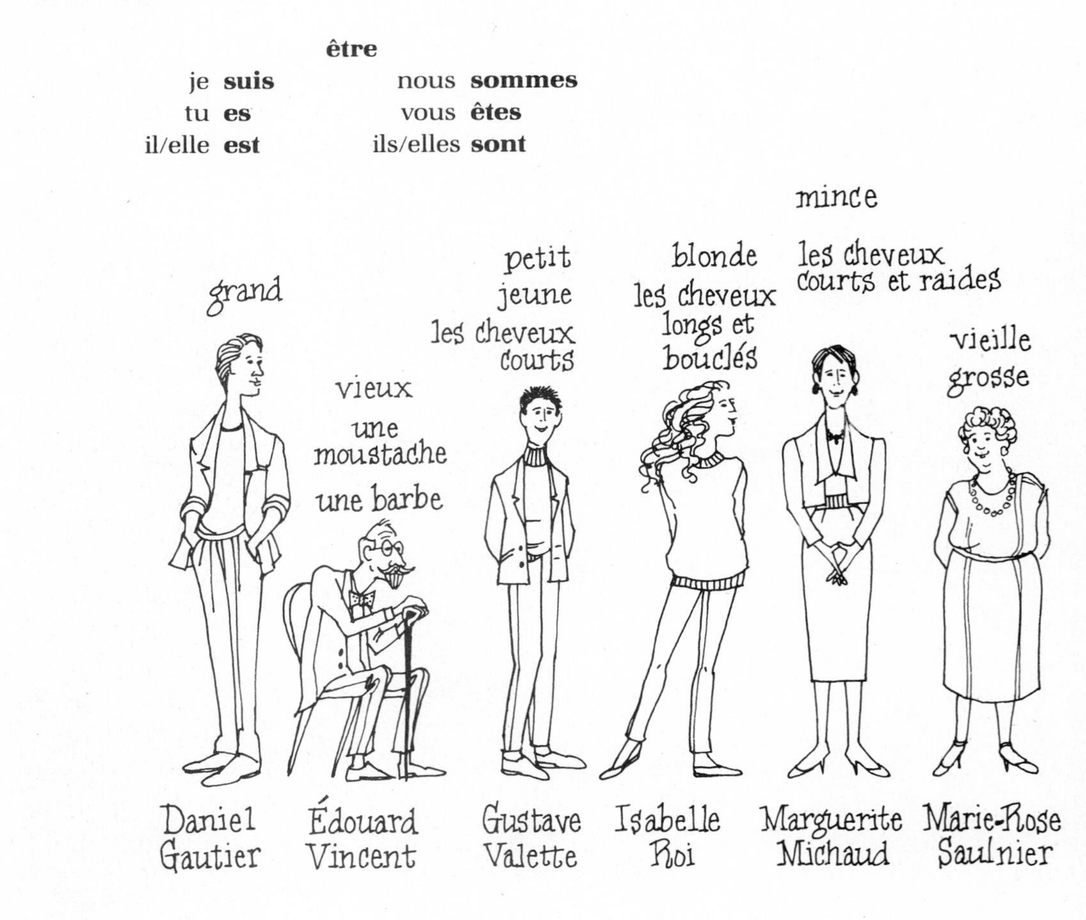

Activité 3. Descriptions

Dans la classe de français, qui est _____?

1. blond(e)
2. grand(e)
3. beau/belle
4. jeune

Qui n'est pas _____?

1. gros(se)
2. mince
3. petit(e)
4. blond(e)

La France et le monde francophone

◀ Deux étudiantes dans les rues de Kairoun en Tunisie (© The Image Works, Mark Antman)

▲ Une marchande des quatre-saisons dans le sud de la France (© Comstock)

◀ Des salles de cinéma à Paris (© Peter Menzel)

▲ Un marché aux fleurs en plein air (© Comstock)

Des skieurs dans la station de Val d'Isère dans les Alpes
▼ françaises (© Comstock, Hartman-DeWitt)

◀ Le château de Chambord dans la vallée de la Loire (© The Image Works, Ray Stott)

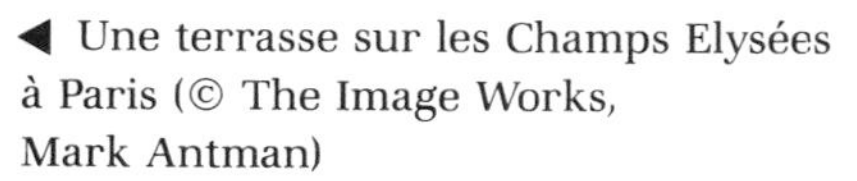

◀ Une terrasse sur les Champs Elysées à Paris (© The Image Works, Mark Antman)

Une marchande d'épices à Chaddra ▼ au Tchad (© Magnum, Steele Perkins)

Vue d'ensemble de la petite ville de Chechaouen ▲ au Maroc (© Peter Menzel)

Bruges, Belgique: Une vue pittoresque ▶ du centre-ville (© Comstock)

"Une promenade au bord de l'eau" de Paul Gauguin ▶
(1848–1903), collection privée, Lausanne, Suisse
(Giraudon/Art Resource)

Le Mont Saint-Michel avec son abbaye bénédictine
de style gothique (© Stuart Cohen) ▼

"La montagne Sainte-Victoire" ▶
de Paul Cézanne (1839–1906),
Kunsthaus, Zurich
(Scala/Art Resource)

"Le pont de Nantes" de Jean-Batiste ▶
Corot (1796–1876), Musée d'Orsay,
Paris (Scala/Art Resource)

Carcassonne: Une ville fortifiée
du XIIIème siècle dans le sud-ouest
▼ de la France (© Comstock)

◀ "La classe de danse" d'Edgar
Degas (1837–1917), Musée d'Orsay,
Paris (Scala/Art Resource)

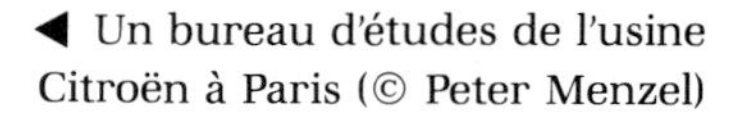

◀ Un bureau d'études de l'usine Citroën à Paris (© Peter Menzel)

La bourse de Paris: centre financier ▼ français (© Peter Menzel)

Haïti: Une classe de lycée à Port-au-Prince ▼ (© Philip Gould)

Un carrefour animé dans le centre-ville de Montréal ▶ (© Stuart Cohen)

◀ Une vue aérienne d'Abidjan en Côte d'Ivoire (© Magnum, Ian Berry)

Une charcuterie à Arles dans le midi de la France ▼ (© Stuart Cohen)

Une mine à ciel ouvert à Kolwezi au Zaïre ▼ (© Magnum, Alex Webb)

◀ Déjeuner en famille à Douala au Cameroun (© Magnum, S. Salgado)

Une vue de Paris du haut de la cathédrale Notre-Dame (© Monkmeyer Press, Paul Conklin) ▶

◀ Monaco: Une terrasse tranquille à Monte Carlo (© Comstock)

LES COULEURS

ATTENTION! Voir Grammaire A.5.

Activité 4. Les couleurs

D'habitude, de quelle couleur est _____?

1. une voiture
2. une plante
3. un chien
4. une maison
5. un chat

a. rouge
b. jaune
c. vert(e)
d. marron
e. blanc (blanche)
f. _____?

LES VÊTEMENTS

Activité 5. Mes camarades de classe

Regardez vos camarades de classe. Donnez le nom de l'étudiant(e), le vêtement et la couleur du vêtement.

NOM	VÊTEMENT	COULEUR
1. Caroline	chemisier	jaune
2. ______	______	______
3. ______	______	______
4. ______	______	______
5. ______	______	______

LES NOMBRES (de 0 à 60)

ATTENTION! Voir Grammaire A.6.

0 zéro
1 un
2 deux
3 trois
4 quatre
5 cinq
6 six
7 sept
8 huit
9 neuf

10 dix
11 onze
12 douze
13 treize
14 quatorze
15 quinze
16 seize
17 dix-sept
18 dix-huit
19 dix-neuf

20 vingt
21 vingt et un
22 vingt-deux
23 vingt-trois
24 vingt-quatre...
30 trente
31 trente et un
32 trente-deux
33 trente-trois
34 trente-quatre...

40 quarante
41 quarante et un
42 quarante-deux
43 quarante-trois
44 quarante-quatre...

50 cinquante
51 cinquante et un
52 cinquante-deux
53 cinquante-trois
54 cinquante-quatre...

60 soixante

Activité 6. Il y a combien d'étudiants?

Comptez les étudiants dans la classe qui...

PORTENT

_____ un pantalon
_____ des lunettes
_____ une montre
_____ un chemisier
_____ une jupe
_____ des tennis

ONT

_____ une barbe
_____ les cheveux longs
_____ une moustache
_____ les cheveux châtains
_____ les cheveux blonds
_____ les yeux bleus

LES SALUTATIONS

ATTENTION! Voir Grammaire A.7.

Bonjour.

Bonsoir.

Au revoir.

—Comment allez-vous?
—Très bien, merci.
Et vous?
—Pas mal, merci.

—Salut, ça va?
—Oui, ça va bien.

—Bonjour. Je m'appelle Laurent Petit.
—Enchanté.

—Bonjour. Comment vas-tu?
—Bien, merci.

—Tu vas bien?
—Oui, et toi?
—Moi aussi.

—Comment allez-vous, Mademoiselle?
—Comme ci, comme ça.

Activité 7. Dialogues

1. Charles Duroc dit bonjour à une nouvelle camarade de classe à l'université.

   CHARLES: Bonjour, comment vas-tu?
   PATRICIA: Très bien, merci. Et toi?
   CHARLES: Pas mal, merci.

2. Irène Tour parle au téléphone avec M. Jacques Lépine.

   IRÈNE: Bonjour, Monsieur. Comment allez-vous?
   JACQUES: Je suis un peu fatigué. Et vous?
   IRÈNE: Ça va, merci.

3. Roger Varenne parle avec un camarade de classe à l'université de Toulouse.

   ROGER: Salut, Jean-Paul. Ça va?
   JEAN-PAUL: Oui, ça va bien. Et toi?
   ROGER: Pas trop mal.

4. Antoinette parle avec Mme Saulnier.

   MME SAULNIER: Bonjour, Antoinette.
   ANTOINETTE: Bonjour, Madame. Comment va la famille?
   MME SAULNIER: Bien, merci.

5. Jean-Luc Leblanc dit bonjour à sa jeune voisine Antoinette.

   JEAN-LUC: Bonjour, Antoinette.
   ANTOINETTE: Bonjour, Monsieur Leblanc. Comment allez-vous?
   JEAN-LUC: Très bien, merci. Comment va ta mère?
   ANTOINETTE: Elle va bien, merci.

6. Antoinette parle avec son ami Gustave.

   ANTOINETTE: Salut, Gustave. Tu vas bien?
   GUSTAVE: Comme ci, comme ça. Et toi?
   ANTOINETTE: Je suis un peu fatiguée.

Vocabulaire

LES ORDRES Commands

asseyez-vous	sit down
chantez	sing
comptez	count
courez	run
dites	say
donnez	give
écoutez	listen
écrivez	write
fermez	close
levez (la tête)	raise (your head, *i.e., look up*)
levez-vous	get up
lisez	read
marchez	walk
montrez	show
ouvrez	open
parlez	speak
prenez	take
regardez	look (at)
en haut	up above
sautez	jump
tournez	turn
à gauche	to the left
à droite	to the right

QUESTIONS Questions

Combien de... ?	How many . . . ?
Comment s'appelle... ?	What's the name of . . . ?
Il/Elle s'appelle...	His/Her/Its name is . . .
Comment vous appelez-vous?	What is your name?
Je m'appelle...	My name is . . .
De quelle couleur est... ?	What color is . . . ?
Est-ce que c'est... ?	Where is . . . ?
Où est... ?	Is it . . . ?
Qui est-ce?	Who is that?

L'ASPECT PHYSIQUE Physical characteristics

Il/Elle est...	He/She/It is . . .
beau (belle)	handsome (beautiful)
blond(e)	blond
brun(e)	brunet(te)
fatigué(e)	tired
grand(e)	tall
gros(se)	fat
jeune	young
mince	slender
neuf (neuve)	brand-new
nouveau (nouvelle)	new
petit(e)	small, short
vieux (vieille)	old
Ses cheveux sont...	His/Her hair is . . .
blonds	blond
bouclés	curly
bruns	brown
châtains	chestnut brown
courts	short
gris	gray
longs	long
noirs	black
raides	straight
avec...	with . . .
une barbe	a beard
une moustache	a mustache
Ses yeux sont...	His/Her eyes are . . .
bleus	blue
bruns	brown
noirs	black
verts	green

LES COULEURS Colors

blanc(he)	white
bleu(e)	blue
gris(e)	gray
jaune	yellow
marron	brown
noir(e)	black
orange	orange
rose	pink
rouge	red
vert(e)	green
violet(te)	violet

LES VÊTEMENTS Clothes

Il/Elle porte...	He/She is wearing . . .
Ils/Elles portent...	They are wearing . . .
un blouson	a short jacket, windbreaker
des bottes	boots
un chapeau	a hat
des chaussures	shoes
une chemise	a shirt
un chemisier	a blouse
un costume	a suit (*for a man*)
une cravate	a necktie
une jupe	a skirt
des lunettes	glasses
un manteau	a coat
une montre	a watch
un pantalon	pants
un pull-over	a sweater
une robe	a dress
des tennis	tennis shoes
une veste	a jacket

LES PERSONNES People

l'ami(e)	friend
le (la) camarade de classe	classmate
l'étudiant(e)	student
la famille	family
la femme	woman
le garçon	boy
l'homme	man
la jeune fille	girl
le jeune homme	young man
la mère	mother
le professeur	teacher, professor
le voisin (la voisine)	neighbor

SALUTATIONS ET FORMULES DE POLITESSE Greetings and polite forms

Au revoir.	Goodbye.
Bonjour.	Hello. Good day (morning).
Bonsoir.	Good evening.
Ça va?	How's it going? (*informal*)
Ça va bien.	Things are going well. Fine.
Comment allez-vous?	How are you? (*formal*)
Comment vas-tu?	How are you? (*informal*)
Bien, merci.	Fine, thanks.
Et vous?	And you? (*formal*)
Et toi?	And you? (*informal*)
Ça va, merci.	OK, thanks.
Comme ci, comme ça.	Fairly well. Not too bad.
Pas mal, merci.	Not bad, thanks.
Pas trop mal.	Not too bad.
Comment va... ?	How is . . . ?
Il/Elle va...	He/She is . . .
Enchanté(e).	Pleased to meet you.
Madame (Mme)	Madam; Mrs.
Mademoiselle (Mlle)	Miss
merci	thank you
Monsieur (M.)	sir; Mr.
Salut.	Hello.
s'il vous plaît	please
Tu vas bien?	Are you doing well?

VERBES Verbs

c'est	it (this, that) is
(il/elle) dit	(he/she) says
être	to be
je suis	I am
tu es	you (*informal*) are
il/elle est	he/she/it is
nous sommes	we are
vous êtes	you (*formal*) are
ils/elles sont	they are
il y a	there is/are
j'ai	I have
(ils/elles) ont	(they) have
(il/elle) parle	(he/she) speaks

SUBSTANTIFS Nouns

le chat	cat
le chien	dog
le français	French (*language*)
le livre	book
la maison	house
le nom	name
la porte	door
le stylo	pen
la voiture	car

Mots similaires (*Similar words*): **la classe, la communication, la description, la photo, la plante, le téléphone, l'université**

MOTS ET EXPRESSIONS UTILES Useful words and expressions

à	to, at
aujourd'hui	today
aussi	also
au téléphone	on the phone
avec	with
bien	well
dans	in
de/du/des	of, of the
d'habitude	usually
en	in, on
et	and
le/la/les	the
mais	but
mes	my
moi	me, I
ne... pas	no, not
n'est-ce pas?	isn't he?, aren't you?, *etc.*
non	no
ou	or
oui	yes
qui	who
son/sa	his/hers/its
ta	your (*informal*)
très	very
un/une	one, a, an
un peu	a little
vos	your (*formal*)

LES NOMBRES Numbers

zéro	0
un	1
deux	2
trois	3
quatre	4
cinq	5
six	6
sept	7
huit	8
neuf	9
dix	10
onze	11
douze	12
treize	13
quatorze	14
quinze	15
seize	16
dix-sept	17
dix-huit	18
dix-neuf	19
vingt	20
vingt et un	21
vingt-deux	22
trente	30
trente et un	31
trente-deux	32
quarante	40
cinquante	50
soixante	60

VOCABULAIRE POUR LE COURS DE FRANÇAIS Words for class activities

l'activité orale	oral activity
Attention!	Note! Attention!
le cahier	notebook
le dialogue	dialogue
l'étape	stage, step
l'exemple	example
l'exercice	exercise
la grammaire	grammar
la lecture	reading
la première partie	first part
voir...	see . . .

GRAMMAIRE ET EXERCICES

Before you begin the grammar explanations and the exercises for the **Première étape,** be sure to read the **Prononciation et orthographe** (*Spelling*) section in the **Cahier.**

A.1. *Commands:* ***vous*** *Forms*

The commands your instructor will give you are verbs that end in **-ez.** In some commands the pronoun **vous** (*you* or *yourself*) is used. In Chapter 2 you will learn which forms require the pronoun **vous** and which do not.

> **Ouvrez** le livre de français!
> *Open the French book!*
>
> **Asseyez-vous** et **écoutez** bien!
> *Sit down and listen carefully!*

Pronunciation hint: Keep in mind that most final consonants are not pronounced in French. In the preceding examples, the final consonants of the following words are not pronounced*: **ouvrez, français, asseyez, vous, et, écoutez.** For more details, see the **Cahier.**

Exercice 1

Are these commands given in a logical order? Answer **oui** or **non.**

1. a. Ouvrez le livre! b. Lisez!
2. a. Asseyez-vous! b. Courez!
3. a. Écrivez! b. Prenez un stylo!
4. a. Tournez! b. Regardez!
5. a. Levez-vous! b. Marchez!

A.2. *Identifying People:* ***Qui est-ce? Est-ce que c'est... ?***

A. To ask who someone is, use the interrogative **qui** (*who*) with the verb **est** (*is*) and the pronoun **ce** (*this, that*). Note that **ce** + **est** contract to **c'est** in the answer.

> **Qui est-ce? —C'est** Monique.
> *"Who is that?" "That's Monique."*

---

*In this text a / through a letter indicates that it is not usually pronounced.

Pronunciation hint: **Qui est-ce?, Est-ce que... C'est** is pronounced **c'est** if the following word begins with a consonant (**c'est Monique**) and **c'est** if the following word begins with a vowel (or, in some cases, an **h**)(**c'est Anne**).* See the **Cahier** for more details.

B. An alternative is to use the expression **Est-ce que c'est ____?**

> **Est-ce que c'est** Marie? —Non, c'est Chantal.
> *"Is that Marie?" "No, that's Chantal."*

C. Note that the phrase **Est-ce que** can be used to turn most statements into questions.

> Mme Martin est professeur. →
> **Est-ce que** Mme Martin est professeur?

You will learn more about forming questions in later chapters of ***Deux mondes.***

D. In French the verb **appeler** (*to be called*) is used to ask or tell what someone's name is.

> Comment **vous appelez-vous**? —**Je m'appelle** Paul.
> *"What is your name?" "My name is Paul."*

Pronunciation hint: **Comment vous appelez-vous?, Je m'appelle...**

You will learn more about how to use this verb in Grammar Section 2.2.

Exercice 2

Match the answers with the questions.

QUESTIONS	ANSWERS
1. Qui est-ce?	a. Non, c'est Hélène.
2. Est-ce que c'est Monique?	b. Je m'appelle Étienne.
3. Est-ce que Mme Martin est professeur?	c. C'est Louis.
4. Comment vous appelez-vous?	d. Oui, elle est professeur.

A.3. *Identifying People: Subject Pronouns +* ***être***

A. To identify people you can use a subject pronoun with a form of the verb **être** (*to be*).

> Est-ce que Louis **est** vieux? —Non, **il est** jeune.
> *"Is Louis old?" "No, he's young."*

---

*In this text, this symbol (‿) indicates liaison. For more details, see the **Cahier.**

B. Here are the subject pronouns in French, with their English equivalents.

je	*I*	**nous**	*we*
tu	*you (informal)*	**vous**	*you (plural, formal)*
il	*he, it (masculine)*	**ils**	*they (masculine or masculine and feminine)*
elle	*she, it (feminine)*	**elles**	*they (feminine)*

Pronunciation hint: **nou~~s~~, vou~~s~~, il~~s~~, elle~~s~~.**

Note that there are two ways to say *you* in French, **tu** and **vous.** You will learn more about this distinction in Grammar Section A.7 in this **étape.**

Also note that the pronoun **il** corresponds to English *he* or *it,* and **elle** to *she* or *it*. There are two ways to express *it* because French classifies nouns as masculine or feminine. You will examine this grammatical distinction in the **Deuxième étape.**

Both pronouns **ils** and **elles** correspond to English *they.* **Elles** is used for groups of women, while **ils** may refer to groups of men or to groups of men and women together. Like the singular forms (**il** and **elle**), **ils** also refers to objects classified as masculine, and **elles** to objects classified as feminine.

C. Here are the forms of the verb **être** (*to be*) along with the subject pronouns to which they correspond. **Il** (*he, it*) and **elle** (*she, it*) are grouped together, since they are used with the same verb form (**est**). Similarly, **ils** (*they*) and **elles** (*they, feminine*) are together, since they are also used with the same verb form (**sont**).

être (*to be*)	
je **suis**	*I am*
tu **es**	*you* (*informal*) *are*
il/elle **est**	*he, she, it is*
nous **sommes**	*we are*
vous **êtes**	*you* (*plural, formal*) *are*
ils/elles **sont**	*they are*

Pronunciation hint: **sui~~s~~, e~~s~~, il‿e~~st~~, el~~le~~‿e~~st~~, nou~~s~~ som~~mes~~, vous‿êt~~es~~, il~~s~~ son~~t~~, el~~les~~ son~~t~~.**

Êtes-vous professeur? —Non, je **suis** étudiant.
"Are you a professor?" "No, I'm a student."

Est-ce qu'Étienne et Hélène **sont** blonds? —Non, ils **sont** bruns.
"Are Étienne and Hélène blond?" "No, they're brunette."

Exercice 3

Describe these people. Choose the correct form of the verb **être: suis, est, sommes, êtes, sont.**

1. Je m'appelle Hélène et je ____ étudiante.
2. Kareem Abdul Jabbar ____ très grand.
3. Nous ____ très jeunes.
4. Marlene Dietrich et Anthony Quinn ____ vieux.
5. Monsieur et Madame Leblanc, vous ____ très sympathiques.
6. Lady Di ____ mince et élégante.
7. Chantal et Monique ____ amies.

A.4. Sentence Negation: *ne... pas*

A. Use **ne... pas** to make a sentence negative. Note that **ne** precedes the verb and **pas** follows it. **Ne** is contracted to **n'** before a word that begins with a vowel.

Est-ce que tu es étudiant? —Non, je **ne** suis **pas** étudiant.
"Are you a student?" "No, I'm not (a student)."

Est-ce que votre ami est grand? —Non, il **n'**est **pas** très grand.
"Is your friend tall?" "No, he's not very tall."

Est-ce que M. Durand est jeune? —Non, il **n'**est **pas** jeune.
"Is Mr. Durand young?" "No, he isn't (young)."

Pronunciation hint: **il n'est pas grand, je ne suis pas‿étudiant.**

B. The expression **n'est-ce pas?** is used to ask for confirmation of the information that precedes it. **N'est-ce pas?** corresponds to English "tag questions" such as *isn't he?, aren't you?, don't they?, won't we?,* and so on.

Gustave est étudiant, **n'est-ce pas?**
Gustave is a student, isn't he?

Pronunciation hint: **n'est-ce pas?**

Exercice 4

Answer these questions negatively. Use pronouns (**il, elle, ils, elles**) if you wish.

MODÈLE: Est-ce qu'Isabelle est américaine? → Mais non, Isabelle (elle) n'est pas américaine.

1. Est-ce qu'Étienne est gros?
2. Est-ce que Chantal et Monique sont brunes?
3. Est-ce que Mme Saulnier est mince?
4. Est-ce qu'Hélène est grande?
5. Est-ce que Martin et Raoul sont américains?

A.5. *Color Adjectives*

A. Words used to describe people, places, or things (nouns) are called adjectives. The adjectives are indicated in boldface in these examples.

> Est-ce que la voiture est **marron**? —Non, elle est **verte**.
> *"Is the automobile brown?" "No, it's green."*
>
> C'est un chien **blanc**? —Non, il est **gris**.
> *"Is it a white dog?" "No, it's gray."*

Note, as in the preceding examples, that adjectives can be placed after the verb form **est** (*is*) or **sont** (*are*) in French, or they may follow the word they describe (modify).

B. Some adjectives have two different forms, according to whether they describe (modify) masculine or feminine words. You will learn when to use each form in the next **étape.** However, for the moment, you should recognize these forms when you hear them. Here are the words for colors, with masculine and feminine forms given whenever they are different.

bleu, bleu**e**	*blue*	jaune	*yellow*
gris, gris**e**	*gray*	marron	*brown*
noir, noir**e**	*black*	orange	*orange*
vert, vert**e**	*green*	rose	*pink*
blanc, blanc**he**	*white*	rouge	*red*
violet, violet**te**	*violet*		

Pronunciation hint: **gris, grise; vert, verte; blanc, blanche; violet, violette.** Note also: **grise** = **griz**.

Exercice 5

Disagree with the following statements and choose a different color. (If the pronoun **il** is given, use a masculine color adjective; if the pronoun **elle** is given, use a feminine color adjective.)

MODÈLE: Le mur est violet. → Mais non, il n'est pas violet; il est gris.

1. La voiture est rose.
   Mais non, elle _____ rose; elle est _____.
2. La maison est jaune.
   Mais non, elle _____ jaune; elle est _____.
3. Le livre est bleu.
   Mais non, il _____ bleu; il est _____.
4. Le stylo est gris.
   Mais non, il _____ gris; il est _____.
5. Le chien est vert.
   Mais non, il _____ vert; il est _____.

A.6. Expressing Existence: **il y a** + Number

Use the expression **il y a** (*there is/are*) to talk about the existence of people or things.

Est-ce qu'**il y a** vingt étudiants dans ta classe de français? —Non, **il y a** seulement quinze étudiants. (Non, seulement quinze.)
"Are there twenty students in your French class?" "No, there are only fifteen students." (*No, only fifteen.*)

Il y a combien d'étudiants qui portent un pantalon bleu? —Cinq!
"How many students are there (*that are*) *wearing blue pants?" "Five!"*

To say *there aren't any . . .*, use **il n'y a pas** followed by **de** or **d'**.

Il n'y a pas de femmes dans ma classe.
There aren't any (*There are no*) *women in my class.*

Il n'y a pas d'étudiants ici.
There are no students here.

Exercice 6

Answer the questions, writing out the numbers.

MODÈLE: Dans la classe: Il y a combien de femmes? →
Cinq.
ou Il y a cinq femmes.

Dans la classe:

1. Il y a combien de garçons?
2. Il y a combien d'hommes avec une moustache?
3. Il y a combien d'étudiants et d'étudiantes aux cheveux blonds et aux yeux bleus?
4. Il y a combien de femmes qui portent une jupe?
5. Il y a combien d'étudiants et d'étudiantes qui ont les cheveux bouclés?

A.7. Addressing Others: **tu** and **vous**

A. In English one pronoun is used to address another person directly: *you*. In older forms of English, speakers used an informal pronoun among friends: *thou*. But today English speakers use *you* both formally (to strangers) and informally (to friends). In French there are two pronouns that correspond to English *you:* **tu** and **vous.** In general **tu** is used among peers, that is, with friends and other students, and, in most cases, with family members. **Vous** is used with those older than you, with persons you don't know at all or don't know well, and, in general, in public with clerks, attendants, taxi drivers, waiters, and so on.

Albert, **tu** vas bien? —Oui, très bien, merci.
"Albert, are things going well?" "Yes, great, thanks."

Bonjour, Madame. Comment allez-**vous?** —Très bien.
"Good morning, ma'am. How are you?" "Fine."

B. While **tu** is used to address one person in an informal context, **vous** is always used in speaking to more than one person. For example, your instructor will address the entire class or several class members with **vous.** He or she may also use **vous** to address an individual student.

Hélène et Albert, êtes-**vous** français?
Hélène and Albert, are you French?

Mme Martin, êtes-**vous** professeur?
Mrs. Martin, are you a professor?

C. The use of **tu** and **vous** varies somewhat from country to country and even within a country. It is best to use **vous** with persons you do not know personally or who are older than you. With other students or friends your own age, it is customary to use **tu.**

Exercice 7

When speaking to the following people, would a French speaker use **tu** or **vous?**

1. un ami
   a. Tu as une voiture neuve! Elle est belle!
   b. Vous avez une voiture neuve! Elle est belle!
2. un autre étudiant
   a. Tu as un cours de maths aujourd'hui?
   b. Vous avez un cours de maths aujourd'hui?
3. le professeur
   a. Comment s'appelle ta mère?
   b. Comment s'appelle votre mère?
4. le président
   a. Tu portes un beau chapeau de cow-boy!
   b. Vous portez un beau chapeau de cow-boy!
5. la secrétaire, à Mme Martin
   a. Comment allez-vous aujourd'hui?
   b. Comment vas-tu aujourd'hui?

In the **Deuxième étape** you will continue to develop your listening skills in French and will begin to speak French. You will get to know your classmates better as you work with them in pairs or small groups. You will also learn more vocabulary for describing your immediate environment and your family.

Les Français passent beaucoup de temps en famille.

DEUXIÈME ÉTAPE

THÈMES

- Things in the Classroom
- Parts of the Body (Part 1)
- Describing People (Part 2)
- Family and Family Members

GRAMMAIRE

B.1. Identifying Nouns: **Qu'est-ce que c'est?**
B.2. Gender and Singular Indefinite Articles: **c'est** + **un/une**
B.3. Specifying Nouns: Singular Definite Articles (**le, la, l'**)
B.4. Plural Forms and Plural Agreement
B.5. Describing: Gender Agreement
B.6. Emphatic Pronouns

LA SALLE DE CLASSE

ATTENTION! Voir Grammaire B.1–B.3.

un livre **le** livre
une table **la** table

Activité 1. Les objets dans la salle de classe

Qu'est-ce qu'il y a sur la table?
Il y a un/une...
Il n'y a pas de...

1. cahier
2. lampe
3. livre
4. plante
5. chapeau
6. montre
7. craie
8. voiture
9. stylo
10. crayon

Activité 2. Les objets dans la salle de classe

MODÈLE: Dans ma classe il y a... → un crayon rouge

1. un crayon
2. une fenêtre
3. un tableau noir
4. une horloge
5. un stylo
6. une table
7. un livre
8. une porte

a. jaune
b. moderne
c. bleu(e)
d. facile
e. blanc(he)
f. long(ue)
g. grand(e)
h. intéressant(e)
i. marron
j. difficile
k. petit(e)
l. court(e)
m. _____?

LES PARTIES DU CORPS (Première partie)

ATTENTION! Voir Grammaire B.4.

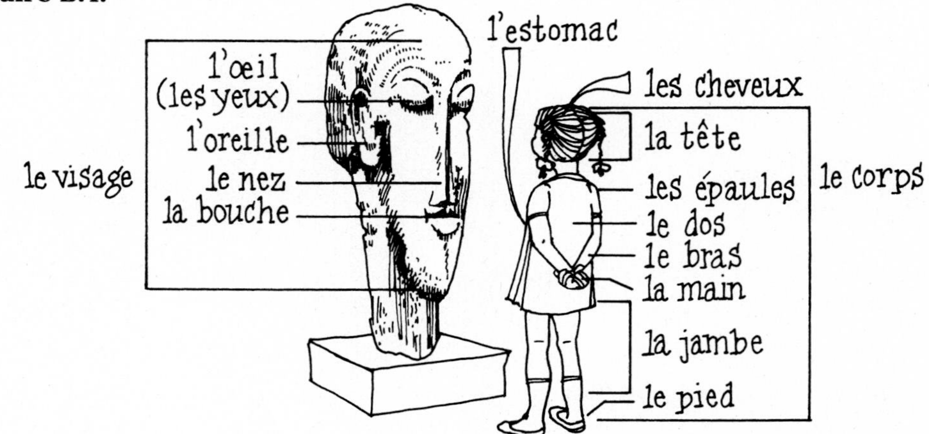

Activité 3. Qui est-ce?

Regardez les personnes suivantes. Écoutez la description et donnez leur nom.

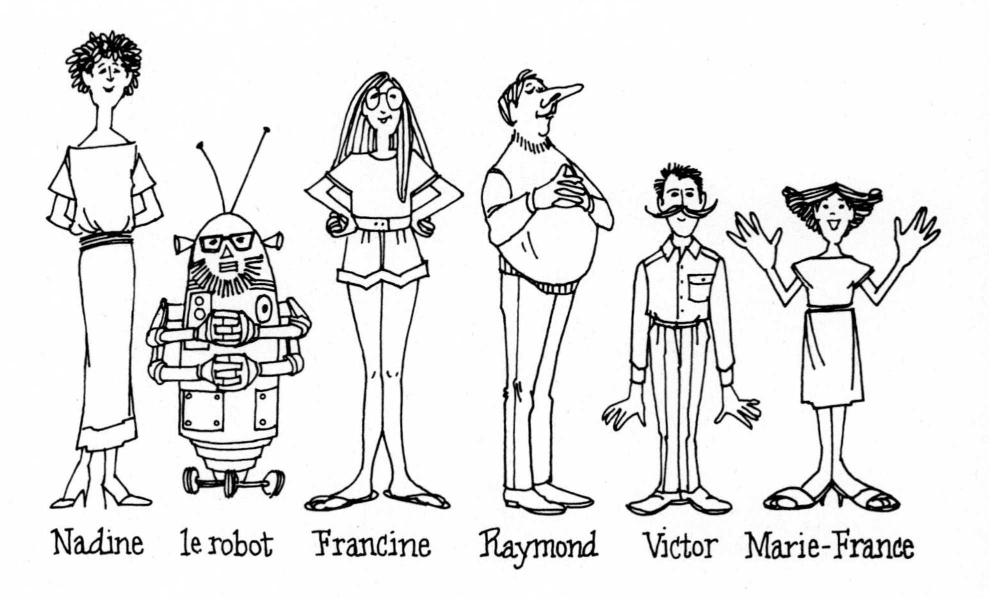

LA DESCRIPTION DES PERSONNES (Deuxième partie)

ATTENTION! Voir Grammaire B.5.

	masculin	féminin
singulier	un homme charman**t** un pantalon ver**t**	une femme charman**te** une robe ver**te**
pluriel	des hommes charman**ts** des pantalons ver**ts**	des femmes charman**tes** des robes ver**tes**

Activité 4. Les camarades de classe

Décrivez vos camarades de classe. Regardez l'exemple d'Étienne.

Est-ce que ____?	ÉTIENNE	QUI?
1. Est-ce que ____ a les cheveux blonds/roux/noirs/châtains?	châtains	____
2. Est-ce que ____ a les cheveux longs/courts?	courts	____
3. Est-ce que ____ a une barbe/une moustache?	non	____
4. Est-ce que ____ a les yeux bleus/marron/verts/noirs?	marron	____
5. Est-ce que ____ porte des lunettes?	oui	____

Activité 5. Interaction: Mes camarades et moi

sociable	individualiste	idéaliste
nerveux (-euse)	raisonnable	enthousiaste
timide	généreux (-euse)	intelligent(e)

1. Est-ce qu'Étienne est sociable?
   —Oui, il est très sociable. (Non, il n'est pas sociable.)
2. Comment est Chantal?
   —Elle est timide.
3. Et vous, comment êtes-vous?
   —Moi, je suis raisonnable. Je ne suis pas timide.

Activité 6. Dialogues

1. Mon petit ami René

MARIE-LOUISE: Qui est ce grand garçon mince, avec une barbe?
ANTOINETTE: C'est mon petit ami René. Il est beau mais un peu traditionaliste.
MARIE-LOUISE: Moi aussi, je suis traditionaliste. Il n'y a rien de mal à ça!

2. Ma nouvelle amie

MADAME MARTIN: Comment est votre nouvelle amie, Louis?
LOUIS: Elle est grande, mince et brune. Et très sympathique!
MADAME MARTIN: Comment est-ce qu'elle s'appelle?
LOUIS: Cécile.
MADAME MARTIN: C'est un très joli prénom.
LOUIS: Elle est très jolie aussi!

Activité 7. Dialogues ouverts

1. Les nouveaux amis

É1: Tu as de nouveaux amis?
É2: Oui, deux.
É1: Comment est-ce qu'ils s'appellent?
É2: Ils s'appellent _____ et _____ et ils sont très _____.
É1: Est-ce qu'ils sont aussi _____?
É2: Oui, bien sûr!

2. Le professeur de français

É1: Comment est ton professeur de français?
É2: Il/Elle est très _____.
É1: Est-ce qu'il/elle est aussi _____?
É2: Oui, il/elle est _____ et _____.

Activité 8. Entrevue: Mon meilleur ami/Ma meilleure amie

ÉTUDIANT(E) 1	ÉTUDIANT(E) 2
1. Comment s'appelle ton meilleur ami (ta meilleure amie)?	Il/Elle s'appelle _____.
2. De quelle couleur sont ses yeux?	Ils sont _____.
3. Il/Elle est grand(e), petit(e) ou de taille moyenne?	Il/Elle est _____.
4. De quelle couleur sont ses cheveux?	Ils sont _____.

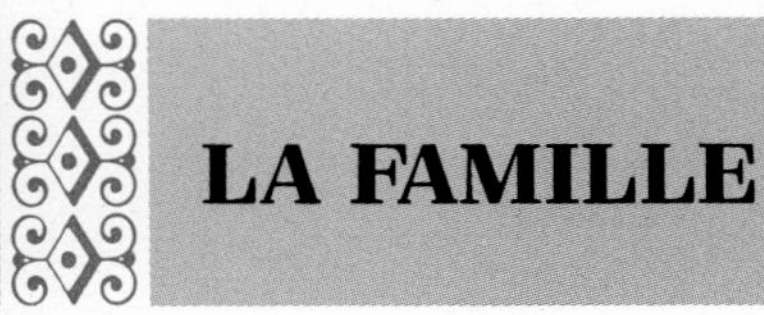

LA FAMILLE

ATTENTION! Voir Grammaire B.6.

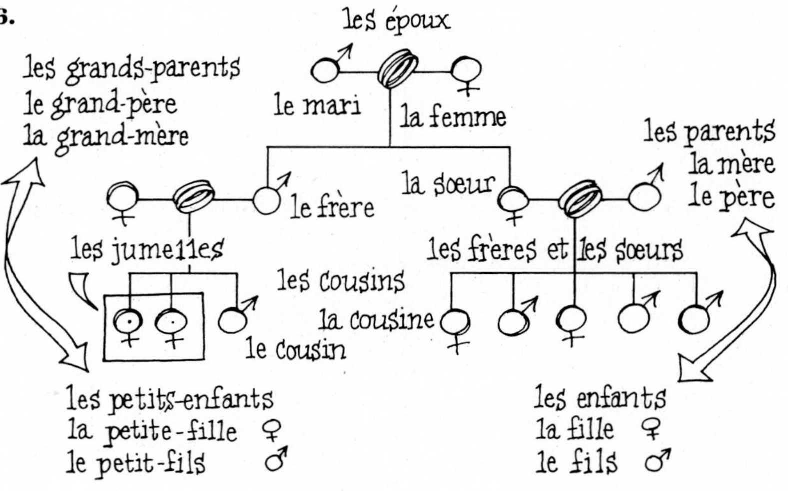

Activité 9. La famille Durand

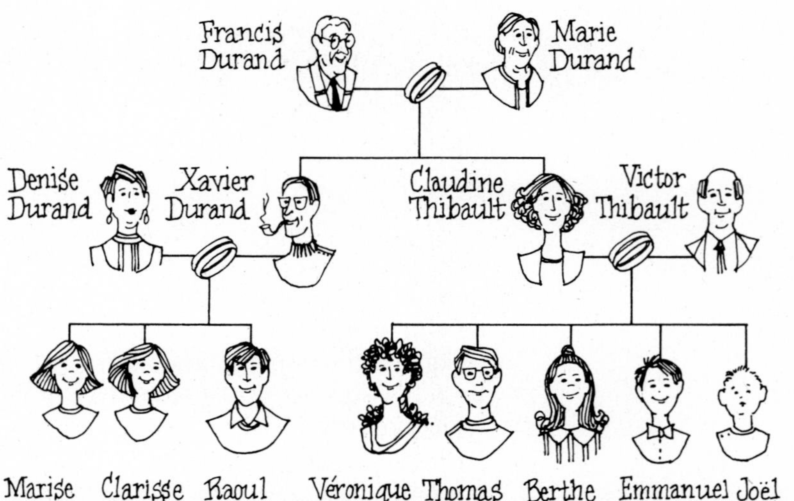

1. Combien d'enfants ont Denise et Xavier Durand?
2. Combien de frères et sœurs a Raoul Durand?
3. Comment s'appelle le mari de Marie Durand?
4. Comment s'appelle le père de Marise et de Clarisse?
5. Est-ce qu'Emmanuel a des sœurs?
6. Comment s'appelle le frère de Marise?
7. Comment s'appelle la grand-mère de Raoul?
8. Est-ce que Clarisse a des cousins?
9. Comment s'appelle le cousin de Berthe?
10. Comment s'appellent les parents de Véronique?

Activité 10. Définitions: La famille

MODÈLE: É1: Qui est ton/ta _____?
É2: C'est _____.

1. frère
2. grand-père
3. mère
4. mari
5. grand-mère

a. la femme de mon père
b. la mère de mon père ou de ma mère
c. le fils de ma mère
d. le père de mon père ou de ma mère
e. le père de mes enfants

Activité 11. Dialogues

1. Combien d'enfants avez-vous?
M. Armand Olivier rencontre Martine Leblanc.

ARMAND: Bonjour, Madame Leblanc.
MARTINE: Bonjour, Monsieur Olivier.
ARMAND: Qui sont ces jeunes filles?
MARTINE: Ce sont mes filles, Marion et Pauline.
ARMAND: Vos filles? Combien d'enfants avez-vous?
MARTINE: Trois. Deux filles, Marion et Pauline, et un fils, Jeannot.

2. Qui est-ce?
Pierre Michaud parle avec Édouard Vincent.

ÉDOUARD: Pardon, Monsieur Michaud. Qui est ce monsieur là-bas?
PIERRE: Ah, il s'appelle César Michaud.
ÉDOUARD: Michaud? C'est votre frère?
PIERRE: Non, il s'appelle aussi Michaud mais ce n'est pas mon frère. Mon frère s'appelle Germain.

Activité 12. Entrevue: La famille

1. Comment s'appelle ton père?
   —Mon père s'appelle ____.
2. Comment s'appelle ta mère?
   —Ma mère s'appelle ____.
3. As-tu des frères et sœurs?
   —Oui, j'ai ____ et ____. (Non, je n'ai pas de ____.)
   Et toi?
   —Moi, j'ai ____. (Moi, je n'ai pas de ____.)
4. Comment s'appelle ton frère?
   —Il s'appelle ____.
5. Comment s'appelle ta sœur?
   —Elle s'appelle ____.
6. Combien de cousins as-tu?
   —J'ai ____ cousins. (Je n'ai pas de cousins.)

Vocabulaire

LES ORDRES Commands

apportez-lui bring him/her
apportez-moi bring me
dansez dance
décrivez describe
donnez give
mettez put
posez put, place
touchez touch

LA DESCRIPTION Description

bas(se) low
charmant(e) charming
deuxième second
difficile difficult
droite right (*direction*)
enthousiaste enthusiastic
facile easy
frisé(e) curly
gauche left (*direction*)
généreux (-euse) generous
haut(e) high
idéaliste idealistic
individualiste individualistic
joli(e) pretty
laid(e) ugly
large wide
maigre thin, skinny
meilleur(e) better
moche ugly
moyen(ne) medium
nerveux (-euse) nervous
ouvert(e) open
raisonnable reasonable
roux (rousse) red (*hair*)
sale dirty
suivant(e) following, next
sympathique nice

Mots similaires: **féminin(e) intelligent(e), intéressant(e), masculin(e), moderne, sociable, timide, traditionaliste**

LES PARTIES DU CORPS Parts of the body

la bouche	mouth
le bras	arm
les doigts (*m.*)	fingers
le dos	back
l'épaule (*f.*)	shoulder
l'estomac (*m.*)	stomach
le genou (*pl.* **les genoux**)	knee
la jambe	leg
la main	hand
le nez	nose
l'œil (*m.*) (*pl.* **les yeux**)	eye
l'oreille (*f.*)	ear
le pied	foot
le visage	face

LES OBJETS DE LA SALLE DE CLASSE Objects in the classroom

la brosse	(blackboard) eraser
le bureau	desk
la chaise	chair
la craie	chalk
le crayon	pencil
la fenêtre	window
la feuille	sheet of paper
la gomme	(rubber) eraser
l'horloge (*f.*)	clock
le mur	wall
le papier	paper
le plafond	ceiling
le plancher	floor
le pupitre	student's desk
le tableau noir	blackboard

Mots similaires: **la lampe, la table**

Révision (*Review*): **le cahier, le livre, la porte, le stylo**

LES MEMBRES DE LA FAMILLE Family members

le cousin (la cousine)	cousin
les cousins (*m.*)	cousins
l'enfant (*m.*)	child
l'époux (**-ouse**)	spouse
les époux (*m.*)	husband and wife; married couple
la femme	wife
la fille	daughter
le fils	son
le frère	brother
la grand-mère	grandmother
le grand-père	grandfather
les jumeaux (**-elles**)	twins
le mari	husband
le neveu (*pl.* **les neveux**)	nephew
la nièce	niece
les parents (*m.*)	parents; relatives
le père	father
le petit-fils (la petite-fille)	grandson (granddaughter)
les petits-enfants (*m.*)	grandchildren
la sœur	sister

Mots similaires: **les grands-parents** (*m.*)

Révision: **la mère**

VERBES Verbs

Avez-vous...?	Do you have . . . ?
ce sont...	these (those) are . . .
(il/elle) rencontre	(*he/she*) meets
tu as	you have
voyez-vous?	do you see?

SUBSTANTIFS Nouns

l'entrevue (*f.*)	interview
le nom de famille	last name
le petit ami (la petite amie)	boyfriend (girlfriend)
le prénom	first name
le sac	purse
la taille	size

Mots similaires: **la définition, l'interaction** (*f.*), **le modèle, le pluriel, le robot, le singulier**

MOTS ET EXPRESSIONS UTILES Useful words and expressions

à rayures	striped
alors	then
bien sûr	certainly, of course
ça	this, that
ce, cet	this, that (+ *masculine noun*)
c'est vrai	it's true
ces	these, those (+ *noun*)
comment dit-on?	how do you say?
de rien	you're welcome
de taille moyenne	medium size
devant	in front of
en anglais	in English
il n'y a pas de...	there is/are no . . .
là-bas	over there
leur	their
lui	him, he
ma	my
maintenant	now
mal	badly
mon	my
pardon	pardon
qu'est-ce que...?	what . . . ?
quel est...?	what is . . . ?
rien	nothing
ses	his, her, its
sur	on; on top of
ton	your (*informal*)
voici...	here is/are . . .
voilà...	there is/are . . .
votre	your (*formal*)

B.1. *Identifying Nouns:* ***Qu'est-ce que c'est?***

Nouns can be identified or pointed out using **c'est** for one item or **ce sont** for more than one. Use the expression **Qu'est-ce que c'est?** to ask *What is that?*

> **Qu'est-ce que c'est**? —**C'est** une voiture.
> *"What's this?" "It's a car."*
>
> **Qu'est-ce que c'est?** —**Ce sont** des livres.*
> *"What is that?" "Those are books."*

B.2. *Gender and Singular Indefinite Articles:* ***c'est + un/une***

A. All nouns are classified as masculine or feminine in French. When the noun refers to a thing (a table, a wall, a tree, etc.), the classification of masculine or feminine has nothing to do with biological gender, nor does it mean that French speakers perceive things as being "male" or "female."

B. Nouns that refer to males are masculine and nouns that refer to females are feminine. Use **un** (*a/an*) with masculine nouns and **une** (*a/an*) with feminine nouns.†

C'est **un** homme.	C'est **une** femme.
This is a man.	*This is a woman.*

Pronunciation hint: **C'est‿un...**, **C'est‿une...**.

The nouns (**un**) **professeur** and (**une**) **personne** are invariable.

> Madame Martin est **un** excellent **professeur.**
> *Mrs. Martin is an excellent professor.*
>
> Paul est **une personne** sympathique.
> *Paul is a nice person.*

C. In the case of nouns referring to things, the grammatical classification as masculine or feminine is somewhat arbitrary. However, with enough experience listening to and reading French, you will become accustomed to associating **un** or **une** (and other modifiers that show gender) correctly with each noun.

> Qu'est-ce que c'est? C'est **un** livre (**une** chaise,...).
> *What is that? It's a book (a chair, . . .).*

---

*For more about plurals, see Grammar Section B.4 in this **étape.**

†*Pronunciation hint:* Listen carefully to your instructor's pronunciation of the articles **un** and **une**. **Un** is pronounced with a nasal vowel. The lips are rounded and tense, and the tip of the tongue is behind the lower teeth, when pronouncing **une**.

Exercice 1

Répondez aux questions.

MODÈLE: C'est un cahier? →
Non, ce n'est pas un cahier. C'est un crayon.

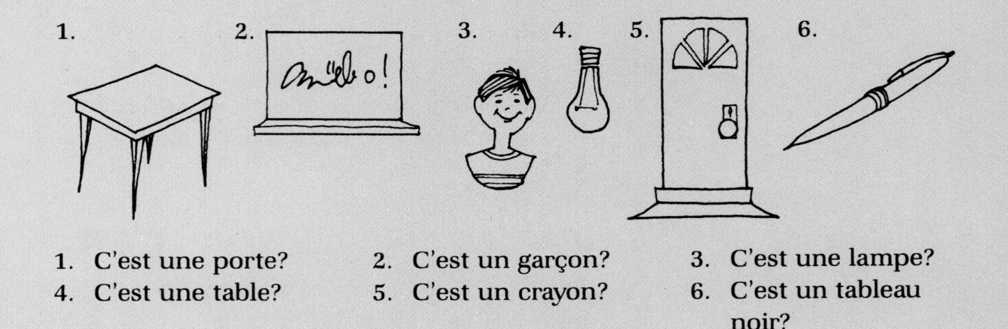

1. C'est une porte?
2. C'est un garçon?
3. C'est une lampe?
4. C'est une table?
5. C'est un crayon?
6. C'est un tableau noir?

Exercice 2

Étienne est très curieux aujourd'hui et il pose beaucoup de questions à Albert. Remplacez les tirets par **un** ou **une.**

1. Est-ce que Chantal porte ____ jupe noire?
   —Non, elle porte ____ robe jaune.
2. Qui a ____ beau stylo bleu? Et qui a ____ crayon rouge?
   —Étienne a les deux choses.
3. Est-ce que Louis porte ____ chemise à rayures?
   —Non, il porte ____ pull-over bleu et ____ pantalon gris.
4. Est-ce qu'Hélène a ____ livre d'histoire?
   —Non, elle a ____ livre de français.
5. Est-ce que Madame Martin porte ____ manteau aujourd'hui?
   —Non, elle porte ____ jupe courte et ____ jolie veste.

B.3. Specifying Nouns: Singular Definite Articles (***le, la, l'***)

A. The definite articles **le**/**la** (*the*) refer to specific nouns. **Le** is used with masculine nouns and **la** with feminine nouns.*

Qui est **le** professeur de mathématiques ici? —C'est Monsieur Legrand.
"Who's the math professor here?" "It's Mr. Legrand."

Qu'est-ce qu'il y a sur la table? —Il y a deux crayons.
"What is there on the table?" "There are two pencils."

---

*Listen carefully to your instructor's pronunciation of the article **le**. The lips should be very rounded when pronouncing this word. You should also note the difference between the vowel sounds in **le** and **la.**

B. Both **le** and **la** shorten to **l'** before nouns or adjectives that begin with a vowel.*

L'amie de Monique est sympathique.
Monique's friend is nice.

L'étudiant porte des lunettes.
The student is wearing glasses.

L'homme là-bas est professeur de japonais.
The man over there is a Japanese teacher.

C. The form of some nouns that refer to people is the same for males and females. Only the article changes to indicate gender: **le/la** or **un/une touriste**.

Irène est **une** touriste française.
Irène is a French tourist.

Jérôme est **un** touriste français.
Jérôme is a French tourist.

The feminine form of some nouns ends in **-e**: l'ami/l'ami**e**, l'étudiant/l'étudiant**e**.

L'amie d'Étienne est avocat**e**.
Étienne's friend is a lawyer.

D. Remember that **il** (*he, it*) is used to refer to masculine nouns and **elle** (*she, it*) to refer to feminine nouns. Similarly, **ils** (*they*) refers to masculine plural or mixed masculine and feminine plural nouns, and **elles** (*they*) to feminine plural nouns.

La voiture de Martin? C'est une Porsche. **Elle** est très rapide.
Martin's car? It's a Porsche. It's very fast.

Exercice 3

Questions sur la salle de classe: Remplacez les tirets par **le, la** ou **l'**.

1. Est-ce que _____ fenêtre de _____ classe est grande?
2. Est-ce que _____ lampe est basse?
3. Est-ce que _____ plafond est très haut?
4. Est-ce que _____ professeur écrit au tableau?
5. Est-ce que _____ porte est ouverte?
6. Est-ce que _____ pupitre de Louis est à droite?
7. Est-ce que _____ étudiante est derrière le bureau?
8. Est-ce que vous écrivez _____ nouveau vocabulaire dans votre cahier?
9. Est-ce qu'il y a des livres sur _____ chaise du professeur?
10. Est-ce que _____ horloge au mur est grande?

---

*The articles **le** and **la** also contract to **l'** before some (but not all) words that begin with the letter **h**: for example, **l'homme**. You will learn more about this rule as the need arises.

B.4. *Plural Forms and Plural Agreement*

A. Most French nouns and adjectives have a plural form that ends in the letter **-s** or, in some cases, in **-x.** Since this **-s** (or **-x**) is not normally pronounced, you must depend on the words that surround the noun (or sometimes on the verb; see Chapter 1) to determine if it is plural. The plural of the definite articles **le/la/l'** is **les.**

Pronunciation hint: In spoken French, it is usually the article that will signal to you that the noun is plural: **le livre, les livres; la fille, les filles.**

	Singulier	**Pluriel**
masculin	le/l'	**les**
féminin	la/l'	

Les cheveu**x** de Gustave sont très courts.
Gustave's hair is very short.

Les jambe**s** de Francine sont très longues.
Francine's legs are quite long.

Pronunciation hint: **les cheveux, les_enfants.**

B. The plural of the indefinite articles is **des** (*some, any*).

	Singulier	**Pluriel**
masculin	un	**des**
féminin	une	

Est-ce que vous avez **des** tennis? —Oui, mais ils sont chez moi.
"Do you have any (some) tennis shoes?" "Yes, but they're at home."

Est-ce qu'il y a **des** stylos sur la table? —Non, mais il y a **des** cahiers.
"Are there any pens on the table?" "No, but there are some notebooks."

Pronunciation hint: **des garçons, des_étudiants.**

C. Nouns that end in **-s, -x,** or **-z** do not change in the plural.

le nez	*the nose*
les nez	*the noses*
des cours de français	*some French courses*
des cours	*some courses*

Pronunciation hint: **les nez, des cours.**

D. Words like **tableau** (*chalkboard*) and **lieu** (*place*) that end in **-eau** or **-ieu** add **-x** to form the plural: **tableaux, lieux.** In words that end in **-al** or **-ail,** such as **hôpital** (*hospital*) and **travail** (*work*), **-al** and **-ail** usually become **-aux**: **hôpitaux, travaux.**

Les **tableaux** noirs de mon école sont très vieux.
The chalkboards at my school are very old.

Pronunciation hint: **tableau, tableaux; hôpital, hôpitaux.**

E. Adjectives that describe plural nouns also have plural forms. You will learn more about this in Grammar Section B.5.

Les pieds d'Albert sont très **grands.**
Albert's feet are very large.

Exercice 4

Utilisez **un, une, le, la** ou **les.**

1. Étienne est _____ étudiant de français. Aujourd'hui, dans _____ classe de Madame Martin, il porte _____ pull-over bleu et _____ pantalon noir. Il regarde _____ tableau noir et il écoute Madame Martin. Mais il regarde aussi par _____ fenêtre et il voit (*sees*) _____ belle voiture rouge. C'est _____ nouvelle voiture de Madame Martin!
2. Madame Martin dit: «Étienne, levez-vous, s'il vous plaît. Prenez _____ stylo vert de Monique et posez _____ stylo sur _____ chaise du professeur. Maintenant, prenez _____ livre de grammaire de Raoul et posez _____ livre sur _____ bureau. Puis (*Then*) prenez _____ brosse et mettez _____ brosse sur _____ genoux d'Hélène! Merci.»

B.5. Describing: Gender Agreement

A. Remember that adjectives modify nouns. In French they are commonly found after forms of the verb **être**, and either before or after the noun they modify.*

Hélène est **jeune** et très **intelligente.**
Hélène is young and very intelligent.

Mon oncle Renaud est un homme très **sympathique.**
My uncle Renaud is a very nice man.

B. Many adjectives have only one singular form that modifies either masculine or feminine nouns.

Monique est toujours **optimiste,** mais Albert est souvent **pessimiste.**
Monique is always optimistic, but Albert is often pessimistic.

*You will learn more about the position of adjectives in French in Chapter 3, Grammar Section 3.1.

C. If an adjective does not end in **-e** in the masculine form, it often adds an **-e** to form the feminine. Many words that identify nationality follow this rule: **français → française, canadien → canadienne.***

Madame Martin n'est pas **française;** elle est **canadienne.**
Mrs. Martin isn't French; she's Canadian.

D. A few adjectives have very different masculine and feminine forms and a special short form to be used before masculine words that begin with a vowel. They are **beau** (*beautiful; handsome*), **vieux** (*old*), and **nouveau** (*new*).

masculin (*s./pl.*)	**féminin** (*s./pl.*)	*before a vowel*†
beau/beaux	belle/belles	bel
vieux/vieux	vieille/vieilles	vieil
nouveau/nouveaux	nouvelle/nouvelles	nouvel

Pronunciation hint: Although the adjectives used before a vowel differ in spelling from the feminine form, their punctuation is the same.

Monsieur Vincent est un **vieil** homme très sympathique.
Mr. Vincent is a very nice old man.

Mon **nouvel** ami s'appelle Yves.
My new friend is called Yves.

Exercice 5

Laure et Cécile sont jumelles. Elles ont beaucoup de (*many*) choses, mais Laure a toujours (*always*) une chose et Cécile deux!

MODÈLE: Laure a un pull rouge, mais Cécile a deux ______. → pull-overs rouges.

1. Laure a un pantalon gris, mais Cécile a deux ______.
2. Laure a un crayon jaune, mais Cécile a deux ______.
3. Laure a une vieille bicyclette, mais Cécile a deux ______.
4. Laure a un bel album de photo, mais Cécile a deux ______ de photo.
5. Laure a un professeur américain, mais Cécile a deux ______.
6. Laure a une nouvelle robe, mais Cécile a deux ______.
7. Laure a un petit tableau de Picasso, mais Cécile a deux ______ de Picasso.
8. Laure a une lampe bleue, mais Cécile a deux ______.

---

*See the **Cahier** for the rules of pronunciation for masculine and feminine adjectives.

†The adjectives used before a vowel are also used before some (but not all) words that begin with the letter **h:** for example, **un vieil hôpital.**

Exercice 6

Voici les descriptions de Chantal. Répétez ses descriptions de façon plus générale.

MODÈLE: L'oreille de Francine est fine. →
Les oreilles de Francine sont fines.

1. La jambe de Marie-France est très courte.
2. Le cheveu de Gérard est très long.
3. L'œil de Francine est bleu.
4. Le pied de Victor est petit et mince.
5. L'antenne du robot est courte.
6. La main de Madame Martin est longue et fine.
7. Le bras de Victor n'est pas musclé.
8. L'oreille de Sévrine est petite.

Exercice 7

Quels mots peut-on utiliser pour décrire chaque personne?

MODÈLE: Francine: étudiant, bonne camarade; enthousiaste, blond, optimiste, timides →
Francine est une bonne camarade. Elle est enthousiaste et optimiste.

1. Albert: étudiant, femme; nerveuse, sympathique, intelligent, vieilles
2. Monique: secrétaire, étudiant; efficace, beau, généreuse, canadien
3. Louis et Hélène: cousin, amis; raisonnable, enthousiaste, jeunes, beaux, timides
4. Madame Martin: étudiant, professeur; sociable, charmant, individualiste, traditionalistes
5. Nadine et Marie-France: professeur, étudiantes; sympathique, brunes, minces, charmante

B.6. *Emphatic Pronouns*

A. Remember that subject pronouns identify nouns (people, places, or things).

Qui est cette jeune fille? —C'est ma cousine. **Elle** s'appelle Monique.
"Who is that young woman?" "It's my cousin. Her name is Monique."

B. In French there is another similar set of pronouns. They are used after **c'est** (**ce sont**), with subject pronouns for emphasis, or after **et** (*and*) (as in the French equivalent of *and you?*).

Qui est-ce? —**C'est moi.**
"Who is it?" "It's me (I)."

Toi, tu es américain, n'est-ce pas? —Non, je suis canadien.
"You're an American, aren't you?" "No, I'm Canadian."

J'ai deux frères. **Et toi? —Moi,** j'ai trois sœurs.
"I have two brothers. And you?" (= *How many do you have?) "I have three sisters."*

Some of the emphatic pronouns are the same as the subject pronouns. Those that are *not* are indicated in boldface.

je	**moi**	*nous*	nous
tu	**toi**	*vous*	vous
il	**lui**	*ils*	**eux**
elle	elle	*elles*	elles

You will learn more about emphatic pronouns in Chapter 6.

Exercice 8

Remplacez les tirets par un pronom.

1. Je suis étudiante de français. Et ______, vous êtes étudiant ou professeur?
   —______, je suis professeur de mathématiques.
2. Qui est le beau garçon aux cheveux châtains, là-bas?
   —Oh, ______, il s'appelle Albert et il aime beaucoup les filles. La jolie fille à droite d'Albert s'appelle Chantal.
3. Oh, c'est ______, Chantal! Elle est capitaine de l'équipe de volley-ball. Et les deux étudiants avec elle?
   —______? Non, ils ne sont pas étudiants ici!

In the **Troisième étape,** you will do much more speaking than in previous **étapes.** You will expand both your listening and your speaking vocabulary to include a number of new topics, including words and phrases to tell time and describe the weather.

Le musée du Louvre vu de l'horloge du Musée d'Orsay, avec la Seine au premier plan.

TROISIÈME ÉTAPE

THÈMES

- Expressing Possession
- Telling Time
- Numbers (61–100) and Expressing Age
- Describing the Weather, Seasons, and Months

GRAMMAIRE

C.1. Possession: **avoir, ne pas avoir de**
C.2. Possession: **de, de la, du, de l', des**
C.3. Possession: Possessive Adjectives
C.4. Telling Time
C.5. Numbers (61–100)
C.6. Age: **avoir**
C.7. Weather, Seasons, Months

LA POSSESSION

ATTENTION! Voir Grammaire C.1–C.3.

avoir

j'**ai**	nous **avons**
tu **as**	vous **avez**
il/elle **a**	ils/elles **ont**

de + le = **du**
de + la = **de la**
de + l' = **de l'**
de + les = **des**

mon père	**ma** mère	**mes** parents
ton père	**ta** mère	**tes** parents
son père	**sa** mère	**ses** parents
notre père/mère	**nos** parents	
votre père/mère	**vos** parents	
leur père/mère	**leurs** parents	

Daniel Gautier a une nouvelle voiture.

Ce sont les livres du professeur.

Mon chien est très affectueux.

Activité 1. Qui a... ?

Édouard Vincent Antoinette Daniel Martine

1. Qui a une vieille voiture?
2. Qui a deux chemises?
3. Qui a deux chiens?
4. Qui a une nouvelle robe?

Activité 2. Dialogue: La voiture de M. Vincent

JEANNOT: Avez-vous une voiture, Monsieur Vincent?
ÉDOUARD: Oui, j'ai une vieille voiture. Elle est bleue.
JEANNOT: Moi, je n'ai pas de voiture mais j'ai une bicyclette neuve.
ÉDOUARD: Et elle est très jolie!

Activité 3. Dialogue: Mes chats

Mettez dans le bon ordre.

_____ Sont-ils grands?
_____ Oui, j'ai deux chats blancs.
_____ As-tu des chats?
_____ Non, mes chats sont petits.

Activité 4. Dialogue ouvert: Vêtements neufs

É1: As-tu des vêtements neufs?
É2: Oui, j'ai un _____ neuf. (Oui, j'ai une _____ neuve.)
É1: Il est très joli. (Elle est très jolie.)
É2: Ton _____ aussi est très joli. (Ta _____ aussi est très jolie.)
É1: Oui, mais il n'est pas neuf. (Oui, mais elle n'est pas neuve.)

Activité 5. Entrevues

Mon cheval et ma voiture

1. As-tu un cheval?
   Oui, j'ai _____. (Non, je n'ai pas de _____.)
2. Comment est ton cheval?
   Mon cheval est _____.
3. As-tu une voiture?
   Oui, j'ai _____. (Non, je n'ai pas de _____.)
4. Comment est ta voiture?
   Ma voiture est _____.

Les couleurs

1. De quelle couleur sont tes yeux?
   J'ai les yeux _____.
2. De quelle couleur sont les yeux de ton père?
   Ses yeux sont _____.
3. De quelle couleur sont les yeux du professeur?
   Ses yeux sont _____.
4. De quelle couleur sont les yeux de ton meilleur ami (ta meilleure amie)?
   Ses yeux sont _____.

Les possessions

1. As-tu une chaîne stéréo?
   Oui, j'ai _____. (Non, je n'ai pas de _____.)
2. Comment est ta chaîne stéréo?
   Ma chaîne stéréo est _____.
3. As-tu un poste de télévision?
   Oui, j'ai _____. (Non, je n'ai pas de _____.)
4. Comment est ton poste de télévision?
   Mon poste de télévision est _____.

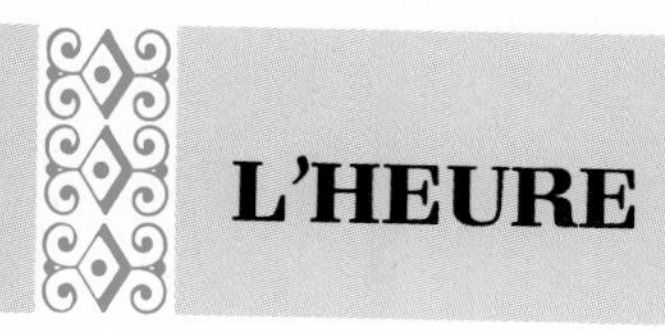

L'HEURE

ATTENTION! Voir Grammaire C.4.

Quelle heure est-il?

Il est une heure.

Il est trois heures.

Il est deux heures et demie.

Il est neuf heures et demie.

Il est cinq heures dix.

Il est dix heures vingt-cinq.

Il est une heure et quart.

Il est huit heures moins le quart.
Il est sept heures quarante-cinq.

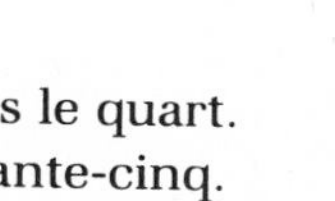

Il est midi.

Il est minuit.

Il est midi et demi.

Il est minuit et demi.

Il est midi moins dix.
Il est onze heures cinquante.

Il est onze heures moins vingt.
Il est dix heures quarante.

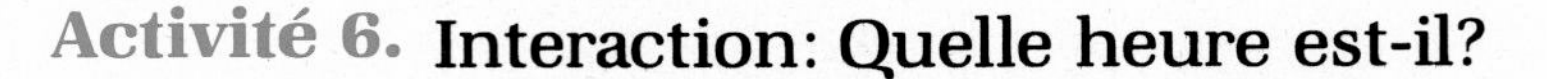

Activité 6. Interaction: Quelle heure est-il?

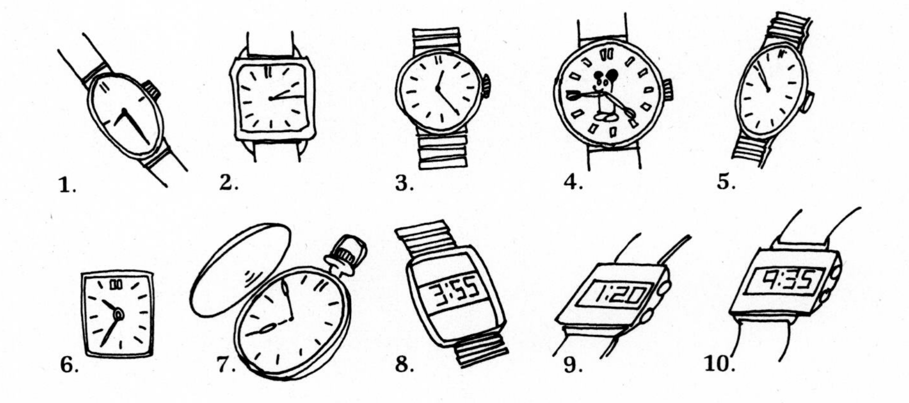

É1: Quelle heure est-il?
É2: Il est ______.

Activité 7. Dialogues

1. Quelle heure est-il?

MME SAULNIER: Quelle heure est-il, s'il vous plaît?
M. OLIVIER: Il est sept heures et quart.
MME SAULNIER: Vous êtes très aimable. Merci.

2. Ma montre n'est pas à l'heure.

GUSTAVE: Quelle heure est-il?
ANTOINETTE: Il est sept heures et demie.
GUSTAVE: Oh non! Il est beaucoup plus tard.
ANTOINETTE: Ma montre retarde, peut-être.
GUSTAVE: C'est possible. Je crois qu'il est déjà neuf heures et demie.

3. A l'université

CHANTAL: Est-ce que l'entrevue est à neuf heures du matin?
ÉTIENNE: Non, elle est à sept heures du soir.

Activité 8. Entrevue: A quelle heure est ton cours?

1. Quelle heure est-il?
   —Il est ______.
2. Combien de cours as-tu aujourd'hui?
   —J'ai ______ cours.
3. As-tu un cours à neuf heures?
   —Oui, j'ai un cours à neuf heures. (Non, je n'ai pas de cours à neuf heures.)
4. A quelle heure est ton cours de français?
   —Mon cours de français est à ______.

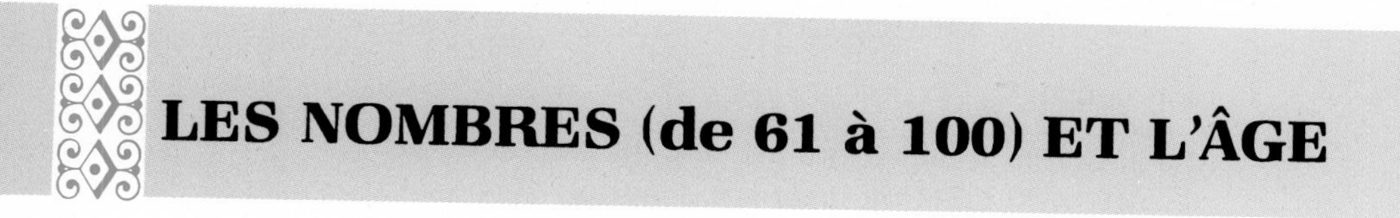

LES NOMBRES (de 61 à 100) ET L'ÂGE

ATTENTION! Voir Grammaire C.5–C.6.

61	soixante et un	80	quatre-vingts
65	soixante-cinq	81	quatre-vingt-un
70	soixante-dix	90	quatre-vingt-dix
71	soixante et onze	93	quatre-vingt-treize
77	soixante-dix-sept	100	cent

Quel âge as-tu?
J'ai six ans.

Activité 9. Les nombres

Écoutez votre professeur et cherchez le nombre correct.

84	18	67
23	65	35
82	15	64
30	96	53
45	99	75
42	58	52
91	39	73
86	29	66

Activité 10. Dialogues

1. Mon cousin

ANTOINETTE: Gustave, qui est ce petit garçon bavard?
GUSTAVE: C'est mon cousin, Jeannot.
ANTOINETTE: Quel âge a-t-il?
GUSTAVE: Il a seulement huit ans, mais il est très intelligent.

2. Quel âge ont-ils?

ÉDOUARD VINCENT: Monsieur Michaud, combien d'enfants avez-vous?
PIERRE MICHAUD: J'en ai deux.
ÉDOUARD VINCENT: Quel âge ont-ils?
PIERRE MICHAUD: Eh bien, Antoinette est l'aînée et elle a seize ans. Mon fils s'appelle Guillaume et il a douze ans.
ÉDOUARD VINCENT: Seulement deux enfants! Comme le monde change!

Activité 11. Dialogue: Une mère de famille

Mettez dans le bon ordre.

_____ Elle a quarante-six ans.
_____ Qui est cette femme?
_____ Quel âge a-t-elle?
_____ C'est la mère d'Antoinette.

LE TEMPS, LES SAISONS ET LES MOIS

ATTENTION! Voir Grammaire C.7.

Quel temps fait-il?

Il fait soleil.

Il fait très chaud.

Il fait beau.

Il fait très froid.

Il pleut.

Il neige.

Il fait du vent.

Il fait frais.

Quel temps fait-il ____?

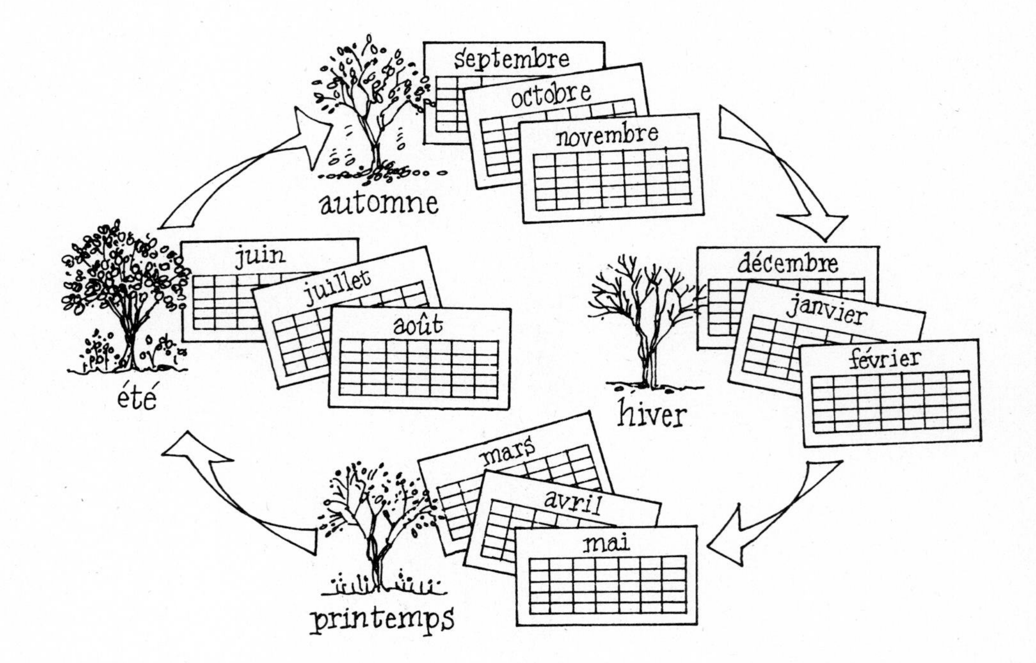

Activité 12. Le temps

Quel temps fait-il ici en ____?

1. en août?
2. en octobre?
3. en avril?
4. en décembre?

a. Il fait soleil.
b. Il pleut beaucoup.
c. Il fait du vent.
d. Il fait très froid.
e. Il fait très mauvais!
f. ____?

Quel temps fait-il à ____ en/au ____?

5. à Chicago en hiver?
6. à Miami en été?
7. à New York au printemps?
8. à Seattle en automne?

Activité 13. Dialogue ouvert: Quel temps fait-il?

Regardez la carte et répondez.

É1: Quel temps fait-il à Strasbourg?
É2: Il pleut.

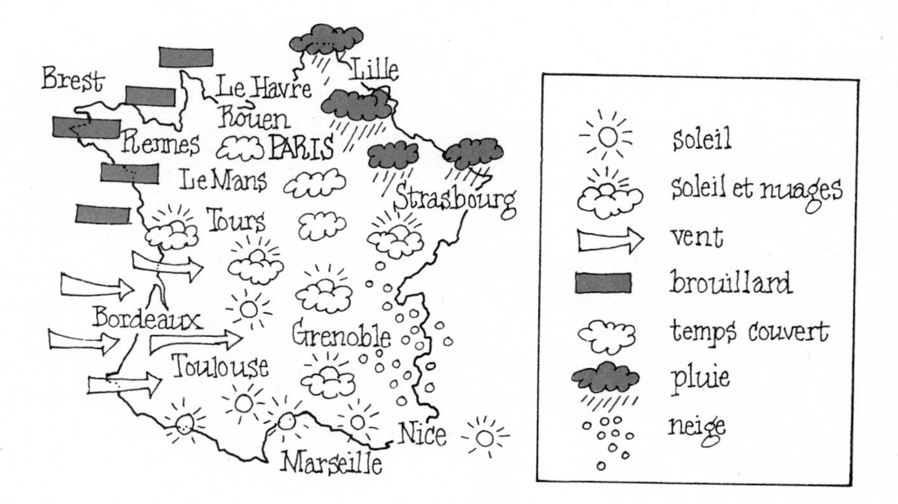

Vocabulaire

LE TEMPS Weather

Quel temps fait-il?	What's the weather like?
Il fait beau.	It's nice.
Il fait chaud.	It's hot.
Il fait frais.	It's cool.
Il fait froid.	It's cold.
Il fait mauvais.	The weather's bad.
Il fait soleil.	It's sunny.
Il fait du vent.	It's windy.
Il neige.	It's snowing.
Il pleut.	It's raining.

LES SAISONS ET LES MOIS Seasons and months

l'été (*m.*)	summer
l'automne (*m.*)	autumn
l'hiver (*m.*)	winter
le printemps	spring
janvier	January
février	February
mars	March
avril	April
mai	May
juin	June
juillet	July
août	August
septembre	September
octobre	October
novembre	November
décembre	December

LA POSSESSION Possession

avoir	to have
de la, de l', des	of the
leurs	their
notre, nos	our
tes	your

Révision: **de, du; mon, ma, mes; ton, ta; son, sa, ses; leur; votre, vos**

L'HEURE Telling time

A quelle heure...?	At what time . . . ?
Quelle heure est-il?	What time is it?
Il est _____ heure(s).	It is _____ o'clock.
...et demi(e)	. . . -thirty
...et quart	a quarter past . . .
...moins le quart	a quarter to . . .
...de l'après-midi.	. . . in the afternoon.
...du matin.	. . . in the morning.
...du soir.	. . . in the evening.
Il est midi (minuit).	It's noon (midnight).
Il est tard.	It's late.
Ma montre retarde.	My watch is slow.
...est à l'heure.	. . . is on time.

L'ÂGE Age

Quel âge avez-vous?	How old are you?
avoir _____ ans	to be _____ years old
l'aîné(e)	the oldest child

LES ORDRES Commands

cherchez	look for
répondez	answer

SUBSTANTIFS Nouns

la carte	map
la chaîne stéréo	stereo (record player)
le cheval	horse
le monde	world
le poste de télévision	television (set)

Mots similaires: **la bicyclette, le cours**

LA DESCRIPTION Description

affectueux (-euse)	affectionate
aimable	lovable
bavard(e)	talkative
bon(ne)	good
juste	exact

Mots similaires: **correct(e), possible**

MOTS ET EXPRESSIONS UTILES Useful words and expressions

au	in the (*with spring*)
beaucoup	much, many
cette	this, that (+ *feminine noun*)
(il/elle/on) change	(he/she/it) changes
comme	how
déjà	already
eh bien	well
ici	here
Je crois que...	I think, believe that . . .
moins (de)	less (than)
peut-être	maybe
plus (de)	more (than)
seulement	only

LES NOMBRES Numbers

soixante et un	61
soixante-deux	62
soixante-dix	70
soixante et onze	71
soixante-douze	72
soixante-dix-sept	77
quatre-vingts	80
quatre-vingt-un	81
quatre-vingt-dix	90
quatre-vingt-treize	93
cent	100

GRAMMAIRE ET EXERCICES

C.1. Possession: *avoir, ne pas avoir de*

A. The verb **avoir** (*to have*) is often used to express possession.

Hélène **a** les cheveux longs et Étienne **a** les cheveux très courts.
Hélène has long hair and Étienne has very short hair.

Louis, **as**-tu une chaîne stéréo? —Oui, et j'**ai** aussi un nouveau magnétoscope.
"Louis, do you have a stereo?" "Yes, and I also have a new VCR."

Here are the present tense forms of **avoir.**

j' **ai**	*I have*
tu **as**	*you (informal) have*
il/elle **a**	*he/she/it has*
nous **avons**	*we have*
vous **avez**	*you (formal, plural) have*
ils/elles **ont**	*they have*

Note that **je** contracts to **j'** before a word that begins with a vowel. Whenever **il/elle a** is inverted to form a question, a **-t-** is added between the two.

Jeannot a-**t**-il un chien?
Does Jeannot have a dog?

You will learn more about forming questions in this way in Chapter 1.

Pronunciation hint: Do not forget to make the liaison between **nous, vous, ils, elles,** and the following vowel: **nous‿avons, vous‿avez, ils‿ont, elles‿ont.** The **s** is pronounced like a **z** in the liaison.

B. If the sentence is negative, the preposition **de** replaces **un, une,** or **des.**

Une bicyclette? Non, je n'ai pas **de** bicyclette.
A bicycle? No, I don't have a bicycle.

This same change from **un, une,** or **des** occurs with the negative expression **il n'y a pas** (**de**) (*there isn't/aren't any*).

Est-ce qu'il y a des chiens chez toi? —Non, **il n'y a pas de** chiens chez moi.
"Are there dogs at your house?" "No, there aren't any dogs at my house."

Exercice 1

Utilisez **avoir** ou **ne pas avoir (j'ai, tu as, il a, nous avons, vous avez, ils ont; je n'ai pas de,** etc.).

1. Est-ce que tu _____ un chien?
   Non, je _____ chien.
2. Est-ce que ton frère _____ une voiture?
   Non, il _____ voiture.
3. Est-ce qu'Albert et moi, nous _____ des camarades de classe intelligents?
   Oui, bien sûr, vous _____ des camarades de classe très intelligents.
4. Est-ce qu'Hélène et Monique _____ une nouvelle bicyclette?
   Non, elles _____ bicyclette.
5. Est-ce que Chantal _____ une robe bleue?
   Non, Chantal _____ robe bleue.

Exercice 2

Un nouveau professeur parle de lui. Remplacez les tirets par **un, une, de, des** ou **d'.**

1. J'ai _____ chaîne stéréo, mais je n'ai pas _____ poste de télévision.
2. J'ai _____ cousins, mais je n'ai pas _____ cousines.
3. J'ai _____ fille qui s'appelle Aline et _____ fils qui s'appelle Jean-Pierre.
4. J'ai _____ stylos bleus et _____ crayons rouges, mais je n'ai pas _____ cahiers.
5. J'ai _____ montre suisse, mais je n'ai pas _____ horloge à la maison.

C.2. *Possession:* ***de, de la, du, de l', des***

You can use the preposition **de** (*of*) followed by a noun to express possession in French. **De** followed by **le** contracts to **du; de** followed by **les** contracts to **des.**

Voici les livres **du** professeur.
Here are the professor's books.

C'est le poste de télévision **de la** fille de M. Michaud.
It's Mr. Michaud's daughter's television set.

C'est la voiture **des** amis d'Albert.
That's the automobile that belongs to Albert's friends.

C.3. *Possession: Possessive Adjectives*

A. Possession can also be indicated by possessive adjectives: *my, your, his, her, its, our, their.* In French, three possessive adjectives change form to accompany masculine or feminine nouns: **mon/ma, ton/ta, son/sa.** All possessive adjectives have plural forms to accompany plural nouns. You have heard and read many of these forms in previous **étapes.**

my	**mon, ma/mes**	*our*	**notre/nos**
your	**ton, ta/tes**	*your*	**votre/vos**
his	**son, sa/ses**	*their*	**leur/leurs**
her	**son, sa/ses**		
its	**son, sa/ses**		

Pronunciation hint: The **-s** of all plural forms is pronounced like a **z** in liaison: **mes amis, vos enfants.**

B. Possessive adjectives must be masculine if the modified noun is masculine, and feminine if the modified noun is feminine.

—Albert, **ta** voiture, est-elle blanche?
—**Ma** voiture? Non, c'est **ta** voiture qui est blanche.
—Mais non! **Ma** voiture est noire!
"Albert, is your car white?"
"My car? No, it's your car that's white."
"No! My car is black!"

C. If the following noun begins with a vowel, the possessive forms ending in **-n** are always used, even if the noun is feminine.

Ton idée est très bonne!
Your idea is very good!

Mon autre amie s'appelle Marie.
My other (girl)friend's name is Marie.

Pronunciation hint: **ton idée, mon autre.**

D. Possessive adjectives must be plural if the modified noun is plural.

Est-ce que Raoul a des sœurs? —Oui, **ses** sœurs sont dans ma classe de français.
"Does Raoul have any sisters?" "Yes, his sisters are in my French class."

Remember that the gender and number (singular or plural form) of the possessive adjective depend on what is possessed, *not* on the possessor or owner. Context generally clarifies the meaning of the possessive.

Où est la voiture d'Albert? —Je crois que **sa** voiture est dans le garage.
"Where is Albert's car?" "I think that his car is in the garage."

Antoinette est à Nice maintenant. Où sont **ses** parents? —Ils sont en Algérie.
"Antoinette is in Nice right now. Where are her parents?" "They're in Algeria."

Exercice 3

Remplacez les tirets par un adjectif possessif (**mon, ma, mes; ton, ta, tes; son, sa, ses; notre, nos; votre, vos; leur, leurs**).

1. Est-ce que vous avez _____ livre de français aujourd'hui?
   Non, je n'ai pas _____ livre de français, mais j'ai _____ cahier de vocabulaire et _____ stylos.
2. —Tu as une jolie maison?
   —Oui, _____ maison est grande et je crois qu'elle est belle.
   —_____ maison, est-elle vieille?
   —Non, elle est moderne.
   —Tu habites avec _____ grands-parents, non?
   —Oui, avec _____ grands-parents et _____ cousin Joël.
3. Est-ce que Juliette et Christophe ont _____ voiture?
   —Non, ils ont la voiture de _____ mère!
4. Étienne et moi, nous avons beaucoup d'animaux. Mais _____ chien n'aime pas (*doesn't like to*) marcher, _____ chatte n'aime pas sauter et _____ canaris n'aiment pas chanter.
5. Monique a une bicyclette mais _____ bicyclette est trop petite. Hélène a une robe bleue, mais _____ robe est trop courte. Chantal a un nouvel ami, Jean-François, mais _____ ami n'est pas sympathique.
6. Monique et Hélène ont une nouvelle amie française et _____ nouveaux amis sont canadiens.

C.4. *Telling Time*

A. The question **Quelle heure est-il?** is often used to ask what time it is. The answer begins with **Il est...**

> **Quelle heure est-il?** —**Il est** déjà trois heures du matin (3h00).
> *"What time is it?" "It is already three o'clock in the morning."*

Minutes after the hour up to thirty are simply added to the hour.

> Est-ce qu'il est une heure? —Non, il est une heure **dix** (1h10).
> *"Is it one o'clock?" "No, it's one-ten."*
>
> Est-ce qu'il est sept heures? —Non, il est six heures vingt-cinq.
> *"Is it seven o'clock?" "No, it's six twenty-five."*

Use **et quart** (*fourth*) and **et demie** (*half*) to express fifteen and thirty minutes after the hour.

> Il est quatre heures, n'est-ce pas? —Non, Monsieur, il est déjà quatre heures **et demie** (**et quart**) (4h30/4h15).
> *"It's four o'clock, isn't it?" "No, sir, it's already half past four (a quarter past four)."*

Use **moins** (*minus*) to express minutes to (before) the hour.

Quelle heure avez-vous, s'il vous plaît? —Il est huit heures **moins cinq** (7h55).
"Excuse me, what time do you have?" "It's five to (before) eight."

Use **moins le quart** to say fifteen minutes before the hour: **Il est dix heures *moins le quart*.**

B. To situate time on the hour during the day or night, use the following expressions.

Il est une heure **du matin** (**de l'après-midi**).
It's one o'clock in the morning (in the afternoon).

Il est neuf heures **du soir** (**du matin**).
It's nine o'clock in the evening (in the morning).

Quelle heure est-il, s'il vous plaît? —Il est **midi** (**minuit**).
"What time is it, please?" "It is noon (midnight)."

Note: **et dem*i*** (not **et dem*ie***) is used with **midi** and **minuit,** which are masculine: **Il est midi/minuit *et demi*.**

C. In official announcements, such as TV, radio, train, or plane schedules, and curtain times at the theater, the twenty-four-hour system is used to tell time in France and many French-speaking countries. The numbers one through twelve are used for the morning hours, thirteen through twenty-four for the afternoon and the evening.

Il est **sept heures (du matin).**	= Il est **sept heures.**
Il est **midi.**	= Il est **douze heures.**
Il est **trois heures et demie (de l'après-midi).**	= Il est **quinze heures trente.**
Il est **onze heures moins le quart (du soir).**	= Il est **vingt-deux heures quarante-cinq.**

Exercice 4

Quelle heure est-il?

MODÈLE: 2h20 → Il est deux heures vingt.

1. 4h20
2. 6h15
3. 8h13
4. 1h10
5. 7h07
6. 5h30
7. 9h53
8. 3h40
9. 11h
10. 10h45

C.5. *Numbers (61–100)*

A. In French, the numbers 61 to 69 are formed just like 21 to 29, 31 to 39, 41 to 49, and 51 to 59. From 70 to 100 French numbers are formed by compounding. The number 70 is 60 + 10, 71 is 60 + 11, and so on, to 79 (60 + 19).

70	soixante-dix	75	soixante-quinze
71	soixante et onze	76	soixante-seize
72	soixante-douze	77	soixante-dix-sept
73	soixante-treize	78	soixante-dix-huit
74	soixante-quatorze	79	soixante-dix-neuf

B. From 80 to 99, the numbers are built on 4 × 20.

80	quatre-vingt**s**	91	quatre-vingt-onze
81	quatre-vingt-un	92	quatre-vingt-douze
82	quatre-vingt-deux	93	quatre-vingt-treize
83	quatre-vingt-trois	94	quatre-vingt-quatorze
84	quatre-vingt-quatre	95	quatre-vingt-quinze
85	quatre-vingt-cinq	96	quatre-vingt-seize
86	quatre-vingt-six	97	quatre-vingt-dix-sept
87	quatre-vingt-sept	98	quatre-vingt-dix-huit
88	quatre-vingt-huit	99	quatre-vingt-dix-neuf
89	quatre-vingt-neuf	100	cent
90	quatre-vingt-dix		

C. With one (**un**) and eleven (**onze**) the conjunction **et** (*and*) is used.

21	vingt **et** un	71	soixante **et** onze
31	trente **et** un		

However, in 81 and 91 the **et** is dropped.

81	quatre-vingt-**un**	91	quatre-vingt-**onze**

Exercice 5

Lisez les nombres suivants à voix haute (*out loud*).

1. 70
2. 85
3. 94
4. 100
5. 71
6. 81
7. 75
8. 95
9. 88
10. 91

C.6. *Age:* ***avoir***

The verb **avoir** (*to have*), not the verb **être** (*to be*), as in English, expresses age in French. (See Grammar Section C.1. for the forms of the verb **avoir.**)

> Madame Leblanc, quel âge **avez-vous**? —**J'ai** trente-cinq ans.
> *"Mrs. Leblanc, how old are you?" "I'm thirty-five years old."*

Exercice 6

Quel âge ont les personnes suivantes?

MODÈLE: Édouard Vincent a quatre-vingts ans.

C.7. *Weather, Seasons, Months*

A. French speakers use several verbs to describe weather conditions. **Faire** (*to make*) is the most commonly used.

> Quel temps **fait-il** aujourd'hui? —**Il fait** beau.
> *"What's the weather like today?" "It's nice."*

B. Other words used in weather expressions with **faire** are **il fait chaud** (*hot*), **froid** (*cold*), **mauvais** (*bad weather*), **frais** (*cool*), and **soleil** (*sunny*).

> En hiver, **il fait** très **froid** à New York.
> *In the winter it is very cold in New York City.*

C. Note the contraction **du** in the expressions **il fait du brouillard** (*it's foggy*) and **il fait du vent** (*it's windy*).

> Le matin **il fait** souvent **du brouillard** à San Francisco.
> *In the mornings it is often foggy in San Francisco.*

D. Other verb phrases that describe weather include **il neige** (*it's snowing*) and **il pleut** (*it's raining*).

> Est-ce qu'**il pleut** encore? —Non, maintenant **il neige!**
> *"Is it still raining?" "No, it's snowing now!"*

E. Note that the names of seasons and months are not capitalized in French (unless they begin a sentence).

> En **été** il fait très chaud, surtout au mois d'**août.**
> *It's quite hot in the summer, especially in the month of August.*

Exercice 7

Quel temps fait-il?

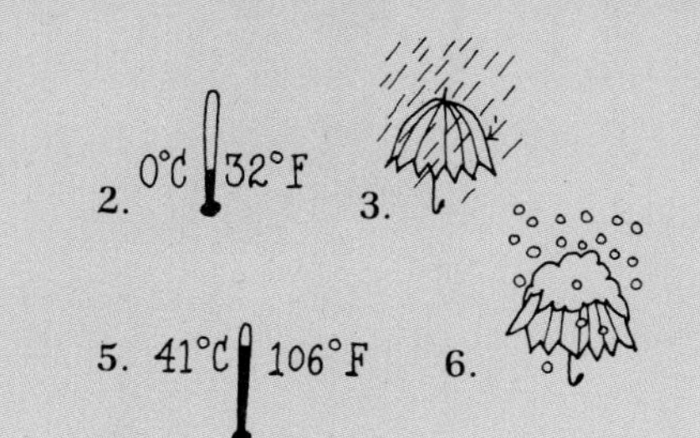

In the **Quatrième étape** you will learn how to give personal information—your address, phone number, birthday, and so on. You will also learn about the importance of French in the world today.

Pluie et grêle à Mirambeau, au nord de Bordeaux.

QUATRIÈME ÉTAPE

THÈMES

- Expressing Origin and Nationality
- Your Classes
- The Location of People, Places, and Things
- Numbers (to 1 Million) and Prices
- Personal Information: Telephone Numbers, Addresses, Dates, and Birthdays

LECTURES

- Les amis francophones: Charles Duroc, étudiant en architecture
- Les amis francophones: Nathalie Dumont, maîtresse bilingue
- Note culturelle: Où parle-t-on français?
- «Enfant disparu»

GRAMMAIRE

D.1. Origin and Nationality: **venir**
D.2. The Pronoun **en** (Part 1)
D.3. Ordinals and Days of the Week
D.4. Locative Prepositions
D.5. Demonstrative Adjectives and **-ci**/-**là**
D.6. Numbers, Money, and Prices
D.7. Dates

ACTIVITÉS ORALES

ORIGINE ET NATIONALITÉ

ATTENTION! Voir Grammaire D.1.

D'où viens-tu?
Je viens de ____.
Je suis de ____.

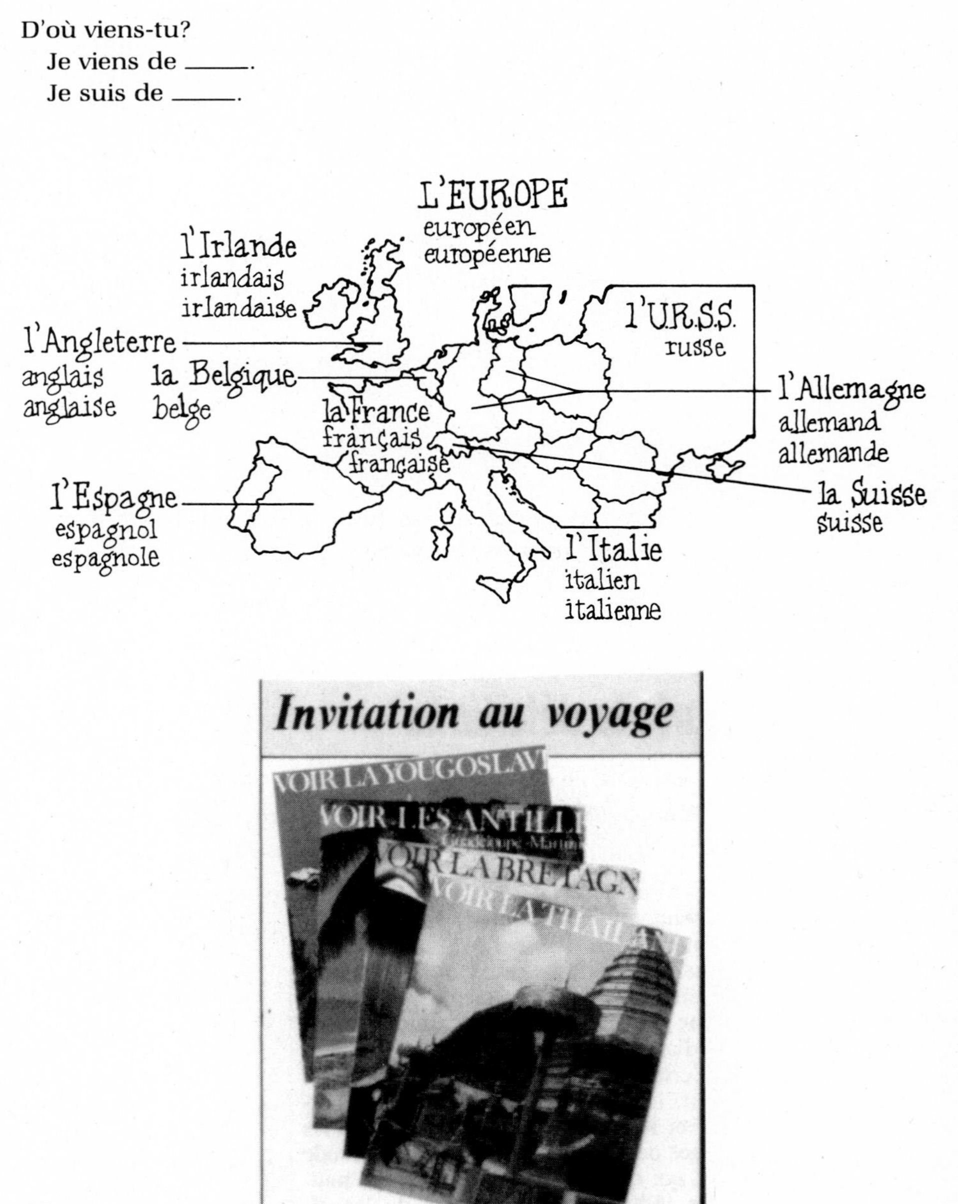

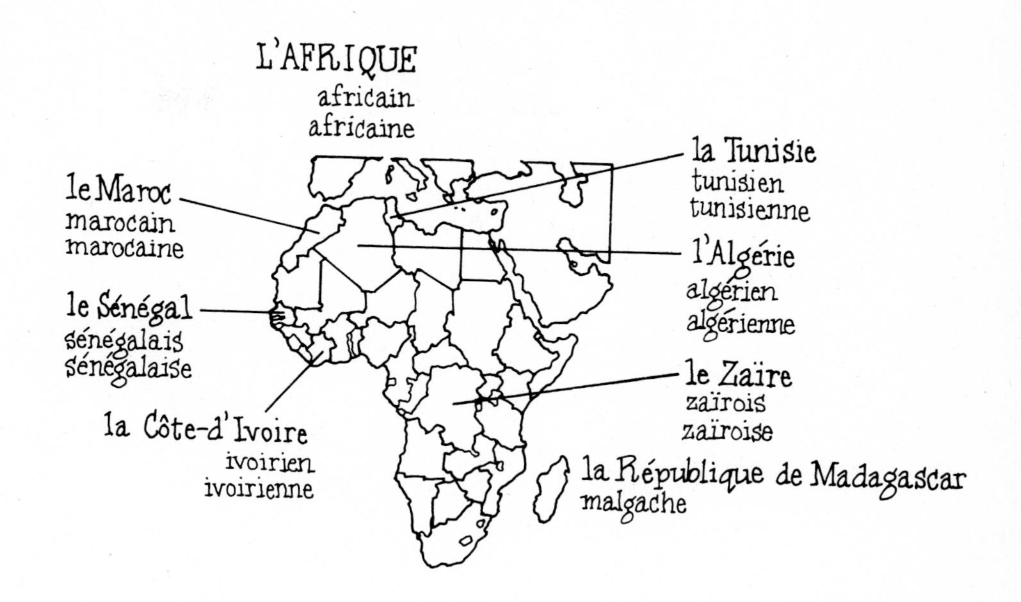
L'AFRIQUE
africain
africaine
le Maroc
marocain
marocaine
la Tunisie
tunisien
tunisienne
l'Algérie
algérien
algérienne
le Sénégal
sénégalais
sénégalaise
le Zaïre
zaïrois
zaïroise
la Côte-d'Ivoire
ivoirien
ivoirienne
la République de Madagascar
malgache

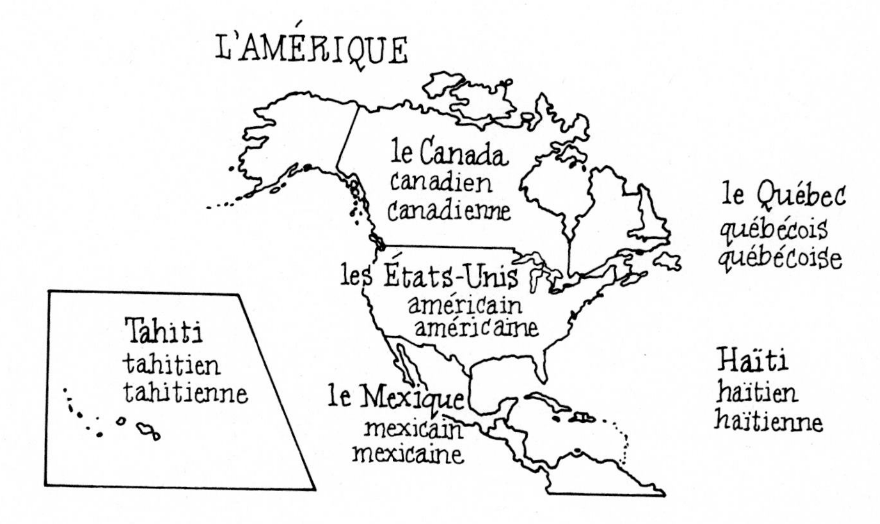
L'AMÉRIQUE
le Canada
canadien
canadienne
le Québec
québécois
québécoise
les États-Unis
américain
américaine
Tahiti
tahitien
tahitienne
Haïti
haïtien
haïtienne
le Mexique
mexicain
mexicaine

Activité 1. Interaction: Nationalités

É1: Quelle est la nationalité de Paulette Rouet?
É2: Elle est française.
É1: Quelle est la nationalité des habitants du Sénégal?
É2: Ils sont sénégalais.

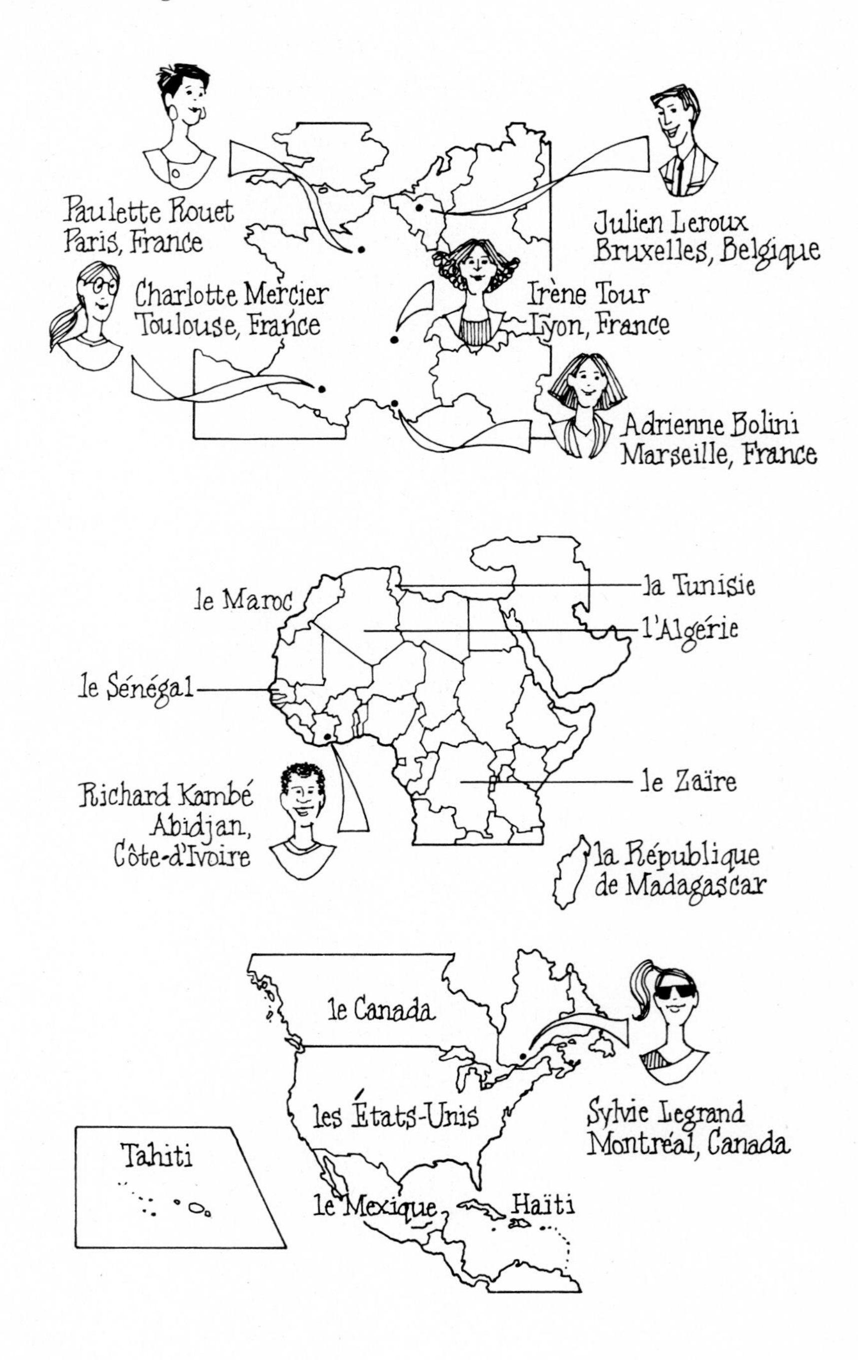

Activité 2. Dialogues

1. De quelle nationalité es-tu?

CLAIRE: Bonjour. Je m'appelle Claire. Et toi, comment t'appelles-tu?
JOSEPH: Je m'appelle Joseph Laplanche. De quelle nationalité es-tu?
CLAIRE: Je suis américaine, de Boston. Et toi?
JOSEPH: Moi, je suis parisien.

2. Nous sommes françaises.

RAOUL: Comment vous appelez-vous?
LAURE: Je m'appelle Laure, et voici ma sœur Christine.
RAOUL: De quelle nationalité êtes-vous?
LAURE: Nous sommes françaises.

Activité 3. Dialogue ouvert: Quelle est leur nationalité?

É1: Bonjour, Monsieur (Madame, Mademoiselle) _____. Qui est le monsieur qui est avec vous?
É2: Il s'appelle _____. Il est _____.
É1: Et la demoiselle qui est avec lui?
É2: Elle s'appelle _____. Elle est _____.
É1: Ah! Elle est _____.

Activité 4. Entrevue

1. De quelle nationalité es-tu?
   Je suis _____.
2. D'où vient ton père?
   Il vient de _____.
3. D'où vient ta mère?
   Elle vient de _____.
4. As-tu un ami étranger (une amie étrangère)?
   Oui, j'ai un ami (une amie) _____.
5. Comment s'appelle-t-il/elle?
   Il/Elle s'appelle _____.
6. D'où vient-il/elle?
   Il/Elle vient de _____.

LES AMIS FRANCOPHONES: Charles Duroc, étudiant en architecture

Je m'appelle Charles Duroc. Je suis étudiant à l'Université de Montréal. Je travaille° très dur,° mais j'aime° beaucoup mes études. J'aime aussi jouer au hockey sur glace et au tennis. J'ai vingt et un ans et je vis avec mes parents rue Sainte-Catherine, au centre de Montréal. J'ai les yeux noirs et les cheveux châtains. J'ai deux sœurs et un frère. J'ai aussi un chien qui s'appelle Sultan. Et, bien sûr, beaucoup d'amis!

work / hard / I like

Vrai ou faux?

1. Charles étudie à l'Université de Québec.
2. Il habite rue Saint-Mathieu.
3. Il a les yeux noirs.
4. Il a deux frères et une sœur.
5. Il a deux chiens.

Les étudiantes se promènent sous la neige dans les rues du vieux Montréal.

©Beryl Goldberg

LES COURS

ATTENTION! Voir Grammaire D.2–D.3.

Activité 5. Interaction: L'emploi du temps de Charlotte Mercier

UNIVERSITÉ DE TOULOUSE

Charlotte Mercier

jour/heure	lundi	mardi	mercredi	jeudi	vendredi
8:00	biologie		biologie		biologie
8:30		histoire		histoire	
9:00	économie		économie		économie
10:30	chimie	chimie	chimie	chimie	chimie
11:00		(laboratoire)		(laboratoire)	
12:00	déjeuner	↓	déjeuner	↓	déjeuner
1:00	anglais	déjeuner	anglais	déjeuner	anglais

SEPTEMBRE

lundi	mardi	mercredi	jeudi	vendredi	samedi	dimanche
		1	2	3	4	5
6	7	8	9	10	11	12
13	14	15	16	17	18	19
20	21	22	23	24	25	26
27	28	29	30			

É1: Est-ce que Charlotte a cours le lundi à huit heures?
É2: Oui, elle a un cours de biologie.
É1: Quel cours a Charlotte le mercredi à dix heures et demie?
É2: Elle a ______.

Activité 6. Dialogue: Raoul parle de ses cours

Raoul, un étudiant canadien, parle de ses cours avec son ami américain, Étienne.

RAOUL: Ce semestre, il est très dur! J'ai quatre cours.
ÉTIENNE: Moi, j'en ai plus. J'en ai cinq!
RAOUL: Cinq! On ne va plus te voir! Ils sont difficiles?
ÉTIENNE: Le cours de physique, oui, mais les autres sont assez faciles.
RAOUL: J'ai un cours de dessin assez difficile mais vraiment passionnant.
ÉTIENNE: Moi, je n'ai pas de cours de dessin, mais mon cours de sociologie est super!

Activité 7. Entrevue: Les cours

1. Quels cours as-tu ce semestre?
   J'ai _____, _____ et _____.
2. Quel est ton cours préféré?
   Mon cours préféré est _____.
3. Quel est ton cours le plus difficile?
   Mon cours le plus difficile est _____.
4. Quel est ton cours le plus facile?
   Mon cours le plus facile est _____.
5. Quelle est ta première classe du jour?
   Ma première classe est _____.
6. A quelle heure est-elle?
   Elle est à _____.

Activité 8. Interaction: L'école de Jeannot, l'école de la Ferrage

CLASSE	GARÇONS	FILLES	TOTAL
11ème	11	13	24
10ème	20	19	39
9ème	12	14	26
8ème	21	22	43
7ème	15	16	31
6ème	18	17	35

É1: Combien de garçons y a-t-il en 9ème?
É2: Il y en a douze.

LECTURE

LES AMIS FRANCOPHONES: Nathalie Dumont, maîtresse bilingue

Bonjour, je m'appelle Nathalie Dumont. Je suis maîtresse bilingue dans une école primaire à La Nouvelle-Orléans. J'adore enseigner.° Mon école est petite mais très moderne. Dans ma classe il y a quinze enfants, huit petites filles et sept petits garçons. J'ai quarante-neuf ans et je suis mariée. Mon mari s'appelle Jean. Nous avons une fille, Hélène, qui a dix-neuf ans. L'anniversaire° d'Hélène est le 4 juillet, le jour de l'Indépendance américaine. Quelle coïncidence!

enseigner°: teaching
anniversaire°: birthday

Questions

1. Où habitent Jean et Nathalie?
2. Quelle est la profession de Nathalie?
3. Combien d'enfants y a-t-il dans sa classe?
4. Quel âge a la fille des Dumont?
5. Quel est l'anniversaire d'Hélène Dumont?

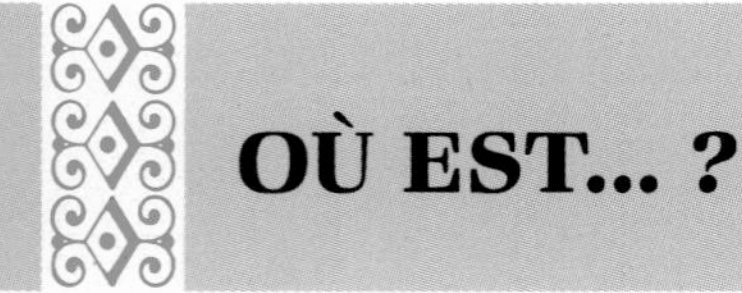

OÙ EST... ?

ATTENTION! Voir Grammaire D.4–D.5.

Activité 9. Interaction: A l'université

É1: Où est le théâtre?
É2: Il est en face de l'École des Beaux-Arts.

É1: Dans quelle rue est le restau-U?
É2: Il est dans l'avenue des Hérons.

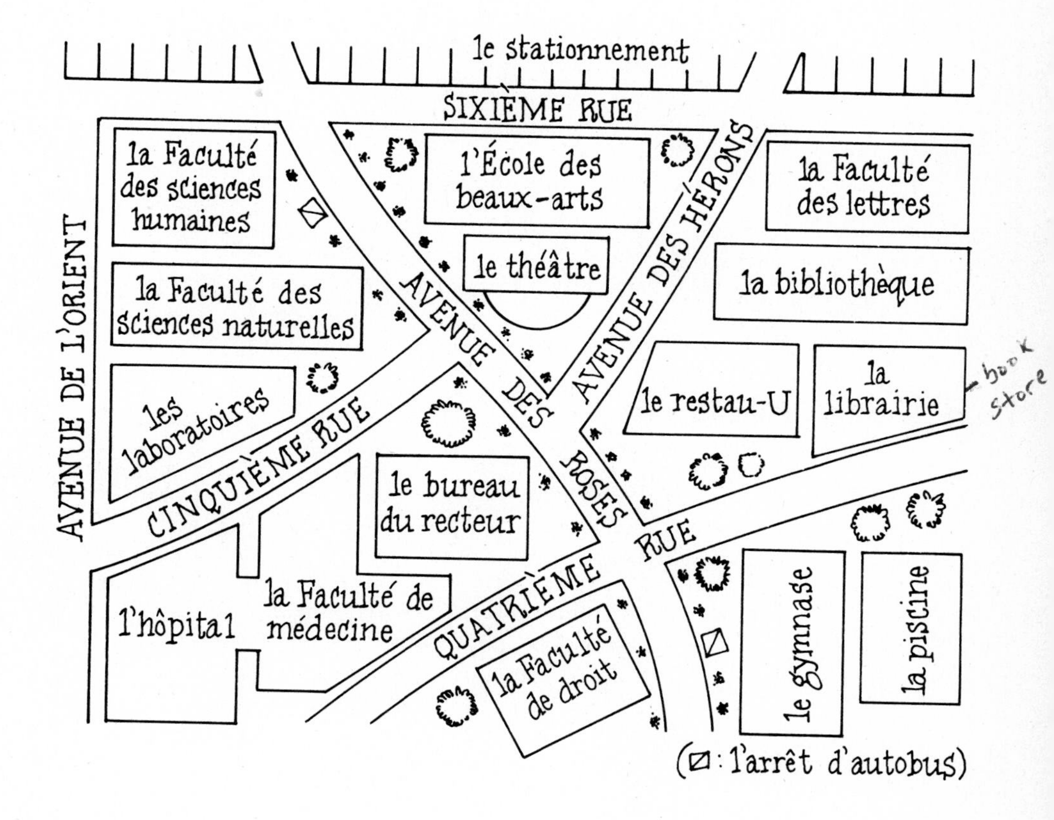

Activité 10. Dialogue: A l'université

Mme Martin dit bonjour à un autre professeur, M. Alexandre Loup.

ANNE: Bonjour, Alexandre. Vous avez cours maintenant?
ALEXANDRE: Oui, j'ai un cours de maths élémentaires.
ANNE: Dans quelle salle?
ALEXANDRE: Dans ce bâtiment-là.
ANNE: Et cet après-midi?
ALEXANDRE: Je suis libre, heureusement!

Activité 11. Entrevue: Où est... ?

Dans notre université...

1. Où est la bibliothèque?
   —Elle est à côté de _____.
2. Où est le gymnase?
   —Il est en face de _____.
3. Où est la cafétéria?
   —Elle est derrière _____.
4. Où est le laboratoire de langues?
   —Il est dans _____.

LES NOMBRES (de 101 à 1 000 000) ET LES PRIX

ATTENTION! Voir Grammaire D.6.

101 cent un
102 cent deux
200 deux cent**s**
300 trois cent**s**

1 000 mille
100 000 cent mille
1 000 000 un million
2 000 000 deux million**s**

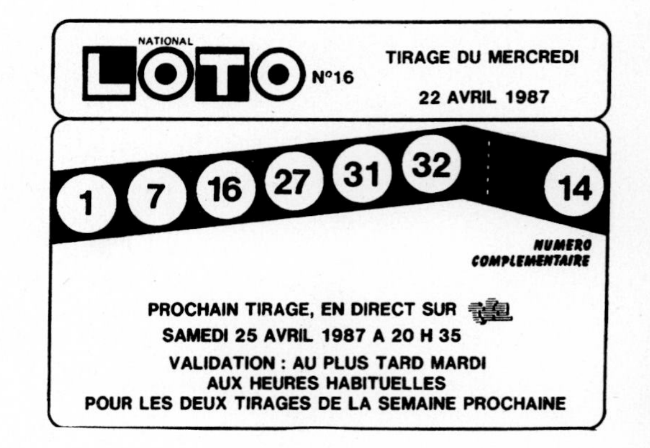

Activité 12. Le prix d'une maison

Donnez les prix des maisons et des appartements suivants en France.

1. 1 700 000F
2. 600 000F
3. 525 000F
4. 350 000F
5. 250 000F
6. 5 500 000F

Activité 13. Combien coûte... ?

Regardez les objets qui sont dans votre classe et donnez leur prix en dollars américains.

É1: Combien coûte le cahier?
É2: Il coûte $1.98 (un dollar quatre-vingt-dix-huit).

Maintenant devinez le prix de ces autres objets.

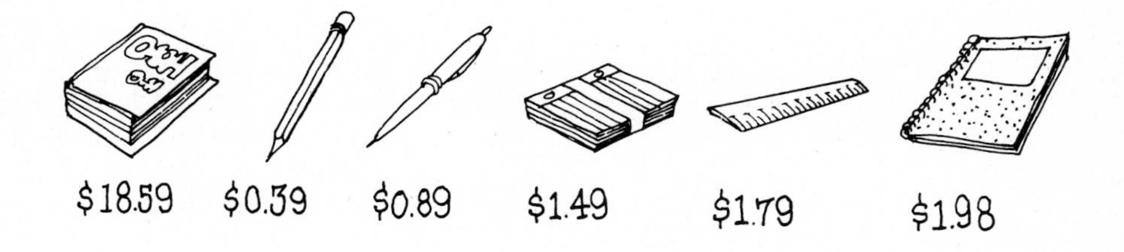

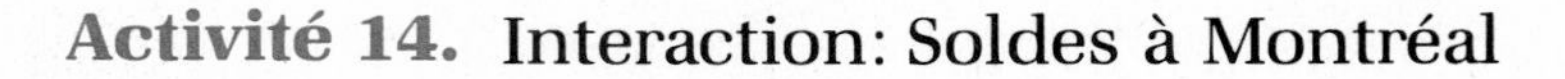

Activité 14. Interaction: Soldes à Montréal

É1: Combien coûte le chemisier?
É2: Il coûte $16.89 (seize dollars quatre-vingt-neuf).

NOTE CULTURELLE: Où parle-t-on français?

En Louisiane beaucoup de personnes parlent encore français.

Il y a plus de 100 millions de personnes qui parlent français dans le monde. Bien sûr on parle français en France, mais aussi dans plusieurs° pays européens comme, par exemple, la Belgique; dans 26 pays africains comme, par exemple, le Zaïre; dans la province

° *several*

L'héritage du passé est toujours visible à La Nouvelle-Orléans. La population de Louisiane est composée d'un grand nombre de descendants de Français et d'Acadiens (les Cajuns), et dans certaines régions on parle encore français.

©Charles Gatewood / Stock, Boston

du Québec au Canada; et dans plusieurs îles des Caraïbes et du Pacifique. En Amérique du Nord, il y a plus de 13 millions de personnes d'origine française ou canadienne aux États-Unis, et près d'un quart des habitants du Canada parlent français comme langue maternelle. Le français est aussi une des cinq langues officielles des Nations Unies.

Vrai ou faux?

1. On parle français seulement en France.
2. On ne parle pas français dans les Caraïbes.
3. Il y a des personnes qui parlent français au Canada.
4. Le français est une des trois langues officielles des Nations Unies.

INFORMATION PERSONNELLE

ATTENTION! Voir Grammaire D.7.

J'habite 12 Avenue de la République, appartement 5A. Mon numéro de téléphone est le 67 89 75 40.

Le passeport

NOM	Irène Tour
ADRESSE	88 rue Moulin Lyon, France
DATE DE NAISSANCE	27 avril 1955
LIEU DE NAISSANCE	Grenoble, France
NATIONALITÉ	française
ÉTAT CIVIL	☒ marié(e) ☐ célibataire ☐ divorcé(e) ☐ veuf (veuve)
NOM DE L'ÉPOUX / ÉPOUSE	Bernard Tour
PROFESSION	enseignante
YEUX	noirs
CHEVEUX	noirs
TAILLE	1,62 m
POIDS	63 kg
SIGNATURE	

Activité 15. Interaction: L'anniversaire

É1: Quand est-ce que Joseph Laplanche est né?
É2: Il est né le 15 avril.

Maintenant à vous.

É1: Quand es-tu né(e)?
É2: Je suis né(e) le _____. Et toi?
É1: Le _____.

Activité 16. Interaction: La carte d'identité de l'étudiant

Université de Montréal

NOM: Charles Duroc
ADRESSE: 26 rue Sainte-Catherine
TÉLÉPHONE: 66 57 42
DATE DE NAISSANCE: 26.11.67
SEXE: M   ÉTAT CIVIL: célibataire

YEUX: noirs   CHEVEUX: châtains
FACULTÉ: Architecture
NATIONALITÉ: canadienne
N[O] D'ÉTUDIANT: 556874094

Sorbonne

NOM: Joseph Laplanche
ADRESSE: 89 rue Lemoine
TÉLÉPHONE: 46 87 95 35
DATE DE NAISSANCE: 15.4.64
SEXE: M   ÉTAT CIVIL: célibataire

YEUX: verts   CHEVEUX: châtains
FACULTÉ: des Sciences
NATIONALITÉ: française
N[O] D'ÉTUDIANT: 715389542

É1: Quel est le numéro de la carte d'identité de Joseph Laplanche?
É2: C'est le 71-538-95-42 (le soixante et onze, cinq cent trente-huit, quatre-vingt-quinze, quarante-deux).
É1: Où habite Charles Duroc?
É2: Il habite 26 rue Sainte-Catherine.

Activité 17. Interaction: Le carnet d'adresses d'Étienne Lebrun

Étienne Lebrun a beaucoup d'amis dans des pays différents. Voici quelques noms de son carnet d'adresses.

É1: Où habite Adrienne?
É2: Elle habite à Marseille.

É1: Quelle est l'adresse de Paulette Rouet?
É2: Elle habite 86 rue de la Convention.

É1: Quel est le numéro de téléphone de Roger Varenne?
É2: C'est le 80 66 49 32.

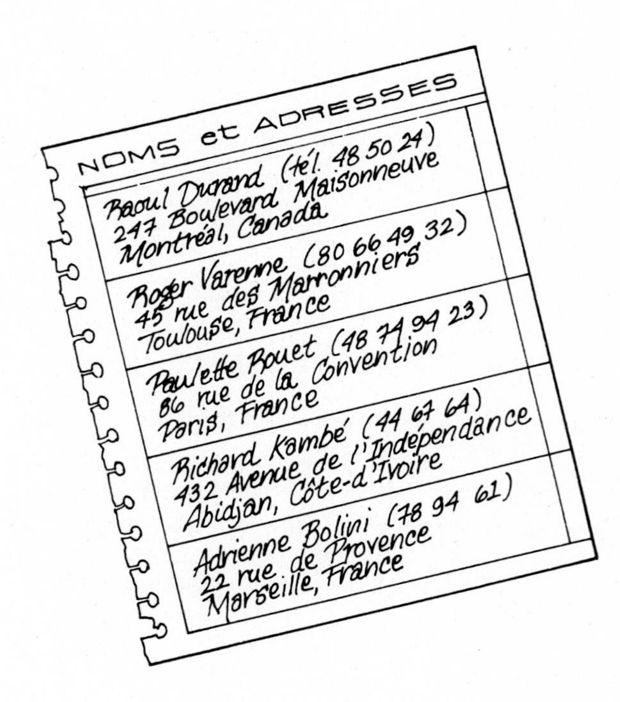

Activité 18. Dialogue ouvert: Où habites-tu?

É1: Comment est-ce que tu t'appelles?
É2: ______. Et toi?
É1: ______. Où habites-tu?
É2: ______ rue ______. Et toi?
É1: J'habite ______ rue ______.
É2: Tu as le téléphone?
É1: Oui, mon numéro est le ______. Et toi, tu as le téléphone?
É2: Oui, c'est le ______.

LECTURE

«ENFANT DISPARU»[1]

Jeannot Leblanc. Huit ans, cheveux noirs, taches de rousseur.[2] Il porte un jean, une chemise bleue et une veste marron. Son domicile: 145 avenue des Ternes, Paris 17ème. Disparu le 5 octobre. S'il vous plaît, téléphonez à ses parents, Monsieur et Madame Leblanc, au 43 76 82 11.

[1]*missing* [2]*freckles*

Vrai ou faux?

1. Jeannot a onze ans.
2. Il porte une chemise bleue.
3. Il habite à Reims.
4. Monsieur et Madame Leblanc n'ont pas le téléphone.

Vocabulaire

L'ORIGINE Origin

D'où viens-tu (venez-vous)?	Where are you from?
Je viens de...	I come from . . .
Je suis de...	I am from . . .
l'état (*m.*)	state
le pays	country

PAYS ET NATIONALITÉS Countries and nationalities

l'Allemagne (*f.*)/**allemand(e)**	Germany/German
l'Amérique (*f.*)/**américain(e)**	America/American
l'Angleterre (*f.*)/**anglais(e)**	England/English
la Chine/chinois(e)	China/Chinese
l'Espagne (*f.*)/**espagnol(e)**	Spain/Spanish
les États-Unis (*m.*)/**américain(e)**	United States (of America)/American
l'Irlande (*f.*)/**irlandais(e)**	Ireland/Irish
l'Italie (*f.*)/**italien(ne)**	Italy/Italian
le Japon/japonais(e)	Japan/Japanese
le Mexique/mexicain(e)	Mexico/Mexican
l'U.R.S.S. (*f.*)/ **russe**	Soviet Union/Russian

PAYS ET NATIONALITÉS FRANCOPHONES French-speaking countries and nationalities

l'Algérie (*f.*)/ **algérien(ne)**	Algeria/Algerian
la Belgique/belge	Belgium/Belgian
le Canada/canadien(ne)	Canada/Canadian
la Côte-d'Ivoire/ivoirien(ne)	the Ivory Coast / of *or* from the Ivory Coast
la France/français(e)	France/French
Haïti/haïtien(ne)	Haïti/Haitian
le Maroc/marocain(e)	Morocco/Moroccan
la République de Madagascar/malgache	Republic of Madagascar/ of *or* from the Republic of Madagascar

le Sénégal/sénégalais(e)	Senegal/Senegalese
la Suisse/suisse	Switzerland/Swiss
Tahiti/tahitien(ne)	Tahiti/Tahitian
la Tunisie/tunisien(ne)	Tunisia/Tunisian
le Zaïre/zaïrois(e)	Zaire/of *or* from Zaire

AUTRES LIEUX Other places

l'Afrique (*f.*)/**africain(e)**	Africa/African
l'Europe (*f.*)/**européen(ne)**	Europe/European
Paris/parisien(ne)	Paris/Parisian
le Québec/québécois(e)	Quebec/of *or* from Quebec (province)

LES LANGUES Languages

l'allemand (*m.*)	German
l'anglais (*m.*)	English
le chinois	Chinese
l'espagnol (*m.*)	Spanish
l'italien (*m.*)	Italian
le japonais	Japanese
le russe	Russian

Révision: **le français**

LES COURS Courses

les beaux-arts (*m.*)	art
la chimie	chemistry
le commerce	business
le dessin	drawing, art
le droit	law
le génie civil	civil engineering
l'histoire (*f.*)	history
l'informatique (*f.*)	computer science
les sciences humaines (*f.*)	liberal arts
les sciences naturelles (*f.*)	natural sciences
le théâtre	drama

Mots similaires: **l'architecture** (*f.*), **la biologie, l'économie** (*f.*), **la géographie, la gymnastique, la littérature, les mathématiques** (*f.*), **la médecine, la musique, la physique, la psychologie, la sociologie**

LES JOURS DE LA SEMAINE Days of the week

Quel jour sommes-nous?	What day (of the week) is it?
lundi	Monday
mardi	Tuesday
mercredi	Wednesday
jeudi	Thursday
vendredi	Friday
samedi	Saturday
dimanche	Sunday

LES NOMBRES Numbers

cent un	101
cent deux	102
deux cents	200
trois cents	300
mille	1 000
cent mille	100 000
un million	1 000 000
deux millions	2 000 000

LES NOMBRES ORDINAUX Ordinal numbers

premier (-ière)	first
deuxième	second
troisième	third
quatrième	fourth
cinquième	fifth
sixième	sixth
septième	seventh
huitième	eighth
neuvième	ninth
dixième	tenth
onzième	eleventh

OÙ SONT-ILS? Where are they?

à côté de	next to
au-dessus de	above
autour de	around
derrière	behind
devant	in front of
en face de	facing, in front of
(à l') est (de)	(to the) east (of)
loin de	far from

(au) nord (de)	(to the) north (of)
(à l') ouest (de)	(to the) west (of)
près de	near
sous	under
(au) sud (de)	(to the) south (of)

***Révision:* dans, sur**

LES ENDROITS SUR LE CAMPUS Places on campus

l'arrêt d'autobus (*m.*)	bus stop
le bâtiment	building
le bureau	office
la bibliothèque	library
la cité universitaire	university living quarters, dormitory
l'École des Beaux-Arts (*f.*)	School of Fine Arts
la Faculté	Department / School
de Droit	of Law
de Médecine	of Medicine
des Lettres	of Humanities
des Sciences Humaines	of Arts and Letters
des Sciences Naturelles	of Natural Sciences
le gymnase	gymnasium
le laboratoire (de langues)	(language) laboratory
la librairie	bookstore
la piscine	swimming pool
le restau-U	student restaurant
le théâtre	theater (building)

***Mots similaires:* la cafétéria, l'hôpital** (*m.*)

L'INFORMATION PERSONNELLE Personal information

l'anniversaire (*m.*)	birthday
le carnet d'adresses	address book
la carte d'identité	identification card
la date de naissance	date of birth
je suis né(e) le...	I was born on . . .
il/elle est né(e) le...	he/she was born on . . .
l' État civil (*m.*)	marital status
célibataire	single
divorcé(e)	divorced
marié(e)	married
veuf (veuve)	widowed
le lieu de naissance	birth place
le poids	weight

***Mots similaires:* l'adresse** (*f.*), **la profession, le sexe, la signature**

LES PRIX Prices

Combien coûte(nt)... ?	How much does (do) . . . cost?
bon marché	inexpensive
cher (chère)	expensive
des soldes	clearance sale

***Mot similaire:* le dollar**

LES ORDRES Commands

achetez	buy
économisez	save

SUBSTANTIFS Nouns

la demoiselle	unmarried young woman
l'école (*f.*)	school
l'emploi du temps (*m.*)	schedule
l'enseignant(e)	teacher
l'habitant (*m.*)	resident
le recteur	president (of *university*)
la rue	street
le stationnement	parking

***Mots similaires:* l'appartement** (*m.*), **l'avenue** (*f.*), **le boulevard, la loterie, le numéro, le semestre**

LA DESCRIPTION Description

autre	other
dur(e)	hard
étranger (-ère)	foreign
libre	free
passionnant(e)	exciting
préféré(e)	favorite
quel(le)	what
quelques	a few; some

***Mots similaires:* approximatif(-ive), différent(e), élémentaire, super**

MOTS ET EXPRESSIONS UTILES Useful words and expressions

après-demain	after tomorrow	**-là**	there (*suffix*)
assez	rather	**lui**	him
-ci	here (*suffix*)	**le plus**	(the) most
demain	tomorrow	**qu'est-ce que c'est?**	what is it?
devinez	guess	**si**	if
j'habite	I live	**toujours**	always
heureusement	luckily	**vraiment**	really

D.1. Origin and Nationality: *venir*

A. The contraction **d'où** (**de** + **où**) followed by a form of the verb **venir** (*to come*) is used to ask where someone is from. In the answer you may use **venir** or **être** followed by **de** (*from*).

D'où vient Madame Martin? —**Elle vient** (**est**) **de** Montréal.
"Where is Mrs. Martin from?" "She's from Montreal."

If you wish to know a specific country of origin, use the following phrase: **De quel pays... ?**

De quel pays vient Julien Leroux? —Il vient de Belgique.
"What country is Julien Leroux from?" "He's from Belgium."

B. Here are the forms of the verb **venir** (*to come*):

je **viens**	*I come*
tu **viens**	*you (informal) come*
il/elle **vient**	*he/she/it comes*
nous **venons**	*we come*
vous **venez**	*you (formal, plural) come*
ils/elles **viennent**	*they come*

Pronunciation hint: All singular forms of **venir** are pronounced alike: **viẽns, viẽnt.*** The pronunciation of the plural forms is: **venõns, venez, viennent.**

C. **Être** followed by an adjective specifies nationality.

De quelle nationalité est Raoul? —Il **est canadien.**
"What's Raoul's nationality?" "He's Canadian."

Claire White habite à Paris mais elle **est américaine.**
Claire White is living in Paris, but she's an American.

Pronunciation hint: Liaison is always made after the verb form **est.**

il est‿ãnglais il est‿américaĩn

After other conjugated forms of **être,** liaison is optional.

je suis‿américaine nous sommes‿italiennes
tu es‿ãnglais vous‿êtes‿allemãnds
ils sõnt‿espagnols

*The symbol ~ over a vowel will be used in this text to indicate that the vowel is nasalized.

D. Examine the following common masculine and feminine words for nationality. The names of the corresponding languages (always masculine) are given for comparison.

français/français**e**	le français
anglais/anglais**e**	l'anglais
japonais/japonais**e**	le japonais
chinois/chinois**e**	le chinois
espagnol/espagnol**e**	l'espagnol
italien/italien**ne**	l'italien
canadien/canadien**ne**	l'anglais/le français
mexicain/mexicain**e**	l'espagnol
américain/américain**e**	l'anglais
suisse/suisse	l'allemand, le français, l'italien
belge/belge	le français, le flamand
allemand/allemand**e**	l'allemand
hollandais/hollandais**e**	le hollandais

Pronunciation hint: The letter **h** is never pronounced in French. But some words that begin with **h** allow contraction (**l'homme**) and liaison (**les hommes**). These **h**'s are called **h-muets** (silent **h**'s). A few words that begin with **h** do not allow contraction (**le hollãndais**) or liaison (**les hol-lãndais**). These **h**'s are called **h-aspirés** (aspirated **h**'s).

Exercice 1

De quelle nationalité sont-ils?

1. Un homme qui vient du Sénégal est _____.
2. Une femme qui vient du Québec est _____.
3. Les hommes qui viennent du Maroc sont _____.
4. Les femmes qui viennent du Canada sont _____.
5. Un homme qui vient de l'U.R.S.S. est _____.
6. Une femme qui vient de Belgique est _____.
7. Les hommes qui viennent du Zaïre sont _____.
8. Une femme qui vient de Madagascar est _____.
9. Un homme qui vient des États-Unis est _____.
10. Les femmes qui viennent de Tahiti sont _____.
11. Un homme qui vient d'Algérie est _____.
12. Une femme qui vient d'Angleterre est _____.

Exercice 2

Utilisez les formes de **venir** (**je viens, tu viens, il vient, nous venons, vous venez, ils viennent**) avec la préposition **de**.

1. Voici mon ami, Jean-Michel. Il _____ Suisse, un petit pays à l'est de la France. Voici aussi mon ami Mohamed, qui _____ Algérie et qui est professeur de maths. Sa femme Natacha, qui _____ Russie, est musicienne.
2. Ces joueurs de basketball _____ États-Unis et _____ Europe.
3. Et vous, d'où _____?
   —Nous, nous _____ Tunisie. Je m'appelle Karima et mon amie s'appelle Adama.
   —Et toi, Armando, d'où _____?
   —Moi, je suis portugais. Je _____ Lisbonne.
4. Nous _____ l'étranger (*abroad*) pour étudier en France.

D.2. The Pronoun **en** *(Part 1)*

Use the pronoun **en** when you refer to quantities without specifying the noun. **En** corresponds roughly to English *of them* in this usage.

> Est-ce qu'il y a cinq livres? —Oui, il y **en** a cinq.
> *"Are there five books?" "Yes, there are five (of them)."*

En is not used in the preceding question because the noun (**livres**) is mentioned explicitly, but it is needed in the answer, in which the noun **livres** does not appear. Note that the pronoun **en** is placed before the verb.

> Combien de bicyclettes as-tu? —J'**en ai** deux.
> *"How many bicycles do you have?" "I have two (of them)."*
>
> As-tu des frères? —Oui, j'en ai trop!
> *"Do you have any brothers?" "Yes, I have too many (of them)!"*
>
> As-tu une voiture? —Non, je n'**en** ai pas.
> *"Do you have a car?" "No, I don't have one."*

You will practice the use of the pronoun **en** in more detail in Chapter 7.

Exercice 3

Répondez aux questions en utilisant **en** (placé devant le verbe).

MODÈLE: Combien de stylos et de crayons votre professeur a-t-il? →
Il (Elle) en a cinq.

1. Combien de voitures a votre père?
2. Combien de chiens ou de chats avez-vous à la maison?
3. Combien de cousins et de cousines avez-vous?
4. Combien de frères et de sœurs vos parents ont-ils?
5. Combien de pupitres y a-t-il dans la classe?

D.3. Ordinals and Days of the Week

A. Ordinal adjectives are used to put people and things into a sequence or order. In English, the ordinals are *first, second, third, fourth,* and so on. Here are the French ordinals from *first* to *tenth*.

premier (-ière)	sixième
deuxième	septième
troisième	huitième
quatrième	neuvième
cinquième	dixième

Quelle est ta **première** classe le mardi? —C'est le français.
"What is your first class on Tuesday?" "It's French."

En quelle année est Richard Kambé? —Il est en **deuxième** année de Sciences.
"What year is Richard Kambé in?" "He's in the second year of the science major."

The ordinals are often abbreviated in writing in this way:

premier(-ière): 1er (1ère)
septième: 7ème
neuvième: 9ème

B. Note that the days of the week, like the months of the year, are not capitalized in French: **lundi, mardi,** etc. The names of the days are masculine nouns in French. Use the definite article (**le**) with them to mean *on, every*.

Le lundi ma première classe est à 7h30.
On Monday, my first class is at 7:30.

Exercice 4

Répondez aux questions suivantes.

1. Qui est la première personne à gauche?
2. Qui est la deuxième personne?
3. Est-ce que Gustave est la cinquième?
4. Est-ce qu'Antoinette est la quatrième?
5. Est-ce que Jeannot est la troisième?
6. Qui est la sixième personne?
7. Monsieur Armand Olivier est la cinquième personne, non?

D.4. Locative Prepositions

Use the verb **être** (*to be*) with a preposition to locate people or objects. Some of the most common locative prepositions are:

à côté de *beside*
sur *on, on top of*
devant *in front of*
derrière *behind*
dans *in, inside*
sous *under*
près de *near (to)*
loin de *far from*

Qui est Joseph? —C'**est** l'homme en noir **à côté de** Paulette.
"Who is Joseph?" "He's the man in black next to Paulette."

Où est la cafétéria? —Elle **est loin de** la salle de classe.
"Where's the cafeteria?" "It's far from the classroom."

D.5. Demonstrative Adjectives and -ci/-là

A. Demonstrative adjectives (in English, *this, that, these, those*) emphasize the words they modify, pointing out their location.

D'où sont **ces** deux étudiants? —De Tunisie.
"Where are these two students from?" "From Tunisia."

Où est ton cours de biologie? —Dans **ce** bâtiment.
"Where is your biology course?" "In this building."

B. The demonstrative adjectives are **ce** (*m.*), **cette** (*f.*), and **ces** (*plural*). The masculine **ce** has the alternate form **cet** when the following word begins with a vowel.

	singulier	**pluriel**
masculin	**ce** livre (*this/that*) **cet** ami (*this/that*)	**ces** livres (*these/those*) **ces** amis (*these/those*)
féminin	**cette** table (*this/that*) **cette** amie (*this/that*)	**ces** tables (*these/those*) **ces** amies (*these/those*)

ce professeur et **ces** étudiants
this professor and these students

cette voiture et **cette** bicyclette
this car and that bicycle

Pronunciation hint: **cet‿ami** (*m.*), **cette‿amie** (*f.*), **ces‿amis, ces livres.**

C. When the demonstrative adjectives are used, you can add the suffixes **-ci** (*here*) and **-là** (*there*) to the modified noun to emphasize its relative location. Thus, **ce livre-ci** corresponds roughly to *this book*, and **ce livre-là** to *that book*. The use of **-ci** and **-là** is obligatory, however, only when context does not make the meaning clear.

—Prenez le livre, s'il vous plaît.
—**Ce livre-ci**?
—Non, **ce livre-là.**
"Pick up the book, please."
"This book (here)?"
"No, that book (there)."

Exercice 5

Une touriste jeune et enthousiaste raconte (*tells*) ses impressions de voyage à une amie. Remplacez les tirets par **ce, cet, cette** ou **ces**.

1. ____ magasin est très élégant. Oh, que ____ chaussures sont jolies!
2. ____ livres sont très intéressants mais... ____ prix sont ridicules!
3. ____ arbre (*tree, m.*) est très grand et ____ maison est si pittoresque!
4. ____ vêtements sont trop chers! ____ robe coûte 660F et ____ pantalons coûtent 750F!
5. ____ fleurs (*flowers, f.*) sont si belles et ____ parfum est si pénétrant!
6. ____ omelette est délicieuse!
7. ____ œil de chat est très artistique!

D.6. Numbers, Money, and Prices

A. Here are the numbers from 101 to a million.

101	cent un	400	quatre cent**s**	1 000	mille
102	cent deux	500	cinq cent**s**	10 000	dix mille
200	deux cent**s**	600	six cent**s**	100 000	cent mille
201	deux cent un	700	sept cent**s**	1 000 000	un million (de)
202	deux cent deux	800	huit cent**s**	2 000 000	deux million**s** (de)
300	trois cent**s**	900	neuf cent**s**		

420	quatre cent vingt	2 000	(deux mille) habitants
735	sept cent trente-cinq	2 000 000	(deux million**s**) **d'**habitants

Note that the **-s** of **cents** is dropped if it is followed by any other number: **deux cents, deux cent un; huit cents, huit cent dix-huit.**
The word **mille** is invariable and never ends in **-s**: **deux mille. Million,** however, does have a plural form: **deux millions.**

B. French, Canadian, and American money comprises coins and bills.

Des pièces: vingt centimes français (c)
un franc français (F)
un centime canadien ou américain (¢)

Des billets: vingt francs français (F)
un dollar canadien ou américain ($)

To ask the price of something, use the interrogative **combien** (*how much, many*) and the verb **coûter** (***to cost***).

Combien coûte ce livre? —Il coûte vingt-cinq francs.
"How much does this (that) book cost?" "It costs twenty-five francs."

D.7. Dates

A. Use the question **Quelle est la date d'aujourd'hui?** to ask for the date. The answer is often given with the **nous** form of **être.**

Quelle est la date d'aujourd'hui?
What's today's date?

Aujourd'hui **nous sommes** le vingt (le huit, etc.) avril.
Today is April 20 (8, etc.).

Aujourd'hui **nous sommes** le premier janvier.
Today is January 1 (first).

Note that the first day of the month is expressed with the ordinal number **premier.** All other days are expressed with cardinal numbers.
There are two patterns for giving the date when the day of the week is expressed.

Aujourd'hui nous sommes **le** mercredi, 25 août.
Aujourd'hui nous sommes mercredi, **le** 25 août.
Today is Wednesday, the 25th of August.

B. To ask about the month or day, use **quel** and the **nous** form of **être.**

En **quel** mois **sommes-nous?** —Nous sommes en février.
"What month is it?" "It's February."

Quel jour **sommes-nous?** —Nous sommes le quinze décembre.
"What day is it?" "Today is December fifteenth."

C. You can express the year in two ways in French. Compare the following examples.

1945: **dix-neuf cent** quarante-cinq
mille neuf cent quarante-cinq

D. Here are two ways to write the complete date in French. Note that the *day* is always expressed first.

December 25, 1988: le 25 décembre 1988
25.12.88

Exercice 6

Combien coûtent les choses suivantes?

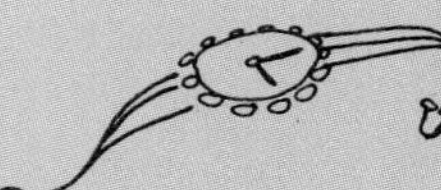

1. 75 684F
2. 43 815F
3. 144 395F

4. 2 550F
5. 13 800F
6. 1 275F

Exercice 7

Écrivez et lisez les dates suivantes.

MODÈLE: 4.7.12 → le 4 juillet 1912

1. 5.5.82
2. 16.8.90
3. 6.1.87
4. 28.2.62
5. 14.9.75
6. 1.12.34

CHAPITRE PRÉLIMINAIRE: LECTURES SUPPLÉMENTAIRES

- LE FEUILLETON: Jeannot
- LES AMIS FRANCOPHONES: Irène
- LE FEUILLETON: Les petites annonces: «cherche amie»; «cherche ami»
- L'horoscope
- NOTE CULTURELLE: Les prénoms français
- NOTE CULTURELLE: La langue française aux États-Unis

In addition to the readings that are included with the **Activités,** each chapter of ***Deux mondes*** will have a section called **Lectures supplémentaires**. Even though these sections are called "additional," it is a good idea for you to do them, since the more you read in French the more you will be able to understand and say.

You will recognize many of the words and phrases in these readings immediately, because they have appeared in the oral activities. Other words are glossed in the margin for you; you will probably need to know the meaning of those glossed words in order to understand the reading. In addition, there will be many words in the readings that you will not have seen before and that are not glossed. Try to understand the gist of the reading without looking such words up in the end vocabulary. Chances are that you can guess their meaning from context or do not need to know their meaning at all in order to get the general idea of the reading.

The readings within the activities and in the **Lectures supplémentaires** sections fall into several categories.

- LE FEUILLETON — Episodes from "**Entre amis,**" a soap opera that takes place in Paris.
- LES AMIS FRANCOPHONES — Portraits of a variety of people, designed to give readers a glimpse into the lives of French-speaking people around the world.
- NOTE CULTURELLE — Brief cultural notes that will give you information about the chapter's cultural theme.
- UN ESSAI, UN ÉDITORIAL — Short essays written in an editorial style that present definite points of view on serious topics.
- LA FICTION — Brief short stories, as well as material that might appear in French magazines and newspapers (such as **L'horoscope** in this chapter).

LE FEUILLETON: Jeannot

Bonjour. Je m'appelle Jeannot Leblanc et j'ai huit ans. Je suis écolier à l'école de la Ferrage à Paris. Mon école est vieille mais très jolie. Les salles de classes sont grandes et ont beaucoup de fenêtres. La table de la maîtresse est devant la classe; c'est un bureau en bois.° Aux murs nous avons des dessins et des photos pour illustrer nos leçons. Il y a aussi un grand tableau noir. La maîtresse écrit au tableau avec de la craie blanche et des craies de couleur. Elle est très gentille mais nous donne toujours beaucoup de devoirs° à faire à la maison. Notre cour° est immense et avec des arbres géants. Pendant la récréation nous aimons aller° dans la cour pour courir° et jouer au ballon.

wood
homework
courtyard
nous... *we like to go*
run

Questions

1. Où est l'école de Jeannot?
2. Comment sont les salles de classe?
3. Où est la table de la maîtresse?
4. Comment est le tableau noir?
5. Qu'est-ce qu'il y a aux murs?
6. Comment est la cour de l'école?

LES AMIS FRANCOPHONES: Irène

Je m'appelle Irène Tour et j'habite à Lyon, une ville au sud-est de la France. Je suis mariée et j'ai trois filles. Mon mari s'appelle Bernard. Il est parisien, mais moi, je suis née à Grenoble. J'ai trente-trois ans et Bernard en a quarante. Lyon est une ville très agréable, mais aussi industrielle et il y a beaucoup d'usines° ici. Bernard travaille pour une grosse entreprise,° Elf Aquitaine.

factories
company

Lyon, deuxième ville de France, est un gros centre industriel. Elle est aussi réputée pour son excellente cuisine.

©Beryl Goldberg

Questions

1. Combien de filles a Madame Tour?
2. D'où est son mari?
3. Qui a trente-trois ans?
4. Comment est Lyon?

LE FEUILLETON: Les petites annonces

CHERCHE[1] AMIE

Daniel Gautier, 23 ans, ingénieur[2], grand, mince, beau et sportif, désire rencontrer jeune fille de 18–20 ans, sympathique, belle et bonne cuisinière.[3] Adresse: Boîte postale 387, Paris.

[1]*Looking for* [2]*engineer* [3]*cook*

Vrai ou faux?

1. Daniel est petit et intellectuel.
2. Daniel cherche une femme âgée.
3. Daniel veut rencontrer une jeune fille moderne.
4. Daniel habite à Paris.

CHERCHE AMI

Florence Barthe, 42 ans, institutrice,[1] indépendante, sociable et cultivée, cherche homme de 40–50 ans, affectueux, dynamique et beau pour relation sérieuse. Tél. 48 95 39 12

[1]*teacher*

Vrai ou faux?

1. Florence est étudiante à l'université.
2. Florence cherche un homme âgé et sérieux.
3. Florence travaille dans un laboratoire.

L'horoscope

BÉLIER: (du 21 mars au 19 avril). Vous êtes sociable, enthousiaste et dynamique. Vous êtes un peu impulsif et impatient et peut-être un amant[1] passionné. Couleur: le rouge vif.[2]

TAUREAU: (du 20 avril au 20 mai). Vous avez un tempérament un peu fougueux.[3] Vous êtes fidèle[4] à vos amis. Vous avez le sens de l'humour. Couleurs: le marron foncé[5] et le noir.

GÉMEAUX: (du 21 mai au 20 juin). Vous êtes capricieux, amusant et très sociable. Vous n'êtes pas très sentimental. Vous aimez beaucoup parler[6] et vous êtes un excellent professeur. La famille et les amis sont très importants dans votre vie.[7] Couleur: le bleu marine.

CANCER: (du 21 juin au 22 juillet). Vous êtes très sensible.[8] Vous cherchez la sécurité et la bonne vie. L'argent[9] est très important pour vous. Vous êtes une personne active et parfois[10] très romantique. Couleurs: le beige, le jaune et le blanc.

LION: (du 23 juillet au 22 août). Vous êtes agressif, persistant et dévoué.[11] Vous avez peu[12] d'amis, mais ce sont de vrais[13] amis. Vous êtes travailleur[14] et enthousiaste. Couleur: l'orange.

VIERGE: (du 23 août au 22 septembre). Vous êtes modeste et calme. Vous êtes sérieux, pratique et compétent. Vous avez beaucoup d'énergie, et vous êtes un bon travailleur. Vous êtes très sélectif dans vos relations. Couleurs: le marron foncé et le vert.

BALANCE: (du 23 septembre au 22 octobre). Vous êtes très sensible, artistique et un peu timide. Vous avez beaucoup d'amis. Vous êtes drôle[15] et affectueux. Couleur: le bleu.

SCORPION: (du 23 octobre au 22 novembre). Vous êtes réservé, intuitif et un peu timide. Vous êtes sensuel et romantique. Vous êtes aussi organisé et persistant. Couleurs: le rouge et le noir.

SAGITTAIRE: (du 23 novembre au 21 décembre). Vous êtes optimiste et enthousiaste. Vous êtes sociable, honnête et sincère. Vous êtes parfois passionné et impulsif. Couleurs: le bleu marine, le violet ou le pourpre.[16]

CAPRICORNE: (du 22 décembre au 21 janvier). Vous êtes une personne raisonnable, déterminée et organisée. Vous avez l'esprit rêveur.[17] Vous avez le sens de l'humour et une personnalité très attachante.[18] Couleur: le vert clair.[19]

[1]*lover* [2]*bright* [3]*fiery* [4]*true* [5]*dark* [6]Vous... *You like to talk* [7]*life* [8]*sensitive* [9]*Money* [10]*sometimes* [11]*devoted* [12]*few* [13]*true* [14]*hard-working* [15]*amusing* [16]*purple* [17]*dreamy* [18]*appealing* [19]*light*

VERSEAU: (du 22 janvier au 18 février). Vous êtes une personne élégante, créatrice et sophistiquée. Vous êtes un peu idéaliste et très indépendant. Vous pouvez[20] être irrésistible au sexe opposé. Couleurs: le rose et le blanc.

POISSONS: (du 19 février au 20 mars). Vous êtes très travailleur et très indépendant. Vos relations ne sont pas stables. Vous n'êtes pas jaloux.[21] Couleur: le jaune.

NOTE CULTURELLE: Les prénoms° français

first names

Les enfants français ont des prénoms très variés. Il y a des prénoms traditionnels, comme les prénoms de saints: par exemple, Louis, Charles, François ou Claude pour les garçons, et Geneviève, Christine, Martine ou Jacqueline pour les filles. Il y a aussi des prénoms plus modernes: par exemple, Thibaut, Sébastien, Martial ou Arnaud pour les garçons, et Carine, Natacha, Jessica ou Amandine pour les filles. Ces prénoms changent avec les modes.°

styles, times

©Peter Menzel

Le baptême est un jour important dans la vie des familles francophones chrétiennes. Après la cérémonie religieuse, on célèbre l'événement en famille et avec des amis.

En France, chaque° jour de l'année correspond à un nom de saint ou de sainte. Ainsi° si vous vous appelez Michel ou Brigitte, le jour de la Saint-Michel ou de la Sainte-Brigitte votre famille et vos amis vous souhaitent° une «Bonne Fête».° Vous recevez des cadeaux° et des cartes de vœux.° C'est un peu comme une fête d'anniversaire mais sans° le gâteau°! Et si votre nom n'est pas sur le calendrier, tant pis pour vous!°

each / *Thus* / vous... *wish you* / Bonne... *Happy Holiday* / *gifts* / *best wishes* / *without* / *cake* / tant... *too bad for you!*

---

[20]*can* [21]*jealous*

Vrai ou faux?

1. Tous les prénoms français sont les noms de saints.
2. Les prénoms ne changent pas d'année en année.
3. Le jour de votre saint, votre famille vous souhaite «Bon Anniversaire».
4. Le jour de votre saint, vous recevez un gâteau.

NOTE CULTURELLE: La langue française aux États-Unis

D'après le recensement° de 1980, les Francophones américains constituent l'une des grandes communautés linguistiques des États-Unis.

census

- 13 millions d'Américains ont au moins° un parent° d'origine francophone.
- 1 million et demi d'Américains parlent français chez eux.°
- 2,4 millions d'Américains vivent dans une famille où on parle français.

au... *at least* / *relative*

chez... *at home*

Où se trouvent ces nombreux cousins franco-américains?

Clinton County, état de New York. L'influence française a beaucoup marqué la géographie américaine. De nombreuses villes et rivières ont des noms français ou d'origine française.

- Plus de 500 000 «Francos» résident en Nouvelle-Angleterre. Ils sont descendants des Canadiens français installés aux États-Unis à la fin du dix-neuvième siècle.° Dans certaines villes du Maine, du New Hampshire, du Vermont, du Massachusetts, de Rhode Island et du Connecticut, ils habitent dans des quartiers surnommés° «Petit Canada». Dans ces quartiers on trouve° beaucoup d'églises,° d'écoles, de clubs, de commerces et de journaux° français.

  century
  called
  on... *one finds* / *churches*
  newspapers

- Environ° 500 000 Francophones résident en Louisiane. En effet, Louisiane est française de 1682 à 1803 et beaucoup de Français viennent vivre dans cette colonie. De plus,° en 1755 les Anglais chassent° les colons francophones—qui s'appellent les Acadiens—du Québec. Ils viennent s'installer aussi en Louisiane. Les Cajuns (du mot° acadien) sont leurs descendants. La Louisiane est le deuxième état francophone des États-Unis, officiellement proclamé bilingue par le Parlement américain en 1968.

  About
  De... *In addition* / *throw out*
  word

- Il y a aussi de nombreux Américains francophones dans le Midwest: le Michigan, le Wisconsin, le Minnesota et l'Illinois, ainsi qu'en° Floride et en Californie.

  ainsi... *as well as in*

Lentement° mais sûrement, les Franco-Américains commencent à prendre conscience° de l'influence de leur culture dans leur pays.° En effet, ils ont joué° un rôle important dans la naissance° et la croissance° des États-Unis.

Slowly
prendre... *become aware*
country / ont... *have played*
birth / *growth*

Vrai ou faux?

1. Treize millions d'Américains ont des parents français.
2. Le français n'a pas d'importance linguistique aux États-Unis.
3. Il y a beaucoup de communautés francophones en Nouvelle-Angleterre.
4. Les Cajuns sont descendants des colons français installés en Louisiane.
5. Les Franco-Américains sont maintenant conscients de leur importance aux États-Unis.

In **Chapitre un** you will learn to talk about recreational activities of all kinds: what you like to do and don't like to do, what you want to do, and what you are going to do. You will also talk about what you are currently doing.

Les Français aiment beaucoup les sports.

CHAPITRE UN
Les loisirs

THÈMES

- Your Favorite Activities and Sports
- Your Preferences and Wishes
- Your Future Plans (Part 1)
- Talking About What You're Doing Now

LECTURES

- Les amis francophones: Les activités de Raoul
- Le feuilleton: Une jeune fille d'aujourd'hui

LECTURES SUPPLÉMENTAIRES

- Les amis francophones: Correspondance
- Les amis francophones: Julien Leroux
- Les amis américains: Anne Martin
- Les amis francophones: Une carte postale de Paris
- Note culturelle: Le sport
- Note culturelle: Les loisirs

GRAMMAIRE

1.1. Expressing Likes and Dislikes: The Verb **aimer** + *Infinitive*
1.2. The Impersonal Subject **on**
1.3. The Verb **jouer** + **de** or **à;** Contractions **au, aux**
1.4. Plans (Part 1): The Verb **vouloir** + *Infinitive*
1.5. Asking Questions: Rising Intonation, **n'est-ce pas?; est-ce que;** Inversion; **quel**
1.6. Plans (Part 2): **Le futur proche: aller** + *Infinitive*
1.7. Actions in Progress: Present Tense: **-er** Verbs; **faire**

ACTIVITÉS ORALES

SPORTS ET LOISIRS

ATTENTION! Voir Grammaire 1.1–1.3.

j' **aime** tu **aimes** il/elle/on **aime** nous **aimons** vous **aimez** ils/elles **aiment**	+	**jouer** au tennis **lire** **dîner** au restaurant **faire** des courses **skier**

Les garçons aiment jouer au football le dimanche.

Antoinette et Grace aiment jouer au tennis le samedi matin.

Jeannot aime patiner en été.

Marguerite aime faire des courses.

Raoul et Étienne aiment skier dans le Colorado.

Guillaume aime lire quand il pleut.

Daniel aime jouer de la guitare.

Les Leblanc aiment dîner dans un bon restaurant italien.

Activité 1. Interaction: Le week-end

nom	le samedi il/elle aime	le dimanche il/elle aime
Richard Kambé, 18 ans Abidjan, Côte-d'Ivoire	aller au cinéma	nager dans la mer
Adrienne Bolini, 28 ans Marseille, France	cuisiner	jouer au golf
Raoul Durand, 20 ans Montréal, Canada	aller danser	regarder un match de football
Charles Duroc, 21 ans Montréal, Canada	regarder la télé	jouer au volley-ball
Charlotte Mercier, 22 ans Toulouse, France	jouer à la pétanque	aller à la campagne

É1: Qui aime nager dans la mer le dimanche?
É2: Richard Kambé.

É1: Qu'est-ce que Richard aime faire le samedi?
É2: Il aime aller au cinéma.

Activité 2. Les goûts

Dites oui ou non.

1. Pendant les vacances j'aime...
   a. voyager.
   b. dormir toute la journée.
   c. aller danser le soir.
   d. faire de la planche à voile.
2. En hiver j'aime...
   a. nager dans une piscine.
   b. skier en montagne.
   c. jouer du piano.
   d. patiner sur la glace.
3. Le soir mes parents (mes amis) aiment...
   a. regarder la télé.
   b. dîner au restaurant.
   c. sortir avec des amis.
   d. jouer du violon.

4. Mon frère (Ma sœur, Mes amis) et moi, nous aimons...
   a. voyager.
   b. faire du camping.
   c. manger de la cuisine chinoise.
   d. jouer au football américain.
5. Mon professeur de français aime...
   a. aller à des fêtes.
   b. boire du vin.
   c. prendre le soleil.
   d. porter des vêtements élégants.

Activité 3. Entrevues: Qu'est-ce que tu aimes faire?

É1: Tu aimes voyager?
É2: Oui, j'aime voyager. (Non, je n'aime pas voyager.)

1. regarder la télé
2. dîner au restaurant
3. pêcher
4. danser
5. écrire des lettres
6. conduire une voiture
7. écouter de la musique
8. cuisiner
9. prendre des photos
10. travailler

Activité 4. Les activités des étudiants de la classe de français

En classe, qui aime... ?

MODÈLE: courir → VOUS: Tu aimes courir?
VOTRE CAMARADE: Oui.
VOUS: Signe ici, s'il te plaît.

	SIGNATURE
1. aller à la plage	________
2. boire du café le matin	________
3. jouer de la guitare	________
4. écouter de la musique classique	________
5. faire du camping en montagne	________
6. lire le journal	________
7. regarder les informations à la télé	________
8. manger des croissants	________
9. jouer au golf	________
10. dessiner	________
11. ____?	________

Activité 5. Dialogue ouvert: Le samedi

É1: Qu'est-ce que tu aimes faire le samedi matin?
É2: J'aime ____.
É1: Moi aussi, j'aime ____, mais j'aime mieux ____.

LES AMIS FRANCOPHONES: Les activités de Raoul

Raoul Durand est de Montréal. Actuellement,° il est étudiant à l'université de Tulane à La Nouvelle-Orléans. Raoul aime beaucoup faire du sport. Le samedi matin, il aime jouer au football avec ses amis francophones. C'est un jeu très différent du football américain car° on ne peut pas toucher le ballon avec les mains. Il aime aussi beaucoup faire de la bicyclette, faire des haltères° et nager dans la piscine de l'université. Le samedi soir, il aime aller au cinéma ou sortir avec ses amis américains et parler anglais.

Right now

because

faire... *to lift weights*

Questions

1. D'où est Raoul?
2. Qu'est-ce qu'il aime faire le samedi matin?
3. Est-ce qu'il fait de l'exercice?
4. Avec qui va-t-il au cinéma?
5. Avec qui aime-t-il parler anglais?

PRÉFÉRENCES ET DÉSIRS

ATTENTION! Voir Grammaire 1.4–1.5.

je **veux**		**jouer** aux cartes
tu **veux**		**laver** la voiture
il/elle/on **veut**	+	**écrire** une lettre
nous **voulons**		**pêcher**
vous **voulez**		**pique-niquer**
ils/elles **veulent**		

Florence veut inviter des amis à dîner chez elle.

Raoul veut monter à cheval.

Monsieur Leblanc veut voyager en avion.

Adrienne veut aller au parc.

Armand veut pêcher dans le lac.

Gustave veut faire de la moto.

Daniel veut laver sa voiture.

La famille veut pique-niquer dans le parc.

Activité 6. Les préférences

Qu'est-ce que vous voulez faire la semaine prochaine?

HEURE ET JOUR

1. Vendredi, à huit heures du soir, je veux...
2. Samedi, à trois heures de l'après-midi, je veux...
3. Samedi, à sept heures du matin, je veux...
4. Dimanche, à dix heures du matin, je veux...
5. Lundi, à quatre heures de l'après-midi, je veux...

ACTIVITÉS

a. téléphoner à mes amis
b. cuisiner
c. aller au cinéma
d. courir
e. boire un peu de vin
f. chanter avec mes amis
g. fumer
h. regarder la télé
i. dormir
j. lire le journal
k. _____?

Activité 7. Dialogue: Veux-tu jouer au tennis?

ÉTIENNE: Dis, Hélène, est-ce que tu aimes jouer au tennis?
HÉLÈNE: Oui, j'aime beaucoup ça. Pourquoi?
ÉTIENNE: Veux-tu jouer dimanche prochain?
HÉLÈNE: A quelle heure?
ÉTIENNE: A onze heures, ça te va?
HÉLÈNE: D'accord! Alors, à dimanche.

Activité 8. Entrevue: Les activités du week-end

Qu'est-ce que tu veux faire ce week-end?

É1: Veux-tu aller à la piscine ou à la plage?
É2: Je veux aller à la plage.

1. faire du ski nautique ou du ski alpin?
2. dîner à la maison ou au restaurant?
3. jouer au bowling ou au billard?
4. jouer au basket-ball ou au football américain?
5. faire de la moto ou de la bicyclette?
6. écrire des lettres ou recevoir des lettres?
7. lire le journal ou regarder la télé?
8. laver la voiture ou jardiner?
9. pique-niquer à la campagne ou manger à la maison?
10. aller à la plage ou à la montagne?

LES PROJETS (Première partie)

ATTENTION! Voir Grammaire 1.6.

je **vais**		**regarder** la télé
tu **vas**		**écouter** de la musique
il/elle/on **va**	+	**voyager**
nous **allons**		**donner** une fête
vous **allez**		**danser** dans une discothèque
ils/elles **vont**		

Paulette va donner une fête samedi soir.

Les Tour vont aller au concert demain.

Marie va rendre visite à son petit-fils à La Nouvelle-Orléans.

Adrienne va travailler sur son ordinateur toute la journée.

Charles et Sylvie vont faire une promenade avec leurs amis.

Mireille va acheter une nouvelle cassette de rock cet après-midi.

Étienne et ses amis vont regarder un vidéoclip dans un moment.

Activité 9. Qu'est-ce que vous allez faire?

Dites oui ou non.

1. Samedi matin je vais...
   a. acheter une nouvelle voiture.
   b. faire une promenade en ville.
   c. dormir jusqu'à trois heures de l'après-midi.
   d. _____.
2. Vendredi soir mes parents (mes amis) vont...
   a. faire du ski nautique.
   b. regarder les informations à la télé.
   c. donner une fête.
   d. _____.
3. Dimanche après-midi mon frère (mon ami) va...
   a. faire de la bicyclette.
   b. regarder les vidéoclips à la télé.
   c. aller au cinéma pour voir un nouveau film français.
   d. _____.
4. Pendant les vacances mes amis et moi nous allons...
   a. faire du camping à la montagne.
   b. beaucoup manger.
   c. téléphoner à nos parents tous les soirs.
   d. _____.
5. Cet hiver je vais...
   a. jouer à la pétanque.
   b. boire beaucoup de chocolat chaud.
   c. patiner sur la glace.
   d. _____.

Activité 10. Dialogue: La fête de Marc

Roger et Charlotte se retrouvent devant la bibliothèque de l'université de Toulouse.

ROGER: Qu'est-ce qu'on va faire ce soir?
CHARLOTTE: Je ne sais pas. Qu'est-ce que tu veux faire?
ROGER: Je veux m'amuser.
CHARLOTTE: Eh bien... Marc donne une fête ce soir.
ROGER: Marc? Oh, non! Ses fêtes sont toujours ennuyeuses.
CHARLOTTE: Mais Roger, si nous allons tous les deux à la fête, elle ne va pas être ennuyeuse!

Activité 11. Dialogue ouvert: Vos projets pour ce soir

É1: Qu'est-ce que tu vas faire ce soir?
É2: Je vais _____.
É1: Tu veux d'abord _____?
É2: Quelle bonne idée!

Activité 12. Qu'est-ce que Chantal va faire samedi prochain?

Activité 13. Allons au cinéma!

GEORGE V
3 HOMMES ET UN COUFFIN, film français en couleur.
Séances: 19h50 et 21h55

GAUMONT OPÉRA
LES FUGITIFS, comédie avec Gérard Depardieu et Pierre Richard.
Séances: 19h55 et 22h

PUBLICIS ÉLYSÉES
MANON DES SOURCES, drame paysan de Claude Berri. Suite de Jean de Florette, d'après l'œuvre de Marcel Pagnol.
Séances: 18h40 et 21h05

NORMANDIE UGC
JEAN DE FLORETTE, d'après l'œuvre de Marcel Pagnol. Avec Yves Montand et Daniel Auteuil. En couleur.
Tarif: 33F. Tarif réduit: 23F.
Séances: 19h15 et 21h45

MERCURY
L'ÉTAT DE GRÂCE, comédie dramatique de Jacques Rouffio.
Tarif: 35F. Tarif réduit: 25F.
Séances: 20h et 22h

ÉLYSÉES LINCOLN
LE CORBEAU, réédition en blanc et noir. Drame policier d'Henri-Georges Clouzot.
Séances: 20h05 et 22h05

É1: Quel film allez-vous voir ce soir?
É2: Nous allons voir «Jean de Florette».
É1: A quel cinéma?
É2: Au Normandie UGC.
É1: A quelle heure?
É2: A 21h45.

LE PRÉSENT

ATTENTION! Voir Grammaire 1.7.

je parl**e**	je **fais**
tu parle**s**	tu **fais**
il/elle/on parl**e**	il/elle/on **fait**
nous parl**ons**	nous **faisons**
vous parl**ez**	vous **faites**
ils/elles parl**ent**	ils/elles **font**

Isabelle et Daniel jouent au racket-ball.

Pierre et Marguerite regardent un film canadien.

Antoinette fait de la plongée sous-marine.

Armand fume une cigarette.

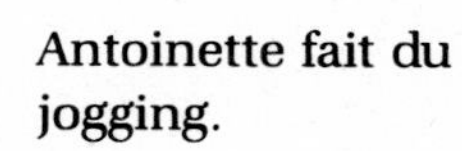

Antoinette fait du jogging.

Madame Leblanc prépare un gâteau.

Jeannot lave son chien.

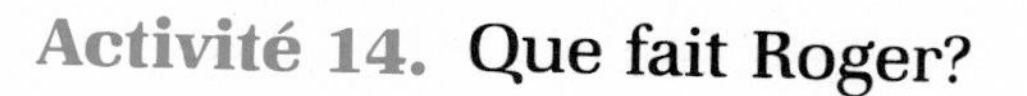

Activité 14. Que fait Roger?

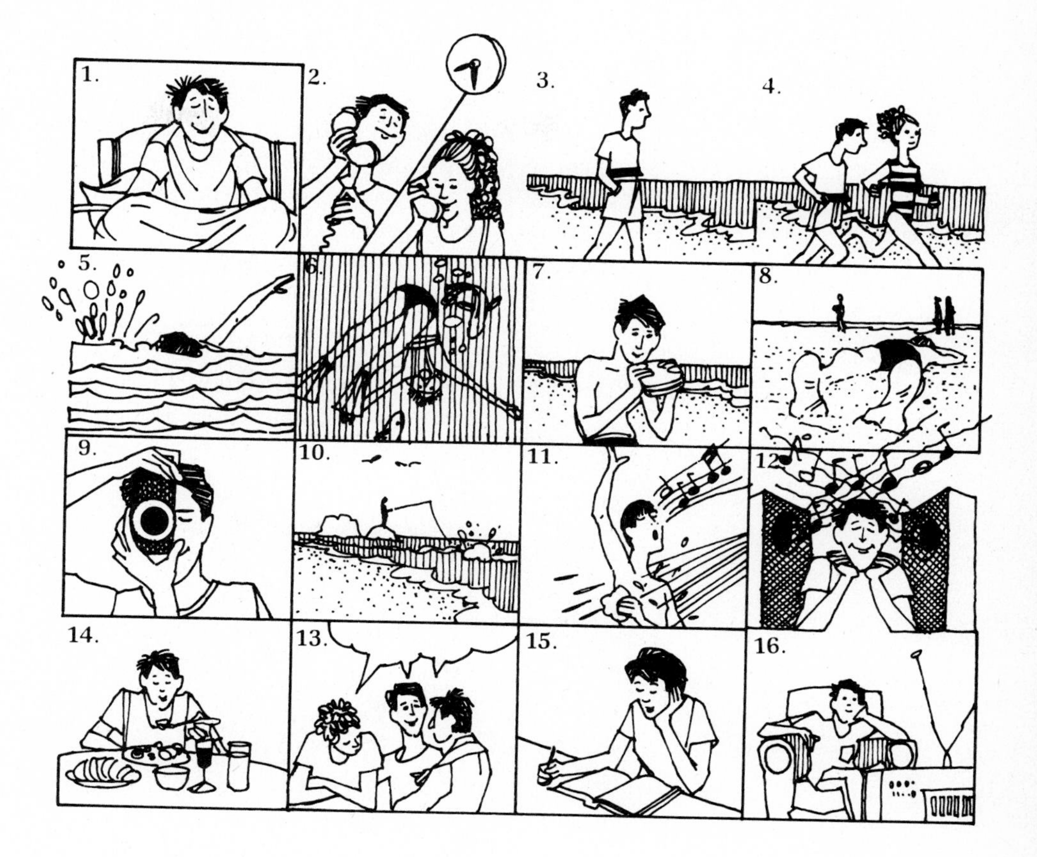

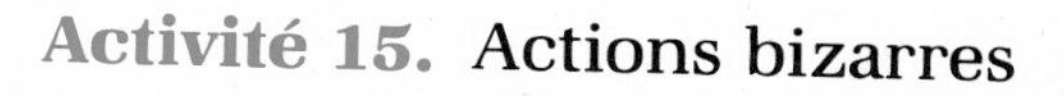

Activité 15. Actions bizarres

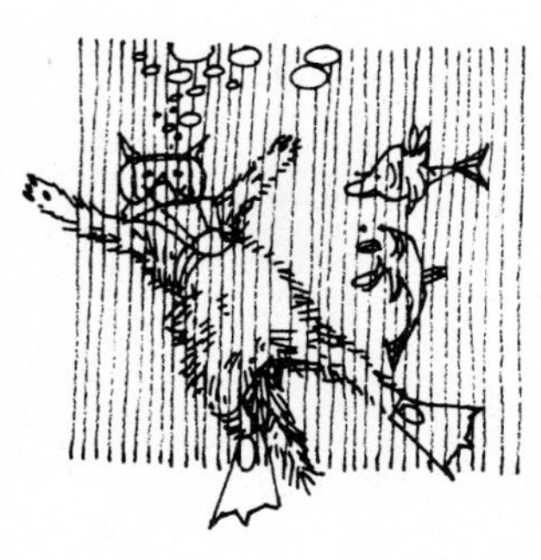

Dites si l'activité est normale ou bizarre.

1. un garçon qui marche
2. un poisson qui nage
3. un cheval qui fume
4. un bébé qui prépare son dîner
5. un professeur qui fait la sieste en classe
6. un homme qui chante
7. un oiseau qui patine
8. un chien qui vole
9. un chat qui fait de la plongée sous-marine
10. une femme qui fait du jogging

Activité 16. Dialogue: Au téléphone

Charles Duroc téléphone à un ami.

CHARLES: Bonjour, Alfred. Qu'est-ce que tu fais?
ALFRED: Je regarde la télé. Qu'est-ce qu'il y a?
CHARLES: Jean, Paul et moi, on va jouer au football. Tu veux jouer avec nous?
ALFRED: Maintenant?
CHARLES: Oui.
ALFRED: Où êtes-vous?
CHARLES: Devant le gymnase.
ALFRED: D'accord. J'arrive tout de suite.

Activité 17. Dialogue ouvert: Deux amis

É1: Bonjour, _____. Que fais-tu?
É2: Je _____.
É1: Tu veux _____ après?
É2: Oui, bien sûr. Je veux bien _____.

LECTURE: Le feuilleton

Aujourd'hui, Antoinette lit le journal. Tout à coup,[1] elle remarque[2] cet article qui parle de sa voisine, Isabelle Roi.

UNE JEUNE FILLE D'AUJOURD'HUI

Une jeune actrice française, Isabelle Roi, est actuellement[3] en visite à Montréal. Elle va visiter les endroits touristiques de la ville, et on va peut-être lui proposer[4] un rôle dans un film canadien.

Isabelle Roi est grande, gaie et dynamique. Elle aime voyager et lire de bons romans.[5] Elle se décrit ainsi:[6] «Je suis une jeune fille d'aujourd'hui: active, travailleuse,[7] enthousiaste et un peu idéaliste. Mais je ne suis ni timide ni[8] extrovertie. Je préfère les personnes gaies et les hommes sensibles[9] et artistiques. Un jour, je veux être très célèbre.» Voici donc[10] Isabelle: une jeune fille d'aujourd'hui. Bonne chance[11] au Canada, Isabelle!

[1]Tout... *Suddenly* [2]*notices* [3]*currently* [4]lui... *offer her* [5]*novels* [6]*like this* [7]*hard-working* [8]ni... ni... *neither . . . nor* [9]*sensitive* [10]*then* [11]*luck*

Questions

1. Qui est Isabelle Roi?
2. Que veut-elle faire au Canada?
3. Décrivez Isabelle.
4. Qu'est-ce qu'elle aime faire?
5. Décrivez l'homme idéal d'après Isabelle.

Vocabulaire

LES SPORTS ET LES JEUX Sports and games

jouer (à)	to play (*sports*)
les cartes (*f.*)	cards
le football	soccer
le football américain	football
le match	game
la moto	motorcycle
la pétanque	lawn bowling, bocce ball
la planche à voile	windsurfing
la plongée sous-marine	diving
le ski alpin	(Alpine) skiing
le ski nautique	waterskiing

Mots similaires: **le basket-ball, le billard, le bowling, le camping, le golf, le racket-ball, le tennis, le volley-ball**

VERBES Verbs

acheter	to buy
aimer	to like
aimer mieux	to prefer
aller	to go
s'amuser	to have fun; to have a good time
boire	to drink
chanter	to sing
conduire	to drive
courir	to run
cuisiner	to cook
dessiner	to draw
dîner	to have dinner
donner	to give
dormir	to sleep
écouter	to listen
écrire	to write
faire	to do; to make
faire de la bicyclette	to go bike riding
faire de la moto	to ride a motorcycle
faire de la planche à voile	to windsurf
faire des courses	to go shopping
faire du camping	to go camping
faire du jogging	to jog
faire du vélo	to ride a bicycle
faire une promenade	to take a walk
fumer	to smoke
jardiner	to garden
laver	to wash
lire	to read
manger	to eat
marcher	to walk
monter	to climb
monter à cheval	to go horseback riding
nager	to swim
parler	to talk
passer	to show (*a film*)
patiner	to skate
pêcher	to fish
pique-niquer	to have a picnic
porter	to wear
prendre	to take
prendre des photos	to take pictures
prendre le soleil	to sunbathe
recevoir	to receive
regarder	to look at
rendre visite à	to visit (*someone*)
rentrer	to return
se retrouver	to find each other again; to meet again
signer	to sign
skier	to ski
sortir	to go out; to come out
téléphoner	to telephone; to make a phone call
travailler	to work
voler	to fly
vouloir	to want
bien vouloir	to be willing to
voyager	to travel; to take a trip

Mots similaires: **arriver, danser, inviter, organiser, préparer**

LES LIEUX Places

la campagne	countryside
le cinéma	movie theater
la mer	sea

la montagne	mountain
la plage	beach
la ville	city, town

Mots similaires: **la discothèque, le lac, le parc, le restaurant**

Révision: **la piscine**

SUBSTANTIFS Nouns

l'avion (*m.*)	plane
le bébé	baby
le café	coffee
la cassette	tape
le croissant	crescent roll
la cuisine	food, cooking
la dame	woman
le désir	desire, preference
le devoir	homework; task
le disque	record (*music*)
la douche	shower
le drame	drama
l'entrée (*f.*)	ticket (*for a performance*)
la fête	party; celebration
le gâteau	cake
la glace	ice cream
le goût	taste
l'idée (*f.*)	idea
les informations (*f.*)	news
le journal	newspaper
la journée	day (*duration*)
la lettre	letter
les loisirs (*m.*)	free-time activities
l'oiseau (*m.*)	bird
l'ordinateur (*m.*)	computer
le petit déjeuner	breakfast
le poisson	fish
la promenade	walk
la séance	showing
la sieste	nap
les vacances (*f.*)	holidays
le vin	wine
le violon	violin

Mots similaires: **l'action** (*f.*), **le chocolat, la cigarette, la comédie, le concert, le film, la guitare, le moment, la musique, le piano, la préférence, le projet, le rock, le sandwich, la télé, la (vidéo)cassette, le vidéoclip**

LA DESCRIPTION Description

ennuyeux (-euse)	boring
prochain(e)	next, upcoming
tout(e)(s), tous	all

Mots similaires: **bizarre, classique, élégant(e), normal(e)**

QUAND? When?

après	after; later
d'après	according to; following, from
d'abord	first
jusqu'à	until
pendant	during; while
tout de suite	right now, immediately

Mot similaire: **le week-end**

MOTS ET EXPRESSIONS UTILES Useful words and expressions

à (+ *day of the week*)	until
ça te va?	how about that? how's that for you?
chez	at the house of
d'accord	OK, I agree
dis	tell me
donc	so, thus
je ne sais pas	I don't know
je veux bien	I would like to
mieux	better
pour	for
pourquoi?	why?
quelle bonne idée!	what a good idea!
qu'est-ce qu'il y a?	what's up? what's happening?
qui d'autre?	who else?
s'il te plaît	please
tous les deux	together
toute la journée	all day (long)

LES AMIS FRANCOPHONES: *Correspondance*

Je m'appelle Paulette Rouet. J'ai 20 ans et j'habite à Paris. J'aime beaucoup Paris. Je suis très gaie et extrovertie. J'aime beaucoup les fêtes, le cinéma, la musique, la danse et les vêtements à la mode.[1] Quand j'ai le temps, j'aime écrire des lettres à mes amis du monde entier. J'étudie le dessin et l'art graphique à l'École des Beaux-Arts.

Je travaille quelques heures par semaine pour une grosse société:[2] je suis standardiste.[3] Je veux trouver[4] plus de correspondants étrangers de mon âge, avec les mêmes intérêts que moi. Écrivez à Paulette Rouet, 86 rue de la Convention, 75015 Paris, France.

[1]à... *stylish* [2]*corporation* [3]*telephone operator* [4]*to find*

Questions

1. Qu'aime faire Paulette quand elle a du temps libre?
2. Qu'étudie-t-elle?
3. Pourquoi écrit-elle cette annonce?
4. Où habite-t-elle?

LES AMIS FRANCOPHONES: *Julien Leroux*

Bonjour! Je m'appelle Julien Leroux et aujourd'hui je veux vous parler de mon sujet favori: la musique. Mon travail est très lié° à la musique. Je suis présentateur pour une émission de radio sur France Inter.° (Je suis aussi journaliste pour TF1, Télévision Française 1.) Mes amis m'appellent le disque-jockey magique parce que,

related, linked
France... *radio station*

©PETER MENZEL

Les jeunes aiment se réunir chez des amis pour écouter de la musique et bavarder. Très souvent ils savent les paroles de leurs chansons préférées par cœur, même quand elles sont en anglais.

dans mon programme de radio, je passe° toujours les chansons que mes auditeurs veulent entendre. J'aime les chansons de variété° et la musique moderne.

J'aime beaucoup voyager et écouter la musique populaire des pays que je visite. J'aime en particulier le jazz, le cha-cha-cha et la samba. Mais à la radio, chez nous, la musique la plus entendue° de nos jours est probablement le rock, chanté° par des groupes anglais, américains et même° par des groupes français en français!

play

chansons... *popular songs*

la... *most listened-to*

sung

even

Vrai ou faux?

1. Le sujet favori de Julien est la musique.
2. Il déteste la musique moderne.
3. Julien aime seulement la chanson française.
4. Il aime voyager et écouter de nouveaux rythmes.
5. Les Français n'aiment pas le rock.

LES AMIS AMÉRICAINS: Anne Martin

L'université de Nanterre, près de Paris. A l'université, les étudiants assistent à des cours, des séances de travaux pratiques et des conférences. Ici, ils écoutent attentivement les explications du professeur.

Je m'appelle Anne Martin. Mes parents sont québécois. Je suis née et j'ai grandi° à Montréal. Je suis professeur de français à l'université de Tulane à La Nouvelle-Orléans, et l'été je donne° des cours à l'université de Montpellier en France. J'aime beaucoup enseigner le français, et mes classes à Montpellier sont particulièrement intéressantes parce que mes étudiants viennent du monde entier.

j'ai... *I was raised*

teach

Dans mes classes j'ai des étudiants arabes, chinois, japonais, espagnols et beaucoup de Canadiens et d'Américains. Nous aimons faire des excursions ensemble, visiter la ville et les musées. J'aime bien les inviter chez moi et discuter avec eux de leurs impressions de la France et de leur pays.

Mon travail me passionne, mais mon temps libre est aussi très important. J'aime aller danser avec mes amis, jouer au tennis ou parler avec eux dans un café. Nous parlons de politique, de nos voyages, de nos projets. J'aime aussi jouer de la guitare. Mes amis adorent m'écouter° chanter de vieilles chansons québécoises.

listen to me

Questions

1. Décrivez Anne Martin.
2. Pourquoi Anne aime-t-elle enseigner pendant l'été?
3. De quels pays sont ses étudiants?
4. Qu'aime-t-elle faire avec ses étudiants?
5. Qu'est-ce qu'elle aime faire avec ses amis?

LES AMIS FRANCOPHONES: Une carte postale de Paris

©ALAN CAREY / THE IMAGE WORKS

Le Louvre, Paris. Le Musée du Louvre est un palais très ancien.

Chers parents:
Je suis enfin à Paris. C'est une très grande ville. Quelle circulation![1] Quelle foule![2] Il y a beaucoup de monuments intéressants à visiter. J'aime beaucoup la place de la Concorde avec son obélisque égyptien. Vous pouvez voir le Louvre sur cette carte postale. Il est beau, n'est-ce pas? A bientôt.[3] Je vous embrasse.
Adrienne

M. et Mme René Bolini
21 Boulevard Rodoccanachi
13008 Marseille

[1]*traffic* [2]Quelle... *What crowds!* [3]A... *See you soon*

Questions

1. Où est Adrienne?
2. Quels endroits intéressants aime-t-elle visiter?
3. Comment décrit-elle le Louvre?

NOTE CULTURELLE: Le sport

Les Français sont sportifs: sept Français sur° dix pratiquent un sport. Mais ils ne sont pas fanatiques: seulement trois Français sur dix pratiquent un sport régulièrement.

out of

Le sport favori des Français est *le football*. Le premier club de football français date de 1872. Aujourd'hui, il y a vingt mille clubs, et près de° deux millions de membres.

près... *almost*

Le ski est également très populaire. On skie dans les Alpes, les Pyrénées, les Vosges et le Massif Central. Les Jeux olympiques d'Hiver auront lieu° dans les Alpes françaises en 1992. Les marques° d'équipement de ski comme Rossignol et Solomon sont françaises.

auront... *will take place*
brands, makes

Le tennis vient en troisième position. *La planche à voile* est aussi très populaire dans un pays qui a près de 3 200 kilomètres de côtes° et des centaines° de lacs. *La gymnastique aérobique* est maintenant très à la mode.

coasts / *hundreds*

Enfin, *le Tour de France* est probablement l'événement sportif français le plus connu.° C'est une course cycliste professionnelle de 5 000 kilomètres à travers la France; elle dure trois semaines.

le... *best known*

©PETER MENZEL

Les marathons sont aussi très populaires en France et dans certains pays francophones. Souvent ils sont organisés pour venir en aide des plus défavorisés. Cette photo nous montre l'arrivée du marathon qui se court au mois de mai pour aider les pays africains.

Certains sports étrangers tels que le cricket et le base-ball n'existent pratiquement pas en France. Par contre, *le football américain* commence à être connu. Il est pratiqué par quelques équipes françaises et certains matchs américains sont retransmis à la télévision.

Vrai ou faux?

1. La majorité des Français sont des fanatiques de sport.
2. Le football est en première position.
3. La planche à voile est une activité sportive.
4. Le base-ball est très populaire en France.
5. Les Français ne jouent pas au football américain.

NOTE CULTURELLE: Les loisirs

Une terrasse près du Boulevard Saint Michel (le "Boul 'Mich"), dans le Quartier Latin. Les cafés sont les lieux de rencontre préférés des étudiants après les cours.

Traditionnellement en France, on passe beaucoup de temps libre en famille. On déjeune ensemble le dimanche; on célèbre ensemble les anniversaires, les fêtes et les grandes occasions de l'année. On aime aussi regarder la télévision ou faire une promenade ensemble.

Les jeunes aiment sortir en bandes d'amis pour aller au cinéma et pour danser dans des boîtes de nuit.° Ils se retrouvent aussi très souvent au café pour bavarder° ou jouer à des jeux électroniques.

Enfin, les Français se réunissent° aussi beaucoup

boîtes... *nightclubs*
chat
se... *get together*

en clubs d'intérêts communs. Plus d'un tiers° d'entre eux appartient à une association: clubs sportifs, Maisons de Jeunes,° clubs du troisième âge,° associations culturelles, aussi bien que des clubs moins sérieux comme les clubs de jeux de société où l'on joue au Scrabble, au Monopoly ou à Donjons et Dragons.

third

Maisons... *youth centers* / troisième... *people 60–75 years old*

Il existe actuellement un Ministère du Temps Libre en France, preuve° que les loisirs prennent une place de plus en plus° importante dans la vie de chaque Français.

proof

de... *more and more*

Questions

1. Où passe-t-on beaucoup de temps libre en France?
2. Nommez quelques divertissements des jeunes Français.
3. Quelles sortes de clubs est-ce qu'il y a en France?
4. L'existence du Ministère du Temps Libre, qu'est-ce que cela indique?

1.1. *Expressing Likes and Dislikes: The Verb* **aimer** + Infinitive

A. The verb **aimer** (*to like; to love*) is used, much as its English counterpart, to say that you like something or that you like or love to do something. In French, however, **aimer** is directly followed by an infinitive, without a word that corresponds to English *to*.

J'**aime** ma classe de français.
I like my French class.

Ma sœur **aime danser.**
My sister likes to dance.

Mes amies **aiment bien skier.**
My friends really like to ski.

B. Here are the forms of the verb **aimer.**

j' **aime**	nous **aimons**
tu **aimes**	vous **aimez**
il/elle **aime**	ils/elles **aiment**

Pronunciation hint: **aime, aimes, aime, aimõns, aimez, aiment.** Note in particular that the singular forms and the third person plural form are pronounced the same, even though they have different endings.

C. As you know, the verb form that follows **aimer** is an infinitive. In French, an infinitive usually ends in **-er**, but some infinitives end in **-re** and others in **-ir.** The infinitive is the form listed in the dictionary and in most vocabulary lists. It corresponds to English *to* (*walk, dance, eat,* etc.).

Le week-end M. Leblanc aime **jouer** au tennis, **prendre** le soleil et **courir** deux kilomètres.
On weekends, Mr. Leblanc likes to play tennis, get some sun, and run two kilometers.

Pronunciation hint: The **-r** of **-er** infinitives is not pronounced: **parler, danser, regarder.**

1.2. *The Impersonal Subject* **on**

The subject pronoun **on** (*one*) can be used to refer to an unspecified person, roughly corresponding to the impersonal English subjects *you, people, "they."* It is used with the same verb form as **il** and **elle.**

On aime boire du vin avec les repas en France.
People like to drink wine with meals in France.

On n'a pas beaucoup de temps libre pendant le semestre.
You don't have a lot of free time during the semester.

In everyday conversation the pronoun **on** frequently replaces the subjects **nous, ils, elles,** or **vous.**

> **On dîne** chez Paulette ce soir.
> *We're having dinner at Paulette's this evening.*
>
> **On parle** français chez les Leblanc, bien sûr!
> *They speak French at the Leblanc house, of course!*

Since it is used so often, **on** will be included, along with **il** and **elle,** in verb charts.

Exercice 1

On vous pose des questions. Vous n'êtes pas d'accord avec l'activité suggérée et vous en nommez une autre.

MODÈLE: Qu'est-ce que vos amis aiment faire? cuisiner? →
Mes amis n'aiment pas cuisiner, mais ils aiment dîner au restaurant.

1. Qu'est-ce que vos grands-parents (amis) aiment faire? jouer au golf?
2. Qu'est-ce que votre mère (camarade de chambre) aime faire? skier?
3. Qu'est-ce que votre père (meilleur ami) aime faire? danser le tango?
4. Qu'est-ce que votre petit ami (petite amie) aime faire? jouer du piano?
5. Qu'est-ce que votre professeur de français aime faire? aller au cinéma?
6. Qu'est-ce qu'on aime faire en été aux États-Unis le week-end? jouer au tennis?
7. Qu'est-ce qu'on aime regarder à la télé en France? le base-ball?

*1.3. The Verb **jouer** + **de** or **à**; Contractions **au, aux***

The verb **jouer** (*to play*) is not always followed by the same preposition. **Jouer de** is used with musical instruments. **Jouer à** is used with the names of sports or games. The preposition **à** + **le** contracts to **au,** and **à** + **les** to **aux.** Remember that **de** + **le** contracts to **du,** and **de** + **les** to **des.**

Here are the forms of the verb **jouer.**

je **joue**	nous **jouons**
tu **joues**	vous **jouez**
il/elle/on **joue**	ils/elles **jouent**

> **A** quoi aiment **jouer** Paulette Rouet et son amie Claire? —Paulette aime **jouer au** tennis, mais Claire aime **jouer aux** cartes.
> *"What do Paulette Rouet and her friend Claire like to play?" "Paulette likes to play tennis, but Claire likes to play cards."*
>
> **De** quel instrument de musique aimes-tu **jouer?** —J'aime **jouer du** piano.
> *"What musical instrument do you like to play?" "I like to play the piano."*

Exercice 2

Remplacez les tirets par **au, à la, aux, du, de la** ou **des.**

1. Est-ce que Raoul joue _____ rugby?
   —Non, il ne joue pas _____ rugby, mais il joue _____ football.
2. Est-ce que Claire aime jouer _____ billard?
   —Non, elle n'aime pas jouer _____ billard, mais elle adore jouer _____ cartes.
3. Est-ce que Marion aime jouer _____ violon?
   —Non, elle n'aime pas jouer _____ violon, mais elle joue _____ piano.
4. Est-ce que Daniel joue _____ saxophone ou _____ cymbales?
   —Il ne joue ni _____ saxophone ni _____ cymbales, mais il joue _____ guitare.
5. Est-ce que Jeannot joue _____ poupée (*doll*)?
   —Non, il ne joue pas _____ poupée, mais il joue _____ dominos et _____ ballon.

1.4. *Plans (Part 1): The Verb* ***vouloir*** + Infinitive

A. The verb **vouloir** (*to want*) is used to indicate wishes or desires. Use it to say what you want or what you want to do. Like **aimer, vouloir** is followed directly by an infinitive, without a separate word that corresponds to English *to*.

Qu'est-ce que tu **veux** faire ce soir? —Je **veux** aller au cinéma. Tu **veux** venir avec moi?
"What do you want to do tonight?" "I want to go to the movies. Do you want to come with me?"

Mon frère **veut jouer** au tennis samedi matin, mais moi, je **veux dormir.**
My brother wants to play tennis Saturday morning, but I want to sleep.

B. Here are the forms of the verb **vouloir.**

je **veux**	nous **voulons**
tu **veux**	vous **voulez**
il/elle/on **veut**	ils/elles **veulent**

Pronunciation hint: Be sure to round your lips when pronouncing both **eu** and **ou.** Remember that final consonants are not pronounced: **veux, veut, voulons, voulez, veulent.**

C. **Vouloir** is also commonly used in the expression **vouloir dire** (*to mean*).

Que **veut dire** le mot *déjeuner*? —*Déjeuner* **veut dire** prendre le repas de midi.
"What does the word ***déjeuner*** *mean?" "****Déjeuner*** *means to have a meal at noon."*

Exercice 3

Étienne est au café avec ses amis. Ils parlent de leurs projets de week-end. Vous écoutez leur conversation. Remplacez les tirets par la forme correcte du verbe **vouloir** (**veux, veut, voulons, voulez, veulent**).

—Dis, Albert, qu'est-ce que tu ____[1] faire ce soir? Aller au cinéma?

—Non! Moi, je vais aller danser. Et vous, Louis, Chantal et Hélène, que ____[2]-vous faire?

—Nous, nous ____[3] aller dîner chez Monique. On ____[4] bien manger et s'amuser. D'accord?

—Bien sûr! Et Louis et Chantal ____[5] préparer le dîner!

—Et toi, Roger, tu ne dis rien. Ça va? Tu es triste?

—Moi, je ____[6] voyager, je ____[7] aller en Australie, retrouver (*find*) ma petite amie Laure... Je suis si seul (*alone*)!

1.5. Asking Questions: Rising Intonation; ***n'est-ce pas?; est-ce que;*** *Inversion;* ***quel***

A. There are three very simple ways to ask questions in French. The first, and perhaps easiest, is to use a rising intonation.

Dis, Raoul, tu aimes jouer au basket-ball?
Say, Raoul, do you like to play basketball?

It is also possible to add **n'est-ce pas?** to the end of a statement when you want the person you are talking with to confirm the information in the statement.

Chantal, tu aimes bien faire de la moto, **n'est-ce pas?**
Chantal, you like to ride motorbikes, don't you?

Probably the most common and easiest way to form a question in everyday conversation is to begin with the expression **est-ce que/qu'.**

Jeannot, **est-ce que** tu veux pique-niquer à la campagne?
Jeannot, do you want to have a picnic in the country?

B. Inversion of the subject and verb is another way to form questions when a pronoun (**il, elle, nous,** etc.) is the subject of the sentence. The verb form precedes the pronoun, which is attached to the verb with a hyphen (**un trait d'union**).

Aimez-vous danser? —Oui, j'aime beaucoup danser.
"Do you like to dance?" "Yes, I like to dance a lot."

Even when the subject is expressed with a noun, you can also use a corresponding pronoun, attached to the end of the verb, to form a question.*

Et **la nouvelle étudiante, est-elle** sympathique?
Is the new student friendly?

If the verb form corresponding to **il/elle/on** ends in **-e**—for example, **aime**—then a **-t-** is added between the verb and the pronoun.

Robert **aime-t-il** danser?
Does Robert like to dance?

Où **aime-t-on** nager ici?
Where do people like to swim here?

C. Use the interrogative word **quel** (**quelle, quels, quelles**) in front of a noun to ask *which* or *what + noun.*

Quel programme aimes-tu?
What program do you like?

Quelles discothèques sont les meilleures?
Which discotheques are the best?

Pronunciation hint: All of these forms are pronounced the same way: **quel, quel~~le~~, quel~~s~~, quel~~les~~.**

Exercice 4

Vous posez des questions à votre amie Michèle, mais elle n'entend pas très bien, alors vous répétez la question deux fois (*twice*).

MODÈLE: —Michèle, ton frère étudie à la Sorbonne, n'est-ce pas? →
—Comment?
—Ton frère, veut-il étudier à la Sorbonne?
—Comment??
—Est-ce que ton frère étudie à la Sorbonne?
—Ah oui! Depuis (*Since*) septembre.

1. Michèle, ta sœur joue au tennis, n'est-ce pas?
2. Michèle, tu aimes faire du camping, n'est-ce pas?
3. Michèle, ta famille vient de Toulouse, n'est-ce pas?
4. Michèle, ton père aime boire du vin, n'est-ce pas?
5. Michèle, tu veux conduire ma voiture pour aller à l'université, n'est-ce pas?

---

*Note that the repetition of a noun subject with a pronoun is *not* acceptable in standard English: *John, he studies English.*

1.6. *Plans (Part 2):* ***Le futur proche: aller*** + Infinitive

A. Use the verb **aller** (*to go*) followed directly by an infinitive to express future actions. This construction is called **le futur proche,** which means *the near future.* However, don't take the term literally; you may use **aller** + *infinitive* to refer to most future plans.

> Où est-ce que vous **allez dîner** ce soir?
> *Where are you going to have dinner tonight?*
>
> Je **vais dîner** chez Michèle.
> *I'm going to have dinner at Michele's.*

B. Here are the present tense forms of the verb **aller.**

je **vais**	nous **allons**
tu **vas**	vous **allez**
il/elle/on **va**	ils/elles **vont**

Pronunciation hint: **je vais, tu vas, nous‿allõns, vous‿allez, ils võnt.**

Exercice 5

Remplacez les tirets par la forme correcte du verbe **aller** (**vais, vas, va, allons, allez, vont**).

1. —Que ______-tu faire après la classe?
   —Je ______ rentrer à la maison.
   —Et Louis et Albert, que ______-ils faire?
   —Ils ______ prendre un café au restau-U.
   —Et Monique, que va-t-elle faire?
   —Elle ______ étudier avec des amis et après, elle ______ dîner en ville.
2. —Ce week-end, que ______-nous faire?
   —On ______ patiner et puis on ______ aller au cinéma et on ______ bien s'amuser!
3. —Que ______-vous faire après l'examen?
   —Nous ______ donner une soirée: nous ______ écouter de la musique et nous ______ danser.

1.7. *Actions in Progress: Present Tense:* ***-er*** *Verbs;* ***faire***

A. To refer to an action that is taking place at the moment of speaking, French uses a simple (that is, one-word) tense form. Compare this with English, which uses the verb *to be* followed by a verb ending in *-ing.*

> Regardez Robert! Qu'est-ce qu'il **fait?** —Je suppose qu'il **danse!**
> *"Look at Robert!" "What is he doing?" "I suppose that he's dancing!"*
>
> Dis, Antoinette, pourquoi est-ce que tu ne **travailles** pas maintenant?
> —Parce que je suis fatiguée.
> *"Tell me, Antoinette, why aren't you working now?" "Because I'm tired."*

B. Here are the present tense forms of **danser** (*to dance*), a verb that ends in **-er.** Note that the verb stem (the infinitive without its **-er** ending) does not change and that the endings on these verb forms correspond to the subject.

je danse (dans- + **e**)	*I am dancing*
tu danses (dans- + **es**)	*you (informal) are dancing*
il/elle/on danse (dans- + **e**)	*he/she/one is dancing*
nous dansons (dans- + **ons**)	*we are dancing*
vous dansez (dans- + **ez**)	*you (formal, plural) are dancing*
ils/elles dansent (dans- + **ent**)	*they are dancing*

Pronunciation hint: **je dãnse, tu dãnses, il dãnse, nous dãnsõns, vous dãnsez, ils dãnsent.** An important characteristic of the **-er** verb conjugation is that all singular forms (**je, tu, il/elle/on**) and the **ils/elles** form are pronounced identically, even though they are written differently. Most French verbs follow the same pattern of conjugation as **danser.** Some verbs, however, are irregular. You have already heard and read a number of irregular French verbs: **être, avoir, venir, vouloir,** and **aller**. You will study others, plus the pattern of conjugation for verbs that end in **-re** and **-ir,** in Chapter Two.

C. Another common irregular verb is **faire** (*to do; to make*).

je **fais**	nous **faisons**
tu **fais**	vous **faites**
il/elle/on **fait**	ils/elles **font**

Pronunciation hint: **fais, fait, faisõns, faites, fõnt.**

D. **Faire** is used in many useful expressions. Here are a few of them: **faire des courses** (*to go shopping*), **faire la sieste** (*to take a nap*), **faire ses devoirs** (*to do one's homework*), **faire du jogging** (*to go jogging*), **faire du ski** (*to go skiing*), and so on.

Où est Robert? Qu'est-ce qu'il **fait**? —Il **fait** du jogging.
"Where's Robert? What's he doing?" "He's jogging."

Exercice 6

Faites correspondre la phrase avec son sujet.

MODÈLE: Cet homme → marche vite.
Vous → dansez très bien.

A.

1. Hélène et moi, nous	cuisinez très bien.
2. Étienne et Robert	chantes faux (*badly*).
3. Cette jolie femme	skient à Montana-Crans.
4. Toi, tu	faisons du jogging.
5. Louis et toi, vous	fait de la planche à voile.
6. Moi, non, je	ne dessine pas bien.

B.

1. Chantal et Adrienne	répare ma voiture.
2. Cet étudiant	fais de la moto.
3. Vous, alors, vous	ne travaillent pas beaucoup.
4. Ma mère et moi	va danser tous les soirs.
5. Je	exagérez!
6. Et toi, tu	achetons nos vêtements en vil

In **Chapitre deux** you will learn to talk about daily activities of all kinds. You will talk not only about what you do but what others do as well.

Un arrêt d'autobus à Paris.

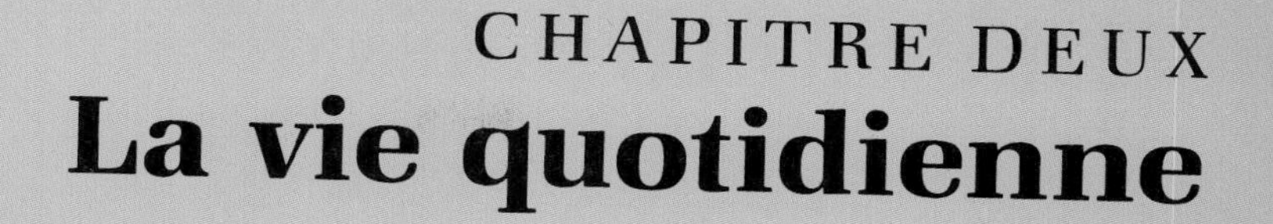

CHAPITRE DEUX

La vie quotidienne

THÈMES

- Your Daily Activities
- Specifying When and How Often You Do Something
- Talking About the Places You Go to or Leave

LECTURES

- Les amis francophones: Une journée dans la vie de Bernard
- Les amis francophones: Les activités de Paulette

LECTURES SUPPLÉMENTAIRES

- Les amis francophones: Charles Duroc, étudiant en architecture
- Les amis francophones: Adrienne Bolini
- Note culturelle: La télévision

GRAMMAIRE

2.1. Habitual Actions, Present Tense: Regular **-er** Verbs and **-er** Verbs with Pronunciation and Spelling Changes
2.2. *-Self:* Reflexive Pronouns
2.3. Asking Questions: Interrogative Words
2.4. Present Tense: **-re** Verbs like **attendre, prendre,** and **mettre**
2.5. Present Tense: **-ir** Verbs like **dormir, partir,** and **offrir**
2.6. Expressing Location: The Verbs **aller** and **arriver**

ACTIVITÉS ORALES

LA VIE QUOTIDIENNE

ATTENTION! Voir Grammaire 2.1–2.2.

se coucher

je me couche	nous nous couchons
tu te couches	vous vous couchez
il/elle/on se couche	ils/elles se couchent

Florence se lève tous les jours de bonne heure.

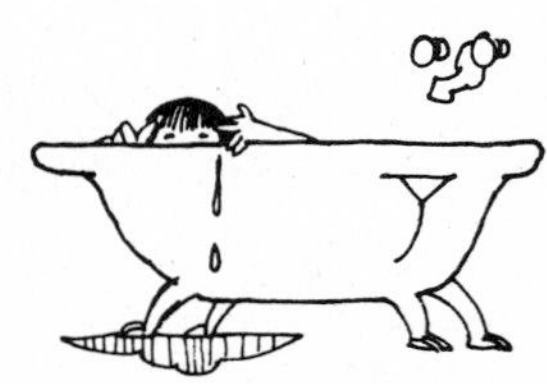

Jeannot se baigne avant de se coucher.

Jean-Luc s'habille rapidement.

Monsieur et Madame Leblanc s'en vont au travail à huit heures.

A midi Madame Leblanc se promène dans le parc.

Les enfants se couchent très tôt.

Activité 1. Interaction: Les activités quotidiennes

	Sylvie Legrand Montréal	Adrienne Bolini Marseille	Julien Leroux Paris
lundi matin	va au travail en métro	arrive au bureau à neuf heures	se lève à six heures et demie et se rase
mardi midi	déjeune à la maison en famille	déjeune avec un client	déjeune avec ses collègues
mercredi après-midi	travaille à la compagnie d'autobus	travaille sur son ordinateur	prépare un reportage
jeudi après-midi	va au cinéma avec Charles	se lave les cheveux avec de l'eau chaude	s'amuse avec ses amis
vendredi matin	étudie à la bibliothèque	s'entraîne au gymnase	se réveille à huit heures
samedi matin	se lève à midi	se promène dans le parc	se repose chez lui
dimanche matin	s'habille et s'en va chez une amie	joue au tennis	regarde la télé

É1: Qui se lève à midi?
É2: Sylvie.
É1: Quand est-ce que Julien s'amuse avec ses amis?
É2: Le jeudi après-midi.

Activité 2. Une matinée dans la vie de Charlotte Mercier

Activité 3. Dialogue: Le week-end

Étienne et Chantal parlent de leurs activités du week-end.

CHANTAL: Qu'est-ce que tu fais, toi, le week-end?
ÉTIENNE: Ça dépend. Parfois mes parents, mon frère Michel et moi, on va au parc jouer au football avec des amis. Après on déjeune au restaurant. Et toi, qu'est-ce que tu fais?
CHANTAL: En principe, je reste à la maison. Maman et moi, nous travaillons dans le jardin quand il fait beau. Mon père et mon frère adorent bricoler. Ils réparent toujours quelque chose! De temps en temps nous allons tous déjeuner chez ma grand-mère.
ÉTIENNE: Et ta sœur, elle vous aide?
CHANTAL: Pas du tout! Elle préfère se reposer. Elle fait la sieste, elle lit un roman ou elle regarde la télé.
ÉTIENNE: Eh bien, pourquoi est-ce qu'on ne change pas un peu la routine et on va au cinéma dimanche prochain?
CHANTAL: Excellente idée!

Activité 4. Dialogue: Que fait ton frère?

Mettez dans le bon ordre.

_____ Ton frère Charles, il étudie et il travaille aussi?
_____ Il se lève à cinq heures et demie du matin et il étudie pendant trois heures.
_____ Quand est-ce qu'il étudie?
_____ Oui, il suit quatre cours à l'université et le soir il travaille dans une usine.

Activité 5. Entrevues

LE SAMEDI

1. En général, le samedi...
   a. joues-tu au football?
   b. fais-tu la cuisine?
   c. te lèves-tu à midi?
   d. fais-tu des devoirs?
   e. regardes-tu la télé?
   f. manges-tu un hamburger?
   g. promènes-tu le chien?
   h. fais-tu des courses?
   i. t'en vas-tu au travail?
   j. t'amuses-tu avec tes amis le soir?

LE LUNDI

2. En général, le lundi matin...
   a. te réveilles-tu de bonne heure?
   b. te lèves-tu tard?
   c. t'amuses-tu dans tes classes?
   d. déjeunes-tu dans un café?
   e. manges-tu un croissant?
   f. fais-tu le ménage avant de quitter la maison?
   g. parles-tu avec le prof de français dans la salle de classe?
   h. as-tu des cours?
   i. vas-tu chercher un café avant d'aller en classe?
   j. arrives-tu au travail à l'heure?
   k. à quelle heure commences-tu à travailler?

LE VENDREDI

3. D'habitude, le vendredi soir...
   a. donnes-tu une fête?
   b. vas-tu au cinéma?
   c. restes-tu à la maison?
   d. fais-tu une promenade en ville?
   e. travailles-tu?
   f. fermes-tu tes livres à huit heures?
   g. vas-tu au café avec des amis?
   h. achètes-tu des vêtements?
   i. penses-tu aux cours de mathématiques?
   j. fais-tu de la plongée sous-marine?
   k. écoutes-tu de la musique classique?

Activité 6. Avec qui?

MODÈLE: Mes frères et moi, nous allons au cinéma.

1. _____ faisons les devoirs.
2. _____ jouons au tennis.
3. _____ regardons un film.
4. _____ dînons à la maison.
5. _____ faisons une promenade en ville.
6. _____ faisons de l'aérobique.
7. _____ mangeons dans un bon restaurant.
8. _____ nous amusons beaucoup.

Activité 7. Les activités de ma famille

Dans votre famille, qui fait les activités suivantes?

MODÈLE: s'amuse(nt) avec ses (leurs) amis le week-end →
Mes frères s'amusent avec leurs amis le week-end.

mon père
mes parents
ma sœur
mes sœurs
mon mari/ma femme
ma mère
mon frère
mes frères
mes grands-parents
personne

1. étudie(nt) à l'université
2. skie(nt) en hiver
3. joue(nt) au basket-ball le vendredi
4. va (vont) au cinéma le week-end
5. dîne(nt) tous ensemble
6. achète(nt) le journal le matin
7. va (vont) à la messe le dimanche
8. écoute(nt) de la musique rock
9. s'amuse(nt) à la plage
10. travaille(nt) beaucoup

QUAND?

ATTENTION! Voir Grammaire 2.3–2.4.

aujourd'hui
demain
après-demain
maintenant
tout de suite
fréquemment
très souvent
presque toujours
toujours
peu souvent
de temps en temps
cette semaine
la semaine prochaine
ce mois-ci
le mois prochain
cette année
l'année prochaine
jamais
une fois par mois
deux fois par an
parfois

Albert fait du jogging
tous les jours.

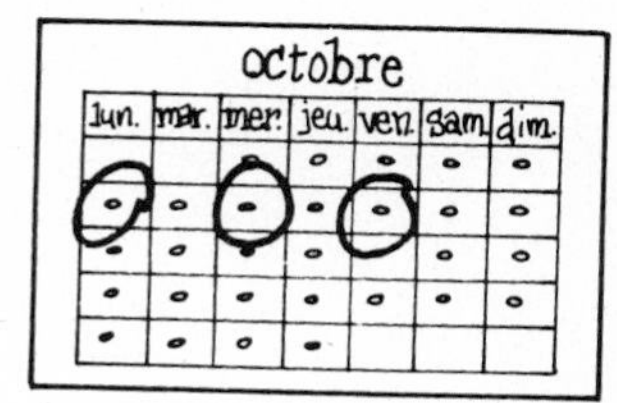

Chantal prend l'autobus
le lundi, le mercredi et le vendredi.

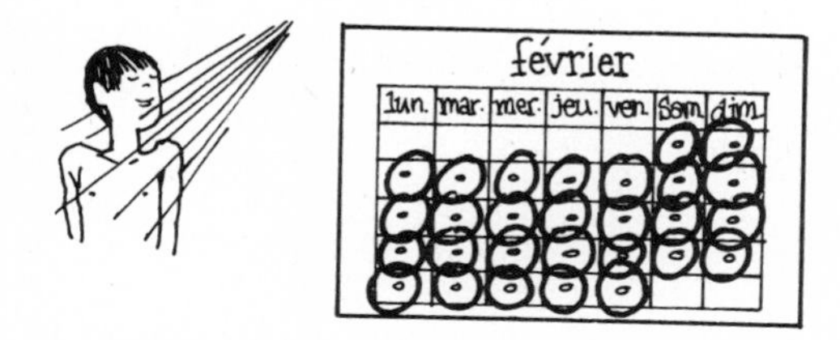

Guillaume prend une douche tous les jours.

Hélène dîne souvent avec ses grands-parents.

Raoul et Étienne jouent
au bowling trois fois par mois.

Activité 8. Interaction: Quand?

activité	Richard Kambé Abidjan	Julien Leroux Paris
s'en aller en ville	maintenant	la semaine prochaine
prendre un café	ce soir	cet après-midi
descendre de l'autobus	bientôt	plus tard
vendre sa voiture	vendredi prochain	samedi matin
faire un voyage	le mois prochain	l'été prochain
manger quelque chose	dans cinq minutes	dans une heure
se doucher	demain matin	ce matin

É1: Quand Julien va-t-il prendre un café?
É2: Il va prendre un café cet après-midi.

É1: Qu'est-ce que Richard veut faire dans cinq minutes?
É2: Il veut manger quelque chose.

Activité 9. Dialogue: Ma routine

Mireille Monet parle avec Roger Varenne de sa vie quotidienne.

MIREILLE: Tu travailles tous les jours?
ROGER: Non, je travaille seulement le lundi, le mardi et le samedi. Et toi?
MIREILLE: Moi, je travaille du lundi au vendredi. Pendant la semaine je me lève à six heures. Je quitte la maison à sept heures et l'après-midi je rentre vers cinq heures.
ROGER: Et le soir, que fais-tu?
MIREILLE: Je lis un roman ou j'écoute de la musique. Parfois je vais me promener avec des amis. Nous aimons aussi jouer au bowling.
ROGER: Tu es libre vendredi soir?
MIREILLE: Oui. Pourquoi?
ROGER: Tu veux aller au cinéma?
MIREILLE: Avec plaisir.

Activité 10. Dialogue: Que fais-tu d'habitude l'après-midi et le soir?

Mettez dans le bon ordre.

_____ Et le soir après dîner, tu étudies beaucoup?
_____ Oui, j'étudie, mais j'écoute aussi de la musique à la radio.
_____ L'après-midi je travaille quatre heures dans un bureau qui est près de la maison.
_____ Qu'est-ce que tu fais après tes cours?

Activité 11. Dialogue ouvert: Est-ce que tu étudies le soir?

É1: Études-tu beaucoup le soir?
É2: Parfois, mais je _____ aussi. Et toi?
É1: Moi, je préfère _____ et parfois j'aime _____.

Activité 12. Interaction: La télévision

É1: A quelle heure est l'émission «Deux flics à Miami»?
É2: A huit heures et demie (20h30).

A2

6.45 **Télématin**
8.30 **Jeunes Docteurs**
10.15 **Reprise**
Résistances
11.30 **Reprise**
Terre des bêtes
11.55 **Météo**
12.00 **Midi flash**
12.04 **L'Académie des neuf**
13.00 **Antenne 2 midi**
13.45 **Le Riche et le Pauvre**
14.35 **Ligne directe**
15.35 **Lili petit à petit**
16.05 **C'est encore mieux l'après-midi !**
17.35 **Récré A 2**
18.05 **Ma sorcière bien-aimée**
18.50 **Des chiffres et des lettres**
19.15 **Actualités régionales**
19.40 **Le nouveau théâtre de Bouvard**
20.00 **Le Journal**
20.30 **Deux flics à Miami**
Avec : Don Johnson, Philip Michael Thomas.
21.20 **Apostrophes**
Thème : l'écrit et l'oral. Avec Gabriel de Broglie, Georges Pastre, Orlando de Rudder, Yves Berger.
22.35 **Edition de la nuit**
22.45 **Le port de la drogue**
Un film de Samuel Fuller. Avec : Richard Widmark, Thelma Ritter, Murvyn Vye.

Activité 13. Entrevues

LA ROUTINE

Que fais-tu en général le samedi matin?

1. le lundi matin?
2. le samedi soir?
3. le dimanche après-midi?
4. le mercredi après-midi?
5. le vendredi soir?

LA ROUTINE DE LA FAMILLE ET DES AMIS

1. Que font tes frères (amis) le dimanche?
2. Que font tes parents (amis) le samedi?
3. Que font tes parents (amis) le lundi?
4. Que font tes grands-parents (amis) le dimanche?
5. Que font tes amis tous les jours l'après-midi?

LES AMIS FRANCOPHONES: Une journée dans la vie de Bernard

Bernard Tour travaille dans une usine de produits chimiques à Lyon. Sa femme s'appelle Irène. Ils ont trois filles: Liliane, neuf ans; Rose, six ans; et Nathalie, cinq ans. Ils habitent dans un petit appartement, rue Moulin. Irène est professeur dans un lycée° tout près de chez eux.

secondary school

©FREDRIK D. BODIN

Paris, la rue Royale et l'église de la Madeleine au fond. Comme beaucoup de Parisiens prennent leur voiture pour aller travailler, les embouteillages sont très nombreux, surtout aux heures de pointe.

Pendant la semaine Bernard se lève tous les jours à six heures du matin. Irène et les enfants se lèvent un peu plus tard. La famille prend le petit déjeuner à sept heures et quart. Bernard commence à travailler à huit heures. A midi il mange dans un petit restaurant près de l'usine avec quelques collègues. Il reprend son travail à une heure. Le soir il rentre chez lui vers six heures. Mais quand il a beaucoup de travail, il reste à l'usine bien plus tard.

La famille dîne à sept heures et demie. Après le dîner, les époux jouent avec leurs filles ou regardent leur émission favorite à la télé. C'est une vie routinière, mais il ne faut pas oublier° quelle est la passion du couple: les voyages. Pendant les vacances Bernard et Irène réalisent leur rêve.° Cette année ils vont découvrir le Canada. Mais en attendant,° il faut° se lever à six heures tous les matins...

il... *one shouldn't forget*

dream

en... *in the meantime* / il... *it's necessary*

Questions

1. Pourquoi Bernard se lève-t-il de bonne heure?
2. Où déjeune-t-il?
3. Que fait généralement le couple après le dîner?
4. Quels sont les aspects routiniers de la vie de Bernard et d'Irène? Qu'est-ce qu'elle a d'extraordinaire?
5. Quel pays vont-ils visiter cette année?

LES ENDROITS

ATTENTION! Voir Grammaire 2.5–2.6.

je **vais**			je **sors**		
tu **vas**		au cinéma	tu **sors**		du cinéma
il/elle/on **va**	+	à la plage	il/elle/on **sort**	+	de la plage
nous **allons**		à l'école	nous **sortons**		de l'école
vous **allez**		aux musées	vous **sortez**		des musées
ils/elles **vont**			ils/elles **sortent**		

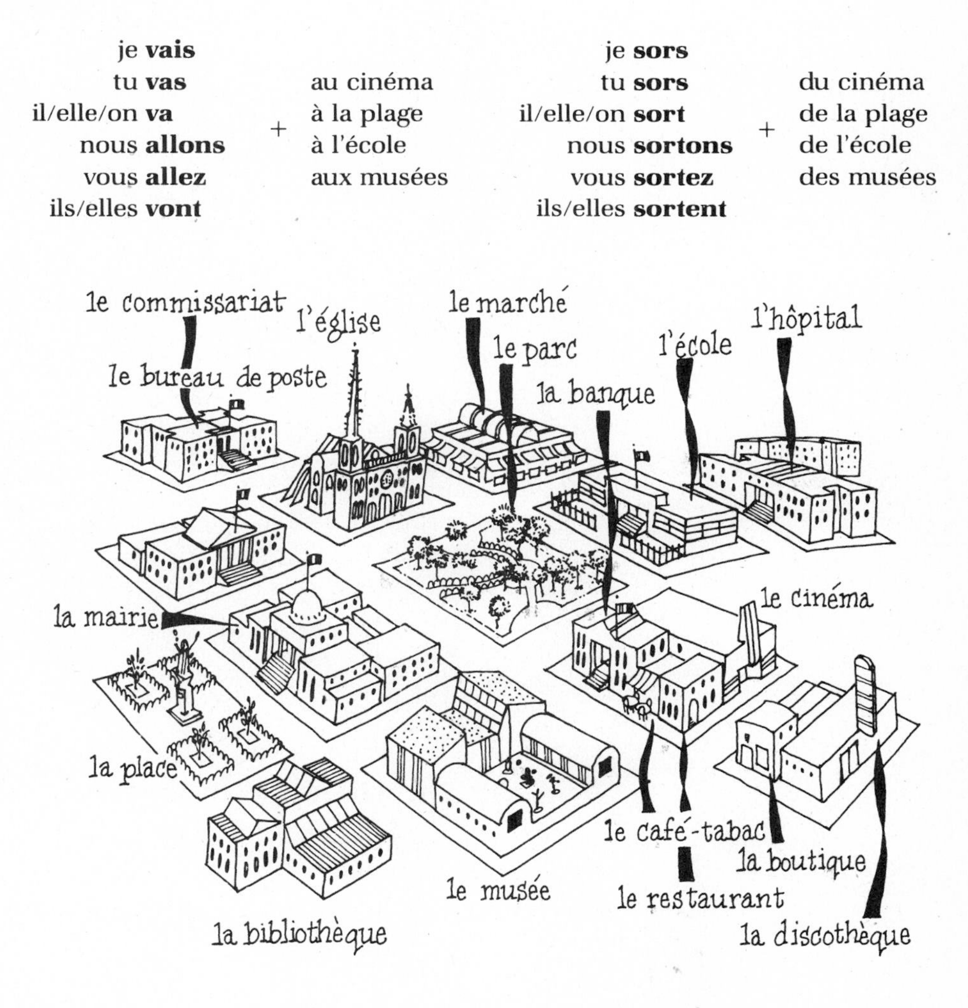

Activité 14. Que faisons-nous?

Que faisons-nous aux endroits suivants?

MODÈLE: le parc →
Quand nous allons au parc, nous jouons avec nos amis.

ENDROIT	ACTIVITÉ
1. le cinéma	a. nous achetons de la nourriture
2. la plage	b. nous étudions
3. le marché	c. nous mangeons
4. une discothèque	d. nous écoutons de la musique
5. la bibliothèque	e. nous dormons
6. un restaurant	f. nous regardons un film
7. un concert	g. nous prenons le soleil et nous nageons
8. un lit	h. nous dansons

Activité 15. Dialogue: Allons à la piscine!

Julien Leroux téléphone à un ami.

JULIEN: Quand est-ce que tu sors du bureau cet après-midi?
GÉRARD: Dans une demi-heure.
JULIEN: Qu'est-ce que tu vas faire, après?
GÉRARD: Je ne sais pas.
JULIEN: Allons à la piscine! Il fait si chaud aujourd'hui!
GÉRARD: Bonne idée! Mais d'abord je vais chercher mon slip de bain à la maison.
JULIEN: D'accord. Je pars maintenant et je t'attends devant chez moi à cinq heures et demie.
GÉRARD: Très bien. A tout à l'heure.

Activité 16. Dialogue ouvert: Où vas-tu?

É1: Où vas-tu ce week-end?
É2: Je vais ____. Et toi?
É1: Moi, je ____. Je veux ____.

Activité 17. Un après-midi dans la vie de Bernard Tour

LES AMIS FRANCOPHONES: Les activités de Paulette

Bonjour! Je m'appelle Paulette Rouet. J'ai vingt ans et je suis étudiante en Beaux-Arts. J'habite à Paris où je partage° un petit appartement avec ma sœur Louise. Elle étudie la psychologie. Nous habitons au Quartier Latin, près d'un très joli parc, le Jardin du Luxembourg. Quand je n'ai pas envie° d'étudier, je me promène dans le parc. Quand il fait beau j'aime regarder les passants, me reposer sur un banc ou tout simplement marcher.

share

je... *I don't feel like*

Dans mon quartier, il y a beaucoup de galeries d'art. Le dimanche j'aime aller voir des expositions ou aller au musée. Il y a aussi une discothèque à côté de chez moi. Nous allons y° danser le samedi soir avec des amis. Le disc-jockey choisit toujours mes chansons préférées.

there

Louise pense que nous habitons un endroit idéal parce que nous sommes près de tout et qu'il y a toujours quelque chose à faire. Pour moi, c'est un peu un problème parce qu'il m'est difficile d'étudier avec tant de° distractions et tant de monde° autour de moi. Mais Louise dit que pour elle c'est parfait. Bien sûr, elle a toujours d'excellentes occasions de rencontrer des personnes intéressantes et de mettre en pratique ce qu'elle apprend en cours de psychologie.

tant... *so many* / tant... *so many people.*

Le jardin du Luxembourg, à Paris. Quand il fait beau, beaucoup de personnes s'y promènent. Les étudiants aiment aussi y aller pour lire, bavarder ou se reposer entre les cours.

Questions

1. Qu'étudie Paulette?
2. Que fait-elle quand elle ne veut pas étudier?
3. Quand est-ce que Paulette aime aller au musée?
4. Qu'est-ce qu'il y a dans son quartier?
5. Pourquoi est-il difficile d'étudier chez Paulette?
6. Pourquoi Louise pense-t-elle que l'endroit où elle habite est parfait?

Vocabulaire

VERBES Verbs

aider to help
s'en aller (à) to leave (for); to go away
assister à to attend (*a class, an event, etc.*)
attendre to wait (for)
se baigner to take a bath, bathe
bricoler to tinker
se brosser to brush (*oneself*)
chercher to look for
se coucher to lie down; to go to bed
déjeuner to have lunch
descendre to go down; to come down
discuter to argue; to discuss
se doucher to take a shower
durer to last
s'endormir to fall asleep
s'entraîner to practice
étudier to study
faire de la plongée sous-marine to scuba dive
faire la cuisine to cook
faire la vaisselle to do the dishes
faire le ménage to clean house
faire un voyage to take a trip
fermer to close, shut
garer to park
s'habiller to get dressed
habiter to live
se laver to wash oneself, get washed
se lever to get up
partir to leave (*a place*)
penser (à) to think (about)
préférer to prefer
prendre une douche to take a shower
se promener to take a walk
quitter to leave (*behind*)
ranger to arrange, put in order
se raser to shave
se reposer to rest
rester to stay
retourner to return, come back
se réveiller to wake up
se sécher to dry oneself
sortir to leave (*a place*)
suivre un cours to take a class
vendre to sell

Mots similaires: **adorer, commencer (à), préparer, réparer, se terminer**

Révision: **s'amuser**

LES LIEUX Places

le bureau de poste post office
le café-tabac place where postcards, cigarettes, and candy are sold
le centre-ville downtown
le commissariat police station
l'église (*f.*) church
l'endroit (*m.*) place
le magasin store, shop
la mairie town hall
le marché market, marketplace
le métro subway
le musée museum
la place public square
le salon living room
l'usine (*f.*) factory

Mots similaires: **la banque, la boutique, le café, la compagnie, le supermarché**

Révision: **la bibliothèque, le cinéma, la discothèque, l'école** (*f.*), **le gymnase, l'hôpital** (*m.*), **le parc, le restaurant**

SUBSTANTIFS Nouns

les affaires (*f.*) things, possessions
l'autobus (*m.*) bus
le bifteck steak
la boisson beverage, drink

la chaîne	station (TV)
la dent	tooth
l'eau (*f.*)	water
l'émission (*f.*)	TV program
le flic	cop
le frigo	refrigerator
le jardin	garden
le journal télévisé	newscast
le jus	juice
le lit	bed
la messe	mass (*religious ceremony*)
la nourriture	food
les (pommes) frites (*f.*)	French fries
le reportage	report
le roman	novel
la serviette	towel
le slip de bain	men's bathing suit
le travail	work, job
le verre	(drinking) glass
la vie	life
le voyage	trip (*to another place*)

Mots similaires: **l'aérobique** (*f.*), **les céréales** (*f.*), **le** (**la**) **client**(**e**), **le** (**la**) **collègue, le hamburger, la minute, le prof, la radio, la routine, le sofa, la télévision, le thé**

LA DESCRIPTION Description

quotidien(**ne**)	daily

Mots similaires: **excellent**(**e**), **fréquent**(**e**)

QUAND? When?

l'an (*m.*)	year
l'année (*f.*)	year (*duration*)
la matinée	morning (*duration*)
à tout à l'heure	see you later
avant (**de**)	before
bientôt	soon
ce soir	tonight
de bonne heure	early
de temps en temps	from time to time
une demi-heure	a half-hour
en général	in general
la fois	time, occasion
une fois (**par...**)	once (a . . .)
deux fois (**par...**)	twice (a . . .)
fréquemment	frequently
jamais	never
parfois	sometimes
souvent	often
tard	late
plus tard	later
tôt	early
tous les jours	every day
vers	around (*with time*)

Révision: **la journée, le mois, prochain**(**e**), **la semaine, le week-end**

Révision: **à l'heure, après, d'abord, demain, d'habitude, maintenant, toujours, tout de suite**

MOTS ET EXPRESSIONS UTILES Useful words and phrases

à l', à la, aux	to the
allons	let's go
avec plaisir	with pleasure
ça dépend	it depends
en famille	as a family; at home
en principe	as a rule
ensemble	together
pas du tout	not at all
personne (**ne...**)	no one
peu	little
presque	almost
quelque chose	something
rapidement	quickly, rapidly
si	so, very (*adv.*)
tous	all (of us)
tous ensemble	all together

LECTURES SUPPLÉMENTAIRES

LES AMIS FRANCOPHONES: Charles Duroc, étudiant en architecture

Charles Duroc est étudiant en architecture à l'université de Montréal. Il se lève tous les jours à six heures, se lave, s'habille et prend une tasse° de café et des tartines° pour le petit déjeuner. Il révise ses notes avant de s'en aller. Puis il va à l'université en autobus.

tasse: cup
tartines: bread, butter, and jam

Charles arrive à l'université à huit heures. Il aime beaucoup ses cours. Souvent il étudie à la bibliothèque. En fin de journée il travaille comme chauffeur de taxi pour gagner un peu d'argent de poche.° Il rentre chez lui à neuf heures du soir et dîne en famille. Puis il prépare ses cours pour le lendemain.° Le week-end Charles retrouve sa fiancée, Sylvie Legrand. Ils sortent ensemble pour aller danser ou ils vont au cinéma avec des amis.

gagner... *to earn a little pocket money*
lendemain: next day

La gare de l'Est, à Paris. Beaucoup de gens qui habitent en banlieue préfèrent prendre le train pour venir à Paris. Les trains sont modernes, confortables et presque toujours à l'heure.

©PETER MENZEL

Questions

1. Que fait Charles le matin avant d'aller à l'université?
2. Comment va-t-il à l'université?
3. Quel genre de travail a-t-il?
4. Que fait-il après dîner? et le week-end?

LES AMIS FRANCOPHONES: Adrienne Bolini

©HELENA KOLDA / PHOTO RESEARCHERS, INC.

La directrice du département des relations publiques d'une société parisienne, dans son bureau. Les femmes cadres sont de plus en plus nombreuses dans le monde des affaires at dans les professions libérales.

Adrienne Bolini est une jeune Française qui travaille pour une entreprise° d'informatique. Elle habite à Marseille et va souvent à Paris, en Belgique, en Allemagne et aux États-Unis pour son travail. Adrienne parle allemand, anglais et un peu d'italien. Elle trouve son travail passionnant et enrichissant. Elle essaie de° s'informer constamment des nouvelles inventions et assiste souvent à des congrès et à des expositions internationales où l'on présente les derniers progrès technologiques dans le domaine° de l'informatique.

Sa profession lui demande beaucoup de temps et d'effort. C'est pour cela° qu'elle ne s'est pas encore mariée. Mais cette décision lui cause parfois des problèmes familiaux. Ses parents lui disent° qu'à vingt-huit ans une femme doit° se marier et avoir une famille. Pourtant° Adrienne préfère se consacrer à sa carrière. Elle ne rejette pas l'idée de se marier, mais pour le moment elle préfère son indépendance et sa profession. Elle ne se sent pas prête° à assumer les responsabilités du mariage.

entreprise° *company* · essaie... *tries to* · domaine° *field* · C'est... *That's why* · lui... *tell her* · doit° *should* · Pourtant° *However* · prête° *ready*

Questions

1. Quelle est la profession d'Adrienne?
2. Quels pays visite-t-elle fréquemment?
3. Quelles langues parle-t-elle?
4. Pourquoi ses parents ne sont-ils pas satisfaits de son style de vie?
5. Que préfère-t-elle?

NOTE CULTURELLE: La télévision

En France, on aime regarder la télévision: 95 pour cent des familles françaises ont un ou plusieurs° téléviseurs. Le téléspectateur français passe en moyenne° trois heures par jour devant son poste.

several
en... *on the average*

Il existe six chaînes nationales, dont° deux sont plus ou moins placées sous le contrôle du gouvernement. La télé n'est pas gratuite: les chaînes sont financées en grande partie par une taxe payée par les téléspectateurs, environ° 700 francs par an. En conséquence, sur certaines chaînes il y a relativement peu de publicité au programme.

of which
about

©PETER MENZEL

La télévision et la lecture sont deux des passe-temps favoris des Français. Le journal télévisé, les programmes culturels, sportifs et de variétés sont très populaires.

Les programmes commencent en général à midi et se terminent vers onze heures et demie du soir. Il y a beaucoup de films et de feuilletons américains doublés en français, comme «Dallas», «La Croisière s'amuse» (*Love Boat*) ou «Deux flics à Miami» (*Miami Vice*). Il y a aussi beaucoup de programmes culturels de qualité et beaucoup de débats politiques. Les émissions sont présentées par une «speakerine»: elle parle directement aux téléspectateurs pour annoncer le programme et elle donne même° un petit résumé de l'histoire si c'est un film.

even

Il existe depuis 1984 une chaîne semi-privée, Canal Plus, modelée sur les chaînes par cable américaines. Elle offre une journée de programmes plus longue et des films plus récents. Le gouvernement a récemment autorisé° les chaînes entièrement privées. De nouvelles stations, en général locales, commencent peu à peu à se créer.°

a... *recently authorized*
se... *to be created*

Vrai ou faux?

1. La famille française moyenne a seulement un poste de télé.
2. Il y a beaucoup de publicité à la télé en France.
3. Il y a des feuilletons américains et des émissions culturelles et politiques.
4. La «speakerine» est une actrice dans un feuilleton.

GRAMMAIRE ET EXERCICES

2.1. *Habitual Actions, Present Tense: Regular* **-er** *Verbs and* **-er** *Verbs with Pronunciation and Spelling Changes*

A. In Chapter 1, you learned that the present tense is used to express actions in progress in French.

Que fait Jeannot maintenant? —Il **regarde** la télévision.
"What is Jeannot doing now?" "He's watching television."

The present tense is also used to express both states (conditions) and actions that are habitual or customary, that is to say, what you do every day.

Jeannot **regarde** la télévision tous les jours.
Jeannot watches television every day.

Je **suis** content quand je **suis** avec mes amis.
I am happy when I'm with my friends.

B. As you know, the dictionary form of a verb is called an infinitive. French infinitives can end in **-er, -re,** or **-ir** (**-ire**).

Le week-end j'aime **jouer** au tennis, **lire** le journal et **dormir.**
On weekends, I like to play tennis, read the newspaper, and sleep.

The **-er** group, presented in Grammar Section 1.7. (Chapter One) and in this section, is by far the largest, and you have already had some practice in using these verbs. You will begin to study **-re** and **-ir** verbs later in this chapter; many frequently used verbs belong to those groups as well. Remember that you will have the chance to use verbs of all kinds many times in subsequent chapters of this text.

C. Remember that the stem of a regular **-er** verb does not change and that the endings correspond to the subject.

je regard + **e**	*I watch, am watching*
tu regard + **es**	*you (informal) watch, are watching*
il/elle/on regard + **e**	*he/she/one watches, is watching*
nous regard + **ons**	*we watch, are watching*
vous regard + **ez**	*you (formal, plural) watch, are watching*
ils/elles regard + **ent**	*they watch, are watching*

In this example both the simple present (*watch*) and the present progressive (*are watching*) equivalents are given to remind you that French verbs can express either meaning. However, in subsequent verb conjugations, the English translations will be omitted unless there is a possibility of confusion.

A few verbs have very minor spelling changes in the present tense that do not affect the regular endings or the pronunciation. In this section, you will study verbs of this kind that are useful for talking about daily activities. You will learn others as needed.

D. Verbs like **manger** add **-e-** to the stem (**mang-**) in the **nous** form to preserve the correct pronunciation of the letter **g.**

je mange	nous mang**e**ons
tu manges	vous mangez
il/elle/on mange	ils/elles mangent

Like **manger: changer** (*to change*), **voyager** (*to travel*).

> A quelle heure **mangez**-vous généralement? —Le soir, nous **mangeons** à huit heures.
> *"What time do you usually eat?" "In the evening, we eat at eight o'clock."*

E. In verbs like **préférer** there is both a spelling and a pronunciation change: the **-é-** just before the infinitive ending becomes **-è-** in all but the **nous** and **vous** forms.

je préf**è**re	*but:*
tu préf**è**res	préf**é**rer
il/elle/on préf**è**re	nous préf**é**rons
ils/elles préf**è**rent	vous préf**é**rez

> **Préférez**-vous du café ou du thé? —Du thé, s'il vous plaît, mais sans sucre.
> *"Do you prefer coffee or tea?" "Tea, please, but without sugar."*

F. In verbs like **acheter,** the **-e-** of the stem (**ach*e*t-**) is normally not pronounced in either the infinitive or the **nous** and **vous** forms. However, the stem **-e-** becomes an **-è-** in the other forms, and *is* pronounced.

j' ach**è**te	*but:*
tu ach**è**tes	ach**e**ter
il/elle/on ach**è**te	nous ach**e**tons
ils/elles ach**è**tent	vous ach**e**tez

Pronunciation hint: **acheter, achetõns, achetez; achète, achètes, achètent.**

> Où est-ce que je peux **acheter** des cartes postales? —Moi, j'**achète** toujours des cartes postales au café-tabac.
> *"Where can I buy postcards?" "I always buy postcards at the* café-tabac."

Like **acheter: se lever*** (*to get up*), **se promener*** (*to take a walk*).

> A quelle heure **vous levez**-vous? —Nous **nous levons** toujours à six heures et demie.
> *"What time do you get up?" "We always get up at six-thirty."*

G. You have already used the verb **s'appeler**[†] (*to be called*) many times. In **appeler,** the final consonant of the stem is doubled in all but the **nous** and **vous** forms to indicate that the **-e-** of the stem is to be pronounced (but not written **è**).

je m'appe**ll**e	*but:*
tu t'appe**ll**es	s' appe**l**er
il/elle/on s'appe**ll**e	nous nous appe**l**ons
ils/elles s'appe**ll**ent	vous vous appe**l**ez

Pronunciation hint: **appelle, appelles, appellent; appeler, appelons, appelez.**

> Je **m'appelle** Sylvie Legrand. Comment **vous appelez-vous**?
> *My name is Sylvie Legrand. What's your name?*

Exercice 1

Remplacez les tirets par la forme correcte d'un des verbes suivants: **manger, se promener, parler, danser, déjeuner, écouter, jouer, rentrer, donner, acheter.**

Tous les samedis, je vais en ville. Je rencontre (*meet*) Charlotte et Roger et nous ______[1] ensemble chez Martin (mon restaurant préféré). Nous ______[2] de beaucoup de choses: de l'université, de politique, des profs, de nos vies privées. L'après-midi, nous nous quittons (*separate*). Roger ______[3] au tennis avec Mireille, Charlotte ______[4] des vêtements au Grand Passage et moi, comme d'habitude, je ______[5] chez moi.

Le soir nous nous retrouvons en général chez Michel, un camarade de l'université: il ______[6] une soirée avec sa petite amie, Martine. Nous ______[7] un peu: des chips, des cacahouètes (*peanuts*); nous ______[8] de la bonne musique et nous ______[9] jusqu'à quatre heures du matin! Après la soirée, Michel et Martine se ______[10] ensemble dans les rues. Ils sont fatigués mais très contents.

***Se lever** and **se promener** are used with reflexive pronouns. You will find out about verbs of this type in the next grammar section.

[†]**S'appeler** is also used reflexively, like **se lever** and **se promener**.

2.2. -Self: *Reflexive Pronouns*

A. Reflexive pronouns are used whenever the action of the verb is done by the subject to *him-* or *herself.*

He killed **himself.**
She injured **herself.**

Many verbs that require reflexive pronouns in French do not require them in English.

Je **me lève** toujours à sept heures du matin.
I always get up at seven o'clock in the morning.

Nos grands-parents **se promènent** toujours dans le parc l'après-midi.
Our grandparents always walk in the park in the afternoon.

B. Here are the reflexive pronouns. Note that the pronouns **me, te,** and **se** contract before verb forms that begin with a vowel.

me/m'	*myself*
te/t'	*yourself*
se/s'	*himself*
se/s'	*herself*
se/s'	*itself*
nous	*ourselves*
vous	*yourself, yourselves*
se/s'	*themselves*

D'habitude nous **nous habillons** avant de prendre le petit déjeuner.
We usually get dressed before eating breakfast.

C. The reflexive pronouns correspond to English *-self/selves.* Whether **se** refers to *himself, herself, itself, oneself,* or *themselves* is determined by the context of the sentence.

Florence **se** réveille souvent à six heures du matin.
Florence often wakes up at six in the morning.

Ses enfants **se** réveillent à huit heures.
Her children get up at eight.

D. The following common verbs that describe daily activities are always used with reflexive pronouns in French when the action is directed to the subject.*

Est-ce que Pauline **se baigne** le matin ou le soir?
Does Pauline bathe in the morning or in the evening?

---

*Compare: Le père **s**'habille. Le père habille les enfants.
Je **me** réveille. Je réveille mon époux.

s'amuser	*to have a good time, enjoy oneself*	**se laver**	*to wash oneself, get washed*
		se lever	*to get up*
se baigner	*to take a bath; to swim*	**se promener**	*to take a walk*
se brosser	*to brush (oneself)*		
se coucher	*to go to bed; to lie down*	**se reposer**	*to rest*
		se réveiller	*to wake up*
s'endormir*	*to go to sleep*	**se sécher**	*to dry oneself*
s'habiller	*to get dressed*		

Remember that **s'amuser,** the French verb that is the equivalent of the English expression *to have a good time,* always requires a reflexive pronoun (even though the subjects don't really do anything to themselves).

Raoul et moi, **nous nous amusons** beaucoup au restau-U.
Raoul and I have a good time at the university restaurant.

Note also the useful reflexive form of **aller, s'en aller** (**à**), which means *to go away* or *to leave (for).*

Ils **s'en vont au** travail à sept heures et demie.
They leave for work at seven-thirty.

E. As you saw in the preceding examples, reflexive pronouns precede conjugated verb forms. In negative sentences, **ne** always precedes the reflexive pronoun.

M. Olivier **se réveille** de bonne heure, mais il **ne se lève** pas tout de suite parce qu'il aime bien lire le journal au lit.
Mr. Olivier wakes up early, but he doesn't get up immediately because he likes to read the newspaper in bed.

F. When a verb that is used reflexively follows another verb (**aimer, aller, vouloir,** for example), the reflexive pronoun precedes the infinitive.

Qu'aime faire Adrienne le week-end? —Elle aime **se** reposer et rester chez elle.
"What does Adrienne like to do on weekends?" "She likes to rest and stay at home."

A quelle heure allez-vous **vous** coucher ce soir? —Je vais **me** coucher à onze heures.
"What time are you going to bed tonight?" "I'm going to bed at eleven."

---

*The forms of **-ir** verbs are presented in Grammar Section 2.5.

Voulez-vous **vous** promener en ville? —Non, je préfère **me** promener à la campagne.
"Do you want to take a walk in the city?" "No, I prefer to take a walk in the country."

Exercice 2

Remplacez les tirets par la forme correcte d'un des verbes suivants: **se préparer, se reposer, se doucher, se laver, se raser, se brosser, se lever, se sécher, s'habiller.**

Le matin, je _____[1] à huit heures. Je vais dans la salle de bains (*bathroom*) et je _____[2] avec de l'eau et du savon (*soap*). Je _____[3] les cheveux avec du shampooing. Je _____[4] avec une serviette et je _____:[5] Je mets, par exemple, un pantalon noir, une blouse verte et une jolie veste.

Mon frère _____[6] à huit heures et demie. Il va dans la salle de bains et il _____[7] les dents et _____[8] avec un rasoir électrique. Pendant qu'il _____,[9] il chante, et moi, je prépare le petit déjeuner. Après, nous _____[10] un moment: nous lisons le journal ou nous parlons. Enfin, nous prenons le bus pour aller à l'université.

Nos parents, eux, ils _____[11] à sept heures, ils _____[12] en vitesse (*quickly*) et ils vont prendre un café en ville.

2.3. *Asking Questions: Interrogative Words*

A. Here are the most commonly used interrogative words in French.

combien (de + *noun*)?	*how many?*
comment?	*how?*
où?	*where?*
pourquoi?	*why?*
quand?	*when?*
que? quoi?	*what?*
qui?	*who? whom?*

Qui est ce jeune homme, là-bas? —Il s'appelle Raoul Durand.
"Who is that young man over there?" "His name is Raoul Durand."

Où habitent les Tour? —Ils habitent à Lyon.
"Where do the Tours live?" "They live in Lyons."

B. **Est-ce que** can be used with all of the preceding interrogatives except **quoi.**

Quand **est-ce que** vous allez vous reposer? —Dans un petit moment.
"When are you going to rest?" "In a little while."

Combien d'usines **est-ce-qu**'il y a dans cette région? —Au moins dix ou douze.
"How many factories are there in that region?" "At least ten or twelve."

Qu'est-ce que Julien fait ce soir? —Rien.
"What is Julien doing tonight?" "Nothing."

Qui est-ce que Mme Leblanc voit à l'hôpital? —Sa sœur.
"Who(m) is Mrs. Leblanc seeing at the hospital?" "Her sister."

C. Interrogative words can also be used with inversion. When the question is a simple one, containing only a subject and verb, just invert them after the interrogative word.

Quand **arrive ton frère?**	*When is your brother arriving?*
Où **va ton amie?**	*Where is your friend going?*
Comment **va Claudine?**	*How is Claudine?*
Combien de slips de bain **a Jeannot?**	*How many bathing suits does Jeannot have?*
Que **veut Adrienne?**	*What does Adrienne want?*

After **pourquoi** and whenever the question is longer—with an adjective or an object after the verb—you *must* use both the subject noun and corresponding pronoun in the question.

Pourquoi **ton frère** arrive-t-**il** toujours en retard?
Why does your brother always arrive late?

Quand **tes sœurs** sont-**elles** contentes?
When are your sisters happy?

Comment / Où } **tes parents** vont-**ils** passer leurs vacances?
How / Where } are your parents going to spend their vacation?

Exercice 3

Posez la question en utilisant **quand, où, comment, que, qui, combien (de)** ou **pourquoi**.

MODÈLE: Nous habitons à Bordeaux, 3, rue du Vieux Port. →
Question: Où habitez-vous?

1. Je m'appelle Sandrine Dubœuf.
2. Jacques et moi, nous partons en vacances la semaine prochaine, le seize.
3. Mon frère? Il regarde la télé maintenant.
4. Nous allons au cinéma à huit heures. Tu veux venir?
5. Nous allons voir «Trois hommes et un couffin».
6. Hélène? Elle a vingt sur vingt à l'examen oral!
7. Cette robe? Elle coûte 180 francs.

8. Mon frère habite à Genève parce qu'il aime cette ville. Il a un bon travail et beaucoup de bons amis là-bas.
9. Demain matin je vais me lever à six heures et quart.
10. D'habitude mes amies et moi, nous étudions à la bibliothèque.

2.4. *Present Tense:* -re *Verbs like* attendre, prendre, *and* mettre

A. Here are the present tense forms of a typical **-re** verb, **attendre** (*to wait for*). Note that, like regular **-er** verbs, the stem (**attend-**) does not change.

j' attend**s**	nous attend**ons**
tu attend**s**	vous attend**ez**
il/elle/on attend	ils/elles attend**ent**

Pronunciation hint: The stem-final consonants of most **-re** verbs are *not* pronounced in the singular forms, but *are* pronounced in the plural forms: **attẽn̸ds̸, attẽn̸d, attẽn̸dõn̸s̸, attẽn̸dez̸, attẽn̸de̸n̸t̸.**

Other common regular **-re** verbs are **entendre** (*to hear*), **perdre** (*to lose*), and **vendre** (*to sell*).

Qui **attendez**-vous? —J'**attends** Jean-Luc.
"Who(m) are you waiting for?" "I'm waiting for Jean-Luc."

Entends-tu ce bruit? —Non, je n'**entends** rien.
"Do you hear that noise?" "No, I don't hear anything."

Où **descends**-tu de l'autobus? —Au prochain arrêt.
"Where are you getting off the bus?" "At the next stop."

B. Note the differences between the two present tense patterns you have learned so far. While **-er** verbs end in **-s** only in the **tu** form, **-re** verbs end in **-s** in both the **je** and **tu** forms.

je travaille	je perd**s**
tu travaille**s**	tu perd**s**

The **il/elle/on** form of **-re** verbs ends in a consonant. The **il/elle/on** form of **-er** verbs ends in **-e.**

il per**d**	il travaill**e**

Pronunciation hint: The **ils/elles** form for **-er** verbs is pronounced the same way as the singular: **il travaille̸, ils̸ travaille̸n̸t̸.** For **-re** verbs the third-person singular and plural forms are pronounced differently: **il perd̸, ils̸ perde̸n̸t̸.**

C. The pronunciation and spelling of the stem of the present tense forms of **prendre** (*to take; to eat; to drink*) do not follow a regular pattern. Note in particular the lack of the letter **d** in the plural forms and the **-nn-** in the third person plural.

je prends	nous prenons
tu prends	vous prenez
il/elle/on prend	ils/elles prennent

Pronunciation hint: **prẽnds, prẽnd, prenõns, prenez, prennent.**

Mes parents **prennent** toujours du chocolat chaud quand il fait froid.
My parents always drink hot chocolate when the weather is cold.

D. Verbs like **mettre** (*to put*), including **admettre** (*to admit*), **promettre** (*to promise*), and **permettre** (*to permit*), have minor pronunciation and spelling changes. See the **Cahier.**

Je vous **promets** que je vais étudier plus.
I promise you that I'm going to study more.

Exercice 4

Remplacez les tirets par la forme correcte d'un des verbes suivants: **attendre, prendre, entendre, vendre, mettre.**

Aujourd'hui mon amie Véronique et moi, nous allons faire des courses au Printemps (*department store*). Je _____[1] Véronique devant le magasin (*store*), mais elle n'arrive pas. Alors, je vais dans le café qui est en face du Printemps et je _____[2] un café. Dix minutes après, je _____[3] mon nom. C'est Véronique!

Nous entrons dans le magasin et nous allons voir les pulls au deuxième étage (*floor*). Nous _____[4] l'escalator. Une vendeuse (*clerk*) _____[5] les clients au rayon (*department*) des pulls. Véronique demande à la dame: «Vous avez des pulls rouges?» «Bien sûr», répond la vendeuse. «Nous _____[6] des pulls de toutes les couleurs. Regardez! Ils sont très beaux.» «_____[7]-vous des chemisiers aussi?» je demande à la vendeuse. «Oui, ils sont derrière les pulls.» La vendeuse est très gentille avec nous. Véronique _____[8] un joli pull rouge et moi, je _____[9] un chemisier jaune et blanc. La vendeuse _____[10] le pull et le chemisier dans de jolies boîtes. Quand nous partons, nous _____[11] la vendeuse qui dit: «_____,[12] Mesdemoiselles, vous oubliez (*are forgetting*) un paquet!» C'est le paquet de Véronique. Elle est toujours très distraite!

2.5. *Present Tense:* -ir *Verbs like* dormir, partir, *and* offrir

A. Verbs like **dormir** (*to sleep*) have infinitives that end in **-ir.** Here are the present tense forms of **dormir** and **partir** (*to leave, depart*).

je dors	nous dormons	je pars	nous partons
tu dors	vous dormez	tu pars	vous partez
il/elle/on dort	ils/elles dorment	il/elle/on part	ils/elles partent

Like **dormir** and **partir: sortir** (*to leave; to go out*), **s'endormir** (*to fall asleep*).

Pronunciation hint: The final consonant of the stem of the infinitive, **-m-** for **dormir** and **-t-** for **partir,** does not appear in the singular forms: **dors, dort.** It does occur in all the plural forms: **dormons, dormez, dorment**.

> Moi, j'aime **dormir** au moins huit heures par nuit, mais souvent je ne **dors** pas plus de six heures.
> *I like to sleep at least eight hours a night, but I often don't sleep more than six hours.*

B. Verbs that end in **-rir,** like **offrir** (*to offer*), are conjugated exactly like regular **-er** verbs.

j' offre	nous offrons
tu offres	vous offrez
il/elle/on offre	ils/elles offrent

Like **offrir: ouvrir** (*to open*).

> Jean **offre** toujours de m'aider, mais je préfère le faire moi-même.
> *Jean always offers to help me, but I want to do it myself.*

C. There are a number of ways to express English *to leave* in French, depending on the meaning you want to convey. Two **-ir** verbs that express *to leave* are quite close in meaning: **partir** and **sortir**.

Use **partir** (**pour**) to express *to leave* (*for*) a place, location, or occasion (a party, vacation, etc.).*

> Claire White **part** demain **pour** Calais.
> *Claire White is leaving tomorrow for Calais.*

If the location from which you leave is specified, it is preceded by the preposition **de.**

> Claire **part de** la Gare du Nord demain à huit heures.
> *Claire is leaving from the* **gare du Nord** tomorrow at eight o'clock.

Use **sortir** to express *to leave* or *to go out of* a place, or *to go out* (for the day, afternoon, evening, on a date, etc.). **Sortir** is also used with **de** when the location from which one leaves is specified.

> A quelle heure est-ce qu'on **sort du** cinéma? —A onze heures.
> *"When do you get out of the movie?" "At eleven o'clock."*

> Est-ce qu'on va **sortir** ce soir? —Non, je suis trop fatigué.
> *"Are we going out this evening?" "No, I'm too tired."*

***Partir** cannot express the idea of leaving a person. The verb **quitter** is used instead.

> Les enfants ne veulent jamais **quitter** leurs grands-parents.
> *Children never want to leave their grandparents.*

Exercice 5

Remplacez les tirets par la forme correcte d'un des verbes suivants: **dormir, partir, sentir** (*to smell*), **s'endormir, sortir, offrir.**

1. Je _____ le parfum des roses.
2. En général, le dimanche nous _____ jusqu'à midi.
3. Vous _____ tout de suite, n'est-ce pas? La soirée va commencer dans quelques minutes.
4. Les étudiants _____ de la salle sans attendre le professeur.
5. Après le bain, nous _____ bon l'eau de cologne.
6. Tu _____ pour les vacances de Pâques (*Easter*)?
7. L'amie de Sylvie est très fatiguée: elle _____ sur son cahier.
8. A l'intérieur il fait froid; alors je _____ pour aller jouer dehors (*outside*).
9. Étienne demande à Chantal: «Tu _____ ce soir? Tu vas danser?»
10. Nous _____ un bouquet de fleurs à Madame Martin pour son anniversaire.

2.6. *Expressing Location: The Verbs* **aller** *and* **arriver**

A. Use a form of the verb **aller** (*to go*) followed by the preposition **à** (*to*) to indicate *motion to* a place. Remember the present tense forms of **aller: vais, vas, va, allons, allez, vont.**

Use the verb **arriver** (*to arrive*) followed by the preposition **à** to indicate *arrival at* a place. Remember that the preposition **à** contracts with some definite articles: **à + le = au; à + les = aux**.

Où va Sylvie après les cours? —Elle **va au** café avec ses amis.
"Where is Sylvie going after class?" "She's going to the café with her friends."

A quelle heure Charles **arrive**-t-il **aux** courts de tennis? —Généralement, il **arrive aux** courts de tennis à dix heures.
"At what time does Charles get to the tennis courts?" "He generally arrives at the tennis courts at ten o'clock."

B. The *we* form of **aller** is used to express *let's go.*

Veux-tu aller à la plage ce week-end? —Non, **allons** plutôt à la montagne.
"Do you want to go to the beach this weekend?" "No, let's go to the mountains instead."

C. The phrase **être à** expresses *location at* a place.

Maintenant, nous **sommes à** la maison, mais cet après-midi nous allons sortir avec des amis.
Now we're at home, but this afternoon we're going to go out with some friends.

Exercice 6

Remplacez les tirets par la forme correcte du verbe **aller: vais, vas, va, allons, allez, vont**.

Aujourd'hui après les cours nous _____ tous faire des activités très différentes.

1. Raoul _____ se promener sur les rives du Mississippi.
2. Albert et Louis _____ boire un verre dans un nouveau café.
3. Chantal _____ faire des courses en ville.
4. Hélène et moi nous _____ travailler à la bibliothèque.
5. Et toi, Monique, où _____-tu aller? —Je _____ rentrer chez moi, je suis fatiguée.
6. Et vous, Madame Martin, _____-vous corriger nos examens? —Non, je _____ aller au cinéma avec un ami!

Exercice 7

Remplacez les tirets par la forme correcte d'un des verbes suivants: **aller, arriver** ou **être.** Attention! N'oubliez pas (*Don't forget*) **à la, à l', au** ou **aux** quand nécessaire. Parfois il y a plus d'une réponse correcte.

Nous sommes toujours très occupés! Voyons un peu ce que font mes camarades aujourd'hui.

1. Monique _____ église parce qu'elle a un mariage.
2. Nous _____ tous chez Étienne ce soir. Je suis sûr qu'il _____ maison parce qu'il vient d'acheter une nouvelle stéréo.
3. Moi, je _____ bibliothèque jusqu'à sept heures ce soir.
4. Hélène, Chantal et moi nous _____ discothèque après dîner. Nous _____ beaucoup nous amuser! Nous _____ en général à onze heures.
5. Madame Martin, vous _____ nouveau restaurant italien?
6. Louis et Étienne _____ café maintenant, comme d'habitude! Mais plus tard, ils _____ patinoire (*skating rink, f.*).
7. Albert _____ cinéma avec une nouvelle amie. La pauvre! Albert _____ toujours en retard!
8. Et Raoul _____ à Montréal ce week-end. Il _____ lundi matin à huit heures et demie. Quelle chance il a!

In **Chapitre trois** you will learn more words for describing your family and you will talk about classroom activities and the activities of all of your family members. You will learn additional ways to describe how people look and feel and also how to describe your talents and those of others.

Un jeune couple français avec leur enfant

CHAPITRE TROIS

Ma famille et moi

THÈMES

- More About Family and Relatives
- Describing States (Physical and Mental)
- The Order of Events
- Classroom Activities
- Your Talents and Abilities

LECTURES

- Note culturelle: Les Français parlent de leur famille
- Note culturelle: Les mots communs en anglais et en français
- Note culturelle: Les gestes

LECTURES SUPPLÉMENTAIRES

- Les amis francophones: Christine Laurent
- Les amis francophones: Le coup de foudre
- Note culturelle: L'enseignement français

GRAMMAIRE

3.1. Describing: Position of Adjectives
3.2. Describing States: **être** and **avoir**
3.3. Ordering Events: **avant de** + *Infinitive*
3.4. Indirect Object Pronouns with Verbs of Reporting
3.5. Irregular Verbs: **dire, lire, écrire; voir, croire; s'asseoir; apprendre, comprendre**
3.6. Expressing Abilities: **pouvoir** and **savoir** + *Infinitive*

ACTIVITÉS ORALES

LA FAMILLE

ATTENTION! Voir Grammaire 3.1.

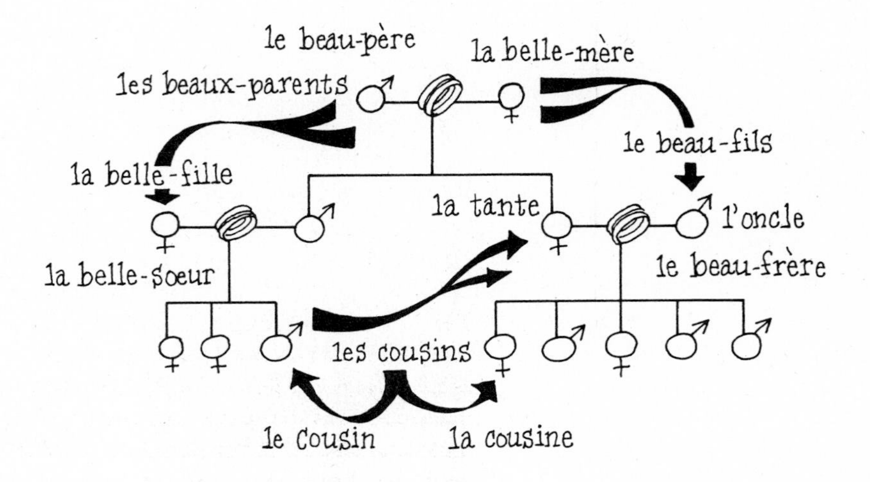

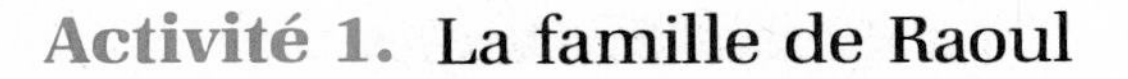

Activité 1. La famille de Raoul

1. Combien d'enfants ont Xavier et Denise?
2. Comment s'appelle la tante de Raoul, Clarisse et Marise?
3. Combien de cousins a Raoul?
4. Comment s'appellent les grands-parents de Raoul?
5. Comment s'appelle l'oncle de Thomas?
6. Combien de nièces ont Xavier et Denise?
7. Comment s'appelle le beau-frère de Xavier?
8. Comment s'appellent les beaux-parents de Denise?
9. Combien de petits-enfants ont Francis et Marie?
10. Comment s'appellent les cousines de Thomas, Emmanuel, Berthe, Véronique et Joël?
11. Comment s'appelle le beau-fils de Francis et Marie? Et leur belle-fille?

Activité 2. Dialogue ouvert: Mes cousins et mes neveux

É1: Combien de cousins as-tu?
É2: J'ai _____. Ils/Elles habitent _____. (Je n'ai pas de cousins.)
É1: As-tu des neveux?
É2: Oui, j'ai _____. Ils/Elles s'appellent _____. (Non, je n'ai pas de neveux.)

Activité 3. Dialogue: Mon beau-frère et ma belle-sœur

Mettez dans le bon ordre.

_____ Oui, et ma belle-sœur est une jeune femme très sympathique.
_____ Ta petite sœur aussi est mariée?
_____ Ton grand frère est marié?
_____ Oui, et mon beau-frère est un bon joueur de tennis.
_____ Où habitent-ils?
_____ Non, seulement de temps en temps.
_____ A Londres.
_____ Joues-tu souvent au tennis avec lui?

Activité 4. Entrevue: Ma famille

1. As-tu une grande famille? Habitez-vous tous dans le même pays ou dans des pays différents?
2. Quel âge a ton père? ta mère? Habites-tu chez eux?

3. Combien d'oncles et de tantes as-tu? Où habitent-ils? Vas-tu souvent chez eux?
4. Tes grands-parents sont-ils toujours vivants? Quel âge ont-ils? Où habitent-ils? Qu'aiment-ils faire?
5. As-tu beaucoup de cousins et de cousines? Ont-ils le même âge que toi? Comment s'appelle ton cousin préféré (ta cousine préférée)? Que fais-tu avec lui (elle)?

NOTE CULTURELLE: Les Français parlent de leur famille

La famille occupe une place très importante dans la vie française. «Le samedi», dit Philippe, «je sors avec mes amis; et le dimanche, je le passe toujours en famille.» Et Marianne: «Pour moi, la famille, c'est plus important que le travail ou les amis. Chez nous, on a vraiment l'esprit de famille.»

Les Français, comme, par exemple, Philippe, passent beaucoup de temps en famille. Parents et enfants mangent souvent ensemble le matin, à midi et le soir, chaque jour de la semaine. Ils passent une partie du week-end ensemble, pour se promener en voiture ou déjeuner avec les grands-parents, les cousins ou d'autres membres de leur famille. Quand les enfants grandissent,° ils continuent en général d'habiter chez leurs parents, même s'ils vont à l'université ou s'ils commencent à travailler.

grow up

Ces habitudes créent° un grand esprit de solidarité: on s'intéresse à la vie de chacun,° on parle de ses problèmes, on critique, on console, on célèbre les succès et surtout, on s'entraide:° c'est cette solidarité que les Français appellent «l'esprit de famille», comme le mentionne Marianne.

create
everyone else
helps one another

Les lois° sociales contribuent aussi à l'unité de la famille française. Par exemple, la mère ou le père ont le droit° de prendre un congé° payé avant et après la naissance° d'un enfant. Et les familles avec plus de deux enfants reçoivent des allocations° familiales. La famille influence beaucoup la vie de chaque Français et c'est une structure très importante dans la vie du pays.

laws
right / leave
birth
subsidies

Une famille française à table. Les familles sont, en général, très unies. Parents et enfants aiment dîner ensemble et se raconter les événements de la journée.

Vrai ou faux?

1. La famille n'est pas importante dans la vie des Français.
2. En France on mange et on sort fréquemment en famille.
3. Les jeunes Français n'habitent jamais avec leurs parents après dix-huit ans.
4. Les lois sociales françaises reflètent l'esprit de famille.
5. La mère travaille immédiatement avant et après la naissance d'un enfant.

CONDITIONS PHYSIQUES ET MENTALES

ATTENTION! Voir Grammaire 3.2.

il est content

ils sont tristes

il est fâché

ils sont soûls

elle est malade

ils sont pressés

elle est occupée

il est préoccupé

ils ont faim

il a l'air malheureux

elle a sommeil

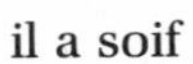

il a soif

elle a chaud

elle a froid

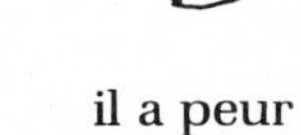

il a peur

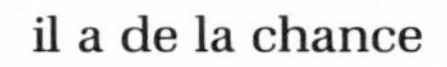

il a de la chance

Activité 5. Votre opinion

Que faites-vous quand vous êtes... ? Dites oui ou non.

1. Quand je suis malade,
   a. je m'amuse avec des jeux vidéo.
   b. je rentre chez moi et je regarde la télé.
   c. je me promène dans le parc.
   d. _____?

2. Quand je suis triste,
   a. j'ai envie d'être seul(e).
   b. j'écoute de la musique classique.
   c. j'achète de nouveaux vêtements.
   d. _____?

3. Quand je suis content(e),
   a. je sors avec mes amis.
   b. je fais des courses.
   c. je préfère être seul(e).
   d. _____?

4. Quand je suis fatigué(e),
   a. je prends un café.
   b. je me repose pendant plusieurs heures.
   c. je me déshabille et je prends un bain très chaud.
   d. _____?

5. Quand je suis pressé(e),
   a. je marche vite pour arriver plus tôt.
   b. je prends l'autobus.
   c. je vends ma voiture et j'achète une bicyclette.
   d. _____?

Que faites-vous quand vous avez... ? Dites oui ou non.

6. Quand j'ai faim,
   a. je mange un bifteck avec des pommes frites.
   b. je prends un verre de lait.
   c. je me lave les dents.
   d. _____?

7. Quand j'ai soif,
   a. je bois de la bière.
   b. je mange du chocolat.
   c. je téléphone à mon (ma) fiancé(e).
   d. _____?

8. Quand j'ai froid,
   a. j'enlève ma veste.
   b. je prends une douche.
   c. je mets un pull-over.
   d. _____?

9. Quand j'ai chaud,
   a. je prends une limonade.
   b. je bois du café chaud.
   c. je prends une douche.
   d. _____?

10. Quand j'ai sommeil,
    a. je vais me coucher.
    b. je sors pour faire une promenade.
    c. je bois du café.
    d. _____?

Activité 6. Où allez-vous?

MODÈLE: Quand j'ai faim... → je vais au restaurant.

1. Quand j'ai besoin d'un livre...
2. Quand j'ai faim...
3. Quand j'ai un cours de français...
4. Quand j'ai chaud...
5. Quand je suis triste...
6. Quand j'ai besoin d'une nouvelle chemise...
7. Quand j'ai envie de faire des courses...
8. Quand j'ai envie de danser...
9. Quand j'ai envie de jouer au football...
10. Quand je suis très malade...
11. Quand j'ai sommeil...

je vais...

a. à la maison
b. à la discothèque
c. à la bibliothèque
d. au restaurant
e. à la plage
f. en ville
g. dans une boutique de vêtements
h. à l'université
i. au parc
j. à l'hôpital
k. au cinéma
l. _____?

Activité 7. Entrevues

Que fais-tu d'habitude quand tu es... ?

1. déprimé(e)
2. soûl(e)
3. content(e)
4. malade
5. triste

Que fais-tu quand tu as... ?

1. froid
2. faim
3. soif
4. chaud
5. sommeil

D'habitude, quand/où as-tu... ?

1. tort
2. peur
3. raison
4. de la chance

L'ORDRE DES ACTIONS SUCCESSIVES

ATTENTION! Voir Grammaire 3.3.

Jean-Luc joue au tennis.
Ensuite il se repose.

Jeannot fait d'abord ses devoirs.
Puis il fait une
promenade à bicyclette.

M. Michaud fait le marché,
puis il prépare le repas et enfin
il dîne avec sa femme.

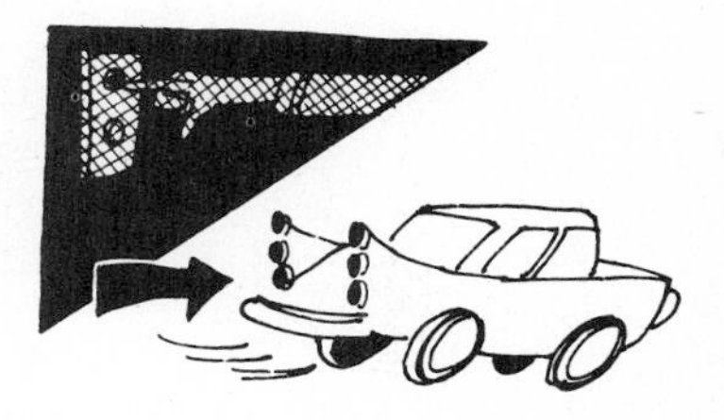

Avant de quitter la maison
j'éteins la lumière.

Activité 8. Un peu de patience!

Mettez dans le bon ordre.

_____ JEAN-LUC: J'arrive, mais avant de partir je veux fermer les fenêtres et puis...
_____ MARTINE: Jean-Luc, où es-tu? Il est très tard et je veux arriver au cinéma à l'heure.
_____ MARTINE: Nous allons être en retard. Il est déjà sept heures et demie.
_____ MARTINE: Veux-tu arriver avant ou après le film? Moi, je veux arriver avant... Alors, ça suffit. Je ne t'attends plus! Au revoir.
_____ JEAN-LUC: Mais enfin Martine, tu n'as pas du tout de patience. Voilà, j'éteins d'abord la lumière et ensuite je vais simplement...

Activité 9. Dialogue ouvert: Où vas-tu?

É1: Où vas-tu avant de ____?
É2: Je vais ____ parce que je veux ____.
É1: Moi aussi, je vais ____, puis je ____ et ensuite je ____.

LES ACTIVITÉS DANS LE COURS DE FRANÇAIS

ATTENTION! Voir Grammaire 3.4–3.5.

me (m')	*to me*	nous	*to us*
te (t')	*to you* (*informal*)	vous	*to you* (*formal, plural*)
lui	*to him/her/it*	leur	*to them*

Hélène lui lit les notes culturelles.

Albert leur parle.

Le professeur lui explique la leçon.

Monique lui écrit une lettre.

Le professeur nous pose des questions.

Nous lui répondons.

Le professeur nous dit «bonjour».

Activité 10. Dialogue: La classe de français de Monique

Monique parle avec Raoul de sa classe de français.

RAOUL: Qu'est-ce que tu fais dans ton cours de français?
MONIQUE: Plein de choses. J'écoute le professeur, je parle français avec mes camarades...
RAOUL: Est-ce que vous apprenez à écrire en français?
MONIQUE: Bien sûr, nous lisons et nous écrivons en français. Ce n'est pas trop difficile.
RAOUL: Le professeur vous explique la grammaire?
MONIQUE: Parfois, quand nous lui posons des questions. Mais en général, nous étudions la grammaire et nous faisons les exercices à la maison.

Activité 11. Mon cours de français

Est-ce que vous faites fréquemment les choses suivantes dans votre cours de français?

MOTS UTILES: **parfois, tous les jours, une fois par semaine, tous les soirs, de temps en temps, jamais, assez souvent, ...**

1. Nous parlons à nos camarades de classe.
2. Nous écrivons les nouveaux mots dans nos cahiers.
3. Nous prenons notre goûter en classe.
4. Nous répondons aux questions.
5. Nous écoutons nos camarades de classe.
6. Nous discutons des lectures.
7. Nous apprenons à écrire en français.
8. Nous posons des questions au professeur.
9. Nous faisons nos devoirs en classe.
10. Nous dormons en classe.
11. Nous disons «bonsoir» au professeur.
12. Nous devinons les réponses.

Activité 12. Entrevue: Mon cours de français

1. Qu'est-ce que tu apprends dans ton cours de français?
2. Est-ce que tu aides tes camarades à faire leurs devoirs?
3. Est-ce que tu aimes que le professeur te pose une question?
4. Est-ce que tu réponds toujours en français au professeur? Est-ce que tu penses en français?
5. Quand tu es en retard, que dis-tu au professeur?
6. Lis-tu toutes les lectures supplémentaires?
7. Votre professeur vous lit-il les lectures en classe?
8. Est-ce que tu écoutes tes cassettes de français dans la voiture?
9. Est-ce que tu aimes le cours de français?
10. Qu'est-ce que tu n'aimes pas faire en cours de français?

NOTE CULTURELLE: Les mots communs en anglais et en français

Le français était° la langue officielle de l'Angleterre entre le XIème et le XIVème siècle.° En conséquence, il y a beaucoup de mots d'origine française dans le vocabulaire anglais. Voici des mots que vous allez reconnaître facilement, mais attention à la prononciation! Il y a des noms, comme **route, avenue, domaine;** des verbes, comme **accepter, considérer, refuser;** des adjectifs, comme **grand, long, important.** Certains de ces mots sont un peu changés en anglais, par exemple, **leçon, professeur, classe,** mais faciles à comprendre.

was
century

La langue américaine conserve aussi la marque de la présence française: les mots *money* (**monnaie**), *cents*

Paris, France. L'influence américaine est visible dans la vie de tous les jours. Beaucoup de mots anglais font partie du vocabulaire courant des Français. Un des derniers à la mode est le "brunch" *que l'on prend le dimanche, entre amis.*

(**centimes**) et *dimes* sont encore en usage, ainsi que *R.S.V.P., rendez-vous* et *débutante.* Les noms géographiques américains évoquent les explorations françaises, avec la *Louisiane,* le *Maine* et des villes comme *Baton Rouge* et *Joliet* ou *Cœur d'Alène.* Le paysage° américain garde° le souvenir des trappeurs français-canadiens avec les termes *bayou, prairie* et *rapids.*

countryside
still has

Mais en retour,° les Français utilisent aujourd'hui beaucoup de mots anglais. Ils mangent des **sandwichs** et des **hamburgers;** ils écoutent du **jazz** ou du **rock;** ils regardent un **western** ou un **vidéoclip.** Certaines institutions françaises essaient de° limiter ce «franglais». Alors des termes anglais très fréquents en français sont rebaptisés: par exemple, un *vidéotape* est maintenant une **bande-vidéo** et le *software* s'appelle un **logiciel.**

en... *in return*
essaient... *are trying to*

Questions

1. Pourquoi est-ce qu'il y a beaucoup de mots anglais d'origine française?
2. Donnez des exemples de mots anglais d'origine française.
3. Donnez des exemples de mots français d'origine anglaise.
4. Est-ce que tous les Français essaient de limiter l'usage des mots anglais?

APTITUDES ET POSSIBILITÉS

ATTENTION! Voir Grammaire 3.6.

savoir	pouvoir	+ infinitive
je **sais** tu **sais** il/elle/on **sait** nous **savons** vous **savez** ils/elles **savent**	je **peux** tu **peux** il/elle/on **peut** nous **pouvons** vous **pouvez** ils/elles **peuvent**	**jouer** au tennis **parler** français **coudre** **skier** **danser** **faire** la cuisine

Mme Michaud sait très bien monter à cheval.

Savez-vous patiner?

Je ne peux pas sortir maintenant. Il est très tard.

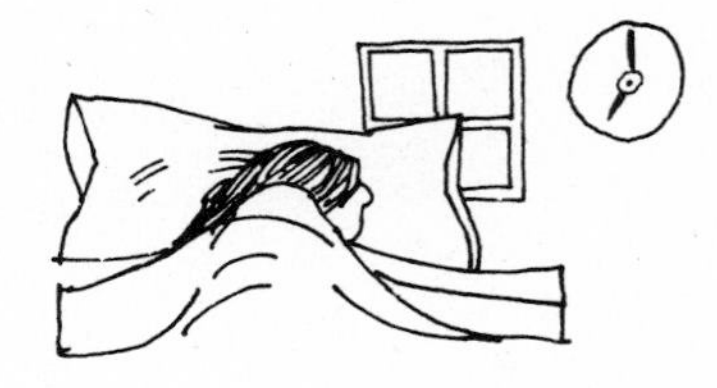

C'est samedi aujourd'hui. Je peux me lever tard.

Activité 13. Dialogue: Jeannot lave son chien

Jeannot veut laver son chien, mais sa mère pense qu'il a besoin de quelques conseils.

JEANNOT: Maman, est-ce que je peux laver mon chien?
MARTINE: Oui, mais avant de faire rentrer le chien, prépare l'eau et le savon.
JEANNOT: Tout est déjà prêt, maman.
MARTINE: Très bien. Mais après son bain, tu vas bien le sécher. Tu as compris?
JEANNOT: Oui, maman!
MARTINE: Bon. Et puis tu vas aussi...
JEANNOT: Écoute, maman. J'ai huit ans. Je sais comment laver un chien!

Activité 14. Mes activités

Que savez-vous faire? Répondez (a) oui, très bien; (b) oui, bien; (c) oui, un peu; (d) non.

MODÈLE: Savez-vous jouer au volley-ball? →
Oui, je sais très bien jouer au volley-ball.
(Non, je ne sais pas jouer au volley-ball.)

1. préparer la cuisine chinoise
2. faire de la plongée sous-marine
3. dessiner
4. patiner
5. skier
6. chanter
7. danser
8. jouer au bowling
9. coudre
10. réparer des voitures

Activité 15. La cuisine

Mettez dans le bon ordre.

_____ Oui, beaucoup!
_____ Et quels plats sais-tu bien cuisiner?
_____ J'aime beaucoup préparer des plats chinois.
_____ Tu aimes inviter des amis à dîner chez toi?
_____ Oui, bien sûr. C'est très facile.
_____ Tu sais faire la cuisine?

Activité 16. Entrevues

LES APTITUDES

É1: Sais-tu skier?
É2: Oui, je sais skier. (Non, je ne sais pas skier.)

1. patiner
2. conduire une moto
3. nager
4. cuisiner
5. réparer une voiture
6. coudre
7. faire de la plongée sous-marine
8. parler espagnol
9. jouer du piano
10. peindre

PEUX-TU... ?

1. m'indiquer où est la gare
2. aller au cinéma ce week-end
3. beaucoup skier cet hiver
4. jouer au racket-ball avec moi demain
5. préparer un repas avec moi aujourd'hui
6. soigner mes plantes la semaine prochaine
7. regarder la télé avec nous ce soir
8. me traduire une lettre en français maintenant
9. donner une fête avec moi en (décembre, ...)
10. me prêter ta voiture tout de suite

NOTE CULTURELLE: Les gestes°

gestures

Nous communiquons nos idées au moyen de° la langue que nous parlons. Mais nous utilisons aussi notre corps pour communiquer. Par exemple, quand nous rencontrons une personne pour la première fois, nous lui serrons° la main. Les gestes sont un autre moyen de nous exprimer quand nous parlons. Voici quelques gestes très utilisés par les Français.

au... *via*

shake

ras... *fed up, up to here*

1. ras le bol°

2. de l'argent / C'est cher!

3. Elle est folle!

4. un petit peu

5. Excellent!

Vocabulaire

LES MEMBRES DE LA FAMILLE Family members

le beau-fils	son-in-law; stepson
le beau-frère	brother-in-law
le beau-père	father-in-law; stepfather
les beaux-parents (*m.*)	in-laws
la belle-fille	daughter-in-law; stepdaughter
la belle-mère	mother-in-law; stepmother
la belle-sœur	sister-in-law
le gendre	son-in-law
l'oncle (*m.*)	uncle
la tante	aunt

***Mot similaire:* la nièce**

***Révision:* le cousin (la cousine), les cousins** (*m.*), **l'enfant** (*m.*), **l'époux (-ouse), les époux** (*m.*), **la femme, la fille, le fils, la grand-mère, le grand-père, les grands-parents** (*m.*), **les jumeaux (-elles), le mari, la mère, le neveu, la nièce, les parents** (*m.*), **le père, le petit-fils (la petite-fille), les petits-enfants** (*m.*), **la sœur**

LES CONDITIONS PHYSIQUES ET MENTALES Mental and physical conditions

avoir...

chaud	to be warm
envie de	to feel like
faim	to be hungry
froid	to be cold
l'air + *adj.*	to have a . . . (*adj.*) appearance
peur	to be afraid
soif	to be thirsty
sommeil	to be sleepy

être...

content(e)	to be glad
de bonne humeur	to be in a good mood
de mauvaise humeur	to be in a bad mood
déprimé(e)	to be depressed
fâché(e)	to be angry
malade	to be sick
(mal)heureux (-euse)	to be (un)happy
occupé(e)	to be busy
préoccupé(e)	to be worried
pressé(e)	to be in a hurry
prêt(e)	to be ready
seul(e)	to be alone
soûl(e)	to be drunk
triste	to be sad
vivant(e)	to be lively; to be alive

VERBES Verbs

apprendre	to learn
avoir besoin de	to need
avoir de la chance	to be lucky
avoir raison	to be right
avoir tort	to be wrong
coudre	to sew
crier	to shout
se déshabiller	to undress
deviner	to guess
dire	to say
discuter	to discuss
effacer	to erase
enlever	to remove
éteindre	to extinguish
expliquer	to explain
faire le marché	to shop for fresh foods
habiter	to live
indiquer	to indicate
mettre	to put (on)
peindre	to paint
pleurer	to cry
poser une question	to ask a question
pouvoir	to be able to
prêter	to loan
répondre	to answer
réviser	to review
savoir	to know
sécher	to dry
soigner	to take care of
sourire	to smile
traduire	to translate
venir	to come

Mot similaire: copier

SUBSTANTIFS Nouns

l'argent (*m.*)	money
le bain	bath
la bière	beer
la chance	luck
la chose	thing
le conseil	advice
la faim	hunger
la gare	train station
le goûter	(afternoon) snack
le jeu vidéo (*pl.* **jeux vidéo**)	video game
le/la joueur (-euse)	player (*of games*)
le lait	milk
la lumière	light
le mot	word
la note	grade; note
la peur	fear
le plat	dish
la raison	reason
le repas	meal
la réponse	answer
le savon	soap
la soif	thirst
le sommeil	sleep

Mots similaires: **l'aptitude** (*f.*), **l'examen** (*m.*), **le/la fiancé(e), la leçon, la limonade, l'opinion** (*f.*), **la patience, la trompette**

LA DESCRIPTION Description

cassé(e)	broken
même	same
plusieurs	several

Mots similaires: **confus**(**e**), **culturel**(**le**), **intéressé**(**e**), **irrité**(**e**), **succesif**(**-ive**)

MOTS ET EXPRESSIONS UTILES Useful words and expressions

bonne nuit	good night
ça suffit	that's enough
comme ça	like that
en retard	late
enfin	finally
ensuite	then
plein de choses	lots of things
puis	besides, then
simplement	only
trop	too; too much
Tu as compris?	Do you understand?
vite	quickly

LES PRONOMS Pronouns

eux	them
me (**m'**)	to me
te (**t'**)	to you (*informal*)
lui	to him/her/it
nous	to us
vous	to you (*formal, plural*)
leur	to them

LECTURES SUPPLÉMENTAIRES

LES AMIS FRANCOPHONES: Christine Laurent

©MARK ANTMAN / THE IMAGE WORKS

Québec, Canada. Les jeunes aiment sortir en bande le samedi soir. Ils vont au cinéma ou danser dans une discothèque.

Je m'appelle Christine Laurent. Je suis née dans la ville de Québec mais actuellement j'habite à Montréal, chez mon oncle et ma tante. Je suis en première année à l'université de Montréal. Mon cousin, Charles Duroc, étudie aussi à l'université de Montréal. Nous y allons tous les jours ensemble en autobus.

Ici, à Montréal, je sors très peu car j'ai beaucoup de travail. J'aime beaucoup danser ou aller au cinéma avec mes camarades de classe mais j'ai très peu de temps libre et mes études sont plus importantes que les distractions. De plus° mon oncle et ma tante ne veulent pas que je rentre trop tard. Ils disent que j'ai seulement dix-huit ans et qu'ils se sentent° responsables de moi.

De... *In addition*

se... *feel*

Chez moi, heureusement, tout est différent. Québec est beaucoup plus petit que Montréal et mes parents sont beaucoup moins stricts. Quand je rentre à la maison pendant les vacances j'en profite° pour m'amuser. J'ai beaucoup de cousins et d'amis et je suis toujours contente de les revoir. Je joue au tennis, je fais du cheval, je vais nager, danser, enfin je n'arrête pas.

j'en... *I take the opportunity*

Questions

1. Où est-ce que Christine est née?
2. Où habite-t-elle maintenant? Chez qui?
3. Que fait Christine quand elle rentre chez elle pendant les vacances?
4. Pourquoi ne sort-elle pas beaucoup à Montréal?
5. D'après Christine, quelle différence y a-t-il entre Québec et Montréal?

LES AMIS FRANCOPHONES: Le coup de foudre°

Le... *Love at first sight* (*lit.*, *Lightning flash*)

©PETER MENZEL

La mariée embrasse tendrement sa grand-mère après la cérémonie religieuse. L'émotion des deux femmes montre le lien profond qui les unit.

Depuis quelques jours on ne parle que[1] du mariage de notre cher confrère[2] de TF1 avec la ravissante Marie-Thérèse Moulin. La cérémonie va avoir lieu[3] la semaine prochaine à Bruxelles. La gaieté et le charme de la jeune fiancée ont séduit[4] toutes les admiratrices de Julien. Marie-Thérèse est aussi journaliste. Elle travaille pour le magazine «Elle». La fiancée est très occupée avec tous les préparatifs. Elle nous a confié:[5] «Je suis très heureuse. Julien et moi, nous nous connaissons depuis[6] un an. Ça a été le coup de foudre.» Mais elle reste très discrète sur sa robe: «Elle est toute simple, en dentelle[7] blanche.» Pour plus de détails il faut attendre jusqu'à la semaine prochaine. De son côté, le fiancé organise le voyage de noces.[8] «Nous partons pour Tahiti; nous avons besoin de calme et de repos.» Toutes nos félicitations aux jeunes amoureux et bon voyage!

[1]ne... *speaks only* [2]*colleague* [3]avoir... *to take place* [4]ont... *have charmed* [5]a... *has confided* [6]*for* (*since*) [7]*lace* [8]voyage... *honeymoon*

Questions

1. Où va avoir lieu le mariage de Julien et Marie-Thérèse?
2. Quelle est la profession des fiancés?
3. Comment est la robe de la fiancée?
4. Où vont-ils partir en voyage de noces?

NOTE CULTURELLE: L'enseignement° français

educational system

L'enseignement français a quatre niveaux.°

levels

- *l'enseignement pré-élémentaire* pour les enfants de deux à cinq ans
- *l'enseignement élémentaire,* qui enseigne la lecture, l'expression orale et écrite, le calcul et le dessin aux enfants de six à onze ans
- *l'enseignement secondaire,* qui a deux cycles. Pendant le premier cycle (de onze ans à quatorze ans) on commence l'étude d'une langue étrangère. Le deuxième cycle dure deux ans (dans un collège) pour les jeunes qui veulent travailler immédiatement ou quatre ans (dans un lycée) pour les jeunes qui préparent le baccalauréat,* le diplôme de fin d'études secondaires.

*The **baccalauréat** refers both to a specialized program of study and to the comprehensive examination French students must pass before they begin advanced studies. Most students see **le bac** as a significant hurdle to overcome and study intensively during the year preceding the exam, which lasts several days.

Les écoles privées recrutent 14% (pour cent) des élèves de l'enseignement primaire et secondaire. Ce sont en grande majorité des écoles religieuses.

- *l'enseignement supérieur* est donné
  ...dans les universités (il y en a soixante-seize) pour les études de Droit, de Lettres, de Sciences, de Médecine, de Pharmacie, de Technologie et d'Économie.
  ...dans les écoles spécialisées pour une formation professionnelle dans des domaines° variés. Il y a par exemple de nombreuses écoles d'ingénieurs et de cadres° privées et cinq centres universitaires catholiques.
  ...dans les Grandes Écoles.* Elles donnent une formation de très haute qualité: l'École Polytechnique, l'École Nationale d'Administration et l'École Normale Supérieure, par exemple. On y entre par des concours° très difficiles.

fields
managers
competitions

Dans tous les cas, les grades° et les diplômes sont donnés° seulement par l'État.

titles
sont... *are given*

Université d'Orsay, France. Dans toutes les universités il y a des tableaux d'affichage qui permettent aux étudiants d'être informés de ce qui se passe dans leur communauté.

Vrai ou faux?

1. L'enseignement français est complètement administré par l'État.
2. Le niveau élémentaire dure huit ans.
3. On ne peut pas étudier l'anglais à l'école secondaire en France.
4. Il est très difficile d'entrer dans les Grandes Écoles.

***Les Grandes Écoles** are the "elite" institutions of higher learning in France, roughly comparable to the Ivy League colleges in the United States.

3.1. *Describing: Position of Adjectives*

A. Most French adjectives follow the noun they modify.

Ma belle-sœur est une jeune femme très **sympathique.**
My sister-in-law is a very nice young woman.

B. A few short, frequently used adjectives, however, generally precede the noun they modify.

Oui, je connais Michèle, mais tu as une **autre** tante, n'est-ce pas?
Yes, I know Michèle, but you have another aunt, don't you?

C. Here are the most common adjectives that generally precede the noun they modify.

autre	(an)*other*	mauvais(e)	*bad*
beau/belle	*beautiful*	même	*same*
bon(ne)	*good*	nouveau/nouvelle	*new*
grand(e)	*large, big; tall*	petit(e)	*small*
jeune	*young*	vieux/vieille	*old*
joli(e)	*pretty*		

Mes grands-parents habitent une **jolie** maison blanche.
My grandparents live in a pretty white house.

Mon cousin? C'est le **petit** garçon aux cheveux châtains.
My cousin? He's the little boy with brown hair.

Toujours la **même** chose! Métro, boulot, dodo.
Every day the same thing! The same old rat race (*lit., metro, work, sleep*).

Remember that **beau, nouveau,** and **vieux** have irregular forms.

masculin (*s./pl.*)	**féminin** (*s./pl.*)	*before a masculine noun beginning with a vowel or* **H muet**
beau/beaux	belle/belles	bel
nouveau/nouveaux	nouvelle/nouvelles	nouvel
vieux/vieux	vieille/vieilles	vieil

La **nouvelle** cuisine est très populaire au Québec.
Nouvelle cuisine is very popular in Quebec.

Ma grand-mère dit toujours que les jeunes gens ne comprennent pas les **vieilles** traditions.
My grandmother always says that young people don't understand the old ways (traditions).

Édouard est un vieil homme très sympathique.
Édouard is a very nice old man.

Exercice 1

Étienne parle à Albert. Récrivez les phrases suivantes en utilisant le nom suggéré. Faites attention à la forme de l'adjectif.

MODÈLE: É: Tu as un beau studio, n'est-ce pas? (villa)
A: Non, j'ai une belle villa.

1. É: Tu as une nouvelle lampe, n'est-ce pas? (tapis)
   A: Non, j'ai ______.
2. É: Tu habites dans une vieille maison, n'est-ce pas? (appartement)
   A: Non, j'habite dans ______.
3. É: Tu vas acheter un autre manteau, n'est-ce pas? (veste)
   A: Non, je vais acheter ______.
4. É: Ton frère a un nouveau petit chien, n'est-ce pas? (tortue)
   A: Non, il a ______.
5. É: Tu as un petit neveu, n'est-ce pas? (nièce)
   A: Non, j'ai ______.
6. É: Tu vas chez ta jeune tante, n'est-ce pas? (oncle)
   A: Non, je vais chez ______.
7. É: Tu as une jolie fleur, n'est-ce pas? (pot)
   A: Non, j'ai ______.
8. É: Tu prends la même voiture, n'est-ce pas? (bus)
   A: Non, je prends ______.

3.2. *Describing States:* ***être*** *and* ***avoir***

A. As in English, most states and sensations are described in French with an adjective and the verb **être** (*to be*).

Jean-Luc **est** très **fatigué.**
Jean-Luc is very tired.

B. In French, however, some very common states and sensations are described with the verb **avoir** (*to have*) followed by a noun (not an adjective).

J'ai froid. Où est mon manteau?
I'm cold. Where's my coat?

Here are some other useful combinations of **avoir** + noun.

avoir chaud	*to be hot, warm*
avoir faim	*to be hungry*
avoir soif	*to be thirsty*
avoir sommeil	*to be sleepy*
avoir raison	*to be right, correct*
avoir tort	*to be wrong*
avoir l'air (content, malade, furieux, etc.)	*to seem* (*happy, sick, angry, etc.*)
avoir besoin de (quelque chose)	*to need* (*something*)
avoir de la chance	*to be lucky*
avoir envie de (faire quelque chose)	*to feel like* (*doing something*)
avoir honte de (quelque chose)	*to be ashamed of* (*something*)

En été, quand **j'ai chaud,** je vais à la plage avec mes amis.
In the summer, when I'm hot, I go to the beach with my friends.

Jean-Paul croit qu'**il a** toujours **raison.**
Jean-Paul thinks he's always right.

Nous avons besoin d'une nouvelle voiture parce que la nôtre est très vieille.
We need a new car because ours is very old.

Raoul, **as-tu envie de faire du jogging** avec moi demain matin?
Raoul, do you feel like jogging with me tomorrow?

Exercice 2

Aventure dans le désert. Remplacez les tirets par l'expression qui convient: **avoir faim, avoir chaud, avoir soif, avoir sommeil, avoir besoin de, avoir l'air, avoir de la chance, avoir envie de; être** (**fatigué, désespéré,** etc.).

Je suis dans le désert, loin de toutes terres habitées, et je _____[1]. Je voudrais tant un verre d'eau! Je marche depuis longtemps; je _____[2], je transpire (*sweat*) beaucoup et je _____[3] très fatigué. Je _____[4] malade, je crois. Je marche encore, seul, je _____[5] d'eau. Je _____[6] de boire, de plonger dans une piscine... Je _____[7] aussi. Je rêve de hamburgers! Je suis parti (*left*) à huit heures, il est maintenant trois heures de l'après-midi. Je tombe. Le soleil est très fort et je _____ si _____![8] Je _____[9] aussi. Oh, dormir! Essayons (*Let's try*) de dormir un peu. Je _____[10] désespéré. Je _____[11] de mourir. Tout d'un coup (*Suddenly*), j'entends une voix: «Qui _____[12] de dormir au milieu du désert?» Je veux répondre mais je _____ trop _____,[13] et je ne peux pas parler. L'homme s'approche et me dit: «Tu _____[14] parce que je vais te sauver! Tiens (*Here*), bois!»

3.3. *Ordering Events:* **avant de** + Infinitive

The order of events is generally indicated by adverbs such as **puis** (*then*), **d'abord** (*first*), **ensuite** (*then, next, afterward*), **enfin** (*finally,*) **après** (*after, afterward*), **avant** (*before*).

Qu'est-ce que tu vas faire samedi? —**D'abord** je vais dormir jusqu'à onze heures. **Puis** je vais aller en ville avec Gérard. **Ensuite** nous allons dîner dans un bon restaurant et **enfin** nous allons danser jusqu'au petit matin!
"What are you going to do on Saturday?" "First I'm going to sleep until eleven. Then I'm going to go downtown with Gérard. Afterward we're going to have dinner at a good restaurant and finally we're going to go dancing until dawn!"

The adverb **avant** plus the preposition **de** can be followed by an infinitive.

Je vais aller au gymnase **avant de jouer** au football.
I'm going to go to the gym before playing soccer.

Clarisse et Marise font toujours leurs devoirs **avant d'aller** jouer avec leurs petites amies.
Clarisse and Marise always do their homework before going to play with their playmates.

Note that the English equivalent of + *infinitive* in the **avant de** + *infinitive* construction is *-ing*.

Exercice 3

Choisissez le verbe ou l'expression qui convient et complétez les phrases: **donner une soirée, skier, étudier, jouer au bowling, sortir.**

1. Je vais me laver la tête et je vais me faire belle avant de _____.
2. Nous allons au parc pour avoir l'esprit reposé avant de _____.
3. On met des chaussures spéciales avant de _____.
4. On chausse ses skis avant de _____.
5. Avant de _____, j'invite mes copains et mes copines.

Exercice 4

Remplacez les tirets par le mot qui convient: **ensuite, d'abord, après, enfin, puis, avant de.**

Qu'est-ce que tu vas faire dimanche?
—_____[1] je vais me lever à huit heures; _____[2] je vais préparer mes affaires de plongée sous-marine, _____[3] je vais prendre mon petit déjeuner. _____,[4] à neuf heures, je vais rejoindre mes amis en face du gymnase. _____[5] nous allons mettre notre équipement dans la camionnette et nous allons partir à la plage. _____[6] la plongée, nous allons nous sécher, nous habiller et déjeuner ensemble. Quelle bonne matinée!

3.4. *Indirect Object Pronouns with Verbs of Reporting*

A. When you *tell, give, bring,* or *take* something *to* someone, the "someone" involved is called an *indirect object*. In French the indirect object is usually preceded by the preposition **à.**

M. Michaud va expliquer le problème **à sa femme**.
Mr. Michaud is going to explain the problem to his wife.

Je veux poser une question **au professeur.**
I want to ask the professor a question.

B. To avoid repetition of the indirect object noun, indirect object pronouns are used.

Jean-Luc? Oui, je vais **lui** dire que vous ne venez pas ce soir.
Jean-Luc? Yes, I'll tell him that you aren't coming this evening.

Hélène et Paul? Je vais **leur** téléphoner ce soir.
Hélène and Paul? I'm going to call them tonight.

Here are the indirect object pronouns.

me/m'	*to me*
te/t'	*to you (informal)*
lui	*to him*
lui	*to her*
nous	*to us*
vous	*to you (formal, plural)*
leur	*to them*

Victor va **me** lire une belle histoire.
Victor is going to read me a beautiful story.

Mes voisins sont très gentils. Alors je **leur** donne un cadeau tous les ans.
My neighbors are very nice. For that reason I give them a present every year.

Georges **m**'explique toujours la leçon de français.
Georges always explains the French lesson to me.

C. The indirect object pronouns, just like the reflexive pronouns (see Grammar Section 2.2), are placed before the conjugated verb or between the conjugated verb and an infinitive.

> Mais ce n'est pas vrai! Je **lui réponds** toujours très poliment!
> *But that's not true! I always answer him very politely!*
>
> Je ne peux pas t'**expliquer** maintenant pourquoi je ne viens pas.
> *I can't explain to you now why I'm not coming.*

D. In the preceding examples, you saw a number of **-er** verbs that are frequently used with indirect object pronouns: **donner, expliquer, poser, téléphoner.** Other **-er** verbs often used with indirect object pronouns are: **annoncer** [*to announce* (*something to someone*)]; **apporter** [*to bring* (*something to someone*)]; **déclarer** [*to say, declare* (*something to someone*)]; **emprunter** [*to borrow* (*something from someone*)]; **enseigner** [*to teach* (*something to someone*)]; **indiquer** [*to indicate* (*something to someone*)]; **montrer** [*to show* (*something to someone*)]; and **prêter** [*to lend* (*something to someone*)].

> Jeannot, ton chien a faim! —Oui, je vais **lui** apporter à manger tout de suite.
> *"Jeannot, your dog is hungry!" "Yes, I'm going to bring him something to eat right away."*
>
> Raoul est super! Il promet de **nous** enseigner le français.
> *Raoul is great! He promises to teach us French.*
>
> Où est maman? Je veux **lui** emprunter dix francs.
> *Where is Mom? I want to borrow ten francs from her.*

If the indirect object used with these verbs is a noun, rather than a pronoun, it will be preceded by the preposition **à**.

> Jeannot va **apporter** à manger **à son chien.**
> Raoul promet d'**enseigner** le français **à Étienne et à moi.**
> Je veux **emprunter** dix francs **à ma mère.**

Exercice 5

Complétez les phrases suivantes avec le pronom qui correspond: **me, te, lui, nous, vous, leur.**

1. Madame Martin annonce aux étudiants que l'examen commence à huit heures. Elle leur dit de venir en classe un peu avant.
2. Raoul va voir sa grand-mère le week-end prochain. Il va lui apporter un souvenir de La Nouvelle-Orléans.
3. Ce soir, je vais écrire à mon frère. Je vais _____ raconter mon match de tennis. Je vais aussi téléphoner à mes parents pour leur dire que je vais bien.

4. Je déteste Jeannot! Il ______ demande toujours mon cahier de vocabulaire, mais il ne ______ prête jamais ses affaires.
5. Nous sommes très contents de notre cours de français. Notre professeur ______ explique bien la grammaire et elle ______ pose des questions faciles aux examens.
6. Madame Leblanc dit à Jeannot: «Je ______ donne de l'argent pour acheter une glace, mais ne le perds pas!»
7. Madame Michaud part en voyage. Elle dit à son mari et à ses enfants: «Je vais ______ écrire et ______ raconter mes aventures.»

3.5. *Irregular Verbs:* ***dire, lire, écrire; voir, croire; s'asseoir; apprendre, comprendre***

A. The verbs **dire** (*to say*), **lire** (*to read*), and **écrire** (*to write*) have similar but not identical irregularities in their present tense forms.

je **dis**	nous **disons**
tu **dis**	vous **dites**
il/elle/on **dit**	ils/elles **disent**

Like **dire: traduire** (*to translate*)

Pronunciation hint: **dis, dit, disons, dites, disent.** Note also that the **-s-** in **disons** and **disent** is pronounced **z**.

je **lis**	nous **lisons**
tu **lis**	vous **lisez**
il/elle/on **lit**	ils/elles **lisent**

Pronunciation hint: **lis, lit, lisons, lisez, lisent.** Note also that the **-s-** in **lisons** and **lisent** is pronounced **z**.

j' **écris**	nous **écrivons**
tu **écris**	vous **écrivez**
il/elle/on **écrit**	ils/elles **écrivent**

Pronunciation hint: **écris, écrit, écrivons, écrivez, écrivent.**

These verbs are commonly used with indirect objects to tell *to* or *for whom* something is told (read, written, translated, described).

Roger **me dit** qu'il ne veut plus étudier ce soir parce qu'il est très fatigué.
Roger says (*tells me*) *that he doesn't want to study any more this evening because he's very tired.*

Je voudrais **t'écrire** plus souvent mais je n'ai pas le temps.
I would like to write to you more often, but I don't have the time.

Sylvie va **me montrer** tous les endroits touristiques de Montréal.
Sylvie is going to show me all of the tourist spots in Montreal.

B. Verbs like **voir** (*to see*) and **croire** (*to believe*) add the sound and letter **y** in the **nous** and **vous** forms.

je **vois**	nous **voyons**
tu **vois**	vous **voyez**
il/elle/on **voit**	ils/elles **voient**

Nous **voyons** que vous aimez votre cours de français.
We see that you like your French course.

The verb **croire** is used in these very common expressions.

Je **crois que oui** (**non**).
I think so (don't think so).

Tu crois? —Non, **je ne crois pas.**
"Do you think so?" "No, I don't believe so."

C. The present tense forms of the verb **s'asseoir** (*to sit down*) are highly irregular.

je **m'assieds**	nous **nous asseyons**
tu **t'assieds**	vous **vous asseyez**
il/elle/on **s'assied**	ils/elles **s'asseyent**

Mon professeur ne **s'assied** jamais pendant la classe de français.
My instructor never sits down during French class.

D. The present tense conjugations of **apprendre** (*to learn*) and **comprendre** (*to understand*) are identical to that of **prendre**.

j' **apprends**	je **comprends**
tu **apprends**	tu **comprends**
il/elle/on **apprend**	il/elle/on **comprend**
nous **apprenons**	nous **comprenons**
vous **apprenez**	vous **comprenez**
ils/elles **apprennent**	ils/elles **comprennent**

Nous apprenons tous le français, mais moi, je veux aussi **apprendre** le japonais.
We're all learning French, but I want to learn Japanese too.

Je ne vous **comprends** pas bien parce que vous parlez trop vite.
I don't understand you well because you speak too quickly.

Exercice 6

Remplacez les tirets par la forme correcte d'un des verbes suivants: **dire, écrire, lire, voir, s'asseoir, croire, apprendre, comprendre.**

Je _____[1] sur la chaise et j'écoute le professeur. Je _____[2] les étudiants qui _____[3] dans leurs cahiers et qui regardent le tableau. Je pense que cette leçon est excellente: nous _____[4] beaucoup, parce que nous avons un bon professeur. Il nous _____[5]: «Rangez vos cahiers et maintenant, jouons! Levez-vous! _____[6]-vous! Levez-vous! Marchez! _____[7] votre nom au tableau! _____[8] à voix haute le nom de votre camarade! Chantez! _____[9]: "Bonjour! Il fait beau! Nous sommes contents!" Retournez à vos places! _____[10]-vous!»

Nos invités (*guests*), Raoul et Charles, pensent que nous sommes fous (*crazy*). Nous rions (*laugh*) beaucoup et nous leur _____[11] que Madame Martin est le meilleur (*the best*) professeur de l'université. Eux, ils _____[12] la grammaire française en anglais; ils _____[13] beaucoup de textes et _____[14] beaucoup (exercices, dictées, compositions), mais ils ne parlent pas, ils _____[15] tout... en classe. Étienne et moi, nous pensons que notre méthode est la meilleure! _____[16]-vous que le professeur de Raoul et Charles va changer de méthode?

3.6. *Expressing Abilities:* ***pouvoir*** *and* ***savoir*** + Infinitive

A. Both **pouvoir** (*to be able to*) and **savoir** (*to know how to*) can be followed by an infinitive.

> **Je** ne **peux** pas **terminer** le travail ce soir.
> *I can't finish the work this evening.*
>
> **Je** ne **sais** pas **nager.**
> *I don't know how to swim.*

B. Here are the present tense forms of **pouvoir** and **savoir**.

je **peux**	je **sais**
tu **peux**	tu **sais**
il/elle/on **peut**	il/elle/on **sait**
nous **pouvons**	nous **savons**
vous **pouvez**	vous **savez**
ils/elles **peuvent**	ils/elles **savent**

The verb **pouvoir** can also indicate permission or potential.

> **Pouvez**-vous aller avec nous à Paris pendant les vacances? —Non, malheureusement je dois travailler.
> *"Can you go to Paris with us during vacation?" "No, unfortunately I have to work."*

Maman, je **peux** promener le chien maintenant? —Oui, mais fais attention aux voitures!
"Mom, can I walk the dog now?" "Yes, but pay attention to the cars!"

Exercice 7

Remplacez les tirets par la forme correcte du verbe **savoir** (**sais, sait, savons, savez, savent**) ou du verbe **pouvoir** (**peux, peut, pouvons, pouvez, peuvent**).

1. Je n'ai pas le temps; je ne _____ pas aller à la cafétéria maintenant.
2. Mon frère qui a quatre ans est intelligent, mais il ne _____ pas lire.
3. Vous avez la jambe cassée (*broken*). Vous ne _____ pas skier.
4. Antoine et Martin jouent au bowling, mais ils ne _____ pas compter les points!
5. Rose a peur d'aller dans l'eau: elle ne _____ pas nager.
6. Tes parents sont très fâchés; tu ne _____ pas sortir ce soir.
7. Les questions sont mal écrites (*written*) et impossibles à lire: nous ne _____ pas y répondre (*answer them*).
8. Le professeur n'explique pas les pronoms indirects; nous ne _____ pas les utiliser.
9. Marion veut grimper (*climb*) sur l'arbre mais elle ne _____ pas. Elle est trop petite.
10. Mes grands-parents veulent se promener avec nous, mais ils ne _____ pas marcher pendant six heures dans la forêt!

In **Chapitre quatre** you will learn vocabulary and expressions for talking about where you live and the activities that take place there. You will also talk about your future plans and obligations—in particular, about your career plans and other job-related topics. And you will learn how to introduce people to each other in French.

Paris, France. Les Français aiment bien s'occuper de leur maison.

CHAPITRE QUATRE
La maison et le travail

THÈMES

- Your Place of Residence and Your Neighborhood
- Your Future Plans (Part 2) and Your Obligations and Duties
- Talking about Careers, Professions, and Jobs
- Meeting Others: Making Introductions

LECTURES

- Les amis francophones: Pauvre Minette!
- Note culturelle: Les Français se saluent

LECTURES SUPPLÉMENTAIRES

- Les amis francophones: La vie après le Bac
- Le feuilleton: «Attends, Daniel!»
- Le feuilleton: Jeannot!
- Note culturelle: Les villes françaises
- Les amis francophones: Joseph et Andrée
- Le feuilleton: Pierre Michaud, écrivain

GRAMMAIRE

4.1. Comparatives and Superlatives
4.2. Plans (Part 2): **penser, aimerais, voudrais, avoir envie de, espérer** + *Infinitive*
4.3. Expressing Obligation and Duty: **devoir, avoir besoin de,** Impersonal Expressions + *Infinitive*
4.4. Professions: **être** + Noun; **il(s)/elle(s)** versus **ce**
4.5. Present Tense: **-ir** Verbs like **finir**
4.6. **Connaître** and **savoir**
4.7. Personal Direct Object Pronouns; the Verbs **suivre** and **craindre**

ACTIVITÉS ORALES

LA MAISON ET LE QUARTIER

ATTENTION! Voir Grammaire 4.1.

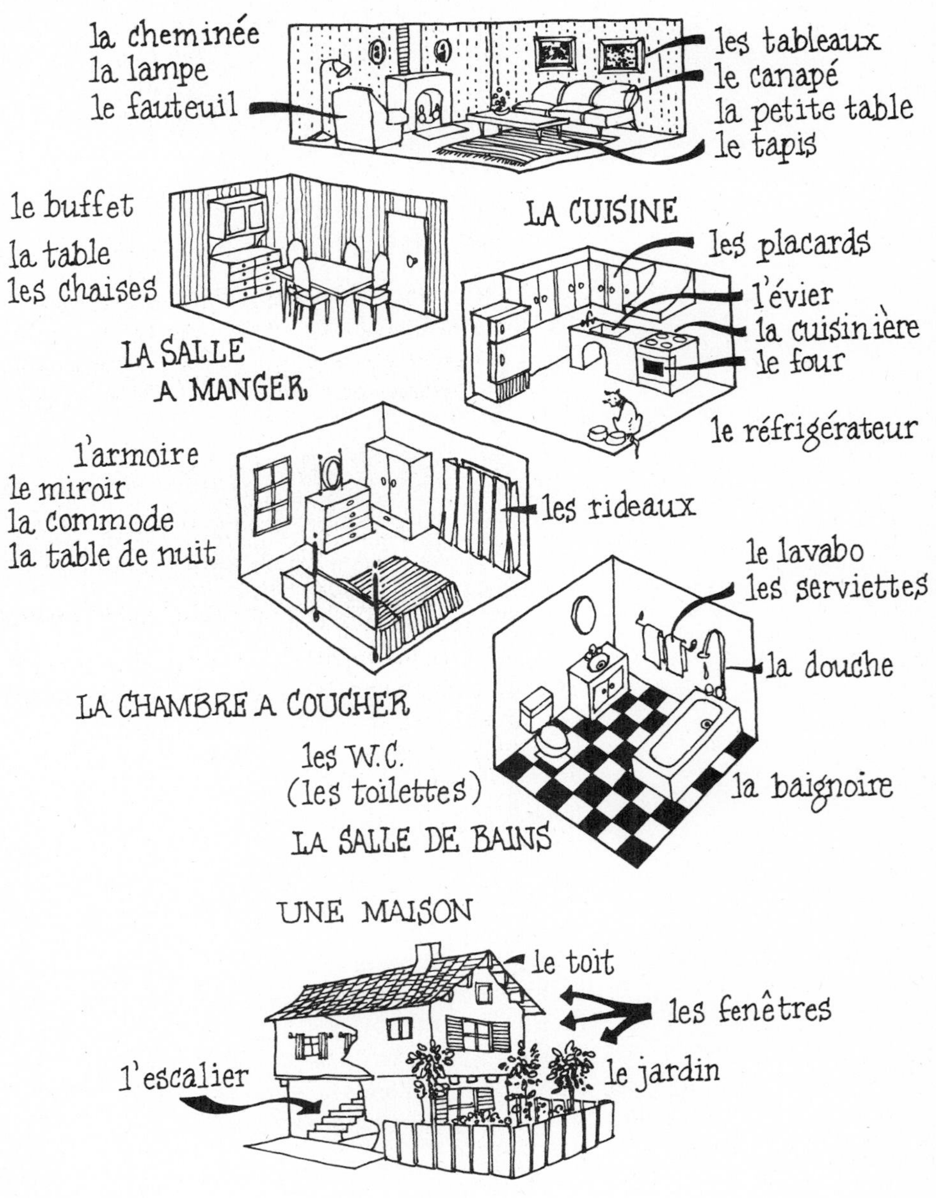

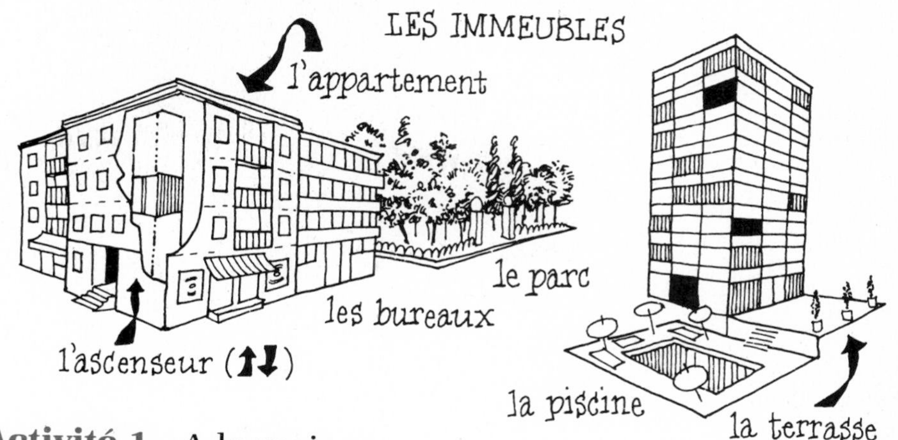

Activité 1. A la maison

Dites où vous faites les choses suivantes.

MODÈLE: garer la voiture →
Généralement nous garons la voiture dans le garage.

1. recevoir des invités
2. manger
3. cuisiner
4. prendre une douche
5. écouter la radio
6. prendre le petit déjeuner
7. faire la vaisselle
8. dormir
9. étudier
10. jardiner
11. raconter nos problèmes
12. regarder la télévision

Activité 2. Comparons les maisons

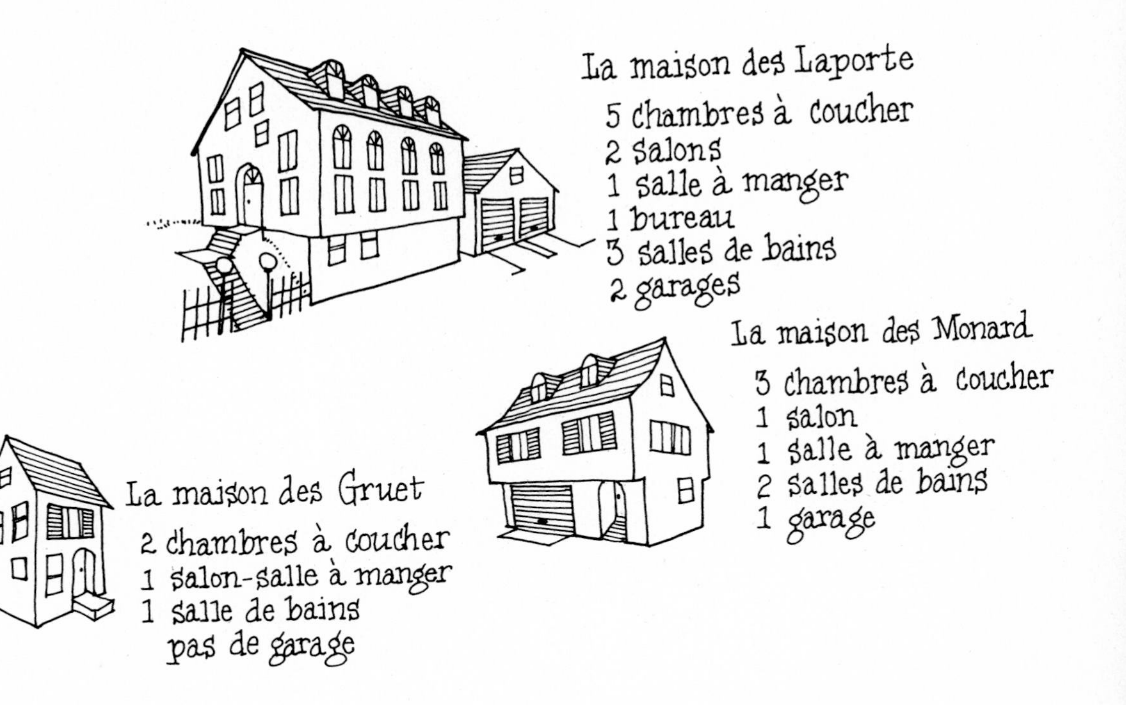

É1: Combien de chambres à coucher a la maison des Monard?
É2: Elle a trois chambres, mais elle n'a pas autant de chambres que la maison des Laporte.

É1: Combien de balcons a la maison des Laporte?
É2: Elle n'a pas de balcons, mais elle a un jardin. Elle a un jardin plus grand que la maison des Monard.

Activité 3. Entrevue: Les choses de la maison

1. Qu'est-ce qui est plus grand, un fauteuil ou un lit?
2. Qu'est-ce qui est moins commun, une douche ou une baignoire?
3. Qu'est-ce qui coûte plus cher, une serviette ou un lit?
4. Qu'est-ce qui coûte moins cher, une piscine ou des rideaux?
5. Où y a-t-il plus de lampes, dans ta chambre ou dans ton salon?
6. Où y a-t-il moins de chaises, dans la salle à manger ou dans la chambre à coucher?
7. Qu'est-ce qui est plus utile, un tapis ou un réfrigérateur?
8. Qu'est-ce qui est moins utile, un four ou un miroir?
9. Est-ce qu'il y a autant de tableaux dans ton salon que dans ta salle à manger?
10. Où y a-t-il plus de meubles, dans ton salon ou dans ta chambre?

Activité 4. Interaction: Mon quartier

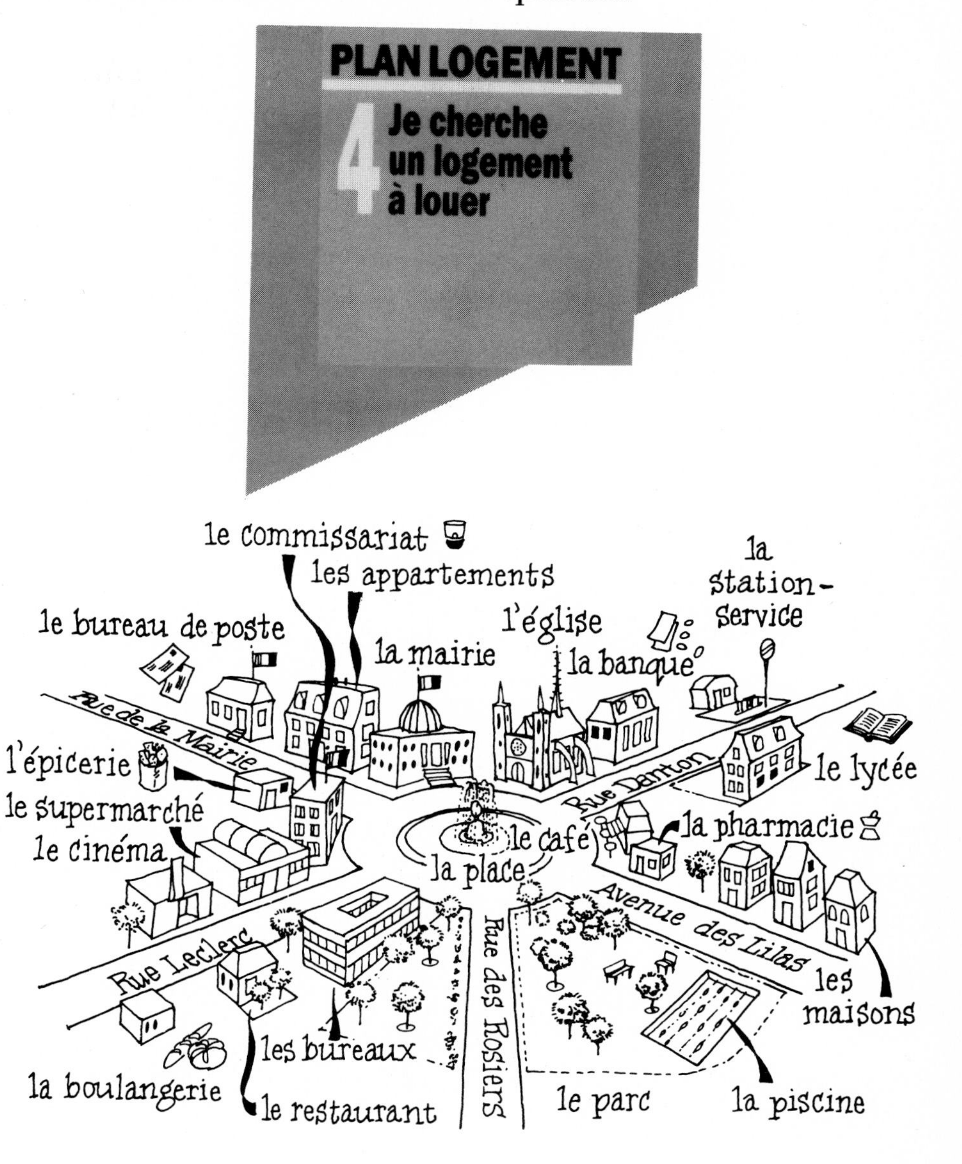

É1: Que fait-on au restaurant?
É2: On mange.

É1: Où est le cinéma?
É2: Il est rue Danton, à côté de la boulangerie.

É1: Y a-t-il une station-service dans ton quartier?
É2: Oui, elle est avenue des Lilas.

Activité 5. Entrevue: Mon quartier, ma maison

1. Où habites-tu?
2. Décris ton quartier.
3. Quels sont les magasins qui se trouvent dans ton quartier?
4. Est-ce qu'on trouve une piscine ou un parc dans ton quartier?
5. Habites-tu une maison ou un appartement?
6. Est-ce qu'il (qu'elle) est grand(e)?
7. Combien d'étages a ton immeuble (ta maison)?
8. Combien de pièces y a-t-il chez toi?
9. Quelle est ta pièce préférée? Pourquoi? Qu'est-ce que tu y fais?
10. Décris ta chambre. Est-ce qu'elle est grande? belle?
11. Est-ce qu'il y a beaucoup de meubles dans ta chambre?
12. Qu'est-ce qu'il y a dans ta salle de bains?
13. As-tu un balcon ou une terrasse?
14. Préfères-tu vivre seul(e) ou avec quelqu'un? Pourquoi?

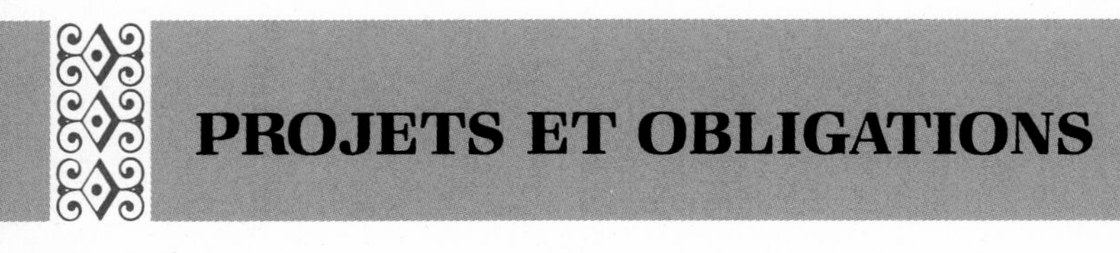

PROJETS ET OBLIGATIONS

ATTENTION! Voir Grammaire 4.2–4.3.

je vais
je pense
j'aimerais
je voudrais
j'ai envie de
j'espère

\+ *infinitif*

Nous espérons aller skier dans les Alpes en décembre.

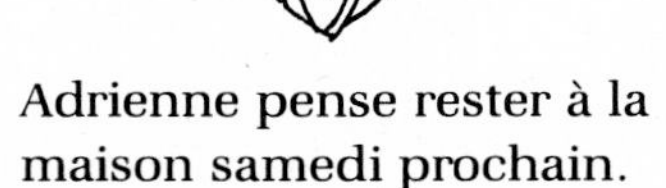

Adrienne pense rester à la maison samedi prochain.

Nous aimerions louer une villa sur la Côte d'Azur l'été prochain.

Je voudrais gagner
beaucoup d'argent
un jour.

J'ai envie de boire
une limonade parce qu'il
fait très chaud.

je dois
il faut
j'ai besoin de
il est nécessaire de
il est important de

+ *infinitif*

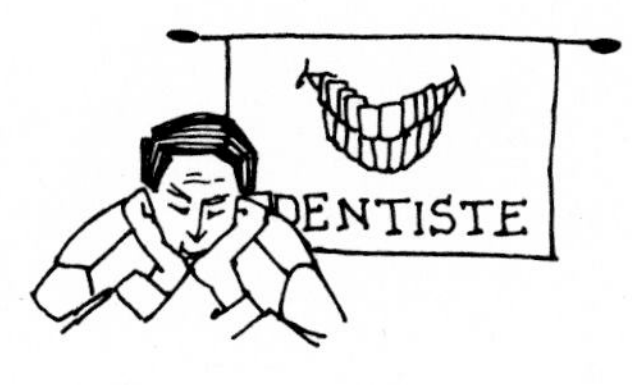

Il faut aller chez le
dentiste une fois par an.

M. et Mme Michaud
doivent nettoyer leur maison.

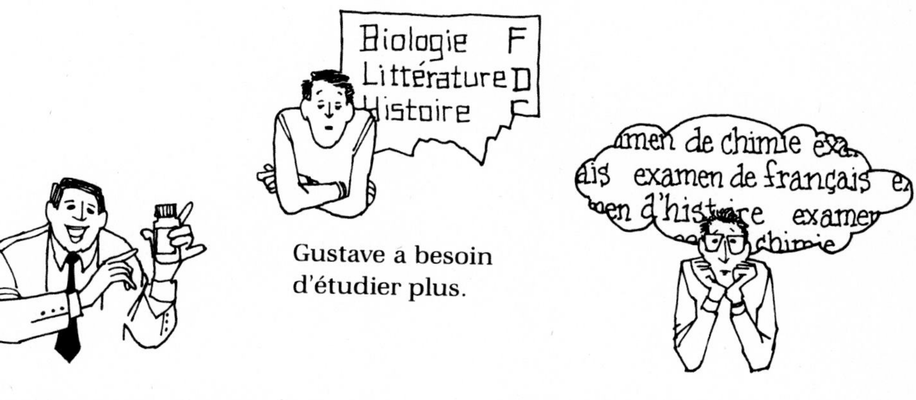

Gustave a besoin
d'étudier plus.

Il est important de prendre
des vitamines tous les jours.

Il est nécessaire de
réviser fréquemment ses leçons.

CHEZ LES LEBLANC

Marion va allumer la lumière maintenant.
Pauline doit éteindre la lumière avant de se coucher.
La femme de ménage pense faire le ménage samedi.
Mme Leblanc voudrait faire la cuisine plus tard.
Il faut couper l'herbe fréquemment.
Il est nécessaire aussi de balayer la terrasse.
Jeannot doit arroser les fleurs.

Activité 6. Les préférences

Dites oui ou non.

1. Samedi soir je pense
   a. sortir avec des amis.
   b. repasser mes vêtements.
   c. rester à la maison.
   d. _____?

2. Ce week-end je vais
   a. me lever tard.
   b. couper l'herbe.
   c. faire la vaisselle.
   d. _____?

3. Ce week-end mon père a envie de
   a. se coucher tard.
   b. jardiner.
   c. enlever la poussière et de passer l'aspirateur.
   d. _____?

4. Pendant les vacances mon frère voudrait
   a. étudier les maths.
   b. réviser ses leçons.
   c. lire des romans d'amour.
   d. _____?

5. L'été prochain mon ami(e) aimerait
   a. travailler comme serveur (serveuse) dans un restaurant.
   b. visiter la France.
   c. suivre des cours de photo.
   d. _____?

Activité 7. Les obligations

Dans la vie il y a des choses que nous devons faire. Lisez les activités suivantes et décidez si...

a. vous devez le faire et en plus vous aimez le faire.
b. vous devez le faire mais vous n'aimez pas le faire.
c. vous ne le faites jamais.

1. laver la voiture
2. étudier
3. laver et faire sécher le linge
4. cuisiner
5. jardiner
6. prendre des vitamines
7. payer les impôts
8. faire le lit
9. rendre visite à la famille
10. aller chez le dentiste

Activité 8. Entrevue

1. Quel est ton cours préféré cette année?
2. Est-ce qu'il faut écouter le professeur attentivement dans cette classe?
3. Quelle profession aimerais-tu avoir plus tard?
4. Combien d'années faut-il étudier pour obtenir le diplôme?
5. Dois-tu beaucoup étudier pour réussir à tes examens?
6. Penses-tu gagner beaucoup d'argent un jour?
7. Où voudrais-tu habiter dans dix ans?

Activité 9. Les projets de Sylvie et d'Angèle

Mettez dans le bon ordre.

_____ J'aimerais bien mais nous devons aller dîner chez ses parents. C'est l'anniversaire de sa mère.
_____ Je vais dîner avec Charles. Et toi, tu as des projets?
_____ Salut, Angèle! Ça me fait vraiment plaisir de te revoir. Qu'est-ce que tu penses faire samedi soir?
_____ Oui, ma cousine Thérèse et moi nous avons envie d'aller au cinéma. Vous venez avec nous?
_____ Salut, Sylvie!

Activité 10. Entrevue: Tâches et loisirs

1. Avec qui vis-tu? Aimerais-tu vivre tout seul (toute seule)?
2. Qu'est-ce qu'on fait le samedi matin chez toi? Qu'est-ce qu'on doit faire?
3. Fais-tu le ménage chez toi? Sinon, qui le fait?
4. Fais-tu le marché? Quand? Où? Avec qui?
5. Aimes-tu rester chez toi le samedi soir ou préfères-tu sortir avec des amis?
6. Est-ce que tu laves et repasses ton linge? Quand? Où? (Sinon, qui le fait?)
7. Qu'est-ce que tu aimes faire quand tu restes à la maison?
8. Reçois-tu beaucoup d'amis chez toi?
9. Est-ce que tu aimes faire la cuisine? nettoyer la maison?
10. Est-ce que tu aimes bricoler?
11. As-tu beaucoup de plantes? Est-ce qu'il faut prendre soin d'arroser les plantes souvent? Combien de fois par semaine? Pourquoi?
12. Est-ce qu'il faut faire le lit chaque matin? Fais-tu ton lit chaque matin? Pourquoi?

LES AMIS FRANCOPHONES: Pauvre Minette!

Ah, comme la vie de chat n'est pas facile! Mes maîtres ne s'occupent pas de moi comme ils le devraient,° et ils ne jouent presque jamais avec moi. Ils sont toujours occupés et pressés. Quelle vie mènent les êtres° humains!

should
beings

Le matin, ma maîtresse se lève de bonne heure et va vite à la cuisine préparer une boisson° noire et chaude qu'elle prend toujours au petit déjeuner. Puis elle réveille mon maître. Lui il ne veut jamais se lever. Ensuite elle ouvre les fenêtres et la lumière envahit la chambre.

drink

Mon maître se lave, s'habille, boit lui aussi du liquide noir, dit des choses que je ne comprends pas et puis il s'en va. Alors ma maîtresse se recouche° et parfois

se... *goes back to bed*

me laisse venir me coucher à ses pieds. Mais plus tard elle se lève et me fait sortir en disant «Allez, debout!»° Moi je n'aime pas sortir le matin car il fait froid. Je saute sur le bord de la fenêtre et de là, je peux voir ma maîtresse dans la maison. Elle se lave, s'habille, se maquille, puis elle fait le lit, fait le ménage et pousse une machine bruyante° pour nettoyer la moquette° (je déteste cette machine!). Enfin elle va dans la cuisine pour préparer le déjeuner. Alors de bonnes odeurs de viande, de poisson ou de poulet flottent dans l'air. Les êtres humains mangent beaucoup mieux que nous, les animaux.

get up!
noisy / carpet

Ma maîtresse sort tous les après-midi et je reste seule et triste dans la maison vide.° Le soir mes maîtres rentrent, dînent et après le repas ils me donnent les restes.° Mon maître joue avec moi de temps en temps. Très souvent ils s'asseyent tous les deux devant une grosse boîte° lumineuse et ils passent toute la soirée à regarder d'autres êtres humains qui s'agitent dans la boîte. Enfin ils s'endorment et moi, je me cache° dans un coin de leur chambre et je m'endors aussi.

empty
leftovers
box
me... *hide*

Questions

1. Que fait la maîtresse de Minette quand elle se lève?
2. Que ne veut pas faire son maître?
3. Que fait la maîtresse de Minette quand elle finit de s'habiller?
4. Que font ses maîtres chaque soir?
5. Que fait Minette chaque soir?

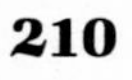

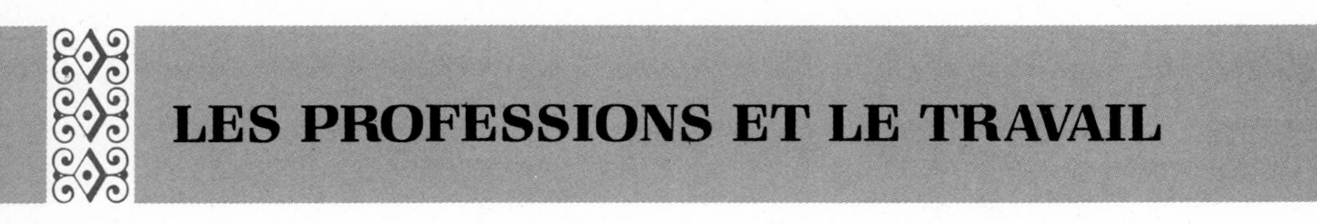

LES PROFESSIONS ET LE TRAVAIL

ATTENTION! Voir Grammaire 4.4–4.5.

Au bureau... la réceptionniste reçoit une cliente.
le patron lit le journal.
la secrétaire tape à la machine.
l'employé téléphone à un client.
le client finit par être furieux.

Au restaurant... le cuisinier prépare le repas.
le serveur sert les plats.

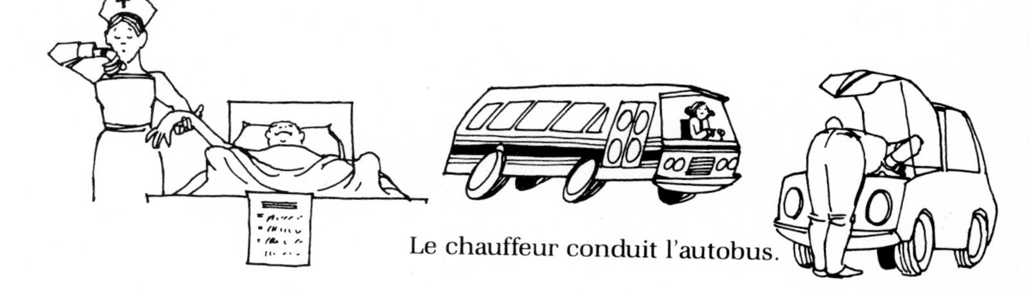

Le chauffeur conduit l'autobus.

L'infirmière soigne les malades.

Le mécanicien répare la voiture.

Activité 11. Le lieu de travail

Où travaille... ?

1. un pilote
2. un instituteur
3. une coiffeuse
4. un médecin
5. une caissière
6. une vendeuse
7. un chanteur
8. un cuisinier
9. une ouvrière
10. un mécanicien

a. dans un restaurant
b. dans un avion
c. dans son cabinet ou dans un hôpital
d. dans un salon de coiffure
e. dans une usine
f. dans une banque
g. dans une boutique
h. dans une école
i. dans une boîte de nuit
j. dans un garage

Activité 12. Définitions

Donnez la profession correcte.

1. Il enseigne dans une école. Il est ____.
2. Elle travaille dans un hôpital, ausculte les malades et prescrit des ordonnances. Elle est ____.
3. Il pilote un avion. Il est ____.
4. Il reçoit l'argent dans un magasin. Il est ____.
5. Elle fait des plans pour construire des maisons et des immeubles. Elle est ____.
6. Elle aide les personnes qui ont des problèmes avec la loi. Elle est ____.
7. Elle s'occupe des malades dans un hôpital et porte un uniforme blanc. Elle est ____.
8. Il travaille dans un garage et répare des voitures. Il est ____.
9. Il écrit des romans. Il est ____.
10. Il guérit les animaux. Il est ____.
11. Il coupe les cheveux. Il est ____.

Activité 13. Entrevue: Le travail

1. Quel genre de travail fais-tu?
2. Où travailles-tu? Habites-tu loin de ton travail?
3. Combien de temps mets-tu pour aller de chez toi à ton travail?
4. A quelle heure commences-tu à travailler? A quelle heure finis-tu?
5. Aimes-tu tes horaires de travail? A quelle heure aimerais-tu commencer à travailler?
6. Est-ce que tu travailles à mi-temps ou toute la journée? Qu'est-ce que tu préfères? Pourquoi?
7. Est-ce que ton travail est varié?
8. Quel est le plus grand avantage de ton travail? Pourquoi?
9. Y a-t-il des choses que tu n'aimes pas faire dans ton travail? Lesquelles?
10. Quel genre de travail aimerais-tu avoir? Pourquoi?

Activité 14. Un jeu

Trouvez la profession des personnes suivantes. Tout le monde a une profession différente.

Il y a trois couples: les Hubert, Jacques et Anne
les Potin, Hugues et Cécile
les Sadouet, Alexandre et Odette

Il y a six professions:

médecin	instituteur (-trice)
dentiste	secrétaire
ingénieur	avocat(e)

LES FAITS

1. Anne travaille dans un hôpital mais elle n'est pas médecin.
2. Le mari de l'avocate est ingénieur.
3. La secrétaire est mariée à un médecin.
4. Le mari de la dentiste travaille dans une école.
5. Jacques travaille avec des infirmières.
6. Alexandre enseigne à des enfants.

LES PRÉSENTATIONS

ATTENTION! Voir Grammaire 4.6–4.7.

me	nous
te	vous
le/la	les

—Chantal, est-ce que tu connais Georges?
—Non, je ne le connais pas.
—Chantal, je te présente mon ami Georges.
—Bonjour, Chantal, comment vas-tu?

—Monsieur Lenôtre, je voudrais vous présenter une amie, Madame Michaud.
—Enchanté, Madame.
—Enchantée.

—Monsieur Moreau, connaissez-vous ma voisine?
—Non, je n'ai pas le plaisir.
—Alors, permettez-moi de vous présenter Madame Berthier.
—Enchanté de vous connaître, Madame.

Activité 15. Dialogue: Des étudiants en psychologie

Paulette et Louise Rouet donnent une fête entre étudiants chez elles ce soir.

PAULETTE: Dis, Antoine, est-ce que tu connais ma sœur Louise?
ANTOINE: Non, je ne la connais pas.
PAULETTE: Viens, je vais te la présenter. Louise, je te présente Antoine.
LOUISE: Bonsoir.
ANTOINE: Enchanté. Est-ce que tu es étudiante?
LOUISE: Oui, je suis des cours de psychologie.
ANTOINE: Quelle coïncidence! J'ai un ami qui étudie aussi la psychologie. Il est ici ce soir. Je vais te le présenter tout de suite.

(Il s'en va et revient avec son ami Jacques quelques minutes plus tard.)

ANTOINE: Louise, je te présente Jacques. Il est étudiant en psychologie comme toi.
JACQUES: Bonsoir.

LOUISE: Alors tu fais aussi de la psychologie...
JACQUES: Oui, et si tu viens chez moi samedi prochain, tu vas faire la connaissance de tout un groupe de «futurs psychologues».
LOUISE: Avec plaisir!

Questions

1. Qui est-ce que Paulette présente à sa sœur?
2. Quelle est la coïncidence dont parle Antoine?
3. Où va Louise samedi prochain?
4. Qui est-ce que Louise va connaître là-bas?

Activité 16. Le nouveau voisin

—Savez-vous qui vit en face?
—Oui, les Leblanc. Je les connais très bien.

M. Valois est nouveau dans le quartier. Il parle avec son voisin, Édouard Vincent. Complétez les questions de M. Valois avec l'expression correcte.

Connaissez-vous... ?
Savez-vous... ?

1. les propriétaires de la maison qui est à l'angle?
2. le curé de la paroisse?
3. s'il y a une pharmacie tout près?
4. s'il y a un parc dans les environs?
5. le directeur du collège qui est en face?
6. un bon restaurant chinois?
7. où est l'épicerie?
8. s'il y a une boulangerie pas trop loin?
9. combien ça coûte de refaire une salle de bains?
10. la voisine qui habite au deuxième étage?

Activité 17. Entrevue: Connais-tu ton quartier?

1. Connais-tu le nom du supermarché qui est près de chez toi?
2. Sais-tu s'il est ouvert très tard?
3. Connais-tu tous tes voisins?
4. Sais-tu où il y a un bon restaurant près de chez toi?
5. Connais-tu le nom du propriétaire de ce restaurant?
6. Sais-tu combien coûte un petit appartement dans ton quartier?
7. Connais-tu quelqu'un qui a une piscine?
8. Sais-tu combien coûte une maison dans ton quartier?
9. Sais-tu s'il y a un parc près de chez toi?
10. Connais-tu le nom de ce parc?

NOTE CULTURELLE: Les Français se saluent

Pour se dire bonjour, on utilise en France des expressions familières comme «bonjour» ou «salut» pour les personnes que l'on connaît bien et des expressions plus polies comme «Bonjour, Monsieur (ou Madame)» pour les personnes que l'on ne connaît pas très bien. La même distinction existe quand on se dit au revoir: on utilise toujours «Monsieur», «Madame» ou «Mademoiselle» (sans le nom de famille) après «Au revoir». Avec des amis, on dit plutôt: «à bientôt», «à demain», «à ce soir», «à tout à l'heure».

Dans tous les cas, il y a aussi toujours un contact physique. Pour la famille et les amis, c'est en général une embrassade:° on se donne des bises sur la joue, deux ou quatre selon la région. Deux hommes aussi bien que deux femmes peuvent s'embrasser ainsi. Dans

°*kiss*

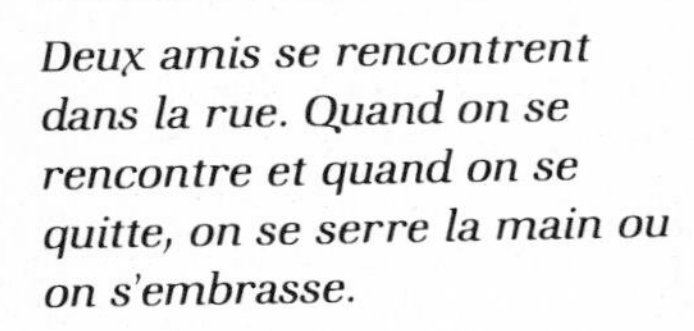

Deux amis se rencontrent dans la rue. Quand on se rencontre et quand on se quitte, on se serre la main ou on s'embrasse.

les situations plus cérémonieuses et aussi entre étudiants, on se serre la main, avec un seul geste ferme. On se serre la main ou on s'embrasse ainsi deux fois: quand on se rencontre et de nouveau° quand on se sépare.

de... *again*

QUESTIONS

Choisissez la réponse correcte.

1. A qui dit-on «Salut»?
2. A qui dit-on «A tout à l'heure»?
3. A qui dit-on «Au revoir, Madame (Mademoiselle, Monsieur)»?
4. A qui dit-on «Bonjour, Madame (Mademoiselle, Monsieur)»?
5. A qui serre-t-on la main?
6. A qui fait-on une bise?

a. A une personne que l'on rencontre et que l'on ne connaît pas bien.
b. A une personne que l'on quitte et que l'on connaît bien.
c. A une personne que l'on rencontre et que l'on connaît bien.
d. A une personne que l'on quitte et que l'on ne connaît pas bien.

Vocabulaire

LES PIÈCES ET LES AUTRES PARTIES DE LA MAISON Rooms and other parts of the house

l'ascenseur (*m.*) elevator
la chambre (**à coucher**) bedroom
la clôture fence
le coin corner
l'escalier (*m.*) stairs; staircase
l'étage (*m.*) floor, story
la salle à manger dining room
le sol floor; ground
les toilettes (*f.*) restroom
le toit roof
les W.-C. (*water-closet*) (*m. pl.*) lavatory

Mots similaires: **le balcon, le garage, la terrasse**

Révision: **le bain, la cuisine, la douche, les fenêtres** (*f.*), **le jardin, la maison, le salon**

LES MEUBLES ET LES APPAREILS ÉLECTRIQUES Furniture and electrical appliances

l'armoire (*f.*) (free-standing) closet
la baignoire bathtub
le canapé sofa, couch
la cheminée chimney
la commode chest of drawers
la cuisinière stove
l'évier (*m.*) sink
le fauteuil easy chair

le four	oven
le lavabo	washbasin
le miroir	mirror
la petite table	end table
les placards (*m.*)	cupboards
les rideaux (*m.*)	curtains, drapes
la table de nuit	nightstand
le tableau	painting
le tapis	carpet

Mots similaires: **le buffet, le réfrigérateur**

Révision: **la chaise, la lampe, le lit, la serviette, la table**

LE MÉNAGE Housework

allumer	to turn on (*lights*)
arroser	to water
balayer	to sweep
couper l'herbe/les cheveux	to cut grass / hair
enlever la poussière	to dust
laver le linge	to do the laundry
nettoyer	to clean
passer l'aspirateur	to vacuum
repasser	to iron

Révision: **bricoler, cuisiner, éteindre, faire la vaisselle, faire le ménage, jardiner, laver**

LA MAISON ET LE QUARTIER The house and the neighborhood

la blanchisserie	French laundry
la boîte de nuit	nightclub
la boulangerie	bakery
le cabinet	doctor's office
le centre commercial	shopping center
le collège	secondary school
les environs (*m.*)	surroundings
l'épicerie (*f.*)	grocery store
l'immeuble (*m.*)	apartment building
la laverie automatique	laundromat
le lycée	high school
la paroisse	parish
le pressing	drycleaner
le salon de coiffure	hairdressing salon

Mots similaires: **la pharmacie, la station-service**

Révision: **l'appartement** (*m.*), **l'avenue** (*f.*), **la banque, le bureau, le bureau de poste, le café, le cinéma, le commissariat, l'église** (*f.*), **la mairie, le parc, la piscine, la place, le restaurant, la rue, le supermarché**

VERBES Verbs

ausculter	to listen (*with a stethoscope*)
décrire	to describe
enseigner	to teach
finir (par)	to finish, end up (by)
gagner	to earn
guérir	to heal
s'occuper de	to deal with, take care / charge of
ouvrir	to open
plaire à	to please, be pleasing to
plomber	to fill cavities
porter	to wear
prendre soin de + *infinitif*	to be sure to (*do something*)
raconter	to tell (*a story*)
refaire	to redo; to make again
réussir (à)	to succeed (in)
revenir	to come back
revoir	to see again
taper à la machine	to type
trouver	to find
se trouver	to be found
vivre	to live

Mots similaires: **comparer, compléter, construire, décider, défendre, obtenir, payer, permettre, piloter, prescrire, réviser, servir, visiter**

Révision: **habiter, rester**

LES PROJETS ET LES OBLIGATIONS Plans and obligations

l'horaire (*m.*)	schedule
les impôts (*m.*)	taxes
la tâche	task

Mots similaires: **le diplôme, le plan**

LES OBLIGATIONS ET LES DEVOIRS
Obligations and duties

il est important de + *infinitif*	it is important to (*do something*)
il est nécessaire de + *infinitif*	it is necessary to (*do something*)
il faut + *infinitif*	it is necessary to (*do something*)
je dois + *infinitif*	I must/have to (*do something*)

Révision: **j'ai besoin de** + *infinitif*

LES PRÉFÉRENCES ET LES DÉSIRS
Preferences and desires

j'aimerais + *infinitif*	I would like to (*do something*)
j'espère + *infinitif*	I hope to (*do something*)
je pense + *infinitif*	I plan to (*do something*)
je vais + *infinitif*	I am going to (*do something*)
je voudrais + *infinitif*	I would like to (*do something*)

Révision: **j'ai envie de** + *infinitif*

LES PROFESSIONS ET LE TRAVAIL
Professions and work

l'avocat(e)	lawyer
le/la caissier (-ière)	cashier
le/la chanteur (-euse)	singer
le chauffeur	driver; chauffeur
le/la coiffeur (-euse)	hairdresser
le/la cuisinier (-ière)	cook
le curé	priest
le/la directeur (-trice)	principal (*elementary school*)
la femme de ménage	maid
l'infirmier (-ière)	nurse
l'ingénieur (*m.*)	engineer
l'instituteur (-trice)	teacher (*elementary school*)
le juge	judge
la maîtresse de maison	homemaker
le/la malade	sick person
le/la mécanicien(ne)	mechanic
le médecin	doctor, physician
l'ouvrier (-ière)	worker
le/la patron(ne)	boss
le/la propriétaire	owner
le/la serveur (-euse)	waiter (waitress)
le/la vendeur (-euse)	sales assistant

Mots similaires: **l'architecte** (*m.*), **le/la client(e), le/la dentiste, l'employé(e), le/la pilote, le/la psychologue, le/la réceptionniste, le/la secrétaire**

LA DESCRIPTION Description

coupable	guilty
ouvert(e)	open
utile	useful

Mots similaires: **commun(e), furieux (-ieuse), varié(e)**

SUBSTANTIFS Nouns

l'amour (*m.*)	love
l'arbre (*m.*)	tree
le fait	fact
la fleur	flower
les invité(e)s	guests
la loi	law
la marque	brand
l'ordonnance (*f.*)	prescription

Mots similaires: **les Alpes** (*f.*), **l'animal** (*m.*), **l'avantage** (*m.*), **la coïncidence, la Côte d'Azur, le couple, la définition, l'expression** (*f.*), **le futur, le genre, le groupe, l'intérêt** (*m.*), **le problème, l'uniforme** (*m.*), **la villa, la vitamine**

LES PRÉSENTATIONS, LES SALUTATIONS ET LES ADIEUX
Introductions, greetings, and farewells

ça me fait plaisir de + *infinitif*	it's a pleasure for me to (*do something*)
connaître	to know, be acquainted with; to meet
faire la connaissance	to meet
présenter	to introduce

LES COMPARAISONS Comparisons

autant de... que	as many . . . as
comme	like; as (a)

LES PRONOMS OBJETS DIRECTS Direct object pronouns

me	me
te	you
le, la	him, her, it
nous	us
vous	you
les	them

MOTS ET EXPRESSIONS UTILES Useful words and expressions

à l'angle	at (on) the corner
à mi-temps	part time
attentivement	attentively
généralement	generally
Lequel (Laquelle/Lesquels/Lesquelles)?	Which one(s)?
pas de	no
quelqu'un	someone
quoi?	what?
tout près	nearby

LES AMIS FRANCOPHONES: La vie après le Bac

Nice, France. Les résultats du baccalauréat sont affichés le même jour dans toute la France. Ces étudiants cherchent leur nom sur la liste des reçus.

©ROGERS / MONKMEYER PRESS PHOTO SERVICE

Je m'appelle Jean-Pierre Lemartinet. J'habite Nice et j'ai dix-sept ans et demi. Aujourd'hui, c'est le jour des résultats du Baccalauréat.° Les résultats sont affichés° dans la cour du Lycée. Et je viens d'y trouver mon nom: je suis reçu!° J'ai mon Bac!

Chez moi, c'est un jour de gloire. Mes parents sont aussi fiers que moi, et ma sœur est très impressionnée. Le reste de la famille commence à me téléphoner parce que les résultats sont dans le journal d'aujourd'hui.

—Félicitations, Jean-Pierre, tu le mérites bien, ce Bac.

—C'est vrai, j'ai travaillé° très dur cette année.

—Alors, me dit mon cousin Marc, qu'est-ce que tu as envie de faire maintenant?

Ils sont tous très curieux. Ils me posent beaucoup de questions, mais je ne connais pas les réponses.

—Tu vas essayer l'École Polytechnique?°

—Je ne pense pas, c'est tellement difficile...

—Quelle carrière aimerais-tu suivre?

—La publicité?... L'informatique? Je ne suis pas sûr...

—Dans quels domaines es-tu fort?

—Je suis plutôt bon en langues, en littérature, en histoire...

high school degree / *posted*

je... *I've graduated*

j'ai... *I've worked*

École... *grad school of engineering*

Jusqu'à aujourd'hui, j'ai pensé seulement au Bac. Maintenant, le Bac est fini et l'avenir° me donne le vertige. J'ai un grand rêve:° c'est de voyager, loin, très loin. Je peux, peut-être, devenir diplomate. Ou travailler dans l'export. Ou bien je peux devenir journaliste, faire des reportages à l'étranger. Je peux, peut-être aussi, prendre une année de vacances, partir à l'aventure, de pays en pays. Ce sont des projets formidables... Mais que vais-je vraiment faire? C'est simple: aujourd'hui, je vais fêter ma réussite au Bac. Le reste peut attendre jusqu'à demain!

future
dream

Questions

1. Quel âge a Jean-Pierre?
2. Pourquoi est-il content aujourd'hui?
3. Quelle carrière veut-il suivre?
4. Dans quels sujets est-il fort?
5. Quel est son rêve?
6. Quelles professions considère-t-il pour réaliser son rêve?

LE FEUILLETON: «Attends, Daniel!»

Odette Benoît est une jeune actrice de vingt-deux ans. Elle habite Paris dans un très joli appartement de la Rive gauche.* Elle joue un des principaux rôles dans «Entre amis», un feuilleton télévisé très populaire en France.

Odette est toujours très occupée. Comme elle prend son travail au sérieux, elle suit aussi des cours d'art dramatique et de danse. Son histoire est celle de tous les jeunes qui rêvent de voir un jour leur nom en tête d'affiche des cinémas et des théâtres. Odette a beaucoup d'atouts° de son côté: non seulement elle a du talent, mais aussi elle est belle, sociable et travailleuse. Elle est pleine de vie et se consacre avec beaucoup d'enthousiasme à des activités diverses.

advantages

Aujourd'hui Odette est un peu préoccupée et nerveuse car ce soir elle auditionne pour un rôle dans un film français. Le film doit être tourné en partie en

---

*La Rive gauche est la partie de la ville située au sud de la Seine. C'est traditionnellement le quartier des étudiants, où l'on trouve la Sorbonne, une des plus vieilles universités françaises.

Suisse. C'est pour cela que cette semaine elle ne va pas aller en classe. Elle veut être en forme pour la représentation° de ce soir. Elle préfère rester dans sa chambre, se reposer, bien manger et lire un bon roman. Deux heures avant l'audition elle va réviser ses lignes.

performance

Dans la scène qu'elle doit jouer, Odette est avec un ami, Daniel, dans le film, dans un parc d'attractions. Ils sont assis° dans la grande roue,° et elle est très heureuse d'être avec lui car elle l'aime beaucoup. Mais lui, il a très peur et un peu mal au cœur et quand la roue s'arrête, il doit partir en courant aux toilettes. Odette dit alors sa ligne: «Attends, attends, Daniel, attends!»

seated / grande... *ferris wheel*

Questions

1. Qui est Odette Benoît?
2. Pourquoi est-elle préoccupée aujourd'hui?
3. Qu'est-ce qu'Odette pense faire avant son audition?
4. Où est-ce que la scène a lieu?
5. Que se passe-t-il quand la roue s'arrête?
6. Où va Daniel?

LE FEUILLETON: Jeannot!

J'en ai assez d'obéir à mes parents. Ils sont toujours derrière moi. J'entends tous les jours les mêmes choses. Jeannot! Jeannot, où es-tu? Ne laisse pas tes vêtements par terre. Ne regarde pas autant la télé. Range tes jouets. Jeannot! Où es-tu, Jeannot?

Ma mère ne me comprend pas. J'ai seulement huit ans mais je veux mener ma vie comme je l'entends.° Elle ne comprend pas mes problèmes. Par exemple, à l'école la maîtresse n'est pas contente de moi parce que je ne fais pas mes devoirs, je ne comprends pas les maths, et beaucoup d'autres choses... Maman m'appelle à nouveau!°

comme... *as I please*

à... *again*

«Jeannot, aujourd'hui après la classe tu vas faire tes devoirs tout de suite. Après tu vas venir avec moi faire les magasins car nous devons acheter un cadeau d'anniversaire pour ta grand-mère. Plus tard, si tu veux, tu peux regarder un petit moment la télé et puis au lit!»

Ouf! Jeannot-ci, Jeannot-çà. Parfois j'aimerais changer de nom ou faire la sourde oreille.° Un jour je vais dire à mes parents «assez» et je vais fonder le «Mouvement de Libération des Enfants Opprimés».

faire... *pretend to be deaf*

Questions

1. De quoi Jeannot a-t-il assez? Pourquoi?
2. Quels problèmes Jeannot a-t-il à l'école?
3. Que pense-t-il créer un jour?

NOTE CULTURELLE: Les villes françaises

Bayonne, France. Les rues piétonnes sont de plus en plus populaires dans le centre des villes. Elles permettent aux piétons de se promener ou de faire leurs courses en toute tranquilité.

La France a une très grande capitale où habitent le cinquième de la population, mais c'est aussi un pays de villes moyennes et petites. Ces villes ont en commun la marque d'un long passé. Le centre-ville est en général très ancien et très pittoresque, mais ses rues sont étroites° et posent un grave problème de circulation.° Souvent, elles sont aménagées en zones piétonnières° où la circulation automobile est interdite. Souvent dans les vieux quartiers, les places monumentales du XVIIIème siècle cachent° un parking souterrain et les anciens remparts° des villes sont transformés en avenues ou en boulevards périphériques.

narrow / traffic
pedestrian
hide
walls

Les constructions plus modernes, autour du centre-ville, sont en général de grands immeubles, du XIXème ou XXème siècles. Beaucoup de familles françaises y occupent des appartements dont elles sont propriétaires. Dans chaque quartier, on trouve beaucoup de petits commerces, boulangeries, épiceries, boucheries... Par conséquent il est facile de faire ses courses à pied, sans aller très loin.

On trouve aussi, vers l'extérieur de la ville, des quartiers périphériques appelés° banlieues. Il y a des banlieues de HLM (Habitations à Loyer Modéré) construites après la Deuxième Guerre mondiale pour faire face au manque° de logements. Certaines de ces banlieues, sans commerces, sont très isolées et de qualité médiocre. Mais il y a aussi les banlieues de petits pavillons° et de villas, chacun° avec son jardin, accompagnées en général de commerces, pour les personnes qui aiment la campagne. Les transports urbains, autobus et trains, les relient facilement à la ville.

called
shortage
houses
each

Questions

1. Où est en général le quartier ancien d'une ville?
2. Qu'est-ce qui a souvent remplacé les anciens remparts de la ville?
3. Pourquoi est-il facile de faire ses courses à pied dans une ville française?
4. Quels sont les deux types de banlieues que l'on trouve près des villes françaises?

LES AMIS FRANCOPHONES: Joseph et Andrée

Joseph Giraud a soixante ans. Malgré° son âge c'est un homme très actif. Il a une ferme à Trois-Rivières, entre Montréal et Québec, où il habite avec sa femme Andrée. Joseph, ou Jojo comme l'appellent ses amis, se réveille tous les jours à quatre heures et demie. Il se lève à cinq heures et il va traire les vaches et couper du bois. L'après-midi, après le déjeuner, il travaille dans les champs.° Quand il a du temps entre les récoltes° il fait des meubles pour la maison. Dédée, comme il appelle affectueusement sa femme, se lève aussi très tôt. Elle prépare le petit déjeuner, donne à manger aux animaux et pendant la journée elle s'occupe des travaux ménagers.

In spite of

fields / harvests

Jojo et Dédée sont très contents de leur vie et très fiers de leurs enfants et petits-enfants. Ils aimeraient les voir plus souvent et passer plus de temps avec eux; mais hélas, pour des raisons de travail et de distance ce n'est pas toujours possible. Jean-Marie, l'aîné, travaille à Montréal, et l'un de ses fils, Georges, est étudiant en agronomie aux États-Unis. Isabelle, la cadette, habite Trois-Rivières avec son mari et ses trois enfants.

L'île d'Orléans, province de Québec, Canada. Une ferme typique de l'île. Beaucoup de vieilles fermes ont été restaurées pour préserver le patrimoine québécois.

La sœur de Jojo, Marie Durand, habite aussi Trois-Rivières. Ils se voient très souvent car Marie est veuve. Jojo et Dédée sont toujours heureux de voir leurs petits-enfants. Pour les fêtes, surtout à Noël, toute la famille se réunit chez eux. Jojo et Dédée sont en bonne santé et leur foyer° est plein de bonheur et de joie. Ils pensent travailler ainsi° jusqu'à leur mort.

home
in this way

Questions

1. Est-ce que Jojo vit seul?
2. Que fait-il chaque matin?
3. Que fait sa femme pendant la journée?
4. Où habitent les enfants de Jojo et Dédée?
5. Comment s'appelle la sœur de Jojo? Est-elle mariée?

LE FEUILLETON: *Pierre Michaud, écrivain*

Pierre Michaud est un écrivain français très connu[1] qui vient de recevoir le prix Marcel Proust.*

Voici une interview qu'il a accordée à Julien Leroux pour le magazine «Paris Match».

J: Vos lecteurs parlent beaucoup de votre «pacte conjugal» avec votre épouse, Marguerite. Que pouvez-vous nous dire à ce sujet?

M: Je veux seulement dire que ma femme et moi nous sommes très heureux. Elle est présidente de la société de jouets «Mécajeux» et elle adore son travail. Moi, je préfère rester à la maison pour écrire.

J: Combien d'enfants avez-vous?

M: Deux. Antoinette, qui a seize ans, et Guillaume, qui en a douze.

J: L'homme à la maison, la femme au travail, c'est une formule encore peu courante en France.

M: C'est exact. Mais les choses évoluent. Je ne vois pas pourquoi la femme devrait rester à la maison si elle a la possibilité et les aptitudes nécessaires pour faire carrière dans une profession qu'elle aime.

J: Que faites-vous à la maison pendant que votre femme travaille?

M: J'écris.

J: Mais... et les tâches ménagères?

M: Nous avons une femme de ménage qui s'occupe de tout.

J: Pouvez-vous me décrire votre journée?

M: Ma femme et moi, nous nous levons tous les jours à six heures et nous prenons le petit déjeuner ensemble. Ma femme part travailler et je réveille les enfants. Puis je les emmène au lycée. Quand je rentre à la maison, je me mets à écrire. A midi je déjeune très peu, un sandwich et un peu de café. L'après-midi je joue au tennis et j'écris. Ma femme n'aime pas faire la cuisine, alors de temps en temps je lui prépare ses plats favoris.

J: Que pouvez-vous me dire de vos passe-temps?

[1]*well known*

*The name of this literary prize is fictitious, but in fact there are many well-known literary prizes in France. One of the most famous is **le prix Goncourt**, named for two brothers who were nineteenth-century novelists.

Une telexiste au travail. Le nombre de femmes qui travaillent augmente chaque année. Elles occupent des postes de plus en plus spécialisés. Le Ministère des Droits de la Femme protège les droits des femmes dans le monde du travail.

M: Eh bien, j'aime beaucoup jouer au tennis, j'aime bien voyager aussi…

J: Quels sont vos pays préférés?

M: Je n'ai pas de pays préférés mais des villes. Par exemple, New York, Montréal, Londres ou Rome.

J: Qu'aimez-vous faire d'autre?

M: Je lis, j'écris des lettres, je joue avec mes enfants, je vais à des soirées, je parle à mes amis, je fais du sport, enfin… beaucoup de choses.

J: Monsieur Michaud, vous avez gagné le prix Marcel Proust ce qui est un très grand honneur. Que ressentez-vous?[2]

M: Eh bien… je suis très content, ému[3] et surpris.

J: Et votre épouse, qu'en pense-t-elle?

M: Elle est très fière et très heureuse. Ce prix, c'est aussi le sien.[4]

[2] *do you feel* [3] *moved* [4] le… *hers*

Questions

1. Qui est la personne interviewée?
2. Décrivez ce que fait M. Michaud pendant la journée. En quoi sa journée est-elle spéciale?
3. Quels sont les passe-temps de M. Michaud?

GRAMMAIRE ET EXERCICES

4.1. *Comparatives and Superlatives*

A. To express comparisons with adjectives (*strong* → *strong**er***) or adverbs (*often* → ***more / less / as*** *often*), use the following phrases in French.

plus... que	*more than*	moins... que	*less than*
aussi... que	*as . . . as*		

Chez moi, la chambre à coucher est **plus** grande **que** la cuisine.
At my house the bedroom is bigger than the kitchen.

La lampe du salon coûte **moins** chère **que** la petite table.
The lamp in the living room is less expensive than the coffee table.

B. Note that the sequence is usually adverb of comparison (**plus / moins / aussi**) + adjective / adverb + **que** + noun / pronoun.

Gustave est **aussi** grand **que** son ami Robert.
Gustave is as tall as his friend Robert.

C. In sentences of comparison, the emphatic pronouns are used after **que**.

Tu es plus intelligent **que moi**.
You're smarter than I (am).

D. To compare nouns, use these phrases in French: **plus de** (*more*), **autant de** (*as much*), and **moins de** (*less*).

Julien Leroux a **moins de** travail **que** nous.
Julien Leroux has less work than we (do).

Moi, j'ai **plus d'**expérience **que** toi.
I have more experience than you.

Jeannot a **autant de** jouets **que** ses sœurs.
Jeannot has as many toys as his sisters.

Pronunciation hint: In general, the **s** in **plus** is not pronounced before a consonant: **J'ai plus de livres que vous.** It is pronounced **z** before a vowel: **Il est pluz organisé que moi.** The **s** *is* pronounced at the end of a positive phrase or sentence: **Mangez plus!** It is silent if the sentence is negative: **Ne mangez plus!**

E. To express superlatives (*large* → ***the** larg**est***), simply use the definite article with the comparative form of the adjective.

Gustave est **le plus fort.**
Gustave is the strongest.

To specify the group, use the preposition **de** + *noun.*

Gustave est le plus fort ***de*** **sa famille.**
Gustave is the strongest in his family.

Moi, je suis la plus rapide ***de*** **la classe.**
I'm the fastest in the class.

F. If the adjective follows a noun, there will be two definite articles: one preceding the noun and one preceding the comparative form.

M. Dupont est **l'homme** **le** plus fort du quartier.
Mr. Dupont is the strongest man in the neighborhood.

G. The definite article **le** (never **la**) is used to express the superlative of adverbs.

C'est Adrienne qui court **le plus vite**.
Adrienne is the one who runs the fastest.

Exercice 1

Deux voisines comparent leurs maisons et leurs vies à la maison. Faites les comparaisons en utilisant **plus... que, moins... que** ou **aussi... que** .

MODÈLE: Votre chambre est grande. Notre chambre est petite. →
Votre chambre est plus grande que notre chambre.

1. Notre jardin est petit. Votre jardin est grand.
2. Votre femme de ménage est très organisée. Je ne suis pas très organisée.
3. Votre cheminée est ancienne. Notre cheminée est ancienne aussi.
4. Votre fauteuil est très confortable. Notre fauteuil n'est pas très confortable.
5. Notre cuisinière est moderne, mais votre cuisinière est ultramoderne.
6. Nous sommes économes. Vous n'êtes pas très économes.
7. Votre buffet est très beau. Notre buffet est très beau aussi.
8. Votre tapis est très moderne. Notre tapis n'est pas très moderne.

Exercice 2

Faites les comparaisons en utilisant **plus de, moins de** ou **autant de.**

MODÈLE: Jacques a dix ans d'expérience; Hugues en a trois. →
Jacques a plus d'expérience qu'Hugues (que lui).

1. Édouard a trois cours à l'université; Antoine en a six.
2. Pierre a huit cousins; Daniel en a huit aussi.
3. Jean-Marie a beaucoup de succès avec les filles; Julien en a peu.
4. Andrée a beaucoup de talent; Paulette en a beaucoup aussi.
5. Jacques a peu de chance au jeu; Pierre en a beaucoup.

Exercice 3

Votre amie Giselle a tendance à exagérer. Que dit-elle au sujet de ces personnes? (+ = plus; − = moins)

MODÈLE: Hélène / étudiante / + dynamique / classe →
Hélène est l'étudiante la plus dynamique de la classe.

1. Jeannot / enfant / + généreux / monde
2. Chantal / personne / − sympathique / université
3. Mme Martin / professeur / + respecté / campus
4. Louis / étudiant / − amusant / classe
5. Guillaume / garçon / + distrait / famille
6. Monique / fille / + sportive / groupe

Exercice 4

Vous êtes président-directeur général d'une compagnie d'import-export. Vous comparez le travail de vos employés.

MODÈLE: parler couramment allemand (Jacques, Bob et Ingrid) →
Jacques parle couramment allemand.
Bob parle allemand plus couramment que Jacques.
C'est Ingrid qui parle allemand le plus couramment.

1. comprendre vite (Pierre, Karen et Hélène)
2. taper rapidement (Christine, Andrée et Julie)
3. arriver tôt (Karen, Christine et Hélène)
4. rester tard au bureau (Pierre, Hélène et Stéphan)
5. voyager souvent (Christine, Hélène et Pierre)

4.2. Plans (Part 2): ***penser, aimerais, voudrais, avoir envie de, espérer*** + Infinitive

A. There are many ways of talking about future activities in French. You already know that the verb **aller** (*to go*) followed by an infinitive is a way of talking about the future (**le futur proche**).

Je suis sûr qu'Albert **va réussir** à l'examen.
I'm sure that Albert is going to do well on the test.

B. The verb **penser** (*to think* [*about*], *to plan on, to intend to*) is used in much the same way as **aller** to express future plans.

Demain je **pense aller** à Bruxelles.
Tomorrow I'm planning on going to Brussels.

When not followed by an infinitive, **penser** usually corresponds to English *to think:* **penser que** (*to think that*), **penser de*** (*to think about, have an opinion about*), **penser à** (*to think about, have one's thoughts on someone or something*).

Que **pensez**-vous **des** projets de Marie?
What do you think about Marie's plans?

Je **pense que** c'est une mauvaise idée.
I think that it's a bad idea.

Je **pense** toujours **à** ma grand-mère.
I still think about my grandmother.

C. The conditional forms (*would*) of the verb **aimer** (*to like*) and **vouloir** (*to want*) are commonly used to talk about future possibilities.

L'année prochaine j'**aimerais** (je **voudrais**) visiter la Suisse.
Next year I would like to visit Switzerland.

Here are the conditional forms of the verbs **aimer** and **vouloir**.

j' **aimerais**	je **voudrais**
tu **aimerais**	tu **voudrais**
il/elle/on **aimerait**	il/elle/on **voudrait**
nous **aimerions**	nous **voudrions**
vous **aimeriez**	vous **voudriez**
ils/elles **aimeraient**	ils/elles **voudraient**

Pronunciation hint: Note that the conditional endings **-ais, -ait,** and **-aient** are all pronounced the same way.

D. **Avoir envie de** + the infinitive means *to feel like*—or *not feel like*—(*doing*) *something*.

Je **n'ai pas envie de finir** mes devoirs. J'**ai envie de danser!**
I don't feel like finishing my homework. I feel like dancing!

E. The verb **espérer** + an infinitive means *to hope to* (*do something*). Here are the present tense forms of **espérer.**

j' **espère**	nous **espérons**
tu **espères**	vous **espérez**
il/elle/on **espère**	ils/elles **espèrent**

*Note that **penser de** is used almost exclusively in questions. The answer to a question with **penser de** will often begin with a form of **penser que.**

Madame Martin, que **pensez**-vous **de** vos étudiants de première année? —Je **pense qu**'ils sont sympathiques et intelligents.
"Mrs. Martin, what do you think of your first-year students?" "I think that they're nice and intelligent."

Nous **espérons pouvoir** dîner avec vous demain.
We're hoping we can have dinner with you tomorrow.

Exercice 5

Les projets et les désirs. Complétez les phrases par une des formes suivantes: **pense, pensons, penses, avez envie, espères, aimerait, voudraient, aimeriez, espérons, ont envie de.**

1. Gustave _____ voyager en Afrique.
2. Angèle et Sylvie _____ louer une villa au bord de la mer.
3. Nous _____ pouvoir acheter une maison l'année prochaine.
4. Je _____ à mes frères. Je voudrais les voir en août.
5. _____-vous _____ d'aller prendre un café avec moi?
6. Que _____-tu de mes projets pour le week-end?
7. Vous _____ faire le tour du monde en ballon, n'est-ce pas?
8. Nous _____ réussir à nos examens.
9. M. et Mme Michaud _____ skier dans les Alpes cet hiver.
10. Tu _____ revoir tes amis jeudi prochain.

4.3. *Expressing Obligation and Duty:* devoir, avoir besoin de, *Impersonal Expressions* + Infinitive

A. The verb **devoir** (meaning *should, ought to, must*) is always followed by an infinitive.

Nous **devons prendre** des vitamines tous les jours.
We should take vitamins every day.

Here are the present tense forms of the verb **devoir.**

je **dois**	nous **devons**
tu **dois**	vous **devez**
il/elle/on **doit**	ils/elles **doivent**

Paul **doit travailler** jusqu'à minuit ce soir.
Paul has to work until midnight tonight.

While **devoir** generally expresses necessity or obligation, it can also express probability or supposition.

Charlotte n'est pas au travail; elle **doit être** malade!
Charlotte isn't at work; she must be sick!

Devoir can also mean *to owe* someone (*something, an amount of money*).

Mireille **doit** cent francs à Roger.
Mireille owes Roger 100 francs.

B. The expression **avoir besoin de** + an infinitive corresponds to English *to need to* (do something).

J'**ai besoin de me coucher** très tôt aujourd'hui.
I need to go to bed very early today.

Avoir besoin de + a noun or pronoun means *to need* (someone or something).

As-tu **besoin d'aide**? —Non, je **n'ai besoin de rien.**
"Do you need help?" "No, I don't need anything."

C. Many impersonal expressions can be followed by an infinitive. The impersonal expression **il faut** corresponds roughly to *it is necessary to* or *to have to* (do something).

C'est l'heure: **il faut partir.**
It's time: we have to leave.

Il faut être organisé quand on veut faire beaucoup de choses.
One must be organized when one wants to do a lot of things.

Other impersonal expressions that signify obligation are **il est nécessaire de** and **il est important de.**

Il est nécessaire d'aller chez le dentiste quand on a des problèmes avec ses dents.
It's necessary to go to the dentist when you have problems with your teeth.

Exercice 6

Obligations. Complétez les phrases par une des expressions suivantes: **il faut, il est nécessaire de, il est important de, dois, devons, doivent, devez.**

1. Je te _____ 35F pour le livre.
2. _____ toujours étudier pour passer un examen.
3. _____ aller chez le dentiste régulièrement pour se faire nettoyer les dents.
4. Nous _____ payer les impôts chaque année.
5. _____ faire attention à sa ligne et de ne pas trop manger.
6. Albert et Étienne sont absents: ils _____ être malades.
7. _____-vous faire la vaisselle chez vous, ou avez-vous un lave-vaisselle?

4.4. *Professions:* être *+ Noun;* il(s)/elle(s) *versus* ce

A. To simply identify someone's profession, use a proper name or a subject pronoun followed by the verb **être.** Note that, unlike its English equivalent, the French construction does *not* require an indefinite article.

Moi? **Je suis étudiant.**
Me? I'm a student.

Que fait M. Lafayette? —**Il est médecin.**
"What does Mr. Lafayette do?" "He's a doctor."

Est-ce qu'**Ondine est institutrice**? —Non, **elle est pilote.**
"Is Ondine a school teacher?" "No, she's a pilot."

B. When the name of the profession is modified by an adjective or an adjective clause, the definite article is used, just as in English. Note also that, in third person constructions, **ce** is used rather than the subject pronouns **il**(**s**) or **elle**(**s**).

Je suis **un étudiant excellent.**
I'm an excellent student.

C'est un bon médecin.
He's a good doctor.

C'est une femme-pilote qui connaît très bien les avions.
She's a pilot who really knows her planes.

C. Like **il**(**s**) and **elle**(**s**), the invariable word **ce** is a third person pronoun. With the verb **être,** there are some cases where **ce** must be used and others where **il**(**s**) or **elle**(**s**) must be used, as you saw in the preceding examples. Be aware of these uses, for you will see them frequently in writing and hear native speakers use them on the tape program. Your instructor will also use them in class.
Use **ce** (rather than **il**[**s**] or **elle**[**s**]) in the following cases:

- before a proper name

C'est **Jeannot!** *It's Jeannot!*

Ce sont **les Leblanc.** *It's the Leblancs.*

- before a noun

C'est **une chambre à coucher.**
It's a bedroom.

C'est **un Français.** Ce n'est pas **un Italien.***
He's a Frenchman. He's not an Italian.

Use **il**(**s**) or **elle**(**s**) (rather than **ce**) in the following cases:

- before an adjective

Il est **vert.**
It's green.

*Note the use of the indefinite article with these nouns of nationality, which are capitalized.

Il est **français.** Il n'est pas **italien.***
He's French. He's not Italian.

- before a preposition

Il est **en** France.
He's in France.

Elles sont **dans** le salon.
They're in the living room.

As you saw in Section B, either **ce** or **il(s)/elle(s)** can be used with nouns referring to professions or occupations.

MODIFIED NOUN: **ce**	UNMODIFIED NOUN: **il(s)/elle(s)**
C'est **un bon médecin.**	Il est **médecin.**
C'est **le professeur de français.**	Elle est **professeur.**

Ce can be followed by adjectives when it refers to a general situation.

Apprendre le français? **C'est très facile.**
Continuer avec ses projets? **C'est très difficile.**

Exercice 7

Identifiez la profession des personnes suivantes.

MODÈLE: Édith Piaf → Édith Piaf est chanteuse.

1. Ernest Hemingway et Albert Camus
2. Catherine Deneuve
3. Gérard Depardieu
4. Yannick Noah
5. Dan Rather
6. Lionel Richie et Jacques Brel

a. chanteur/chanteuse
b. joueur de tennis
c. journaliste
d. acteur/actrice
e. écrivain

4.5. Present Tense: *-ir* Verbs like *finir*

Some verbs whose infinitives end in **-ir** add **-iss-** in their plural forms.

Nous **finissons** souvent de travailler à huit heures.
We often finish working at eight o'clock.

*Contrast these adjectives (**français, italien**) with the nouns of nationality in the preceding examples.

Here are the present-tense forms of the verb **finir.**

je finis	nous fin**iss**ons
tu finis	vous fin**iss**ez
il/elle/on finit	ils/elles fin**iss**ent

Other common verbs like **finir** are: **agir** (*to act*), **réagir** (*to react*), **choisir** (*to choose*), **réfléchir** (**à**)* (*to think* [*about*]), **réussir** (**à**)† (*to be successful* [*at*]), **grandir** (*to grow*), **vieillir** (*to become old*).

Quand nous achetons du vin, nous **choisissons** toujours le meilleur.
When we buy wine, we always choose the best.

Exercice 8

La réflexion. Complétez ces phrases par une des expressions suivantes: **grandit, finis, réfléchissons, agissez, réussit, réagis, réfléchissent.**

1. Étienne _____ toujours à ses examens.
2. Mme Martin et le professeur d'espagnol _____ beaucoup à l'organisation de leurs cours.
3. _____-vous toujours intuitivement? —Non, en général nous _____ beaucoup avant d'agir.
4. Mme Leblanc pense que Marion _____ trop vite.
5. Comment _____-tu quand tu n'es pas d'accord avec un ami?
6. Jeannot, qu'est-ce que tu fais quand tu _____ tes devoirs?

4.6. *Connaître* and *savoir*

A. **Connaître** (*to know*) conveys the sense of *to be acquainted with,* normally with people or places. **Savoir** (*to know*) conveys the sense of *to know* something or *to know how to* do something.

Je ne **connais** pas encore ton ami.
I don't know (*haven't met*) *your friend yet.*

Il faut **connaître** Paris pour **connaître** la France.
You have to get to know Paris to know France.

---

*Note that **réfléchir** requires the preposition **à** before a noun.

Elle réfléchit **à la question.**
She's thinking about the question.

†The verb **réussir** also requires **à** in the common expression **réussir à un examen.**

Je **réussis** toujours **aux examens.**
I always do well on exams.

Je **sais** que vous ne me **connaissez** pas, mais moi je vous **connais.**
I know that you don't know me, but I know you.

Non, je ne **sais** pas **faire** la vaisselle.
No, I don't know how to wash dishes.

Note that **connaître** is always followed by a noun or used with an object pronoun. It can never be followed by **que**. The equivalent of *I know that...* is **je sais que...**

B. Here are the present-tense forms of **connaître** and **savoir.**

je **connais**	je **sais**
tu **connais**	tu **sais**
il/elle/on **connaît**	il/elle/on **sait**
nous **connaissons**	nous **savons**
vous **connaissez**	vous **savez**
ils/elles **connaissent**	ils/elles **savent**

Exercice 9

M. Cornet vient de présenter M. Lyotard, un ami de passage en Suisse, à M. Frank. Remplacez les tirets par la forme correcte du verbe **savoir** ou du verbe **connaître.**

1. _____-vous Genève, Monsieur Lyotard?
2. Non, je _____ seulement que c'est une ville internationale. _____-vous quelle est la distance entre Lausanne et Genève?
3. Mais certainement. Je _____ très bien mon pays et je _____ exactement la distance entre les deux villes: soixante et un kilomètres.
4. Je dois aller à Lausanne demain. _____-vous s'il y a de bons hôtels dans le centre-ville?
5. Non, mais je _____ un jeune couple qui doit le _____. Comme ils sont de là-bas, ils _____ Lausanne comme leur poche.*

4.7. *Personal Direct Object Pronouns; the Verbs* ***suivre*** *and* ***craindre***

A. The personal direct object pronouns are **me** (*me*), **te** (*you*), **le** (*him, it*), **la** (*her, it*), **nous** (*us*), **vous** (*you, formal, plural*), and **les** (*them*). They are commonly used with verbs such as **connaître** (*to know, to meet* [*someone*]), **voir** (*to see* [*someone*]), **aimer** (*to love* [*someone*]), **emmener** (*to take* [*someone*] *somewhere*), **inviter** (*to invite* [*someone to do something*]), and so on.

***Comme leur poche** = **connaître très bien,** *like the back of their hand;* literally, *like their pocket.*

Marianne? Non, je ne **la** connais pas.
Marianne? No, I don't know her.

Voilà Adrienne. —Où ça? Je ne **la** vois pas.
"There's Adrienne." "Where? I don't see her."

Il **l'**aime beaucoup, mais elle ne **l'**aime pas.
He loves her very much, but she doesn't love him.

B. Direct object pronouns, like reflexive and indirect object pronouns, precede the conjugated verb or an infinitive. Remember that in negative sentences, **ne** precedes object pronouns.

Est-ce que tu peux **m'**emmener à la banque cet après-midi? —Oui, je passe **te** chercher à trois heures.
"Can you take me to the bank this afternoon?" "Yes, I'll come by to get you at three."

Est-ce que tu vas inviter Gustave à la fête? —Bien sûr! Je **le** trouve très gentil.
"Are you going to invite Gustave to the party?" "Of course! I find him to be very nice."

C. The object pronouns can also be used with **voici** and **voilà.**

M. Michaud? M. Michaud? —**Me voici!**
"Mr. Michaud? Mr. Michaud?" "Here I am!"

D. Compare the forms of the subject, emphatic, reflexive, indirect object, and direct object pronouns. Those that are most similar have been grouped.

SUBJECT/EMPHATIC	REFLEXIVE	INDIRECT/DIRECT
je/moi	me	me
tu/toi	te	te
il/lui	se	lui/le
elle	se	lui/la
nous	nous	nous
vous	vous	vous
ils/eux	se	leur/les
elles	se	leur/les

E. Common **-er** verbs that often take personal direct object pronouns are: **écouter** (*to listen to*), **regarder** (*to watch; to look at*), **accompagner** (*to accompany*), **admirer** (*to admire*), **adorer** (*to adore*), **aider** (*to help*), **amener** (*to bring* [*someone somewhere*], *to accompany*), **appeler** (*to call*), **détester** (*to hate*), **embrasser** (*to kiss; to embrace*), **emmener** (*to take* [*someone somewhere*]), **oublier** (*to forget*). Common **-re** verbs often used with personal direct object pronouns are: **attendre** (*to wait for*), **comprendre** (*to understand*), **entendre** (*to hear*).

Le président? Je **l'admire** beaucoup.
The president? I admire him a lot.

Il faut **m'aider** avec ce travail.
You've got to help me with this job.

Je ne vais jamais **t'oublier.**
I will never forget you.

Ta mère? Je ne **la comprends** pas!
Your mother? I don't understand her!

F. When followed by a personal direct object pronoun, the verb **suivre** means *to follow.*

Je vais **vous suivre.**
I'm going to follow you.

Here are the present-tense forms of the verb **suivre**.

je **suis**	nous **suivons**
tu **suis**	vous **suivez**
il/elle/on **suit**	ils/elles **suivent**

G. The verb **craindre,** often used with personal direct object pronouns, means *to fear* someone or something.

Craignez-vous le chien de Jeannot? —Non, je ne **le crains** pas.
"Are you afraid of Jeannot's dog?" "No, I'm not afraid of him."

Here are the present-tense forms of the verb **craindre.**

je **crains**	nous **craignons**
tu **crains**	vous **craignez**
il/elle/on **craint**	ils/elles **craignent**

Exercice 10

Complétez la conversation avec le pronom approprié (**le, la, l', les**).

1. Connaissez-vous Mme Michaud? —Oui, nous _____ connaissons très bien.
2. Connais-tu aussi Sylvie? —Bien sûr, je _____ connais. C'est ma cousine!
3. Et Thierry? —Je _____ connais aussi.
4. Est-ce qu'Adrienne connaît Jacques et Odette Dupont? —Oui, elle _____ connaît bien.
5. Connaissez-vous M. Duroc? —Non, nous ne _____ connaissons pas.

6. Connaissez-vous le fiancé de Charlotte? —Non, je ne _____ connais pas encore.
7. Connais-tu Mme Martin? —Mais oui, je _____ connais très bien. C'est une amie de la famille.
8. Est-ce que les Michaud connaissent les Leblanc? —Oui, ils _____ connaissent très bien. Ils sont voisins.

Exercice 11

Remplacez les tirets par le pronom qui correspond (**me, te, le, la, nous, vous, les**).

1. Votre réussite est extraordinaire. Nous _____ admirons beaucoup.
2. Vendredi nous avons le dernier examen. Vas-tu _____ inviter chez toi pour célébrer la fin du trimestre?
3. Jacques? Non, je ne _____ vois jamais. Pourquoi?
4. On a volé (*stole*) mon sac à dos. Peux-tu bien _____ emmener au commissariat?
5. Voici Paulette. Et Daniel? _____ voilà!
6. Écoute, Jean-Marie. Sylvie _____ aime, c'est évident! Allez, ne fais pas la tête (*don't be sad*).
7. Les enfants sont dans le jardin, mais je ne _____ entends pas.
8. Louise? Non, vraiment, je ne _____ comprends pas.
9. Nos cousins? Non, nous ne _____ voyons pas souvent.
10. Les voisins doivent être sympathiques, mais je n'en suis pas sûr. Je ne _____ connais pas très bien.

Exercice 12

Un après-midi mouvementé. Remplacez les mots en italique par les pronoms correspondants (**me, te, le, la, lui, nous, vous, leur, les**). Faites attention à la différence entre **lui/le, la** et **leur/les.**

1. Je suis avec ma cousine Gabrielle. Je vais emmener *ma cousine* faire un tour en ville.
2. Je dis *à ma cousine* qu'elle doit se préparer vite.
3. Elle n'écoute pas (*moi*) et elle prend son temps.
4. Elle répond (*à moi*) qu'elle aimerait faire les magasins.
5. Mais moi je ne veux pas faire *les magasins* et je propose *à ma cousine* de téléphoner à son ami Daniel.
6. Daniel aime bien ma cousine et il accepte d'accompagner (*ma cousine et moi*) en ville.
7. Je demande *à Daniel* de venir chercher (*ma cousine et moi*).
8. J'explique *à Daniel* où est ma maison.
9. Daniel arrive, embrasse *ma cousine* et fait (*à moi*) un grand sourire.

10. Je dis *à Daniel et à ma cousine:* «Allez-y sans moi. J'ai changé d'avis (*I've changed my mind*). Je vais téléphoner à Jean-Marie et aller au cinéma avec *Jean-Marie*».
11. «C'est une bonne idée», dit ma cousine (*à moi*), «mais je crois que tu dois téléphoner *à Jean-Marie* pour dire *à Jean-Marie* que nous allons tous les quatre au cinéma!»

In **Chapitre cinq,** you will begin to talk about things that happened in the past—your own experiences and those of other people.

Lyon, France. Deux lycéens bavardent dans la rue.

CHAPITRE CINQ
Les expériences

THÈMES

- Talking About Your Leisure Activities
- Talking About Your Everyday Activities
- Talking About Experiences with Family and Friends
- Talking About Present and Past Events

LECTURES

- Les amis francophones: Une drôle de surprise (Première partie)
- Les amis francophones: Une drôle de surprise (Deuxième partie)

LECTURES SUPPLÉMENTAIRES

- Note culturelle: L'esprit critique
- Les amis francophones: Une lettre du Maroc
- Les amis américains: Premier jour à Paris

GRAMMAIRE

5.1. Past Experiences: **Passé composé** (Past Tense) with **avoir**
5.2. Past Experiences: **Passé composé** (Past Tense) with **être**
5.3. Past Participles
5.4. Pronouns and Adverbs with the **passé composé**
5.5. Expressing *Ago* and the Duration of Events: **il y a, depuis**
5.6. Expressing Events in the Recent Past: **venir de** + *Infinitive*

ACTIVITÉS ORALES

LES LOISIRS

ATTENTION! Voir Grammaire 5.1.

Hier...

Hier après-midi Gustave a joué au tennis avec un ami. Il a gagné quatre à deux.

Isabelle a acheté un nouveau disque de rock et l'a écouté avec une amie.

Albert a regardé le match de football à la télé entre Saint-Étienne et Nantes. Nantes a perdu deux à zéro.

Irène a déjeuné avec des amies dans un restaurant chinois.

Mme Martin a acheté un nouveau livre de cuisine parce qu'elle a invité des amis à dîner chez elle.

Activité 1. Interaction: Le week-end

Voici ce que Gustave, Martine et M. Vincent ont fait le week-end dernier.

nom	vendredi	samedi	dimanche
Gustave Valette	a dîné dans une pizzeria du Quartier Latin. Puis il a dansé jusqu'à 1h du matin.	a réparé sa bicyclette. Dans l'après-midi, il a acheté un casque d'écoute pour sa chaîne stéréo.	a rangé sa chambre, a vite mangé un sandwich au jambon et a joué au tennis tout l'après-midi. Le soir il a écouté son opéra favori, «Carmen» de Bizet.
Martine Leblanc	a téléphoné à son amie Marguerite Michaud. Elles ont déjeuné ensemble et ont regardé les vitrines boulevard Saint-Germain.	a déjeuné avec son mari dans un restaurant chinois, avenue Pierre 1er de Serbie. Ensuite ils ont visité le musée d'Orsay.	a acheté des éclairs au chocolat à la pâtisserie «L'Âne coquelin». Elle a passé le reste de la journée à jardiner.
M. Vincent	a invité son voisin M. Olivier au cinéma. Ils ont beaucoup aimé «Le retour de Martin Guerre». Après le film ils ont discuté à la terrasse d'un café, avenue des Champs-Élysées.	a joué au Scrabble avec ses petits-enfants. Puis il a promené son chien dans le parc Monceau.	a regardé le journal au lit et a préparé son petit déjeuner. Après le déjeuner il a regardé un match de football à la télé.

É1: Qui a dîné dans une pizzeria du Quartier Latin?
É2: Gustave.

É1: Quand est-ce que Monsieur Vincent a regardé le match de football à la télé?
É2: Dimanche après-midi.

Activité 2. Entrevue: Le week-end de votre camarade de classe

Qu'a fait votre camarade de classe le week-end dernier? Posez-lui les questions suivantes.

1. As-tu étudié ou travaillé? Où? Quand? Avec qui?
2. As-tu rencontré des amis? Lesquels? Où? Quand?
3. As-tu déjeuné ou dîné au restaurant? Lequel? Quand? Avec qui? Qu'est-ce que tu as mangé? Combien as-tu payé?
4. As-tu regardé la télé? As-tu trouvé l'émission intéressante? Pourquoi?
5. As-tu acheté quelque chose? Quoi? Où? Combien as-tu payé?
6. As-tu manifesté pour ou contre une cause politique? Quand?
7. As-tu joué à un jeu de société? Auquel? Avec qui? Qui a gagné?
8. As-tu écouté de la musique? Quelle sorte de musique?
9. As-tu téléphoné à tes amis? A qui? Quand? As-tu parlé longtemps?
10. As-tu passé un bon week-end?

LES ACTIVITÉS DE LA JOURNÉE

ATTENTION! Voir Grammaire 5.2–5.3.

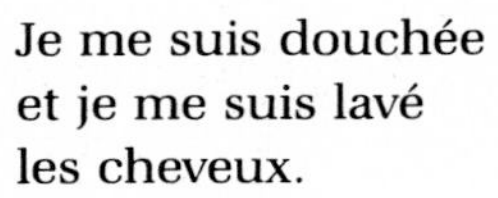

Je me suis douchée et je me suis lavé les cheveux.

Je me suis habillée rapidement.

Je suis partie pour l'université à huit heures.

J'ai bu du café
et j'ai bavardé
avec mes amis.

Je suis allée à
la Faculté des Sciences Naturelles
où j'ai assisté à
un cours de biologie.

Je suis rentrée à
la maison à une heure
pour déjeuner.

J'ai travaillé quatre heures
dans le magasin
et j'ai vendu
quelques pull-overs.

J'ai dîné en famille.
Nous avons mangé un potage
de légumes, du poisson
avec une bonne salade
et comme dessert
des fraises au sucre.

J'ai étudié pendant une
heure et demie et puis
je me suis couchée
à dix heures et demie.

Activité 3. Qu'est-ce qu'on a fait?

Mettez en ordre chronologique.

1. Ce matin je (j')...
   a. me suis lavé les cheveux.
   b. ai pris le petit déjeuner.
   c. me suis réveillé(e) à six heures.
   d. suis allé(e) à l'université.

2. Hier après-midi Chantal...
   a. est rentrée à la maison.
   b. s'est couchée et a dormi une heure.
   c. est allée en ville pour faire des courses.
   d. a révisé ses notes pour son examen de français.

3. Hier soir avant de nous coucher nous...
   a. avons regardé un feuilleton à la télé.
   b. avons bu un grand verre de chocolat chaud.
   c. nous sommes déshabillé(e)s.
   d. avons lu un article très intéressant dans le journal.
4. Samedi dernier ils...
   a. ont vu un bon film
   b. ont reçu un coup de fil d'un ami.
   c. sont allés au cinéma avec leurs amis.
   d. se sont couchés très tard.
5. Mercredi dernier vous...
   a. avez écouté le professeur et vous avez pris des notes.
   b. avez assisté à un cours de psychologie.
   c. avez attendu un camarade pour aller faire du jogging.
   d. êtes sorti(e)(s) de la classe.

Activité 4. Un week-end à Saint-Cyprien, dans le Languedoc-Roussillon

Qu'a fait Roger Varenne dimanche dernier?

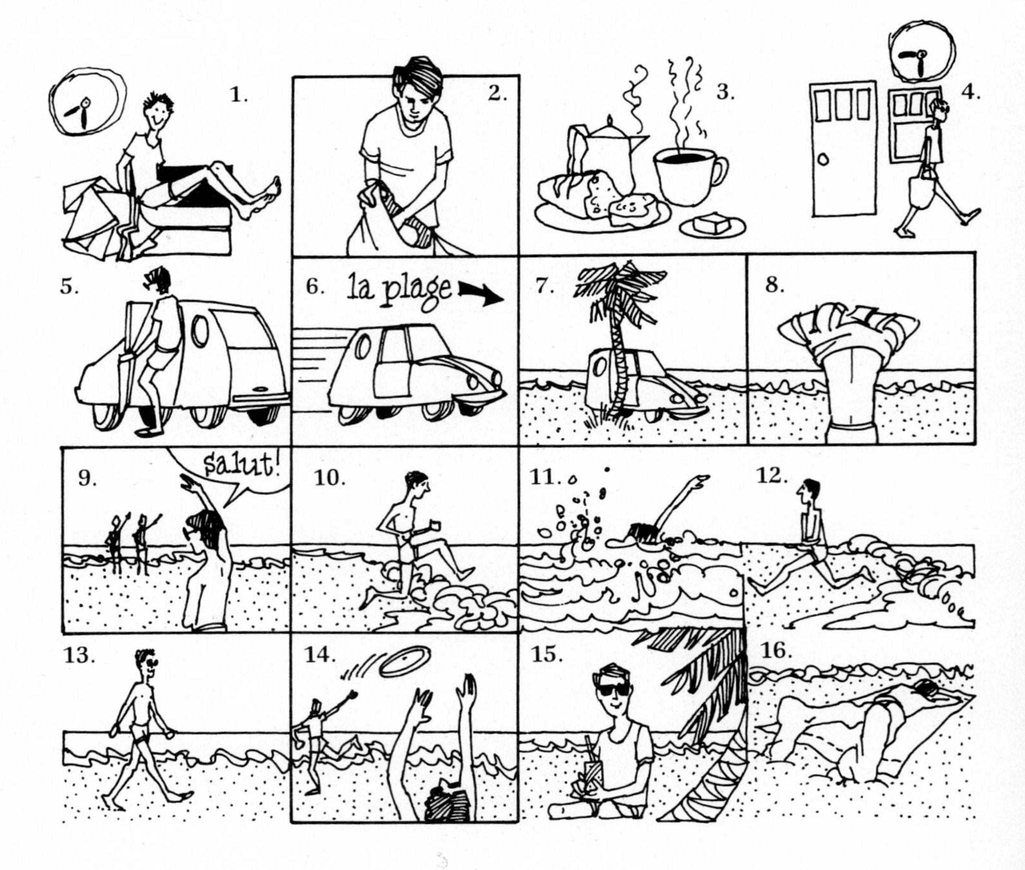

Activité 5. La curiosité

1. Vous êtes très curieux (-ieuse) et vous voulez savoir exactement ce qu'a fait votre professeur de français le week-end dernier. Mais il peut répondre seulement par oui ou non. Posez-lui dix questions pour obtenir le plus d'information possible.

   MODÈLE: Avez-vous vu un bon film?

2. Vous aimeriez aussi savoir ce qu'a fait un(e) de vos camarades de classe. Posez-lui dix questions pour obtenir le plus d'informations possibles.

   MODÈLE: Où es-tu allé(e) hier soir?

Activité 6. Dialogue: L'excuse

Étienne arrive en cours de français et le professeur, Mme Martin, lui demande son devoir.

MME MARTIN: Étienne, donnez-moi votre devoir, s'il vous plaît.

ÉTIENNE: Je suis désolé, Madame, mais je n'ai pas fait mon devoir. Hier j'ai manqué votre cours et j'ai eu une très mauvaise journée.

MME MARTIN: Oh, vraiment, pas possible! Racontez-nous donc ce qui vous est arrivé.

ÉTIENNE: Eh bien... pour commencer, je ne me suis pas réveillé quand le réveil a sonné... alors je me suis levé très tard. Je n'ai pas pris le petit déjeuner. J'ai vite pris une douche et je suis parti en courant pour arriver à l'heure. En fait je suis arrivé un petit peu en retard... quelques minutes quoi... mais je n'ai trouvé personne en cours. Je me suis assis et j'ai attendu vingt minutes.

MME MARTIN: Vous ne savez pas que le lundi nous allons au laboratoire de langues?

ÉTIENNE: Si, mais j'ai complètement oublié! Plus tard j'ai vu Chantal et elle ne m'a pas parlé du devoir.

MME MARTIN: Est-ce que vous lui avez demandé s'il y avait un devoir, par hasard?

ÉTIENNE: Eh bien non. Je n'ai pas eu le temps de lui poser la question. Nous nous sommes retrouvés en cours de sociologie et je n'ai pas voulu interrompre Monsieur Smith. Vous savez comment il est, il parle pendant tout le cours sans s'arrêter... et puis après...

Supposez que vous n'avez pas fait vos devoirs. Inventez une excuse... un peu meilleure que celle d'Étienne!

Maintenant imaginez quelles excuses vous pouvez inventer dans les situations suivantes:

- Vous êtes Mme Martin et vous n'avez pas corrigé les examens de français pendant le week-end, comme promis.
- Vous avez rendez-vous avec un ami (une amie) et vous arrivez avec une heure de retard.
- Vous avez emprunté à un ami (une amie) quelque chose (sa moto, un pull, un livre...), sans lui demander la permission.

Activité 7. Interaction: L'interview

Demandez d'abord à un(e) camarade, puis à votre professeur, ce qu'ils ont fait hier.

A votre camarade...

1. Es-tu allé(e) en cours?
2. Quels cours as-tu suivis?
3. Qu'as-tu mangé à midi?
4. Qu'as-tu fait dans l'après-midi?
5. As-tu fait du sport?
6. As-tu travaillé?
7. As-tu étudié à la bibliothèque?
8. Où as-tu dîné le soir? Qu'est-ce que tu as mangé?
9. Après le dîner as-tu étudié ou es-tu sorti(e)?
10. Es-tu allé(e) chez des amis?

A votre professeur...

1. Êtes-vous allé(e) à la bibliothèque après le cours?
2. Avez-vous bu du café avec vos amis hier après-midi?
3. Avez-vous parlé au directeur ce matin?
4. Avez-vous lu nos rédactions?
5. Avez-vous déjà tapé à la machine les examens pour vendredi?
6. Avez-vous vu votre programme préféré à la télé hier soir?

LES AMIS FRANCOPHONES: *Une drôle de surprise* (Première partie)

Je m'appelle Charlotte Mercier. Hier soir je suis allée à une fête très amusante. Un de mes amis, Roger Varenne, fêtait° son anniversaire et nous avons décidé de lui faire une surprise. Le matin, je lui ai téléphoné pour l'inviter au cinéma et nous avons décidé de nous retrouver chez lui à sept heures. Mon plan était° de sortir avec Roger pour donner le temps à nos amis de venir chez lui et de lui faire la surprise à notre retour.

fêtait°: was celebrating
était°: was

Mais quand je suis arrivée chez lui un peu avant l'heure, il n'était pas prêt. «Attends-moi un petit moment», m'a-t-il dit, et il est allé prendre une douche. J'en ai profité° pour appeler les amis qui attendaient° chez David. Ils sont arrivés tout de suite. Nous sommes tous allés frapper à la porte de la salle de bains. Nous avons frappé plusieurs fois et finalement Roger nous a ouvert la porte, tout mouillé, enveloppé° dans une serviette.

J'en... *I took advantage of the situation* / *were waiting*

wrapped

Pauvre Roger! Je n'ai jamais vu quelqu'un d'aussi gêné° de ma vie: il était rouge comme une tomate. Son visage avait° une expression étrange, un mélange de peur et de honte... avec une envie folle de partir en courant.° Au début je crois qu'il s'est fâché car après quelques secondes il a claqué° la porte et il est resté enfermé dans la salle de bains assez longtemps. Je n'étais plus très fière de mon idée. Mais plus tard Roger est sorti de la salle de bains tout habillé et prêt à s'amuser. Et comme nous nous sommes amusés! Mais au moment de partir, Roger m'a dit avec un grand sourire: «Une autre surprise comme celle-ci et je te tue!»°

embarassed

had

en... *running*

slammed

je... *I'll kill you!*

Compréhension

Mettez dans le bon ordre.

_____ Charlotte est arrivée chez Roger en avance.
_____ Charlotte a téléphoné à Roger pour l'inviter au cinéma.
_____ Roger est allé dans la salle de bains.
_____ Tous les amis sont arrivés.
_____ Charlotte a appelé ses amis.
_____ Roger est sorti de la salle de bains.
_____ Tout le monde s'est beaucoup amusé.
_____ Roger a dit: «Attends-moi un petit moment».

LES AMIS FRANCOPHONES: Une drôle de surprise (Deuxième partie)

Avez-vous déjà eu envie de disparaître sous terre? Ou bien de fuir° des regards° curieux qui attendent votre réaction? Je m'appelle Roger Varenne et j'ai eu cette expérience inoubliable il y a° très peu de temps.

to flee / *looks*

il... *ago*

Hier matin, très tôt, mon amie Charlotte m'a téléphoné pour m'inviter au cinéma. Elle m'a parlé d'un très bon film et nous avons décidé de nous rencontrer

le soir même à sept heures pour aller le voir. Chose curieuse, elle a préféré venir chez moi. Généralement c'est moi qui passe la chercher chez elle. Charlotte est arrivée un peu en avance, à six heures et demie, et je n'étais° pas prêt. Je lui ai servi un peu de vin et j'ai mis de la musique. «Je dois prendre une douche et m'habiller» je lui ai dit. Elle s'est assise pour m'attendre.

was

Je suis allé prendre ma douche et quelques minutes plus tard j'ai entendu frapper à la porte de la salle de bains. On a frappé de plus en plus fort. J'ai crié: «Qu'est-ce qu'il y a? Qu'est-ce que tu veux, Charlotte? Pourquoi fais-tu tant de bruit?» mais personne° ne m'a répondu... et on a continué à frapper. Je me suis enveloppé dans une serviette et j'ai finalement ouvert la porte.

no one

SURPRISE!

Tous mes amis étaient là, devant la salle de bains avec des cadeaux et des cartes de vœux° dans les mains. Ils ont tous crié en chœur: «Bon anniversaire!» Et moi, je suis resté figé° comme une momie, sans rien dire, en serrant° très fort ma serviette.

cartes... *greeting cards*
frozen
en... *holding*

Questions

1. Pourquoi Charlotte a-t-elle téléphoné à Roger hier matin?
2. A quelle heure Charlotte est-elle arrivée chez Roger?
3. Qu'est-ce que Roger a vu quand il a ouvert la porte de la salle de bains?
4. Quels sentiments a éprouvés Roger?

OCCUPATIONS EN FAMILLE ET AVEC LES AMIS

ATTENTION! Voir Grammaire 5.4.

1. —Comment avez-vous voyagé?
   —Nous sommes allés à Genève en avion.
2. —Avez-vous vu le lac Léman?
   —Oui, nous l'avons vu, et le jet d'eau aussi.
3. —Avez-vous visité les musées?
   —Oui, nous les avons visités, et nous nous sommes promenés fréquemment dans les jardins publics.

1. —Avez-vous mangé une bonne raclette?
   —Oui, bien sûr! Plusieurs fois!
2. —Avez-vous visité la maison de Calvin?
   —Oui, nous l'avons visitée la première semaine.
3. —Êtes-vous allés à la cathédrale Saint-Pierre?
   —Oui, nous l'avons visitée avec nos amis, les Dupont.

Activité 8. Interaction: Le week-end des voisins

Voici ce qu'ont fait les voisins de Martine et de Jean-Luc le week-end dernier.

	les Olivier	les Saulnier	les Michaud
vendredi	sont restés à la maison et ils ont bricolé	sont allés au cinéma et ont vu le film «Un homme et une femme, vingt ans déjà»	sont allés faire des courses aux Galeries Lafayette
samedi	ont écrit une lettre à leurs amis, qui habitent Nice	ont fait la connaissance de leurs nouveaux voisins	ont déjeuné dans un nouveau restaurant à la Villette
dimanche	sont allés à la messe à l'église Saint-Augustin	ont célébré leur anniversaire de mariage	ont rendu visite à leurs cousins de Versailles

É1: Qui a fêté son anniversaire de mariage dimanche?
É2: Les Saulnier.

É1: Qu'est-ce que les Olivier ont fait vendredi dernier?
É2: Ils sont restés à la maison et ils ont bricolé.

Activité 9. Les faits du passé

Cherchez l'activité ou les activités qui ne correspondent pas au groupe. Expliquez pourquoi.

1. Ce matin je me suis levé(e) très tard.
   a. Le réveil n'a pas sonné.
   b. Je suis arrivé(e) très tôt à l'université.
   c. J'ai eu le temps de prendre mon petit déjeuner tranquillement.
   d. J'ai conduit très vite pour arriver à l'heure à l'université.

2. La semaine dernière Raymond est allé faire du camping à la montagne avec sa famille.
   a. Son frère s'est baigné dans la rivière.
   b. Sa sœur a dansé toute la nuit dans une discothèque.
   c. Son père et sa mère ont escaladé une montagne.
   d. Il a préparé le petit déjeuner.
3. Je m'appelle Antoinette. Hier après-midi je suis allée avec des amis acheter un disque d'Yves Duteuil.
   a. Nous avons pris le métro.
   b. Nous avons payé le disque sept dollars.
   c. Nous avons acheté un croissant dans le magasin de disques.
   d. Nous avons trouvé un disque de Michel Sardou qui nous a beaucoup plu.
4. L'été dernier Bernard et Irène sont allés au Maroc.
   a. Ils ont visité la ville de Fez.
   b. Ils ont mangé un très bon couscous.
   c. Ils ont marchandé dans les souks* de Marrakech.
   d. Ils ont traversé le canal de Suez.

Activité 10. Le mois dernier

Essayez de vous rappeler ce que vous avez fait avec vos amis ou avec vos parents le mois dernier. Avez-vous fait les choses suivantes? Avec qui? Où? Quand?

MODÈLE: aller au cinéma →
Mon amie Julie et moi, nous sommes allées au cinéma la semaine dernière. Nous avons vu le film «Thérèse» au cinéma Lux.

1. faire du sport
2. aller skier
3. dîner au restaurant
4. boire de la bière mexicaine
5. voir un film de science-fiction
6. s'amuser chez des amis
7. se promener à bicyclette
8. faire du cheval
9. faire du jogging
10. faire un voyage

**Mot arabe:* marché couvert situé dans des rues étroites où on trouve des boutiques et des ateliers dans les pays islamiques

Activité 11. Interaction

Vous interviewez votre professeur de français.

1. Qu'avez-vous fait hier matin?
2. Avez-vous travaillé? Où? Jusqu'à quelle heure?
3. Où avez-vous déjeuné? Avec qui? Qu'est-ce que vous avez mangé?
4. Avez-vous rendu visite à un(e) ami(e)? A qui? Où est-ce que vous l'avez rencontré(e)? Qu'est-ce que vous avez fait avec lui (elle)?
5. Qu'avez-vous fait l'après-midi? Vous êtes-vous amusé(e)?
6. Avez-vous dîné chez vous? Avec qui? Qu'avez-vous préparé?
7. Avez-vous regardé la télé? Qu'avez-vous vu?
8. A quelle heure est-ce que vous vous êtes couché(e)?

Activité 12. Le week-end de Ginette

Ginette est étudiante à Paris. Elle écrit une lettre à son amie canadienne, Yvonne, pour lui raconter ce qu'elle a fait le week-end dernier avec son nouvel ami, François.

Vendredi en fin d'après-midi nous sommes allés prendre l'apéritif dans un café des Champs-Élysées.* Puis le soir nous sommes allés au théâtre. Nous avons vu une pièce de Molière à la Comédie-Française.† Nous avons beaucoup ri, et j'ai trouvé les acteurs excellents. A la sortie du théâtre nous avons rencontré des amis et nous avons décidé d'aller boire quelque chose ensemble. Nous sommes allés dans une discothèque qui s'appelle l'Élysées-Matignons, où nous avons beaucoup dansé. Nous nous sommes bien amusés.

Samedi nous sommes allés au Bois de Boulogne.‡ Nous nous sommes promenés, nous avons loué des pédalos et nous avons pique-niqué au bord du petit lac. Nous avons emporté un panier avec des sandwichs et des boissons. Nous avons eu de la chance; il a fait un temps magnifique.

Dimanche aussi il a fait une belle journée. François et moi nous avons pris l'autoroute pour aller à Giverny§ visiter la maison de Monet. Comme elle est belle! Nous y sommes restés toute la journée. Nous avons déjeuné dans une petite auberge et nous avons beaucoup parlé. Le soir nous sommes rentrés à Paris très contents de notre excursion.

1. Est-ce que votre week-end ressemble à celui de Ginette?
2. Qu'a-t-elle fait que vous n'avez pas fait?
3. Qu'est-ce que vous avez fait qu'elle n'a pas fait?

---

*Une des plus fameuses avenues à Paris.

†Théâtre national situé à Paris et fondé en 1680 qui joue des pièces classiques.

‡Situé à l'ouest de Paris.

§Petite ville en Normandie.

LES FAITS DU PRÉSENT ET DU PASSÉ

ATTENTION! Voir Grammaire 5.5–5.6.

il y a deux ans
depuis 1980

je **viens de** + *infinitif*

Jacques Cartier a découvert le Canada et le Saint-Laurent il y a quatre cent cinquante ans.

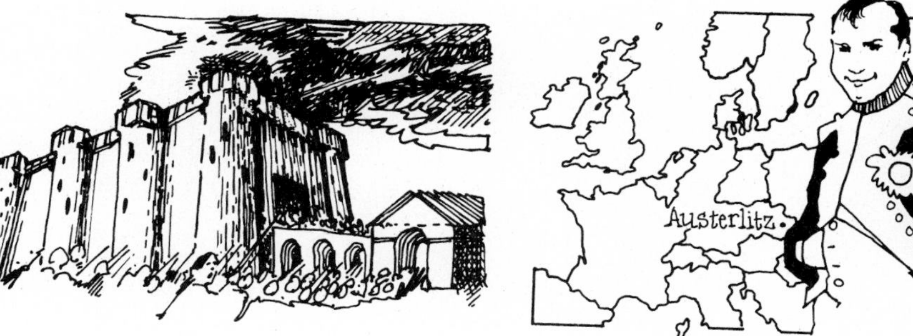

Le peuple de Paris a pris la Bastille il y a presque deux cents ans.

Napoléon a gagné la bataille d'Austerlitz il y a à peu près cent quatre-vingts ans.

—Où est Chantal?
—Elle est en France depuis six mois.

—Je travaille à Lyon depuis bientôt douze ans.

—Maman, regarde, je viens de casser ma poupée.

—Vite, le film vient juste de commencer.

Activité 13. Un peu d'histoire de France

Voici quelques dates historiques importantes. Trouvez avec un(e) camarade de classe l'année qui correspond à chacun des événements suivants et dites combien de temps il y a qu'ils ont eu lieu.

MODÈLE: Napoléon a vendu la Louisiane aux États-Unis en... →
En 1803, il y a un peu plus de cent quatre-vingts ans.

1804 1643 1944 800 1789 486 1429 1970 1803

1. Jeanne d'Arc a délivré la ville d'Orléans en...
2. Le couronnement de Charlemagne a eu lieu en...
3. Le peuple de Paris a pris la Bastille en...
4. Le général de Gaulle est mort en...
5. Le Sénat a proclamé Napoléon Empereur des Français en...
6. Louis XIV est devenu roi de France en...

Activité 14. Ils viennent de...

Regardez les commentaires suivants et devinez ce que ces personnes viennent de faire.

MODÈLE: J'ai beaucoup aimé le film. →
Il vient de voir un film.

1. J'ai mal aux pieds.
2. J'ai beaucoup aimé ce restaurant.
3. Nous avons trouvé ces tableaux magnifiques.
4. Ce livre m'a passionné!
5. Nous sommes très contents d'avoir fait votre connaissance.
6. J'ai détesté cette pièce!

Activité 15. Entrevue: Faits mémorables...

Voici une entrevue un peu indiscrète. Il ne faut pas dire la vérité. Inventez des réponses pour confondre vos camarades!

1. Il y a combien de temps que tu as quitté le lycée?
2. Il y a combien d'années que tu as commencé à étudier le français?
3. Depuis combien de temps tes parents sont-ils mariés?
4. Il y a combien de temps que tu as perdu ta première dent?
5. Il y a combien de temps que tu es sorti(e) en tête-à-tête avec un ami (une amie)?
6. Depuis combien de temps es-tu amoureux (-euse)?
7. Il y a combien de temps que tu as fêté ton anniversaire?
8. Depuis combien de temps connais-tu ton meilleur ami (ta meilleure amie)?
9. Il y a combien de temps que tu as reçu une amende pour excès de vitesse?

Activité 16. Interaction: Voyages d'affaires

Adrienne Bolini travaille pour une société d'ordinateurs à Marseille. Comme elle est responsable des ventes, elle doit beaucoup voyager. Voici l'itinéraire des voyages qu'elle a faits l'année dernière.

ville		**quand?**	**transport**
départ	*destination*	*il y a*	*en*
Marseille	Paris	1 an	TGV
Paris	Londres	6 mois	voiture
Londres	New York	4 semaines	avion
New York	Barcelone	9 jours	avion
Barcelone	Marseille	20 heures	bateau

É1: Il y a combien de temps que Mademoiselle Bolini est partie pour Londres?
É2: Il y a six mois.

É1: Comment est-elle allée à Paris?
É2: En TGV.

Activité 17. La dernière fois

Quelle est la dernière fois que vous avez fait les choses suivantes? Voici quelques possibilités: hier, hier soir (matin, après-midi), lundi (mardi...) dernier, l'année dernière, il y a... .

MODÈLE: Quand est-ce que vous avez téléphoné à votre mère?

Je lui ai téléphoné { il y a un mois. / la semaine dernière. / cet après-midi. }

1. Quand est-ce que vous avez lavé votre voiture?
2. Quand est-ce que vous avez pris un bain?
3. Quand est-ce que vous vous êtes coupé les cheveux?
4. Quand est-ce que vous êtes allé(e) à la plage?
5. Quand est-ce que vous avez assisté à un cours de maths?
6. Quand est-ce que vous avez étudié tout le week-end?
7. Quand est-ce que vous avez regardé la télé?
8. Quand est-ce que vous avez fait le ménage?
9. Quand est-ce que vous êtes allé(e) faire des courses?
10. Quand est-ce que vous avez lu le journal?

Activité 18. Entrevues

1. Depuis combien de temps étudies-tu le français?
2. Depuis combien de temps fais-tu du sport?
3. Depuis quand es-tu à l'université?
4. Depuis quand habites-tu dans la même maison ou le même appartement?
5. Il y a combien de temps que tu connais ton (ta) meilleur(e) ami(e)?
6. Il y a combien de temps que tu habites ici?
7. Il y a combien de temps que tu conduis?
8. Il y a combien de temps que tu sais ce que tu veux étudier à l'université?

Activité 19. Un dialogue original: L'été dernier

Vous venez de rencontrer un ami (une amie) du lycée. Il/Elle veut savoir ce que vous avez fait l'été dernier. La vérité c'est que vous n'avez rien fait d'intéressant, mais comme vous voulez impressionner votre ami(e), vous devez inventer quelque chose. Imaginez au moins cinq choses intéressantes.

É1: Salut! Qu'est-ce que tu deviens? Qu'est-ce que tu as fait l'été dernier?
É2: Euh... eh bien... je ______.

Vocabulaire

LE PASSÉ COMPOSÉ: VERBES IRRÉGULIERS The passé composé (past tense): Irregular verbs

VERBES CONJUGUÉS AVEC *AVOIR:*

avoir — to have
j'ai eu
boire — to drink
j'ai bu
conduire — to drive
j'ai conduit
découvrir — to discover
j'ai découvert
écrire — to write
j'ai écrit
faire — to do; to make
j'ai fait
lire — to read
j'ai lu
plaire (**à**) — to be pleasing (to)
j'ai plu
prendre — to eat; to drink
j'ai pris
recevoir — to receive
j'ai reçu
rire — to laugh
j'ai ri
suivre — to take (*a course*)
j'ai suivi
voir — to see
j'ai vu
vouloir — to want
j'ai voulu

VERBES CONJUGUÉS AVEC *ÊTRE:*

s'asseoir — to sit down, be seated
je me suis assis(**e**)
devenir — to become
je suis devenu(**e**)
mourir — to die
je suis mort(**e**)

VERBES Verbs

s'arrêter — to stop (*oneself*)
arriver — to happen
avoir lieu — to take place
avoir mal (**à**) — to have a pain (in)
bavarder — to chat
casser — to break
confondre — to mix up
corriger — to correct
demander — to ask (for)
se doucher — to take a shower
emporter — to take, carry away
emprunter (**à**) — to borrow (from)
escalader — to climb, scale
essayer — to try
faire du cheval — to go horseback riding
faire du sport — to practice sports
fêter — to celebrate
gagner — to win
goûter — to taste
impressionner — to impress
interrompre — to interrupt
louer — to rent
manifester — to demonstrate (*political*)
manquer — to miss
marchander — to bargain, haggle over
oublier — to forget
passer — to spend (*time*)
passionner — to excite
perdre — to lose
prendre un bain — to take a bath
promener (**le chien**) — to take (the dog) for a walk
se promener à bicyclette — to go bike riding
se rappeler — to remember
regarder les vitrines — to go window-shopping
rencontrer — to meet; to find
sauter — to jump (over)
situer — to locate
sonner — to ring
traverser — to cross, go across

Mots similaires: **célébrer, correspondre, délivrer, détester, fonder, interviewer, inventer, proclamer, ressembler, supposer**

Révision: **aller, bricoler, se coucher, faire (des courses, du jogging, le ménage, un voyage), se lever, monter à cheval, rendre visite à**

LA NOURRITURE / LES MAGASINS D'ALIMENTATION Food / Food stores

l'apéritif (*m.*)	aperitif
le cocktail aux fruits	fruit cocktail
l'éclair (*m.*) **au chocolat**	chocolate eclair
la fraise	strawberry
le jambon	ham
le sandwich au jambon	ham sandwich
les légumes (*m.*)	vegetables
la pâtisserie	pastry (shop)
le potage	soup
la raclette	raclette (*Swiss cheese dish*)
le sucre	sugar

Mots similaires: **le couscous, le dessert, la pizzeria, la salade**

Révision: **la boisson, le croissant, le poisson**

SUBSTANTIFS Nouns

les affaires (*f.*)	business
l'amende (*f.*)	fine, penalty
l'anniversaire (de mariage) (*m.*)	(wedding) anniversary
l'atelier (*m.*)	workshop
l'auberge (*f.*)	inn
l'autoroute (*f.*)	freeway
la bataille	battle
le bateau	boat, ship
le bois	woods
le casque d'écoute	headphones
le commentaire	comment, commentary
le coup de fil	telephone call
le couronnement	coronation, crowning
le directeur	chairperson (*of a department*)
le directeur	
l'événement (*m.*)	event
l'excès de vitesse (*m.*)	speeding
le fait	fact
le jet d'eau	geyser
le jeu de société	table game
l'occupation (*f.*)	occupation; pastime
le palmier	palm tree
le panier	basket
le passé	past
le pédalo	pedal-boat
le peuple (de Paris)	people (of Paris)
la pièce	play
la poupée	doll
le Quartier Latin	Latin Quarter
la rédaction	essay, composition
le rendez-vous	appointment; date
le reste	rest, balance, remaining part
le retour	return
le réveil	alarm clock
le roi	king
le sable	sand
la société	company, business
la sortie	exit
le TGV (Train à Grande Vitesse)	high-speed train
la vente	sale
la vérité	truth
le voyage d'affaires	business trip

Mots similaires: **l'acteur** (*m.*), **l'article** (*m.*), **la cathédrale, la cause, la curiosité, la destination, l'empereur, l'excursion** (*f.*), **l'excuse** (*f.*), **l'expérience** (*f.*), **le frisbee, le général, le groupe, l'interview** (*f.*), **l'itinéraire** (*m.*), **le jardin public, l'opéra** (*m.*), **la permission, le pique-nique, le présent, la rivière, la science-fiction, le Scrabble, le sénat, la sorte, le transport**

LA DESCRIPTION Adjectives

amoureux (-euse)	in love
couvert(e)	covered
désolé(e)	sorry
magnifique	magnificent, great
responsable (de)	responsible (for)

Mots similaires: **chronologique, curieux (-ieuse), favori(te), historique, important(e), indiscret (indiscrète), islamique, mémorable, national(e), original(e), politique, promis(e)**

LES EXPRESSIONS UTILES AVEC LE PASSÉ Useful expressions with the past tense

depuis + *temps*	for, since (+ *time*)
dernier (**-ière**)	last
hier	yesterday
hier soir	last night
il y a + *temps*	(*time* +) ago
venir de + *infinitif*	to have just (*done something*)

MOTS ET EXPRESSIONS UTILES Useful words and expressions

à peu près	more or less
au bord de	at, by, along
au moins	at least
ce que	what (*object pronoun*)
ce qui	what (*subject pronoun*)
celui (**celle, ceux, celles**)	the one(s)
chacun(**e**)	each one
comme	for, as a (*dessert, main course, etc.*)
Comme elle est belle!	How pretty it (she) is!
complètement	completely
contre	against
donc	then; therefore
en courant	(while) running
en début de	at the beginning of
en fait	in fact
en fin de	at the end of
en tête-à-tête	alone together
entre	between
exactement	exactly
par hasard	by chance
Qu'est-ce que tu deviens?	How are you doing (getting along)?
le soir	(in the) evening
tranquillement	quietly; gently

Mots similaires: **finalement, longtemps**

LECTURES SUPPLÉMENTAIRES

NOTE CULTURELLE: L'esprit critique

Les Français sont des individualistes. Cet individualisme est une source d'originalité et de créativité. Mais c'est aussi une source de conflit. Les conversations entre amis sont souvent des confrontations où chacun essaie de convaincre l'autre par plaisir.° C'est un exercice de logique, d'analyse, de stratégie, mais ces conversations sont aussi en général longues, passionnées et très animées.

par... *just for the pleasure of it*

En politique, les Français n'aiment pas les compromis non plus.° Si le gouvernement propose une loi qui n'est pas populaire, ils se mettent en grève° et manifestent spontanément. En France, on n'hésite jamais à critiquer et à tout remettre° en question. C'est une leçon que l'on apprend d'ailleurs° très tôt, à l'école: les professeurs sont très critiques du travail de leurs élèves, et alors que les notes vont de zéro à vingt, ils ne leur donnent que très rarement une note au-dessus de quinze.

non... *either*
se... *strike*
submit
moreover

Compréhension

Rétablissez la vérité selon le texte.
Les conversations entre amis sont...

- courtes
- passionnées
- des bavardages amicaux
- un exercice de stratégie
- longues
- réservées
- des confrontations
- un exercice de sociabilité

En politique, les Français...

- hésitent à critiquer
- acceptent les compromis
- manifestent sans hésitation
- remettent tout en question
- n'hésitent pas à critiquer
- refusent les compromis
- hésitent à manifester
- ne remettent rien en question

©MARK ANTMAN / THE IMAGE WORKS

Deux lycéennes discutent après leurs cours. Les Français adorent discuter. Les discussions sont toujours très animées et accompagnées de gestes des mains.

LES AMIS FRANCOPHONES: Une lettre du Maroc

Cette année, Michel Dubois a passé ses vacances au Maroc. Il a envoyé une lettre à son amie Adrienne Bolini pour lui raconter ce qu'il y a vu.

©MARK ANTMAN / THE IMAGE WORKS

Le souk de Kairouan, Tunisie. La culture française est toujours présente dans les pays du Maghreb. On enseigne le français dans les écoles. Beaucoup de Maghrébins suivent la mode qui vient de France.

Marrakech, le 31 août

Chère Adrienne,

Je t'ai promis des nouvelles de mes vacances: les voici! Le Maroc est très pittoresque et j'ai passé un séjour très agréable. Au début, le temps a été brumeux° le matin et chaud l'après-midi, et ensuite une vague de chaleur est arrivée jusqu'à la fin août.

Tu m'as demandé des détails sur ce pays. Agadir est une ville nouvelle et il y a peu de souvenirs de l'ancienne ville détruite. Tout y est inscrit en français ou en arabe, même les journaux. Les menus des restaurants sont en français, en anglais ou en arabe. J'ai acheté pour toi des timbres° marocains et des diapositives.°

Dans les villes et les villages, on voit beaucoup d'hommes mais les femmes ne sortent pas ou elles sortent complètement voilées. J'ai été invité chez des dignitaires musulmans. Les hommes sont venus dans la salle de réception mais les femmes sont restées chez elles: je ne les ai même pas vues, sauf° la petite serveuse de huit ans qui a servi et desservi les plats. J'ai appris qu'il est conseillé° aux enfants là-bas d'aller à l'école, mais la scolarité n'est pas obligatoire. Ils passent d'abord trois ans à étudier le Coran, puis le français et après ils peuvent faire des études supérieures et étudier d'autres langues.

brumeux: foggy
timbres: stamps
diapositives: slides
sauf: except for
conseillé: recommended

La fête du mouton° a une très grande importance à Agadir, les 15 et 16 août. Dans chaque famille, on fait cuire un mouton et tout est fermé en ville.

sheep

Je suis maintenant à Marrakech, qui est une très belle ville. J'ai fait le tour des remparts en calèche,° et je me suis promené dans les jardins de Ménara: il y a des arbres magnifiques, des fontaines, des oiseaux; c'est un bain de fraîcheur et de silence. Je suis allé flâner° dans les souks: il y a le souk des tapis, celui des tissus,° celui des orfèvres,° et dans celui des babouchiers° j'ai acheté de jolies babouches, une paire pour toi et une pour moi. Tout le monde bavarde dans ces souks, avec beaucoup de courtoisie et de bonne humeur, et on m'a même offert un verre de thé à la menthe dans un des bazars! J'ai mangé des tajines, des sortes de ragoûts de viande très parfumés, et un couscous aux sept légumes qu'il faut que je te prépare à mon retour!

carriage / *stroll* / *fabrics* / *goldsmiths* / *slipper maker*

J'ai pris des photos que nous regarderons ensemble bientôt: je rentre dans dix jours. C'est vraiment un beau pays et j'ai déjà envie d'y revenir. Nous pourrons, peut-être, y aller ensemble, cette fois.

A très bientôt, je t'embrasse affectueusement,

Michel

Questions

1. Quelles villes du Maroc Michel a-t-il visitées?
2. Quelles sont les langues étrangères utilisées dans les journaux? Dans les restaurants?
3. Qu'est-ce que Michel a rapporté d'Agadir? de Marrakech?
4. Qu'est-ce qui est typique de la vie des femmes marocaines? Des enfants marocains?
5. Qu'est-ce que Michel a fait dans les souks?

LES AMIS AMÉRICAINS: Premier jour à Paris

Claire, une Américaine qui étudie à Paris, écrit cette lettre à son amie américaine Norma.

Paris, le 10 juillet

Chère Norma,

Me voici à Paris! Tout est si nouveau, je ne sais pas par où commencer. Je suis arrivée à l'aéroport tôt ce matin

©FREDRIK BODIN / STOCK, BOSTON

Paris, la fontaine Stravinsky et l'église Saint-Eustache dans le quartier du Centre Georges Pompidou. On a complètement renouvelé ce secteur de la ville ces dernières années. Il est possible de voir des immeubles modernes à côté de bâtiments très anciens.

et j'ai pris l'autobus pour aller en ville: l'aéroport est loin de Paris. Le terminus est près de la place de L'Étoile où se trouve l'Arc de Triomphe et tout à coup, j'ai réalisé: «Je suis sur les Champs-Élysées!». Quelle émotion!

Mon hôtel est dans une petite rue derrière les Champs-Élysées et j'ai déjà passé beaucoup de temps à me promener sur l'avenue, à regarder les boutiques, les salons de coiffure, les restaurants, les gens... Maintenant, je suis assise à la terrasse d'un café et je profite de ce moment de repos pour t'écrire cette lettre. Le garçon est gentil; il vient de m'expliquer comment retourner à mon hôtel en métro.

Je suis si impatiente! Demain je pense visiter le Louvre, ou peut-être le musée d'Orsay, où se trouve la collection des peintres impressionnistes. Je t'embrasse très fort,

Ton amie, maintenant parisienne, Claire

Vrai ou faux?

1. Claire est une étudiante française qui connaît très bien Paris.
2. L'Arc de Triomphe est sur la place de l'Étoile, à l'extrémité des Champs-Élysées.
3. Claire regarde les boutiques, les restaurants et les gens de la fenêtre de son hôtel.
4. Claire a besoin d'explications pour retourner à son hôtel en métro.
5. Claire va aller voir la collection des peintres impressionnistes au Louvre.

5.1. Past Experiences: **Passé composé** (Past Tense) with **avoir**

A. Most English speakers distinguish between a compound past tense, called the present perfect (*I have written*), and a simple past tense (*I wrote*).

Have you gone shopping recently? (*present perfect*)
Yes. Yesterday we went shopping at the new mall. (*simple past*)

In French the **passé composé** (the present perfect or the compound past) is used in conversation to recount past events.*

B. Just like the English compound past tense, the **passé composé** is formed by using an auxiliary (helping) verb with a past participle.

Chantal, **as**-tu déjà **préparé** ton examen pour aujourd'hui? —Oui, j'**ai étudié** hier soir pendant trois heures.
"Chantal, have you already studied (did you already study) for today's exam?" "Yes, I studied for three hours last night."

Avez-vous **joué** au football hier? —Non, malheureusement. J'**ai coupé** l'herbe et Roger **a nettoyé** la maison.
"Did you play soccer yesterday?" "No, unfortunately, I cut the grass and Roger cleaned house."

Avoir (*to have*) is the auxiliary verb most frequently used to form the **passé composé**. As you can see in the preceding examples, the past participle of **-er** verbs ends in **-é**.†
Être (*to be*) is the auxiliary verb used to form the **passé composé** of some verbs.

Ce matin Mme Martin **est arrivée** à dix heures.
This morning, Mrs. Martin arrived at ten o'clock.

You will learn about the use of **être** as an auxiliary verb in Section 5.2.

C. Note the placement of **ne... pas** with forms of the **passé composé.**

---

*There is also a simple past tense in French called the **passé simple**. It is used primarily in written French and is considered to be much too formal for casual conversation. The forms of the **passé simple** are given in Appendix A. You may want to learn to recognize them, since they are found in many kinds of reading materials, and especially in literature. In the oral activities, however, you will use only the forms of the **passé composé.**

†In some cases, the past participle is marked for gender and number agreement: **allé, allée, allés, allées**. The past participles of other groups of verbs end in **-u, -i, -it, -ert,** and **-is.** See Section 5.3 for more details on the formation of past participles.

Je **n**'ai **pas** joué au basket-ball hier.
I didn't play basketball yesterday.

Cette année mon équipe de football préférée **n**'a **pas** gagné une seule fois!
This year my favorite soccer team didn't win once!

Exercice 1

Qu'avez-vous fait hier?

MODÈLE: étudier → Hier j'ai étudié pendant cinq heures.
Hier je n'ai pas étudié.

1. acheter quelque chose (quoi?)
2. visiter un musée (lequel?)
3. écouter du jazz
4. promener votre chien
5. dîner dans un restaurant italien
6. laver votre voiture
7. téléphoner à une amie
8. faire du sport (auquel?)
9. jouer à un jeu (auxquel?)
10. assister à des cours (lesquels?)

Exercice 2

Dites si hier ces personnes ont fait les choses suivantes.

MODÈLE: mon père / gagner le marathon →
Mon père n'a pas gagné le marathon.

1. ma mère et moi / parler de mes cours
2. les étudiants de la classe de français / réviser leurs leçons
3. votre cousine / donner une soirée
4. mes grands-parents / visiter le campus avec moi
5. ma nièce et moi / dessiner ensemble
6. mon père / bavarder avec notre voisin
7. des étudiants / manifester pour une cause politique
8. les élèves / réciter une fable en classe
9. vous / poser une question difficile à un de vos professeurs
10. vous / préparer un bon petit déjeuner pour vos camarades

5.2. Past Experiences: **Passé composé** (Past Tense) with **être**

A. The **passé composé** of many verbs of motion (*to come, to leave,* and so on) is formed with **être** in French.* These verbs are always intransitive verbs; that is, they cannot have a direct or an indirect object.

Quand Robert **est**-il **arrivé**? —Il **est arrivé** hier soir.
"When did Robert arrive?" "He arrived yesterday evening."

Marguerite, est-ce que les enfants **sont** déjà **partis**? —Oui, ils sont partis à huit heures.
"Marguerite, have the kids already left?" "Yes, they left at eight o'clock."

B. When the verb **être** is the auxiliary in the **passé composé,** the participle must agree in number and gender with the subject of the sentence.

Marie Durand **est allée** en Louisiane la semaine dernière.
Marie Durand went to Louisiana last week.

Son frère et sa belle-sœur **sont allés** en France en même temps.
Her brother and sister-in-law went to France at the same time.

Nous, nous **sommes** malheureusement **restés** chez nous.
Unfortunately we stayed home.

C. Here are some very common verbs that form the **passé composé** with **être: aller** (*to go*), **arriver** (*to arrive*), **descendre** (*to go down*), **devenir** (*to become*), **entrer** (*to enter*), **monter** (*to go up to*), **mourir**† (*to die*), **naître**† (*to be born*), **partir** (*to leave, depart*), **passer par** (*to pass through*), **rentrer** (*to go home*), **rester** (*to stay at, in*), **retourner** (*to return to*), **revenir** (*to come back to*), **sortir** (*to leave* [*a place*]), **tomber** (*to fall*), **venir**‡ (*to come*).

Bernard, j'ai entendu sonner. Qui **est arrivé?**
Bernard, I heard the doorbell. Who arrived?

Salut, Mireille. Quand est-ce que tu **es revenue?** —Je **suis arrivée** hier soir.
"Hi, Mireille. When did you get back?" "I arrived yesterday evening."

D. When a verb is used with a reflexive pronoun, its **passé composé** is formed with **être** rather than **avoir.**

---

*This was also true in English many years ago. It can be seen in Biblical forms like *he is risen* and *he is come,* which correspond to French **il s'est levé** and **il est venu.** In contemporary English these forms would be expressed with *have: he has risen, he has come.*

†The present tense forms of **mourir** and **naître** are rarely used. You can find them in Appendix B.

‡See Section 5.6 for another way to express the past using **venir.**

Bernard, tu as l'air fatigué. A quelle heure tu **t'es levé** ce matin?
Bernard, you look tired. What time did you get up this morning?

Pauline, est-ce que tu **t'es lavé* les mains avant de passer à table?**
Pauline, did you wash your hands before coming to the table?

Participles used in past reflexive constructions agree in gender and number with the subject, since their past is formed with **être.**

Marie s'est **levée** à huit heures.
Marie got up at eight o'clock.

Exercice 3

Voici ce que Richard a fait samedi dernier. Et vous, avez-vous fait les mêmes choses? Commencez vos phrases par: **Samedi dernier, je suis** (**je ne suis pas**)... ou **Samedi dernier, j'ai** (**je n'ai pas**)...

MODÈLE: Richard s'est promené en moto. →
Samedi dernier, je me suis (ne me suis pas) promené en moto.†

1. Richard est allé à la plage.
2. Il s'est couché sur sa serviette.
3. Il s'est réveillé une heure après.
4. Il s'est précipité dans l'eau.
5. Il a crié: «Zut! Comme elle est froide!»
6. Il est resté dans l'eau une demi-heure.
7. Il s'est séché au soleil.
8. Il est rentré chez lui.

5.3. *Past Participles*

A. The form of the past participle depends on its conjugation group. Compare the regular endings for the three main groups.

parl**er**	parl**é**
attend**re**	attend**u**
dorm**ir**	dorm**i**

B. Some verbs have irregular past participles. Here are some of the most common, grouped by infinitive ending. Use this as a reference list as you do the activities in this chapter of the text and of the **Cahier.**

---

*When a reflexive verb has a preceding direct object (= reflexive pronoun), as in this example, the past participle does not agree with the subject.

†Remember that females will usually need to add **-e** to the participles that use **être** as the auxiliary.

1. **-ir**(**e**) verbs: Some participles ending in **-u**

boire	**bu**
courir	**couru**
devoir	**dû**
lire	**lu**
obtenir	**obtenu**
pleuvoir	**plu**
pouvoir	**pu**
voir	**vu**
vouloir	**voulu**

Qu'avez-vous **bu** avec le repas chez les Leblanc? —Nous avons **bu** du vin blanc.
"What did you drink with the meal at the Leblanc's?" "We had white wine."

Marion, est-ce que tu as **vu** Pauline? —Non, je ne l'ai pas **vue.***
"Marion, have you seen Pauline?" "No, I haven't seen her."

2. **-ir**(**e**) verbs: Some participles ending in **-t**

écrire	**écrit**
décrire	**décrît**
couvrir	**couvert**
dire	**dit**
faire	**fait**
conduire†	**conduit**
offrir	**offert**
ouvrir	**ouvert**

Qui t'a **écrit** cette lettre? —Maman me l'a **écrite.**
"Who wrote you that letter?" "Mom wrote it to me."

Est-ce que tu as déjà **ouvert** les fenêtres de ta chambre? —Non, je ne les ai pas encore **ouvertes**.
"Have you already opened the windows in your room?" "No, I haven't opened them yet."

3. **-ire** verbs: Some participles ending in **-i**

rire‡	**ri**
sourire‡	**souri**

---

*When a direct object pronoun precedes a form of the **passé composé,** the past participle agrees with the antecedent in gender and number: —**Bernard, tu as vu les filles? —Non, je ne les ai pas vu*es*.**

†Here are the present-tense forms of **conduire: conduis, conduis, conduit, conduisons, conduisez, conduisent.**

‡Here are the present-tense forms of **rire** and **sourire**: (**sou**)**ris,** (**sou**)**ris,** (**sou**)**rit,** (**sou**)**rions,** (**sou**)**riez,** (**sou**)**rient.**

Pourquoi as-tu **ri**? —Moi? Tu te trompes. Je n'ai pas **ri.**
"Why did you laugh?" "Me? You're mistaken. I didn't laugh."

4. **-re** verbs: Some participles ending in **-is**

apprendre	**appris**
comprendre	**compris**
mettre	**mis**
prendre	**pris**

Albert, avez-vous **compris** l'exercice? —Non, je ne l'ai pas **compris!**
"Albert, did you understand the exercise?" "No, I didn't understand it!"

Maman, nous avons **appris** le poème par cœur.
Mom, we learned the poem by heart.

5. The past participle of **être** is **été** and that of **avoir** is **eu**. Both use **avoir** as an auxiliary verb.

J'**ai été** très content de vous revoir.
I was very happy to see you again.

Charlotte, pourquoi es-tu en retard? —Eh bien... j'**ai eu** un petit problème.
"Charlotte, why are you late?" "Well . . . I had a little problem."

Exercice 4

Jour de pluie. Joseph Laplanche nous raconte ce qu'il a fait samedi dernier. Mettez son récit au passé composé.

Samedi dernier...

1. Il pleut beaucoup.
2. Je reste à la maison toute la journée.
3. Je me réveille tôt, mais je fais la grasse matinée.
4. Je reste au lit et je lis un bon roman policier.
5. A midi, je me lève. Je fais vite ma toilette et je m'habille.
6. Je me prépare un gros sandwich au jambon.
7. Ensuite, je m'installe devant la télé pour voir les championnats d'Europe de ski.
8. Vers quatre heures, Paulette, Claire et un ami viennent me voir.
9. Ils m'apportent une bonne tarte aux pommes.
10. Nous buvons du café et nous mangeons la tarte.
11. Comme toujours, nous parlons de nos activités de la semaine.
12. Nous rions aussi beaucoup.
13. En fin de journée, nous décidons d'aller au cinéma.
14. Nous regardons le journal, mais nous mettons trop de temps à choisir le film. Nous décidons plutôt d'aller au restaurant manger une bonne choucroute.

Exercice 5

Un voyage en train. La semaine dernière Adrienne Bolini a pris le TGV pour monter à Paris. Racontez son voyage au passé composé.

La semaine dernière...

1. Adrienne monte à Paris pour travailler.
2. Elle ne prend pas l'avion comme d'habitude; elle veut essayer le TGV.
3. Ses parents la conduisent à la gare.
4. Ils l'accompagnent jusqu'au quai pour voir, eux aussi, le train de près.
5. Quelques minutes avant le départ elle monte dans le train et cherche sa place.
6. Elle pense: «Comme le train est confortable!»
7. A midi, on lui présente un menu. Elle choisit le rôti de bœuf aux haricots verts et elle commande du vin rouge.
8. On la sert comme dans un avion.
9. Elle voit le paysage défiler à toute vitesse.
10. Bientôt le train entre en gare à Lyon. Il s'arrête peu de temps après.
11. Après l'arrêt à Lyon, elle s'endort.
12. Quand elle se réveille, elle aperçoit la banlieue parisienne.
13. Quelques minutes plus tard, elle arrive à la gare de Lyon, à Paris.
14. Elle aime beaucoup son voyage: pas d'attentes inutiles, ni d'embouteillages!

Exercice 6

Racontez ce que Charlotte et Roger ont fait.

MODÈLE: Charlotte: Ce matin je suis allée à l'université. → Charlotte est allée... Ils sont... etc.

A. Je m'appelle Charlotte Mercier. Ce matin je suis allée à l'université avec Roger. Nous nous sommes arrêtés à la cafétéria et nous avons pris un café. Nous sommes arrivés en retard au cours de maths. Après le cours, nous avons retrouvé notre amie Mireille devant l'université. Je l'ai invitée à venir chez moi samedi soir.

Après, Roger et moi, nous nous sommes quittés. Il est monté à la bibliothèque, et moi, je suis allée chez ma cousine. Elle et moi, nous nous sommes promenées en ville et nous avons déjeuné dans un petit restaurant près de la mairie. Nous avons beaucoup parlé et puis elle est rentrée chez elle écrire une dissertation. J'ai bu un café toute seule, j'ai lu le journal et j'ai discuté avec le patron (*owner*).

Puis je suis sortie, j'ai pris le bus et je suis retournée à l'université. Je suis montée au laboratoire de chimie. J'ai bien écouté les explications du professeur. J'ai compris l'expérience et j'ai offert à Denise de l'aider. Après le cours, je suis rentrée chez moi, j'ai jeté mes livres par terre et je me suis couchée sur le canapé pour écouter du Duke Ellington.

B. Je m'appelle Mireille Monet. La semaine dernière, j'ai reçu une lettre de mon amie Josette et j'ai décidé de lui faire une surprise. J'ai fait ma valise, je suis partie sans lui répondre et j'ai pris le train pour Strasbourg.

Quand je suis arrivée à Strasbourg, j'ai pris un taxi pour aller chez elle. Arrivée chez elle, j'ai eu un peu peur. Et si Josette n'était pas là, adieu surprise! Je suis montée au deuxième étage et j'ai sonné. Josette a ouvert la porte et m'a embrassée. Elle m'a montré son appartement et m'a conduite dans ma chambre. Là nous avons défait ma valise ensemble. Puis je me suis changée.

Pendant la semaine Josette m'a présentée à toute sa famille. J'ai appris à les connaître et je me suis tellement amusée! Josette et moi, nous sommes allées au musée; nous avons dansé; nous avons rencontré deux jeunes médecins très beaux, romantiques, intelligents et drôles! Je suis tombée amoureuse. Je n'ai pas voulu repartir mais j'ai dû rentrer car mon travail m'attendait (*was waiting for me*)...

festivals

Jusqu'au 5 juillet
3ème FESTIVAL DE LA BUTTE MONTMARTRE
"Un créateur, un lieu" - Théâtre - Musique - Spectacles
ARÈNES DE MONTMARTRE - 18e - ☎ 42.62.21.21

Jusqu'au 6 juillet
24ème FESTIVAL DU MARAIS
Théâtre - Musique - Opéra - Spectacles pour enfants
QUARTIER DU MARAIS - 4e - ☎ 48.87.74.31

Jusqu'au 10 juillet
10ème FESTIVAL "FOIRE SAINT-GERMAIN"
Expositions - Théâtre - Musique - Antiquaires - Poésie
Animations diverses...
PLACE SAINT-SULPICE - MAIRIE DU VIème - 6e
☎ 43.29.12.78

Jusqu'au 14 juillet
12ème FESTIVAL DE L'ILE-DE-FRANCE (1ère partie)
Concerts-promenades dans les châteaux, parcs et autres monuments historiques de la région parisienne
☎ 47.39.28.26

Du 1er juillet au 31 août
2ème FESTIVAL "MUSIQUE EN L'ILE"
EGLISE SAINT-LOUIS-EN-L'ILE
Rue Saint-Louis-en-l'Ile - 4e - ☎ 45.23.18.25

5.4. *Pronouns and Adverbs with the* **passé composé**

A. Object pronouns (reflexive or nonreflexive, indirect or direct) are always placed before the auxiliary of the **passé composé.**

Dis, Roger, est-ce que tu m'as rendu mon livre de biologie? —Non, je **l'ai laissé** à la maison.
"Say, Roger, did you give me back my biology book?" "No, I left it at home."

As-tu dit la vérité à Charles? —Non, je ne **lui ai** pas encore parlé.
"Have you told Charles the truth?" "No, I haven't talked to him yet."

Chantal, est-ce que tu **t'es** déjà baignée? —Oui, et je **me suis** aussi lavé les cheveux.
"Chantal, did you already take a bath?" "Yes, and I also washed my hair."

When a direct object pronoun precedes the **passé composé,** the participle agrees with the pronoun.

Est-ce que tu sais où est Mireille? —Non, je ne **l'ai** pas **vue** ce matin.
"Do you know where Mireille is?" "No, I haven't seen her this morning."

Où est-ce que tu as trouvé ces jolies fleurs? —Je **les ai achetées** hier dans la rue.
"Where did you find these pretty flowers?" "I bought them yesterday in the street."

B. Many adverbs, among them **déjà** and **encore,** are placed before the past participle.

Irène, que pensez-vous faire l'été prochain? —Bernard et moi, nous n'avons **pas encore** décidé.
"Irène, what are you going to do next summer?" "Bernard and I haven't decided yet."

Est-ce que Gustave est ici? —Non, il est **déjà** parti.
"Is Gustave here?" "No, he's already gone."

Exercice 7

Départ en vacances. Votre père est pressé. Il cherche ses affaires. Aidez-le en répondant à ses questions. Utilisez un pronom (**le, la, l', les**).

MODÈLE: —Où as-tu mis la clé de la voiture? →
—Je l'ai mise sur la table de la cuisine.

1. Où as-tu mis mes chaussettes?
2. A qui as-tu donné mon livre de Marguerite Duras?
3. Où as-tu mis mon slip de bain?

4. Où as-tu rangé la mousse à raser (*shaving cream*)?
5. Où as-tu mis les cartes routières (*maps*)?
6. Où as-tu mis ma crème solaire?
7. Où as-tu caché les passeports?
8. A qui as-tu prêté mes lunettes de soleil?
9. Où as-tu mis la grande valise rouge?
10. Où as-tu rangé mes chemises?

5.5. *Expressing Ago and the Duration of Events:* **il y a, depuis**

A. To express the idea of *time + ago* (for example, *three minutes ago, five months ago, four years ago,* and so on) use **il y a** + *time.*

Quand est-ce que Claire White est arrivée à Paris? —**Il y a cinq mois.** (Elle est arrivée **il y a cinq mois.**)
"When did Claire White arrive in Paris?" "Five months ago." (*She arrived five months ago.*)

Quand est-ce que vous êtes arrivés aux États-Unis? —**Il y a cinq ans.**
"When did you come to the United States?" "Five years ago."

B. The conjunction **depuis** (*since*) is used in French to indicate the duration of an event or a circumstance, that is, to tell how long something has been happening up until now.

Depuis quand êtes-vous à Marseille? —**Depuis le premier juin.**
"How long have you been in Marseilles?" "Since the first of June."

J'étudie le français **depuis six mois.**
I have been studying French for six months.

Note in particular that in French the present tense is used with the conjunction **depuis,** while in English the present perfect (*have* + past participle) is used.

C. In addition to **depuis** + *time,* there are three other ways to express the idea of duration.

il y a quatre mois **que**
voilà cinq ans **que** + *present tense*
ça fait deux jours **que**

Il y a deux mois **que je joue** au tennis.
I've been playing tennis for two months.

Voilà dix ans **que j'habite** Toulouse.
I've been living in Toulouse for ten years.

Ça fait quinze minutes **que je** t'**attends!**
I've been waiting for you for fifteen minutes!

Exercice 8

Votre camarade de chambre rentre du travail de très mauvaise humeur. Il/Elle vous accuse sans raison; vous vous défendez.

MODÈLE: —Tu ne fais jamais la vaisselle dans cette maison!
—Mais si, je l'ai faite il y a une demi-heure.

1. Tu ne promènes jamais le chien!
2. Tu ne ranges jamais ta chambre!
3. Tu ne fais jamais les courses!
4. Tu ne nettoies jamais la salle de bains!
5. Tu ne m'aides jamais à préparer le déjeuner!

Exercice 9

Répondez aux questions avec **depuis.**

MODÈLE: —Depuis quand habitez-vous à San Diego?→
—Depuis septembre 1986.

1. Depuis quand êtes-vous à l'université?
2. Depuis quand étudiez-vous le français?
3. Depuis quand faites-vous du sport (de la musique)?
4. Depuis quand jouez-vous d'un instrument de musique?
5. Depuis quand habitez-vous dans cet état?
6. Depuis quand buvez-vous du café (des boissons alcooliques)?

5.6. *Expressing Events in the Recent Past:* **venir de** + Infinitive

To express *to have just* (done something), use the present tense of the verb **venir** (*to come*) + **de** + an infinitive.

Je **viens de finir** mes devoirs.
I have just finished my homework.

Allô? Chantal? —Non, elle n'est pas ici. Elle **vient de sortir.**
"Hi, Chantal?" "No, she's not here. She just left (has just gone out)."

Exercice 10

Les exploits de Raoul. Remplacez les tirets par la forme correcte du verbe **venir** (**viens, vient, venons, venez, viennent**).

1. Je _____ de finir le marathon. Je vais dormir pendant deux jours!
2. Et toi, tu _____ de réussir à ton examen? Moi aussi je _____ de recevoir ma note: vingt sur vingt.

3. Oh! Louis _____ de tomber par terre. Il va perdre la course (*race*).
4. Albert et moi, nous _____ de terminer l'expérience (*experiment*) de physique.
5. Vous _____ de ranger votre brouillon (*draft*)?
6. Louis et Hélène _____ de partir.

In **Chapitre six** you will learn to use a past tense to talk about different kinds of memories: your habitual activities and those of others, and the way you felt at a given point in the past.

Le matin de Noël toute la famille ouvre les cadeaux.

CHAPITRE SIX

L'enfance et la jeunesse

THÈMES

- Talking About Your Childhood
- The Teen Years
- Experiences and Memories
- The Weather, Climate, and Seasons

LECTURES

- Note culturelle: L'enseignement du français en Louisiane
- Les amis francophones: Le premier jour de classe

LECTURES SUPPLÉMENTAIRES

- Les amis francophones: Une partie de pétanque
- Les amis francophones: Une légende bretonne
- Note culturelle: Les enfants français

GRAMMAIRE

6.1. Past Habitual Actions: The Imperfect
6.2. The Imperfect of "State" Verbs
6.3. Relative Pronouns: **qui** and **que**
6.4. Emphatic Pronouns: An Overview
6.5. Questions with Prepositions

ACTIVITÉS ORALES

L'ENFANCE

ATTENTION! Voir Grammaire 6.1.

IMPARFAIT

je **jouais**
tu **jouais**
il/elle/on **jouait**
nous **jouions**
vous **jouiez**
ils/elles **jouaient**

Adrienne: Quand j'étais petite...

En hiver, je faisais du ski avec mes amies.

Je montais à cheval.

Le dimanche je lisais les bandes dessinées.

Je regardais la télé.

Je courais avec mon chien.

Je sautais à la corde.

Activité 1. L'enfance de quelques personnes célèbres

Que faisaient ces personnes célèbres quand elles étaient petites?

- Elizabeth Taylor, actrice
- Michel Platini, joueur de football français
- Marie Curie, physicienne française
- Léopold Senghor, homme d'État et poète sénégalais
- Jacques Cartier, découvreur du Canada

Qui...

1. cassait les fenêtres de ses voisins avec un ballon?
2. s'intéressait beaucoup à la science?
3. jouait à la poupée?
4. lisait beaucoup?
5. naviguait dans un petit lac près de chez lui?
6. parlait anglais?
7. rêvait de voyager?
8. aimait beaucoup la poésie?
9. jouait au football?
10. adorait les sciences naturelles?
11. faisait du cinéma?
12. voulait découvrir de «nouveaux mondes»?
13. vivait en Afrique?
14. était très sportif (-ive)?
15. jouait avec des formules chimiques?
16. se regardait souvent dans la glace?
17. suivait la politique de très près?
18. rêvait de devenir professionnel?
19. voulait découvrir quelque chose d'important pour l'humanité?
20. dessinait des bateaux et des cartes?

Parmi ces activités, lesquelles faisiez-vous quand vous étiez petit(e)?

Activité 2. Souvenirs d'enfance

En classe, qui faisait ces activités quand il/elle était petit(e)?

MODÈLE: jouait aux cartes →
Alain et Yves jouaient aux cartes quand ils étaient petits.

1. montait à cheval; où; avec qui?
2. se disputait avec un frère ou une sœur; quel frère/quelle sœur, pourquoi?
3. travaillait beaucoup en classe
4. avait un animal à la maison; quelle sorte d'animal; comment s'appelait-il?
5. faisait partie d'une équipe; quel sport pratiquait-il/elle?
6. nageait beaucoup; où?
7. sautait à la corde; jusqu'à quel âge?
8. lisait des bandes dessinées; quelles bandes?
9. grimpait aux arbres; où?
10. jouait à la poupée (aux soldats); avec qui?

Activité 3. Entrevues

SOUVENIRS D'ENFANCE

Quand tu avais huit ans...

1. Dans quelle ville habitais-tu?
2. Vivais-tu dans une maison ou dans un appartement? Décris-la/le.
3. Quels jeux préférais-tu? Avec qui jouais-tu?
4. Faisais-tu du sport? Lesquels?
5. Dessinais-tu souvent? Qu'est-ce que tu dessinais?
6. Que voulais-tu devenir? Pourquoi?
7. Où allais-tu pendant les vacances? Avec qui? Qu'est-ce que tu y faisais?
8. Lisais-tu des bandes dessinées? Comment s'appelait ton héros favori?
9. Mangeais-tu beaucoup de chocolat ou de bonbons?
10. Qui était ton meilleur ami (ta meilleure amie)? Décris-le/la.

L'ÉCOLE PRIMAIRE

Quand tu avais huit ans...

1. A quelle école allais-tu? Décris-la.
2. Aimais-tu aller à l'école? Pourquoi?
3. Est-ce que tu te souviens du nom de ton instituteur préféré (institutrice préférée)? Comment était-il/elle?
4. Qu'aimais-tu faire à l'école? Que détestais-tu?
5. Est-ce que tu devais beaucoup étudier? Quand étudiais-tu? Où?
6. Étais-tu fort(e) en calcul? en géographie? en mathématiques?
7. A quoi jouais-tu pendant la récréation? Avec qui?
8. A quelle heure est-ce que les classes commençaient? A quelle heure finissaient-elles?
9. Que faisais-tu l'après-midi après l'école?
10. Est-ce que tu gardes de bons souvenirs de l'école primaire?

Activité 4. Que faisions-nous?

Pensez à ce que vous faisiez avec d'autres personnes quand vous étiez petit(e).

MODÈLE: Que faisiez-vous avec votre mère? →
Ma mère et moi nous jouions dans le parc.

1. votre père
2. votre mère
3. votre grand-père/grand-mère
4. vos ami(e)s
5. votre oncle/tante
6. vos frères/sœurs
7. votre chien/chat

*NOTE CULTURELLE: L'enseignement du français en Louisiane**

©PHILIP GOULD

L'île d'Avery, Louisiane. Une classe de français. L'enseignement de la langue française est de plus en plus courant dans les écoles louisianaises. Ce programme est très populaire, surtout parmi les familles cajuns et francophones, et ses résultats sont excellents.

Depuis la fondation de CODOFIL (*Conseil pour le Développement du Français en Louisiane*) en 1969, le français est enseigné comme deuxième langue dans une grande partie des écoles élémentaires de Louisiane. Cet enseignement est une réussite:° les résultats des élèves bilingues, dans tous les domaines académiques, sont excellents. Les parents cajuns et francophones sont des partisans enthousiastes et les parents anglophones ont donné leur approbation au programme à 97 pour cent.

Pour préserver son patrimoine° français, l'État de la Louisiane donne un budget annuel de 20 millions de dollars à l'enseignement du français et à d'autres programmes culturels. L'association CODOFIL utilise les services de 175 professeurs de français de France, du Québec, de Suisse, de Belgique et parfois de pays tels que° le Bénin ou l'Île Maurice. Ces professeurs enseignent le français quotidiennement à 45 000 jeunes Louisianais. Des échanges d'étudiants et de professeurs, des bourses° d'études, des festivals, des journaux et des programmes radiophoniques ou télévisés bilingues complètent cette grande entreprise culturelle. Sa devise:° «Soyez fiers de parler français!»

réussite: *success*
patrimoine: *heritage*
tels... *such as*
bourses: *scholarships*
devise: *motto*

Questions

1. Que veut dire CODOFIL?
2. Quelle est la devise de l'association?
3. Qui travaille pour l'association?
4. Que font-ils?
5. Quels programmes complètent le programme d'enseignement bilingue?

---

*En Louisiane, les Cajuns ont conservé leur langue et leurs habitudes. C'est pour cela que dans certaines régions on parle encore français.

LA JEUNESSE

ATTENTION! Voir Grammaire 6.2.

Florence était très belle
quand elle était jeune.
Elle riait beaucoup
tout le temps.

Elle adorait danser
avec son ami quand
ils allaient à des soirées.

Comme elle était très
intelligente, elle apprenait
très vite. A l'école elle
savait toujours sa leçon.

Elle n'aimait pas étudier
tous les soirs,
mais elle le faisait
quand même!

En été quand il faisait beau,
elle allait pique-niquer
en famille à la campagne.

Elle avait beaucoup d'amis,
et elle allait souvent au
cinéma avec eux.

Activité 5. Quand j'avais quinze ans...

Avec quelle fréquence faisiez-vous les activités suivantes quand vous aviez entre quinze ans et dix-sept ans?

- fréquemment
- parfois
- presque jamais
- jamais

1. J'allais à la plage (à la piscine, au lac).
2. Je savais par cœur mes chansons favorites.
3. Je lisais des romans policiers (d'amour, de science-fiction).
4. J'allais au cinéma le vendredi (samedi) soir.
5. Je téléphonais à mes ami(e)s.
6. Je parlais longuement au téléphone avec mes ami(e)s.
7. Je jouais au basket-ball (tennis, football, volley-ball).
8. Je regardais la télé.
9. Je faisais du ski alpin (nautique).
10. J'étais amoureux (-euse).

Activité 6. L'école secondaire

Dites ce que vous faisiez dans les circonstances suivantes quand vous étiez au lycée.

1. Quand je ne voulais pas aller en classe...
   a. je disais: «Oh, je suis malade!»
   b. j'allais au cinéma.
   c. je me promenais en ville.
   d. _____
2. Quand ma mère (mon père) ne me laissait pas regarder la télévision avant de finir mes devoirs...
   a. je me mettais en colère.
   b. je faisais vite mes devoirs.
   c. je disais: «Mais aujourd'hui je n'ai pas de devoirs».
   d. _____
3. Quand je voulais m'acheter de nouveaux vêtements et que je n'avais pas d'argent...
   a. je demandais de l'argent à ma mère (mon père, mon grand-père, ...).
   b. je faisais des économies.
   c. je travaillais.
   d. _____

4. Quand je voulais sortir avec des amis et que mon père (ma mère) me le défendait...
   a. je sortais sans rien leur dire.
   b. je discutais avec mes parents.
   c. je pleurais.
   d. _____
5. Quand j'avais faim à minuit...
   a. j'allais à la cuisine et je grignotais quelque chose.
   b. j'essayais de penser à autre chose.
   c. je mangeais des bonbons.
   d. _____

Activité 7. Entrevues

LE LYCÉE

1. Comment s'appelait ton lycée? Est-ce qu'il était grand? vieux?
2. Est-ce que tu vivais loin du lycée? Comment y allais-tu?
3. Arrivais-tu au lycée à l'heure ou en retard? Pourquoi?
4. Parlais-tu beaucoup ou peu en classe? Pourquoi?
5. Te plaignais-tu des devoirs que tu avais à faire?
6. Quel cours préférais-tu? Pourquoi?
7. Faisais-tu du sport? Lequel? Où?
8. Que faisais-tu l'après-midi après tes cours? Avec qui?
9. Sortais-tu souvent le soir? Où allais-tu? Avec qui?
10. Qu'est-ce que tu aimais faire en été? en hiver? Y avait-il des choses que tu devais faire? Pourquoi?

L'ÉTÉ

1. Où passais-tu tes vacances?
2. Est-ce que tu partais en vacances avec tes parents? Si non, avec qui?
3. Allais-tu toujours au même endroit?
4. Voulais-tu aller à la campagne, à la mer ou rester à la maison?
5. Est-ce que tu travaillais? Que faisais-tu pour gagner de l'argent?
6. Quels sports pratiquais-tu? Avec qui?
7. Voyais-tu souvent tes amis? Où alliez-vous?
8. Que faisais-tu l'après-midi? le soir?
9. Quelles étaient tes activités favorites? Avec qui faisais-tu ces activités?
10. T'ennuyais-tu parfois pendant les vacances? Quand?

Activité 8. Dialogues: Discussions en famille

1. Antoinette Michaud veut aller faire du camping avec un groupe d'amis. Ses parents ne s'y opposent pas, mais ils sont un peu inquiets. Jouez les rôles de M. Michaud et d'Antoinette.

M. MICHAUD: D'accord, tu peux y aller, mais fais très attention. Ça me fait quand même un peu peur.

ANTOINETTE: Mais papa, je ne vois pas pourquoi tu te fais du mauvais sang. Quand tu avais mon âge, toi aussi tu partais camper.

M. MICHAUD: Oui, mais quand j'étais jeune...

2. Gustave Valette est allé au cinéma dans l'après-midi avec quelques amis. Il est déjà dix heures du soir et il n'est toujours pas rentré chez lui. Son père commence à s'inquiéter sérieusement. Gustave arrive enfin chez lui... à minuit! Jouez les rôles de Gustave et de M. Valette.

M. VALETTE: Eh bien, jeune homme, est-ce que je peux savoir où tu étais? Tu ne sais plus te servir d'un téléphone?

GUSTAVE: Heu... , eh bien papa, c'est que...

LES AMIS FRANCOPHONES: Le premier jour de classe

Quand on ne connaît pas les démarches° à suivre pour s'inscrire dans une université, on a parfois de mauvaises surprises. Je ne vais jamais oublier ma première année à l'université de Tulane. Quand j'y pense, j'en ai encore le fou rire°!

Oh, excusez-moi! Je ne me suis pas encore présenté. Je m'appelle Raoul Durand et je suis de Montréal. Je suis déjà en quatrième année, mais je n'oublierai jamais mon premier semestre à l'université. Le premier jour, je me suis levé de bonne heure et je suis allé m'inscrire plein d'enthousiasme. Mais très vite j'ai découvert que je devais remplir un tas de fiches.° Je crois que j'ai écrit mon nom au moins une centaine de fois. Je me rendais de bureau en bureau sans trop savoir où j'allais. Quelquefois je me contentais de suivre les autres étudiants.

steps

fou... *uncontrollable laughter*

tas... *pile of forms*

Saumur, France. Une famille au bord de leur piscine. Les Français aiment beaucoup le soleil et l'eau. Ils passent souvent leurs vacances sur la côte méditerranéenne ou atlantique. Les parents en profitent pour apprendre à nager à leurs enfants.

Malheureusement deux des cours où je voulais m'inscrire étaient complets. Comme je ne savais plus quoi faire, j'ai fini par m'inscrire à un cours avancé de natation et à un cours d'art. Le cours d'art était super, mais l'autre... je ne savais pas nager!

Je ne me souviens plus très bien comment j'ai fait pour trouver la piscine le premier jour de classe. Le vrai problème a été l'épreuve° de natation. J'ai dû d'abord rentrer dans une eau qui était glacée, puis le professeur m'a dit que je devais flotter pendant dix minutes. Ce qui n'était pas du tout évident: comme je ne savais pas nager j'ai eu du mal° à rester à la surface. J'ai paniqué et j'ai vraiment cru que j'allais me noyer.° Tout mon corps semblait peser une tonne. J'ai essayé de bouger mes bras et mes jambes mais en l'espace de quelques secondes j'ai coulé.° Je suppose qu'on a plongé immédiatement pour me tirer de l'eau mais j'ai eu l'impression que ça durait une éternité. Quand je suis sorti de l'eau, à moitié mort, j'ai entendu le professeur plutôt blême me demander: «Que faites-vous dans ma classe?» J'ai eu juste assez d'énergie pour lui répondre: «Eh bien... je me noie!»

Le deuxième semestre je me suis inscrit à un cours de natation pour débutants. Maintenant je nage assez bien, mais je garde toujours une certaine appréhension pour les piscines profondes et... les épreuves de natation.

test

j'ai... *I had a hard time*

me... *to drown*

sank

Compréhension

1. D'après vous, qui a dit les phrases suivantes, le professeur de natation ou Raoul?
   a. J'ai eu beaucoup de problèmes quand je me suis inscrit à l'université.
   b. Essayez de flotter!
   c. Mais je ne sais pas nager!
   d. Nagez plus vite!
   e. Sortez de l'eau!
   f. Que faites-vous dans une classe aussi avancée?
   g. Je me noie!
   h. Vous devez suivre un cours pour débutants.
   i. Quand je me rappelle cette aventure j'éclate de rire.
2. Racontez les aventures de Raoul Durand en vos propres mots. Pour vous aider, suivez le plan ci-dessous:
   a. l'inscription
   b. le problème des cours
   c. l'épreuve de natation

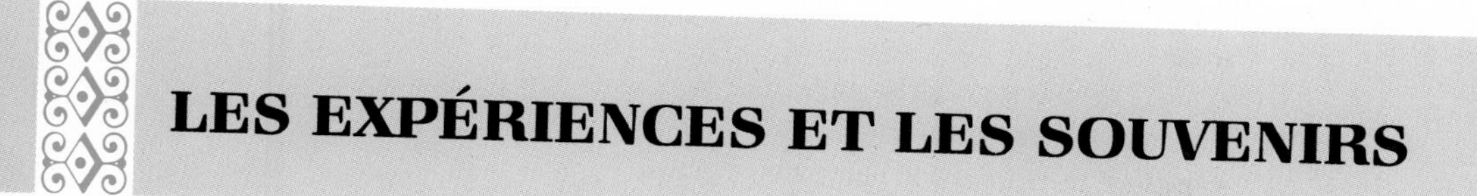

LES EXPÉRIENCES ET LES SOUVENIRS

ATTENTION! Voir Grammaire 6.3–6.4.

Ils sont distraits... !

C'est Chantal qui a perdu son livre de chimie.

Et Étienne, lui, il a oublié sa dissertation.

Ils n'ont pas de chance... !

—C'est Jeannot qui a fait tomber sa montre?
—Oui! C'est lui!

Voilà Hélène. C'est elle qui s'est cassé le bras.

Activité 9. Un sondage

A quel âge vos camarades de classe faisaient-ils les activités suivantes? Interviewez quatre camarades de classe et notez leurs réponses.

MODÈLE: regarder des dessins animés →
—A quel âge regardais-tu des dessins animés à la télé?
—Quand j'avais huit ans.

1. aller danser
2. nager
3. rester chez ses grands-parents
4. lire des bandes dessinées
5. travailler pendant les vacances

Maintenant, à l'aide du tableau, classez les résultats de votre sondage.

NOMS	ACTIVITÉS	ÂGE
______	______	______
______	______	______
______	______	______
______	______	______

Comparez vos résultats avec ceux de vos camarades. Quelle conclusion pouvez-vous en tirer? Et vous, faisiez-vous les mêmes choses à cet âge-là?

Activité 10. Qui a fait quoi?

D'abord identifiez les personnes suivantes. Puis, dites ce qui leur est arrivé.

Daniel	M. Michaud	Antoinette
Gustave	Adrienne	Jeannot
	Isabelle	

MODÈLE:

C'est Antoinette qui a oublié son livre.

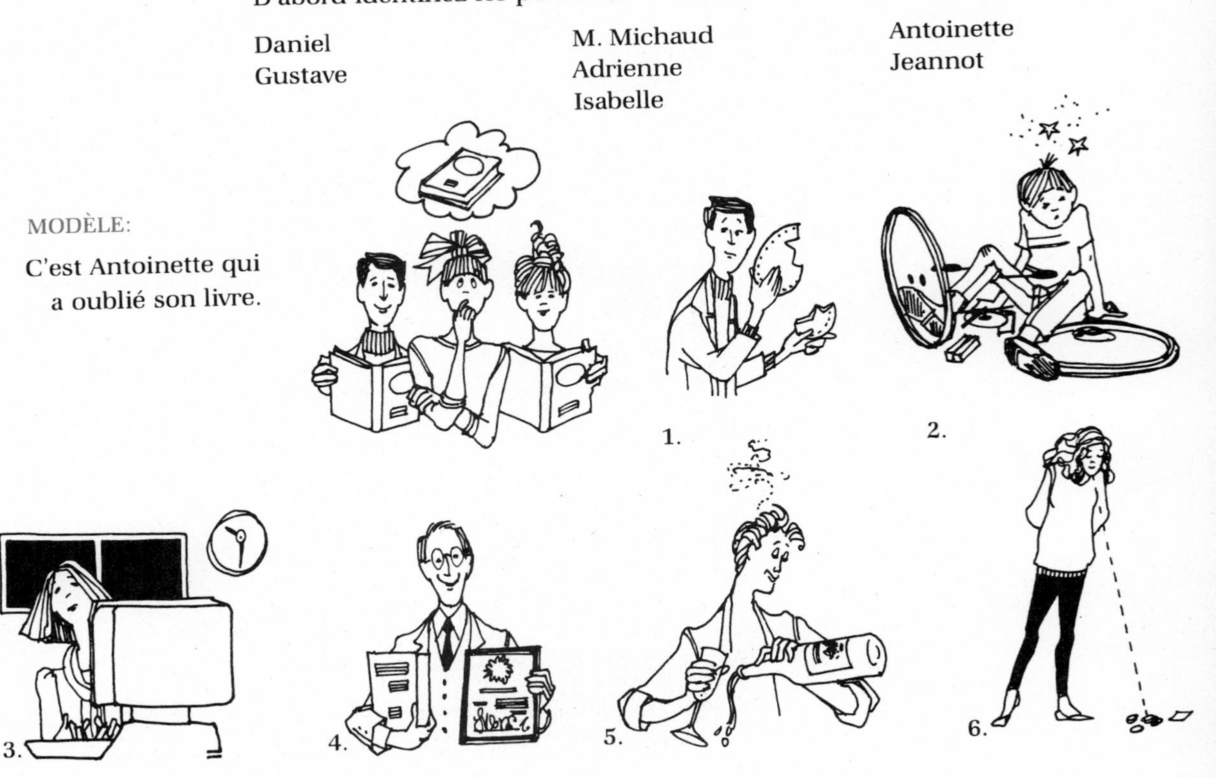

Activité 11. Entrevue: Une question de goût

Vous êtes curieux (-ieuse) et vous voulez savoir ce que votre camarade préférait faire quand il/elle était petit(e).

MODÈLE: une bande dessinée / lire →
—Quelle est la bande dessinée que tu lisais quand tu étais petit(e)?
—«Superman» est la bande dessinée que je lisais.

1. un sport / pratiquer
2. un programme de télé / regarder
3. une célébrité / admirer
4. un cours / préférer
5. un livre / lire

Activité 12. Dialogues: Le temps des souvenirs

1. Antoinette et M. Vincent parlent de la musique d'aujourd'hui. M. Vincent a quatre-vingts ans et, bien sûr, il préfère la musique de sa génération. Antoinette, qui a seize ans, préfère la musique moderne. Imaginez leur dialogue.

   M. VINCENT: La musique d'autrefois était plus romantique. Mais la musique que vous écoutez maintenant est seulement un mélange de bruits bizarres.
   ANTOINETTE: Mais non! Voyez-vous, ...

2. Pierre Michaud a invité à dîner chez lui un vieil ami du lycée. Après le repas, ils revivent avec nostalgie leurs années de lycéens... Imaginez leur dialogue.

   PIERRE: J'aimais tellement jouer au football le samedi après-midi!
   SON AMI: Moi aussi. Tu te souviens de l'équipe qui nous a battus en demi-finale... ?

Activité 13. Drame: Un mari jaloux

Cette année il y a une grande fête organisée par les anciens étudiants du lycée où Martine Leblanc a fait ses études. Depuis qu'elle a passé son Bac il y a vingt ans, elle n'a jamais revu ses anciens camarades de classe. Martine va à la soirée en compagnie de son mari Jean-Luc. En arrivant, elle rencontre son premier fiancé. Lui, il la reconnaît immédiatement, s'approche d'elle et lui dit: «Tu as toujours été la plus belle du lycée... ». Jean-Luc, qui n'a jamais entendu parler de «ce fiancé», est tout à coup très jaloux.

Imaginez le dénouement de la soirée. Jouez les rôles de Jean-Luc, de Martine et de son ancien fiancé devant le reste de la classe.

LE TEMPS, LE CLIMAT ET LES SAISONS

ATTENTION! Voir Grammaire 6.5.

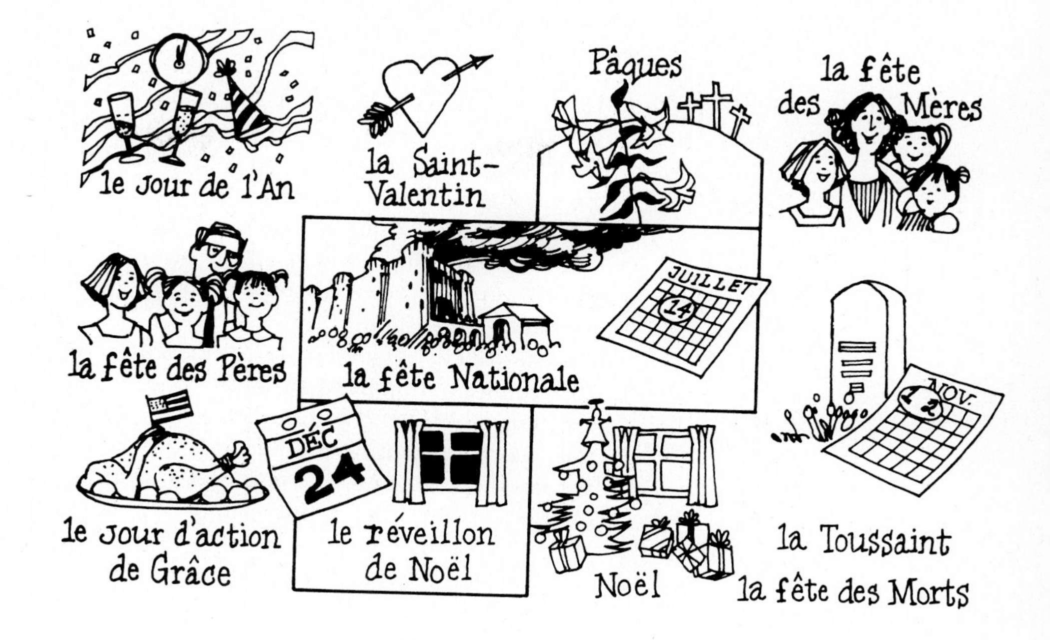

Activité 14. Quel temps fait-il aujourd'hui à... ?

MODÈLE: Strasbourg →
Aujourd'hui, il neige à Strasbourg.

Paris	Clermont-Ferrand	Brest	Lyon
Marseille	Bordeaux	Toulouse	Nice
Le Havre	Strasbourg		

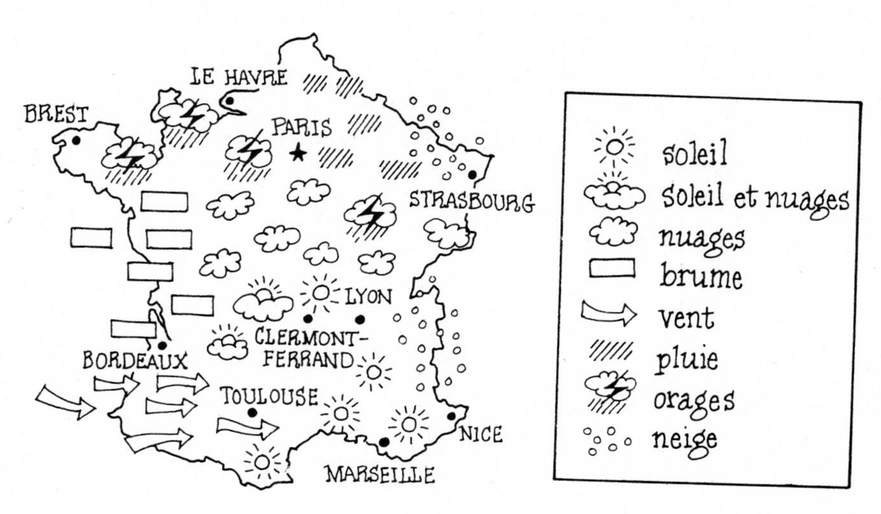

Activité 15. Entrevue: Le temps, les saisons et les jours fériés

1. Qu'est-ce que tu aimes faire quand il fait beau? quand il fait mauvais?
2. Est-ce que tu avais peur des orages quand tu étais petit(e)? Que faisais-tu quand tu voyais des éclairs et que tu entendais le tonnerre?
3. Est-ce que tu aimes marcher sous la pluie? dans la neige? Pourquoi?
4. Quelle saison préférais-tu à quinze ans? Quelle saison préfères-tu maintenant? Est-ce que tes goûts ont beaucoup changé? Pourquoi (pas)?
5. Où as-tu passé les vacances d'hiver quand tu avais douze ans? et les vacances d'été?
6. Sais-tu quel est le jour de la fête nationale en France? Sais-tu pourquoi c'est la fête nationale? Explique.
7. Que fais-tu le jour d'action de Grâce? Quel temps fait-il généralement dans ta région pour cette fête?
8. Est-ce que Noël était une fête importante chez toi quand tu étais petit(e)? Si oui, comment la célébrais-tu?
9. En général, que fais-tu pour le jour de l'An?
10. Quelle est la fête la plus importante pour toi? la moins importante? Quelle était la fête la plus importante pour toi quand tu étais petit(e)? la moins importante? Est-ce que tes goûts ont changé? Pourquoi (pas)?

Activité 16. La météo

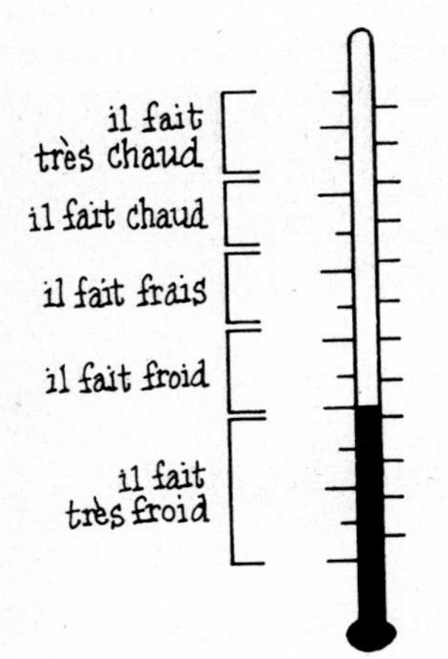

Voici les prévisions de la météo pour les jours à venir d'après le journal *Le Figaro*. Lisez-les et répondez aux questions suivantes.

Pour Paris:
Aujourd'hui: Temps très gris avec possibles chutes de neige. Toujours beaucoup de vent avec des températures entre −2 et −6 (degrés centigrades).

Demain: On prévoit une journée très froide avec une température minimale de −8 et une maximale de −5. Beaucoup de brouillard, surtout le matin. Moins de vent qu'hier, mais il va neiger en fin d'après-midi.

Mercredi: Il va faire moins froid, avec un ciel clair et du soleil. Les températures prévues sont entre −2 et +4. Quelques brumes matinales mais qui ne vont pas durer. Il va y avoir très peu de vent, et peut-être quelques nuages en fin de journée.

1. Quand est-ce qu'il va y avoir beaucoup de vent?
2. Quelle va être la journée la plus froide?
3. Quand va-t-il neiger?
4. Quand va-t-il y avoir du brouillard?
5. Quand va-t-il faire soleil?

Activité 17. Définitions: C'est quel jour?

1. On organise toujours une grande soirée pour fêter son arrivée, et on attend minuit avec impatience. C'est ____.
2. Aux États-Unis on la fête le 4 juillet. En France, c'est le 14 juillet. C'est ____.
3. C'est un jour très populaire parmi les jeunes aux États-Unis. On offre des fleurs, des chocolats et on voit des cœurs rouges partout. C'est ____.
4. Le ____ est une fête très importante aux États-Unis. Les familles se réunissent et préparent un dîner très copieux.
5. C'est une fête religieuse. En France comme aux États-Unis les enfants reçoivent des œufs et aussi des cloches en chocolat.
6. Beaucoup de Français préparent un grand dîner la veille de Noël. C'est ____.
7. La ____ est un jour spécial pour offrir un joli cadeau à son père.

Activité 18. Dialogue original: «Qu'est-ce qui s'est passé hier soir?»

Vous bavardez avec votre petit frère (petite sœur). Il/Elle sait que vous êtes rentré(e) tard hier soir et il/elle veut savoir ce que vous avez fait.

VOTRE FRÈRE/SŒUR: Je t'ai entendu rentrer à trois heures du matin.
VOUS: Oui, c'est qu'hier soir je suis allé(e) ____.
VOTRE FRÈRE/SŒUR: Mais pourquoi es-tu rentré(e) si tard?
VOUS: Eh bien... parce que ____.
VOTRE FRÈRE/SŒUR: Maman m'a dit qu'elle voulait te parler. Que vas-tu lui dire?
VOUS: ____.

Vocabulaire

VERBES Verbs

s'approcher de to approach
battre to beat (win)
se casser (le bras) to break (one's arm)
classer to classify, categorize
défendre to forbid
se disputer to fight, argue
s'ennuyer to be bored
entendre (parler de) to hear (of, about)
être amoureux (-euse) de to be in love with
faire des économies to save, economize
faire du cinéma to make movies
faire partie de to be (a) part of
faire peur à quelqu'un to make someone afraid
faire (très) attention to be (very) careful
se faire du mauvais sang to worry

garder	to keep; to have
grignoter	to nibble (at)
grimper (aux arbres)	to climb (trees)
s'inquiéter	to get upset, worried
laisser	to allow
se mettre en colère	to become angry
noter	to write down, make a note of
s'opposer à	to be opposed to
partir camper	to go camping
passer son bac	to receive/get one's high school degree
se passer	to happen
se plaindre de	to complain about
pleurer	to cry
pratiquer	to play (*a sport*)
reconnaître	to recognize
se regarder	to look at each other
se réunir	to meet (up with), get together
rêver	to dream
revivre	to relive
sauter à la corde	to skip, jump rope
savoir par cœur	to know by heart, have memorized
se servir de	to use
se souvenir de	to remember
tirer	to pull, draw from

Mots similaires: **admirer, s'intéresser, naviguer, offrir, organiser**

Révision: **aimer, courir, dessiner, détester, étudier, faire du camping/du ski/du sport, habiter, jouer au basket-ball/tennis/volley-ball, monter à cheval, pique-niquer, regarder la télé, sortir, vivre**

LE CLIMAT Climate

le brouillard	fog
la brume	mist
la chute de neige	snowfall
le ciel	sky
le ciel clair	clear sky
l'éclair (*m.*)	lightning
il fait nuageux	it's cloudy
la météo	weather forecast
la neige	snow
neiger	to snow
les nuages (*m.*)	clouds
l'orage (*m.*)	thunderstorm
l'ouragan (*m.*)	hurricane
la pluie	rain
la prévision	prediction, forecast
prévoir	to foresee; to forecast
prévu(e)	foreseen; forecast
le temps est clair	the weather is clear
le temps gris	gray weather
le tonnerre	thunder

Mots similaires: **centigrade, le cyclone, le degré, l'humidité** (*f.*), **la température minimale/maximale**

Révision: **il fait beau/mauvais/soleil, le vent**

LES FÊTES ET LES CÉLÉBRATIONS Holidays and celebrations

la fête des Mères/des Pères	Mother's / Father's Day
la fête nationale	Independence Day
le jour d'action de Grâce	Thanksgiving Day
le jour de l'An	New Year's Day
les jours fériés	public holidays
Noël (*m.*)	Christmas
Pâques (*m.*)	Easter
le réveillon (du jour de l'An)	New Year's Eve
le réveillon de Noël	Christmas Eve
la Saint-Valentin	Saint Valentine's Day
la Toussaint (la fête des Morts)	All Saints' Day

SUBSTANTIFS Nouns

l'amoureux (-euse)	person in love
le ballon	ball
les bandes dessinées (*f.*)	comic strips
le bonbon	(piece of) candy
le bruit	noise
le cadeau	gift
le calcul	arithmetic
la chanson	song
la cloche	bell (*e.g., church*)
le cœur	heart
le découvreur	discoverer
la demi-finale	semifinal
le dénouement	denouement; conclusion

le dessin (animé)	cartoon (animated)
la dissertation	essay
l'école primaire/secondaire (*f.*)	elementary / high school
l'enfance (*f.*)	childhood
l'équipe (*f.*)	team
la fin	end
la formule chimique	chemical formula
la glace	mirror
l'homme d'État (*m.*)	statesman
la jeunesse	youth
le/la lycéen(ne)	high school student
le mélange	mixture
l'œuf (*m.*)	egg
le/la physicien(ne)	physicist
la poésie	poetry
la récréation	recess
le roman policier/d'amour/de science-fiction	detective/romantic/science fiction novel
le soldat	soldier
le sondage	survey
le souvenir	memory
la veille	the night before

Mots similaires: **l'actrice** (*f.*), **l'animal** (*m.*), **la célébrité, la circonstance, la conclusion, la discussion, le drame, l'expérience** (*f.*), **la fréquence, la génération, le héros, l'humanité** (*f.*), **l'impatience** (*f.*), **la maman, la nostalgie, le papa, le poète** (**la poétesse**), **le résultat, le rôle**

Révision: **l'âge** (*m.*), **la campagne, le chat, le chien, le cinéma, les devoirs** (*m.*), **le frère, la grand-mère, le grand-père, l'instituteur** (**-trice**), **le jeu, la leçon, le lycée, le/la meilleur(e) ami(e), la mère, l'oncle, le parc, le père, la région, la sœur, la soirée, le sport, la tante, les vacances** (*f.*)

LA DESCRIPTION Description

ancien(ne)	former
célèbre	famous
copieux (-ieuse)	hearty, generous
distrait(e)	distracted
fort(e)	strong
inquiet (inquiète)	worried, anxious
jaloux (-ouse)	jealous
matinal(e)	morning
sportif (-ive)	sports-minded; athletic

Mots similaires: **populaire, professionnel(le), religieux (-ieuse), romantique, spécial**

Révision: **jeune, petit(e)**

LES ADVERBES Adverbs

autrefois	formerly, in the past
de très près	very closely
longuement	for a long time
partout	everywhere
tellement	such (a), so
tout à coup	all of a sudden
tout le temps	all the time

Mots similaires: **immédiatement, sérieusement**

Révision: **à l'heure, en retard, fréquemment, jamais, parfois**

MOTS ET EXPRESSIONS UTILES Useful words and expressions

à l'aide de	with the help of
en arrivant	upon arriving
en compagnie de	accompanied by
heu...	uh, um (*vocalized pause*)
parmi	among
quand même	even so
que	when (*used to avoid repetition of* ***quand***)

LES AMIS FRANCOPHONES: Une partie de pétanque

Les membres de la famille Bolini se réunissent tous les dimanches. Et chaque dimanche, ils font quelque chose ensemble. Ils se promènent, ils célèbrent un anniversaire ou une fête, ils font un pique-nique ou du pédalo ou ils vont au cinéma, selon le temps. Dimanche dernier, ils ont joué à la pétanque. On dit que ce jeu a été inventé par les soldats romains qui occupaient la France il y a très longtemps. C'est un jeu que l'on peut jouer presque partout: il faut seulement un petit bout° de terrain plat° et des boules. Ce qui est agréable, c'est que toute la famille peut y participer.

piece / flat

Pour commencer, les Bolini ont fait des équipes de trois personnes où ils ont mélangé les enfants et les adultes, les débutants et les experts. Puis ils ont tiré au sort° pour savoir qui allait commencer. La première équipe était celle de l'oncle Fernand et de Michelle:

ont... *drew straws*

©IPA / THE IMAGE WORKS

Une partie de pétanque. La pétanque est un jeu très populaire dans le Midi de la France. Les personnes âgées se réunissent sur une place ou dans un parc et passent leur après-midi à jouer et à bavarder. Après la partie, elles vont généralement au café pour boire quelque chose.

Michelle s'est placée dans le cercle dessiné par terre, puis elle a jeté le cochonnet, une petite boule de bois° de la taille° d'une balle de ping-pong. Ensuite, Fernand est venu dans le cercle et il a lancé une de ses deux boules: ce sont des boules d'acier° assez lourdes,° de la taille d'une balle de base-ball. Après lui, chacun des autres joueurs a essayé de jeter sa boule encore plus près du cochonnet.

wood
size
steel / heavy

Quand cela a été le tour de M. Bolini, il y avait quatre boules autour du cochonnet. Alors il a lancé sa boule très fort contre les autres et il les a poussées loin. Son équipière,° Mme Bolini, a bien placé sa deuxième boule. Il semblait qu'ils allaient gagner. Mais leur fille, Adrienne, les a battus° en plaçant sa boule tout contre le cochonnet. Avant de commencer une autre partie, ils ont tous célébré leur victoire avec un verre de jus de fruits ou de pastis.°

team member
defeated
alcoholic drink made with aniseed

Questions

1. Qui a inventé le jeu de boules?
2. Où joue-t-on aux boules?
3. Qu'est-ce que le cochonnet?
4. Quel type de boules utilise-t-on?
5. Comment gagne-t-on aux boules?

*LES AMIS FRANCOPHONES: Une légende bretonne**

Mme Chabot, la grand-mère de Francine, vient déjeuner chez sa fille tous les mercredis. Après le déjeuner, le père de Francine repart au travail, et Francine, sa mère et sa grand-mère bavardent ensemble devant une tasse de café. Aujourd'hui, elles parlent des vieilles légendes de la région où elles habitent, la Bretagne.

---

*La Bretagne est une région qui se trouve dans l'ouest de la France. C'est une péninsule bordée par la Manche et l'Atlantique. Ses habitants sont d'origine celtes. Même de nos jours, ils se considèrent très proches des habitants du Pays de Galles par leur culture et leur langue. Les menhirs et les dolmens sont d'immenses monuments préhistoriques qui ressemblent à ceux de Stonehenge.

Carnac, France. Les alignements de menhirs sont très impressionnants. Le plus haut, appelé Saint-Michel, fait 12 mètres de haut sur une base de 125 mètres de long. On peut aussi voir en Bretagne des dolmens et de vieilles églises. Mais ce sont ses légendes qui lui donnent tout son mystère.

—Notre Bretagne est tellement° pleine de mystère... Les menhirs, les dolmens, les légendes de Merlin, de Viviane, d'Ys, les histoires de pirates... Même les noms de lieux ici sont souvent terrifiants: L'Enfer de Plogoff, la baie des Trépassés...

—C'est sans doute à cause de notre héritage celte, ou peut-être à cause du paysage, si sauvage, souvent couvert de brouillard.

—Mon grand-père me racontait souvent une légende qui me terrifiait. Il disait que c'était l'histoire d'un homme de chez nous.

—Mamie,° raconte-la-nous.

—Eh bien voilà. Il y avait autrefois un pauvre homme qui cherchait un parrain° pour son enfant. Il a rencontré un inconnu qui a accepté. Ensemble, ils sont allés au bourg° rejoindre la marraine et l'enfant a été baptisé et nommé Arthur. Après la cérémonie, ils sont revenus chez le pauvre homme où ils ont pris un repas de crêpes, de lard fumé et de cidre. Avant de partir, l'inconnu a dit au père:

«Vous êtes bien pauvres! Si tu veux, je vous rendrai° riches: fais-toi médecin et suis mes conseils.»°

«Médecin! Un ignorant comme moi, qui ne sait ni lire ni écrire!... »

«Peu importe: fais publier dans tout le pays que tu es devenu médecin et que tu connais des remèdes infaillibles. Quand tu vas voir un malade, regarde si tu me vois près du lit, sous la forme d'un squelette, visible pour toi seul, car je suis l'Ankou.»

—Qu'est-ce que c'est, Mamie, que l'Ankou?

—C'est le nom qu'on donne à la Mort, en Bretagne.

so

Granny

godfather

market town

je... *I will make you*

advice

«Si je suis au pied du lit, c'est que le malade va guérir;° si je suis au chevet,° la maladie est mortelle. Ainsi tu pourras° toujours dire à coup sûr, si le malade va guérir ou non.»

get better / head / will be able

—Et l'Ankou s'en est allé. Le lendemain, le pauvre homme a fait publier qu'il était devenu médecin. Un riche seigneur° des environs l'a fait venir.° Il était malade depuis plusieurs années. Médecins, chirurgiens, sorciers et sorcières du pays étaient venus le voir mais rien n'y faisait. Le pauvre homme est entré dans la chambre du seigneur: le squelette était au chevet du lit. Mais comme il n'était pas bête, il a examiné le malade et a dit à la châtelaine:°

lord / l'a... *had him come*

wife of the lord

«Retournez° le lit, pour mettre le chevet où est à présent le pied du lit; et vite, le temps presse!»

Turn

—L'Ankou était maintenant au pied du lit, très mécontent. Le médecin a laissé un médicament inoffensif et il est reparti. Le lendemain le malade se trouvait mieux; le surlendemain, mieux encore; au bout de huit jours, il était guéri. La châtelaine a donné cent écus° au pauvre homme. Sa réputation était faite. On a commencé à l'appeler partout, en ville comme en campagne. En peu de temps il est devenu riche et il a cessé de faire de la médecine. L'Ankou le guettait° presque toujours, et plus d'une fois il l'a vu au chevet de son lit. Aussitôt, il sautait du lit, retournait le lit et n'avait plus rien à craindre. Il a vécu ainsi très longtemps, plusieurs centaines d'années, et on l'a surnommé le «Père Trompe-la-Mort».

crowns (money)

le... *lay in wait for him*

—Et ton grand-père a dit que c'était un homme de chez nous?

—Oui, à cette époque, il y avait un vieil homme de plus de cent ans qui habitait dans les ruines de Faou.° Tout le monde disait que c'était un sorcier qui connaissait les secrets de la mort.

a small village in Brittany

—Il y est toujours?

—Je ne sais pas. Je n'ai jamais osé° y aller. On dit qu'il se passe des choses étranges dans ces ruines...

dared

Questions

1. Qui sont les deux personnages principaux de la légende?
2. A quelle occasion se sont-ils rencontrés?
3. Que doit faire le pauvre homme pour devenir riche?

4. Comment l'Ankou l'aide-t-il à devenir riche?
5. Comment le pauvre homme a-t-il triché?
6. Pourquoi l'a-t-on appelé le «Père Trompe-la-Mort»?

NOTE CULTURELLE: Les enfants français

Dans la vie familiale française, l'enfant n'est pas roi:° c'est plutôt un élève qui prépare son passage à l'état adulte et l'enfance est pour lui une période d'apprentissage. Quelles sont les choses fondamentales qu'on lui enseigne?

king

La discipline tout d'abord: un enfant doit être sage° et obéissant. Les bonnes manières, le respect des aînés, l'obéissance, sont essentiels.

good (well behaved)

Le travail scolaire est aussi une priorité: l'avenir° de l'enfant en dépend et les parents font très attention aux devoirs à la maison et aux résultats. Il n'est pas rare que des punitions° familiales s'ajoutent à celles de l'école pour de mauvaises notes.

future / *punishments*

Les grands-parents jouent un rôle important dans la vie de l'enfant. Ils lui racontent l'histoire de la famille, ils l'emmènent en vacances, le gâtent° et lui donnent généralement un solide esprit de famille.

they spoil

L'enfant est très surveillé et très aimé en France. Il est l'objet de beaucoup de soins° et de soucis.° Mais il a des responsabilités importantes à remplir et ses rapports étroits° avec sa famille durent très longtemps.

care / worry / rapports... *close ties*

Vrai ou faux?

En France, ...

1. l'enfance est une période où l'on apprend à jouer.
2. les bonnes manières et l'esprit d'indépendance sont des qualités essentielles.
3. il est très important de bien travailler à l'école.
4. le rôle des grands-parents est essentiel dans la vie de l'enfant.
5. l'enfant est libre de faire ce qu'il veut.

Une réunion de famille. Les quatre générations ont l'air de beaucoup s'amuser ensemble. Dès l'enfance, les Français ont l'habitude de passer beaucoup de temps en famille. C'est ce qui développe chez l'enfant le respect des adultes et l'esprit de famille.

GRAMMAIRE ET EXERCICES

6.1. *Past Habitual Actions: The Imperfect*

A. The imperfect (**l'imparfait**) is used in French to describe actions that occurred repeatedly or habitually in the past. It is often used where English speakers might use the phrases *used to* or *would,* or just the simple past.*

Raoul **mangeait** beaucoup quand il **restait** chez sa grand-mère à Trois-Rivières.
Raoul used to eat a lot whenever he would stay at his grandmother's in Trois-Rivières.

Que **faisait** Marie Durand le dimanche quand elle **était** jeune?
—Elle **allait** toujours à la messe avec ses parents.
"What did Marie Durand used to do on Sundays when she was young?" "She always went (would always go) with her parents to mass."

Quand j'**étais** à Paris, j'**envoyais** beaucoup de cartes postales à mes amis aux États-Unis.
When I was in Paris, I used to send a lot of postcards to my friends in the United States.

B. The following endings are used to form the imperfect of all verbs: **-ais, -ais, -ait, -ions, -iez, -aient.** The stem is the same as that of the **nous** form of the present tense. Here are some representative verbs.

parler: nous parlons → **parl-**

je parl**ais**	nous parl**ions**
tu parl**ais**	vous parl**iez**
il/elle/on parl**ait**	ils/elles parl**aient**

Pronunciation hint: The endings **-ais, -ait,** and **-aient** are pronounced the same.

Chez moi, les soirs d'hiver, nous **parlions** tous ensemble jusqu'à minuit devant la cheminée.
At my house, on winter evenings, we used to sit around and talk until midnight in front of the fireplace.

vendre: nous vendons → **vend-**

je vend**ais**	nous vend**ions**
tu vend**ais**	vous vend**iez**
il/elle/on vend**ait**	ils/elles vend**aient**

---

*You will examine other uses of the **imparfait** in **Chapitre dix.**

Autrefois il y avait un kiosque qui **vendait** des journaux à l'angle de la rue de la Liberté.
There used to be a kiosque that sold newspapers on the corner of Liberty Street.

prendre: nous prenons → **pren-**

je pren**ais**	nous pren**ions**
tu pren**ais**	vous pren**iez**
il/elle/on pren**ait**	ils/elles pren**aient**

Avant je **prenais** toujours du thé au petit déjeuner.
Before, I always used to drink tea for breakfast.

partir: nous partons → **part-**

je part**ais**	nous part**ions**
tu part**ais**	vous part**iez**
il/elle/on part**ait**	ils/elles part**aient**

Quand j'étais petite, nous **partions** toujours en vacances le premier août.
When I was a child, we would always leave on vacation on August first.

Note the inclusion of **-iss-** in the imperfect forms of **-ir** verbs like **finir.**

finir: nous finissons → **finiss-**

je fin**iss**ais	nous fin**iss**ions
tu fin**iss**ais	vous fin**iss**iez
il/elle/on fin**iss**ait	ils/elles fin**iss**aient

Quand Mireille habitait à Bordeaux, elle **finissait** souvent de travailler à cinq heures de l'après-midi.
When Mireille lived in Bordeaux, she would often finish her work at five in the afternoon.

C. The verb **être** is irregular in the imperfect: **j'étais, tu étais, il était, nous étions, vous étiez, ils étaient.**

Que faisiez-vous quand vous **étiez** en Suisse? —Nous étudiions* à Lausanne.
"What did you do when you were in Switzerland?" —"We studied in Lausanne."

---

*Note that if the stem of the **nous** form ends in **-i-**, there will be two (**-ii-**) in the **nous** and **vous** imperfect forms: **nous étud*ii*ons, oubl*ii*ons; vous étud*ii*ez, oubl*ii*ez.**

Exercice 1

Une ville de Suisse. L'été dernier, à Genève, vous sortiez régulièrement avec des ami(e)s. Décrivez vos activités à l'imparfait.

MODÈLE: le soir jouer au bowling →
Le soir je jouais au bowling.

1. se retrouver au café avec des amis
2. prendre le tram pour aller en ville
3. visiter les différents musées
4. se promener dans la vieille ville
5. déjeuner au restaurant Les Armures
6. acheter des cartes postales et des souvenirs
7. admirer le jet d'eau
8. manger des glaces dans le parc au bord du lac
9. marcher au bord du lac
10. aller souvent au cinéma

Exercice 2

Vous allez savoir pourquoi les Dufour ont décidé de quitter la grande ville. Utilisez l'imparfait dans la description suivante.

MODÈLE: les Dufour / louer un appartement en banlieue →
Les Dufour louaient un appartement en banlieue.

1. le matin, M. et Mme Dufour / se lever toujours à cinq heures
2. Mme Dufour / prendre le bus pour aller au travail
3. elle / devoir attendre l'autobus une demi-heure
4. M. Dufour / aller au travail en voiture, une vieille Deux Chevaux
5. il / mettre toujours quarante-cinq minutes pour aller au bureau à cause de la circulation dans le centre-ville
6. il / arriver au bureau furieux
7. il / être obligé de déjeuner en ville
8. ça lui / coûter cher
9. leurs enfants / aller à l'école en bus
10. ils / finir les cours à seize heures trente
11. ils / rentrer à la maison et / rester seuls jusqu'à dix-neuf heures
12. le soir, M. Dufour / être fatigué et mécontent de la fumée des embouteillages et de ne même pas pouvoir déjeuner en famille!
13. et Mme Dufour / en avoir assez de s'occuper toute seule des enfants
14. Ah non! ce / être trop!

Voilà pourquoi ils habitent maintenant à la campagne. Quelle bonne décision!

6.2. *The Imperfect of "State" Verbs*

A. Some verbs describe actions (*run, jump, put, eat*) and others describe states of being (*want, know, have, be, can*). In French, verbs that describe states are most often used in the imperfect and are less frequently used in the **passé composé.**

Je **savais** que j'**étais** malade parce que je n'**avais** envie de rien faire.
I knew I was sick because I didn't feel like doing anything.

B. When the **passé composé** of a state verb is used, often a totally different verb is used in English to express its meaning. In many cases, the use of the **passé composé** places emphasis on a change in the state.
Compare the meaning of the following state verbs in the **imparfait** and in the **passé composé.**

IMPARFAIT

je savais	I knew (*something*)
j'étais	I was
j'avais	I had
je voulais	I wanted (to)
je ne voulais pas	I didn't want (to)
je pouvais	I could (had the ability or opportunity to)
je ne pouvais pas	I couldn't (didn't have the ability or opportunity to)

Saviez-vous qu'il allait neiger?
Did you know that it was going to snow?

J'**avais** le temps, mais je ne **voulais** rien faire.
I had the time, but I didn't want to do anything.

Nous ne **pouvions** pas le finir parce que Paul **était** malade.
We couldn't finish it because Paul was sick.

PASSÉ COMPOSÉ

j'ai su	I discovered, found out, learned
j'ai été	I was, went
j'ai eu	I had, got, received
j'ai voulu	I wanted, tried to
je n'ai pas voulu	I didn't want to, refused to
j'ai pu	I was able to, succeeded at
je n'ai pas pu	I (tried and) couldn't

Sylvie **voulait** aller au cinéma, mais Charles n'**a** pas **voulu.**
Sylvie wanted to go to the movies, but Charles didn't (*at all*).

Charlotte n'**a** pas **pu** finir son exposé de biologie.
Charlotte wasn't able to finish her presentation for biology.

J'**ai eu** très faim quand j'ai vu tous ces bons desserts à la pâtisserie!
I got very hungry when I saw all those good desserts at the pastry shop!

Exercice 3

Remplacez les tirets par la forme correcte d'un de ces verbes à l'imparfait: **savoir, vouloir, être, avoir, pouvoir.**

1. Nous _____ acheter une voiture neuve, mais nous ne _____ pas assez d'argent.
2. Je ne _____ pas aller faire des courses avec Chantal parce que je ne _____ pas le temps.
3. Mes camarades ne _____ pas que le Mont-Blanc était la plus haute montagne d'Europe.
4. _____-tu lire quand tu _____ cinq ans?
5. Où _____-vous hier? Vous _____ malades?
6. Étienne ne connaissait pas Juliette, mais il _____ faire sa connaissance.
7. Nous ne _____ pas malheureux mais tristes.
8. Tu ne _____ pas réussir ce plat si tu ne _____ pas tous les ingrédients.
9. On _____ pourquoi Jean-Luc ne _____ pas au bureau: il était parti en vacances!
10. Je _____ sept ans quand je suis partie vivre en Afrique.

6.3. *Relative Pronouns:* ***qui*** *and* ***que***

A. There are three relative pronouns in English: *that, who(m),* and *which.* A relative pronoun refers to a person, place, thing, or idea, which is called the antecedent.

> This is the travel agency *that* I told you about.
> Mr. Langdon is the person *who* will make all the reservations.
> Is that the plane about *which* there was so much controversy?
> He has values *that* I just can't agree with.

B. In English, *that* and *which* refer to places, things, or ideas, and *who(m)* refers to people. In French the relative pronoun **qui** can refer to people, places, things, and ideas.

C'est ma mère **qui** m'aidait toujours avec mes devoirs.
My mother is the one who always used to help me with my homework.

Je cherchais le livre **qui** était sur mon lit.
I was looking for the book that was on my bed.

C. When the relative pronoun is the object of the verb that follows it, **que** will be used instead of **qui.** This is true when a person, place, thing, or idea is the antecedent.

Paris-Match était le magazine **que** je lisais quand j'étais en France.
(le magazine = *direct object*)
Paris-Match *was the magazine that I used to read when I was in France.*

Comment s'appelait le garçon **que** nous voyions tous les jours à Strasbourg? (nous voyions le garçon)
Who was the boy we used to see every day in Strasbourg?

D. Note that while in English the relative pronoun may be omitted in certain cases, it is always present in French.

Hélène, tu portes la même robe **que** je voulais acheter.
Hélène, you're wearing the same dress (*that*) *I wanted to buy.*

Exercice 4

Souvenirs d'une journée d'hiver. Complétez les phrases par le pronom relatif **qui** ou **que.**

1. Quand j'étais petit, nous habitions une ville _____ était très belle en hiver.
2. C'était le silence du matin et le mystère du paysage blanc _____ j'aimais surtout.
3. L'après-midi quand il neigeait beaucoup, je regardais souvent les enfants _____ faisaient des bonhommes de neige dans la rue.
4. Je n'aimais pas sortir quand il faisait très froid. Je restais à la maison et je lisais des livres _____ j'empruntais à la bibliothèque.
5. Mon frère, _____ n'aimait pas non plus sortir, restait lui aussi à la maison. En général, il chantait et il jouait de la guitare.
6. Mon père, _____ travaillait, nous téléphonait vers quatre heures.
7. Dans la cuisine ma mère préparait le dîner. Les gâteaux _____ elle faisait quand il faisait froid sentaient si bon!
8. Après dîner, nous regardions ensemble la télé. Les films _____ nous voyions étaient souvent de vieux films américains.
9. Voici les bons souvenirs _____ je garde des journées d'hiver.

6.4. *Emphatic Pronouns: An Overview*

A. As you know, the emphatic pronouns are **moi, toi, lui, elle, nous, vous, eux, elles.** They are used to emphasize the subject after **et** and after **c'est** (Section B.6).

C'est lui qui me parlait tous les jours.
He's the one who used to talk to me every day.

B. Emphatic pronouns are used in a number of other ways. The emphatic pronouns are used after prepositions.

Où est la chemise que tu as achetée pour Jeannot? —Moi? Je n'ai rien acheté **pour lui.** Mais j'ai acheté quelque chose **pour toi**!
"Where is the shirt (that) you bought for Jeannot?" "Me? I didn't buy anything for him. But I did buy something for you!"

C. Emphatic pronouns are used in sentences with compound subjects (noun + pronoun).

Albert? Oui, je le connais. **Étienne et lui** étudiaient toujours ensemble.
Albert? Yes, I know him. He and Étienne always used to study together.

Les Michaud? Je ne me souviens pas d'eux. —Mais si, vous les avez rencontrés le jour de mon anniversaire. **Elle,** elle est chef d'entreprise et **lui,** il est écrivain.
"The Michauds? I don't remember them." "Of course you do; you met them the day of my birthday. She's a company president and he's a writer."

D. Emphatic pronouns are used in short (one-word) questions or responses.

Qui? **Lui?** Non, il n'était pas là. *Who? Him? No, he wasn't there.*

E. They are used with **aussi** (*also*) and **non plus** (*neither*).

M. Vincent? Oui, **lui aussi** il jouait au basket-ball quand il était jeune.
Mr. Vincent? Yes, he played basketball too when he was young.

Quand j'étais petite, je n'aimais pas les histoires de science-fiction. Et toi? —**Moi non plus.** Elles me faisaient peur.
"When I was little, I didn't like science fiction stories. And you?" "I didn't either. They frightened me."

F. They are used with **-même** (*-self*) to stress the subject of the sentence.

Tu l'as fait **toi-même?**
Did you do it yourself?

Les enfants! Est-ce que vous avez préparé le déjeuner **vous-mêmes?**
Kids! Did you make lunch all by yourselves?

Exercice 5

Remplacez les tirets par le pronom disjoint qui convient (**moi, toi, lui, elle, nous, vous, eux, elles**).

1. Tu vas faire ce gâteau _____-même?
2. Jeannot? _____? C'est un champion avec sa bicyclette.

3. Sylvie? Oui, je la connais. Ma cousine et _____ venaient toujours goûter à la maison.
4. Étienne et Charles? Non, tu ne vas pas aller chez _____!
5. Papa? C'est _____ qui me faisait réviser mon vocabulaire de latin.
6. Ce sont _____! Je les ai vues! Elles ont pris mon sac et mes paquets!
7. Vous allez vraiment réparer la voiture _____-même?
8. Chantal? Zut! je n'ai rien acheté pour _____.
9. Venez chez _____ ce soir! Je vais vous montrer ma nouvelle vidéo.
10. _____? Nous ne sommes pas responsables.

6.5. *Questions with Prepositions*

A. When asking questions with verbs that are followed by a preposition, always begin the question with the preposition.

parler de = to talk about

De quoi / **De qui** } parliez-vous pendant si longtemps?

What / *Who(m)* } *did you used to talk about for so long?*

B. Use **qui** as the object of the preposition to refer to people. Use **quoi** when the antecedent is a thing or an idea.

penser à = to think about

A qui pensais-tu quand tu étais aux États-Unis? —Je pensais à ma famille.
"Whom did you used to think about when you were in the U.S.?" "I would think about my family."

A quoi penses-tu? —Je pense à l'examen que nous avons demain.
"What are you thinking about?" "I'm thinking about tomorrow's exam."

avoir besoin de = to need

De qui avez-vous besoin pour finir ce rapport? —J'ai besoin du comptable.
"Whom do you need to finish this report?" "I need the accountant."

De quoi as-tu besoin pour faire une bûche de Noël?* —J'ai besoin de farine, d'œufs et de chocolat.
"What do you need to make a bûche de Noël*?" "I need some flour, eggs, and chocolate."*

---

*C'est le gâteau traditionnel que l'on mange en France à Noël.

C. When the thing or idea is specifically mentioned in the question, it is preceded by the appropriate form of **quel** (**quelle, quels, quelles**).

> **Dans quelle discothèque** travaillait-il? —Au «Chat noir».
> *"What disco did he used to work in?" "At the 'Black Cat'."*
>
> **De quel instrument** jouais-tu quand tu étais jeune? —Du piano.
> *"What instrument did you used to play when you were young?" "The piano."*

Exercice 6

Posez les questions. Elles commencent par une des prépositions suivantes: **à** (qui, quoi, quel…), **de** (qui, quoi, quel…), **dans** (qui, quoi, quel…).

MODÈLE: Le Mont-Blanc s'élève à 4 807 mètres. (hauteur) →
A quelle hauteur s'élève le Mont-Blanc?

1. Moi, je me suis levée à huit heures ce matin. (heure)
2. Autrefois, je jouais souvent du piano.
3. Je pense encore aux examens, bien sûr!
4. Nous avons parlé beaucoup de politique et… d'amour!
5. Mais… la Tour Eiffel se trouve à Paris. (ville)
6. Pardon, je téléphonais à ma belle-sœur.
7. Comme tous les enfants, nous avions peur de Frankenstein.
8. Elle est anglaise, bien sûr. (nationalité)
9. Nous pensions à nos amis belges, parce qu'ils nous ont écrit récemment.

DEUXIÈME PARTIE

Le monde francophone

Bruxelles, Belgique. Voici un exemple frappant de bilinguisme: la même publicité en français et en flamand.

In **Chapitre sept** you will learn to talk about food and situations related to food: ordering meals in restaurants, shopping for food, following recipes in French, and so on.

Groupe d'amis dans un restaurant typiquement parisien.

CHAPITRE SEPT
A table!

THÈMES

- Talking About Food and Beverages
- Ordering a Meal
- Buying and Preparing Food

LECTURES

- Note culturelle: Quelques plats bien français
- Note culturelle: La cuisine française

LECTURES SUPPLÉMENTAIRES

- Les amis américains: Notes d'un voyage en Louisiane
- Note culturelle: Les heures des repas
- Le feuilleton: L'anniversaire de Charlotte

GRAMMAIRE

7.1. The Verbs **prendre** and **boire**
7.2. Expressing Quantities: The Partitive Article (**du, de la, de l'**) and Other Expressions of Quantity
7.3. Expressing Quantities: The Pronoun of Quantity **en** (Part 2)
7.4. Impersonal Direct Object Pronouns: **le, la, les**
7.5. Negation

ACTIVITÉS ORALES

LES ALIMENTS ET LES BOISSONS

ATTENTION! Voir Grammaire 7.1–7.2.

Je bois **du** café au lait.
Je mange **du** pain avec **du** beurre et **de la** confiture.
Je prends **du** jus d'orange.

—Qu'est-ce que vous prenez au petit déjeuner?
—Je prends du pain avec du beurre et de la confiture, et je bois du jus d'orange.

—Mangez-vous des pommes de terre frites à midi?
—Oui, normalement je mange un sandwich au jambon et des frites.

—Que buvez-vous le soir?
—Moi, je prends toujours un verre de vin avec le dîner.

Activité 1. Les repas

En général, que prenez-vous à chaque repas?

MODÈLE: Je prends...
Je ne prends pas de...

1. Pour le petit déjeuner...
   a. des œufs
   b. du café au lait
   c. des croissants
   d. des céréales
   e. du thé
   f. du jus de fruits
   g. du beurre et de la confiture
   h. des gaufres
   i. _____
2. Pour le déjeuner...
   a. un sandwich au jambon
   b. des spaghettis
   c. de la soupe
   d. des frites
   e. du poulet
   f. du poisson
   g. des légumes
   h. de la viande
   i. _____
3. Pour le dîner...
   a. un hamburger
   b. un morceau de pizza
   c. de la salade
   d. du riz
   e. de l'agneau
   f. une pâtisserie
   g. un fruit
   h. du fromage
   i. _____

Activité 2. Mes boissons préférées

Choisissez votre boisson préférée selon l'occasion. Voici quelques possibilités: du café noir, du thé (glacé), de la bière, du vin (blanc, rosé, rouge), du champagne, du lait, de l'eau minérale, du chocolat, du jus de fruits (de citron, de tomate, de pomme, d'orange, d'abricots,...), du Coca-Cola.

MODÈLE: quand vous vous levez le matin →
Quand je me lève le matin, j'aime bien boire une grande tasse de café au lait.

1. pour le déjeuner
2. pour le petit déjeuner
3. pour un dîner spécial
4. après avoir fait de la gymnastique
5. pour fêter l'anniversaire d'un ami
6. après les cours
7. avant de vous coucher
8. quand vous ne voulez pas dormir
9. quand il fait froid et qu'il neige
10. quand il fait très chaud

Activité 3. Un régime pour rester en bonne santé

Imaginez que vous devez suivre un régime pour des raisons de santé. Voici quelques suggestions pour un repas équilibré. Choisissez ce que vous allez manger demain. Ne soyez pas trop gourmand(e)!

PETIT DÉJEUNER

1. un jus de fruits ou une portion de fruit: de l'orange ou du pamplemousse, de l'ananas, du raisin ou de la pomme
2. Au choix: (a) des céréales, (b) des œufs brouillés ou à la coque
3. un petit pain avec un peu de margarine (pas de beurre)
4. une tasse de café, de thé ou de lait

DÉJEUNER

1. Au choix:
   a. un bol de soupe de légumes et une salade verte
   b. une salade de laitue avec des morceaux de fromage ou de poulet, avec une vinaigrette
   c. une salade de fruits sans sucre
   d. un sandwich au thon ou du poisson maigre
2. du jus de tomate, de l'eau minérale, une boisson non sucrée

DÎNER

1. un verre de jus de tomate ou une petite salade
2. du poulet au four ou du poisson grillé
3. une pomme de terre au four ou du riz
4. des légumes: brocoli, chou-fleur ou haricots verts
5. du thé glacé sans sucre ou du café sans sucre
6. du fromage ou des fruits secs

Activité 4. Cherchez l'intrus

Dans chaque groupe de mots il y en a un qui ne correspond pas à la liste. Trouvez l'intrus et donnez les raisons de votre choix.

MODÈLE: la mangue, la pomme, la pêche, le poisson, la poire →
Le poisson est l'intrus car ce n'est pas un fruit.

1. le café, la fraise, la bière, le thé, la limonade
2. les haricots verts, la carotte, l'œuf, le céleri, l'oignon
3. le porc, le veau, le bœuf, le pain, l'agneau
4. le vin, la banane, la mandarine, le melon, la papaye
5. le sel, le poivre, le gâteau, le thym, le laurier
6. le saumon, le bifteck, le thon, la sardine, la sole
7. le lait, le champagne, le vin, la bière, le cognac
8. les huîtres, les moules, les clams, le jambon, les oursins
9. le pain, le croissant, le citron, la brioche, les biscuits
10. le jambon, le salami, le saucisson, le thon, le pâté

Activité 5. Qui dans la classe...?

1. ne mange pas plus d'un hamburger par semaine?
2. ne dîne jamais dans des restaurants japonais?
3. mange des fruits tous les jours?
4. prépare presque toujours son dîner?
5. ne prend jamais de petit déjeuner?
6. prend des œufs et du bacon au petit déjeuner?
7. mange des pommes frites tous les jours?
8. dîne au restaurant au moins cinq fois par semaine?
9. met beaucoup de poivre dans sa nourriture?
10. a apporté un sandwich pour le déjeuner aujourd'hui?

Activité 6. Entrevues

LES REPAS DE TOUS LES JOURS

1. Où prends-tu ton petit déjeuner d'habitude? Où déjeunes-tu?
2. Est-ce que tu bois beaucoup de café pendant la journée? Combien de tasses?
3. Qu'est-ce que tu as mangé ce matin avant de venir à l'université?
4. Où vas-tu déjeuner aujourd'hui?
5. Est-ce que tu manges entre les repas? Quoi?
6. Dînes-tu copieusement? Pourquoi?
7. Prends-tu toujours un dessert? Quel est ton dessert favori?
8. Est-ce que tu grignotes quelque chose avant de te coucher? Quoi?
9. Si tu as faim pendant la nuit, qu'est-ce que tu fais?

LES REPAS DU PASSÉ

1. Qu'est-ce que tu aimais manger quand tu étais petit(e)?
2. Qu'est-ce que tu ne mangeais jamais? Est-ce que tu en manges maintenant?
3. Que faisais-tu quand on te servait quelque chose que tu n'aimais pas?
4. Qu'est-ce que tu prenais en général comme dessert?
5. Est-ce que ta famille dînait souvent au restaurant? Quel était ton restaurant préféré? Pourquoi?
6. Qu'est-ce que tu commandais dans ton restaurant préféré? Qu'est-ce que tu buvais? Est-ce que tu payais l'addition ou est-ce que tes parents la payaient?

Activité 7. Situations

1. Il est minuit. Vous préparez votre examen de chimie. Vous avez sommeil et vous vous sentez très faible mais vous ne voulez plus boire de café. Qu'allez-vous boire ou manger?
2. Vous voulez vous mettre au régime. Vous aimeriez perdre six kilos en trois semaines. Quel régime allez-vous suivre?

NOTE CULTURELLE: Quelques plats bien français

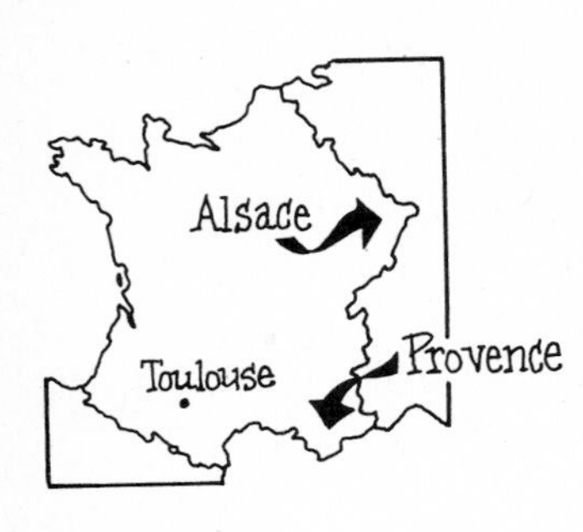

La cuisine française est très variée. Ainsi° d'une région à l'autre les plats et leurs ingrédients sont très différents. A l'origine chaque région n'utilisait que les produits locaux pour faire la cuisine. Aujourd'hui on peut déguster ces plats un peu partout.

Ainsi: For instance

Voici quelques plats bien français qui sont toujours très populaires:

- La bouillabaisse, d'origine provençale, est une soupe de poissons et de crustacés très épicée.° Elle est servie avec des croûtons et une mayonnaise à l'ail° que l'on appelle «ailloli».
- La choucroute est un plat alsacien. Elle est préparée avec du chou° blanc cuit dans du Riesling, et servie avec des saucisses, du porc, du jambon et des pommes de terre.
- Le cassoulet est une des spécialités de Toulouse. C'est un ragoût préparé avec des haricots blancs, des filets de canard ou d'oie,° du jambon, du lard, des tomates et des épices.

épicée: spicy; à l'ail: à... with garlic; chou: cabbage; oie: goose

Certains desserts font aussi partie du «patrimoine»° culinaire français comme:

- Les crêpes Suzette. Ce sont de fines galettes° roulées, parfumées à l'orange et flambées à la liqueur de Grand Marnier.
- Et bien sûr la mousse au chocolat... que vous connaissez bien!

patrimoine: heritage; galettes: pancakes

La liste est très longue parce qu'en France la bonne cuisine est une tradition depuis des siècles. A vous de découvrir et de goûter «les bons petits plats bien de chez nous». Bon appétit!

©PETER MENZEL

Les crêpes et les galettes bretonnes sont très populaires en France, surtout en hiver. On peut les manger dans une crêperie ou les acheter dans la rue. On les prépare devant vous, et vous pouvez les déguster salées ou sucrées, selon votre goût.

Vrai ou faux?

1. Le cassoulet est un plat marseillais.
2. On met du vin blanc dans la choucroute.
3. On ne met jamais d'épices dans les plats français.
4. On met du veau dans la bouillabaisse.
5. Les Français aiment aussi les bons desserts.
6. La variété des plats français est immense.

LES RESTAURANTS

ATTENTION! Voir Grammaire 7.3–7.4.

1. Bernard a commandé du pâté de campagne, une entrecôte avec des petits pois et des carottes. Irène a commandé des crudités, des escalopes de veau à la crème avec des champignons et des pommes vapeur.
2. Le chef a préparé les plats avec beaucoup de soin.
3. Le serveur les a très bien servis.
4. Ils ont bu du vin avec leur repas.
5. Bernard a pris du fromage, mais Irène n'en a pas pris.
6. Comme dessert Bernard a mangé de la mousse au chocolat et Irène a mangé de la tarte aux pommes.
7. Ils ont beaucoup aimé leur dîner.
8. Ils ont demandé l'addition et l'ont payée.
9. Ils ont laissé un pourboire.

un bifteck cru saignant à point bien cuit

Activité 8. Mes plats favoris

Dites ce que vous mangez quand vous dînez...

1. dans un restaurant français
2. à la cafétéria de l'université
3. dans un restaurant italien
4. dans un self-service
5. dans un bon restaurant américain

Activité 9. Jean-Luc et Martine sont allés dîner au restaurant.

Activité 10. Au restaurant «Chez Michel»

Vous allez dîner avec des amis «Chez Michel», un très bon restaurant français, pour fêter votre anniversaire. Regardez la carte et choisissez ce que vous allez prendre. Donnez les raisons de votre choix.

MODÈLE: Je vais prendre... parce que... →
Je vais prendre le consommé de légumes parce que je suis au régime (parce que je l'aime, parce que je n'aime pas la charcuterie, etc.).

words: *apportez-nous, brie, caille aux raisins, camembert, canard à l'orange, charcuterie, compris, consommé, coq au vin, crème caramel, crème d'asperges, écrevisses, flageolets, fruits de mer, gigot d'agneau, gratin, homard, hors-d'œuvre, île flottante, morilles, moules marinières, noix, non compris, œufs en gelée, orange givrée, oseille, plateau assorti, pommes vapeur, salade d'endives, salade du chef, salade du jardin, tarte maison, terrine de saumon, terrine du chef, tournedos béarnaise, turbot, volaille.*

Activité 11. Entrevue: Les restaurants

1. Est-ce que tu vas souvent au restaurant? Pourquoi (pas)?
2. Est-ce que tu aimes la cuisine française? la cuisine chinoise? Manges-tu parfois dans des restaurants français? mexicains?
3. Quel est le restaurant que tu fréquentes le plus souvent? Pourquoi l'aimes-tu?
4. Qu'aimes-tu boire avec les repas? Prends-tu parfois du vin? Quand?
5. Que préfères-tu prendre comme dessert? Prends-tu parfois du fromage? des fruits?
6. Quel est ton plat favori quand tu as très faim? quand tu es au régime?
7. Est-ce que le service est important pour toi dans un restaurant? Laisses-tu un bon pourboire quand le service est bon?
8. Quel prix es-tu prêt(e) à payer pour manger dans un très bon restaurant?

Activité 12. Les restaurants de l'Hôtel Méridien

LE CLOS LONGCHAMP Hôtel Méridien Paris, 81, bd Gouvion-St-Cyr, 75017 Paris. Tél.: 758.12.30. Ouvert de 12 h à 14 h 30 et de 19 h 15 à 22 h 30 (dernière commande) Menu hommes d'affaires : Midi 170 F. *Haute cuisine de France. Atmosphère raffinée. Jardin de verdure.*

LA MAISON BEAUJOLAISE Hôtel Méridien Paris, 81, bd Gouvion-St-Cyr, 75017 Paris. Tél. : 758.12.30. Ouvert de 12 h à 14 h 15 et de 19 h 30 à 0 h 30 (dernière commande) (Menus à partir de 110 F). *5 choix de menus Buffet et Grillades pour déjeuner, dîner, souper.*

1. Lequel des deux restaurants a un buffet?
2. Quel est le prix du menu hommes d'affaires au Clos Longchamp?
3. Est-ce que les deux restaurants sont ouverts aux mêmes heures?
4. Lequel des deux restaurants semble le plus luxueux? Pourquoi?
5. A votre avis, quels plats pouvez-vous commander dans chacun des restaurants?
6. Préféreriez-vous aller dîner au Clos Longchamp ou à la Maison Beaujolaise? Pourquoi? Qu'aimeriez-vous commander?

Activité 13. Situations: Que dites-vous?

1. Vous arrivez dans un restaurant avec un ami (une amie) et vous n'avez pas de réservation...
2. Vous finissez votre repas et vous voulez payer...
3. Vous avez commandé des crudités et le serveur vous apporte de la soupe...
4. Vous téléphonez pour réserver une table pour quatre personnes...
5. Vous désirez prendre un apéritif avant le dîner...
6. Avant de commencer à manger vous portez un toast...

L'ART DE LA CUISINE

ATTENTION! Voir Grammaire 7.5.

LA VIANDE ET LES FRUITS DE MER

la viande de boeuf
le crabe
le homard
la langouste
le poisson
le poulet
les escargots
les crevettes
les huîtres

—Je n'aime pas les huîtres.
—Moi non plus.

—Est-ce que les pêches sont déjà mûres?
—Non, pas encore.

—Est-ce que tu manges des aubergines?
—Qui? Moi? Non, je n'en mange jamais.

Activité 14. Le supermarché Casino

Vous allez au supermarché Casino à Grenoble pour faire des courses. Regardez bien les trois listes et calculez combien vous allez dépenser chaque fois. Attention aux quantités!

LISTE 1

250 grammes de jambon
3 boîtes de petits pois
2 avocats
½ kilo de viande hachée
2 kilos de mandarines
2 boîtes de sorbet à la framboise

LISTE 2

1 bouteille de vin rouge
3 kilos d'oignons
350 grammes de gruyère
2 kilos de pommes
6 boîtes de jus de tomate
400 grammes de crevettes

LISTE 3

1½ kilos de côtes de porc
1 kilo de tomates
½ kilo de citrons
1 pot de moutarde
500 grammes de beurre
4 yaourts aux fruits

Activité 15. Les recettes de Marie-Rose: Le poulet à la crème

POUR 4 PERSONNES:

1 poulet de 1 500 kg
100 g de beurre
50 g de farine
1 verre de vin blanc sec
1 oignon coupé fin
1 carotte coupée en dés
1 branche de céleri émincée
250 g de champignons
6 cuillerées à soupe de crème fraîche
sel, poivre

Découpez le poulet en morceaux. Faites fondre le beurre dans une casserole, placez-y le poulet et faites-le dorer régulièrement. Ajoutez le vin blanc, l'oignon, la carotte et le céleri. Salez, poivrez et couvrez. Laissez cuire doucement une demi-heure.

Retirez les morceaux de poulet, mettez-les sur une assiette et tenez au chaud. Mélangez dans un bol la crème fraîche et la farine et versez-les dans la casserole. Rajoutez les champignons et remuez bien. Puis, remettez le poulet et laissez mijoter une dizaine de minutes.

Disposez le poulet sur un plat chaud et nappez-le avec la sauce. Servez avec du riz blanc ou des pommes vapeur.

Et vous, quel plat aimez-vous cuisiner? Donnez la liste des ingrédients nécessaires et expliquez comment vous le préparez.

Activité 16. Formules de politesse

Vous êtes chez un ami (une amie) et vous avez trop mangé et trop bu. Que lui répondez-vous pour ne pas le (la) vexer?

MODÈLE: —Voulez-vous encore du vin?
—Non merci, il est délicieux mais je n'en veux plus.

EXPRESSIONS UTILES

merci / boire / ne... jamais
pas / ne... jamais / boire
aimer / ne... pas / non plus
être délicieux / plus
pas encore / je / avoir faim / ne... plus
rien / merci / très bien mangé

1. Buvez-vous du cognac après le dîner?
2. Avez-vous déjà goûté ces chocolats?
3. Désirez-vous quelque chose?
4. Voulez-vous du café?
5. Préférez-vous du thé?

Activité 17. Définitions

1. légume orange qui contient de la vitamine A
2. dessert à base d'œufs, de lait et de sucre très populaire en France
3. sauce que l'on met dans les salades
4. produit fabriqué à base de lait; il y en a plus de 350 variétés en France
5. fruit rond, doux et juteux
6. légume gros et violet que l'on met dans la ratatouille
7. liquide doré, épais et très sucré
8. poudre blanche qui ressemble à du sucre mais qui n'est pas sucrée
9. poisson souvent vendu en boîte
10. glace qui ne contient pas de lait

a. le sel
b. le fromage
c. le thon
d. la carotte
e. le miel
f. la crème caramel
g. le sorbet
h. l'aubergine
i. la vinaigrette
j. le melon

Activité 18. Situation: Un repas rapide

Il est onze heures du soir. Vous rentrez d'un long voyage avec un copain (une copine) et vous avez très faim. Qu'est-ce que vous pouvez préparer rapidement à la maison?

NOTE CULTURELLE: La cuisine française

De nombreuses traditions culinaires françaises ont une origine très ancienne. Par exemple, les Grecs et les Égyptiens préparaient déjà le foie gras qui est utilisé dans les pâtés français, ce mélange très fin de viandes et d'épices conservé dans une croûte.

Certaines spécialités françaises sont aujourd'hui connues dans le monde entier: les fromages en particulier, comme le roquefort, le bleu, le gruyère, le

Une crémerie de la rue Mouffetard, Paris. On compte en France plus de trois cent cinquante fromages. Les Français mangent du fromage, en général, à la fin du repas. On en utilise aussi pour préparer certains plats, comme les gratins ou les quiches. A Paris, il existe des restaurants qui ne servent que du fromage: on vous en offre trente ou quarante sortes différentes.

©PETER MENZEL

camembert et le brie. Des sauces, à l'origine française, comme la béarnaise, la hollandaise et même la mayonnaise baptisée du nom de son inventeur, M. Mahon. Les plats aux œufs aussi: les omelettes, souvent au fromage ou aux fines herbes, et les soufflés, ce mélange de blancs d'œufs battus en neige, de crème et de jaunes d'œufs qui gonfle° en cuisant et qui peut être servi salé, comme plat principal, ou sucré, en dessert. Le pain et la pâtisserie, bien sûr: les croissants, les brioches, les éclairs, les petits fours, les tartes. Enfin, l'une des grandes gloires gastronomiques de la France est le vin: Champagne, Bordeaux, Bourgogne; les eaux-de-vie comme le Cognac; et les liqueurs: Chartreuse, Cointreau, Bénédictine, Cassis, Framboise...

swells

La variété géographique du pays a donné naissance à une cuisine également très variée. Chaque province a sa spécialité. En Normandie, ce sont les tripes cuites avec du bœuf, des épices et du cidre. En Bourgogne, ce sont les escargots, farcis° de beurre à l'ail° et aux échalottes, la quiche lorraine, une tarte garnie de morceaux de lard et d'œufs battus, et la choucroute. En Bretagne, les crêpes sont consommées comme plat principal quand on les fourre au fromage ou au jam-

stuffed / garlic

bon, ou comme dessert, avec de la confiture, des liqueurs, du chocolat. Dans les Alpes, on mange la fondue, ce plat sympathique fait de différents fromages fondus dans du vin blanc et que chacun mange avec des petits morceaux de pain. Dans le Sud-Ouest, on fait mijoter le cassoulet pendant longtemps. Et dans le Midi, on prépare la ratatouille avec des aubergines, des courgettes et des tomates cuites longtemps dans de l'huile d'olive, et bien sûr, on adore la bouillabaisse.

Compréhension

Quelles sont ces spécialités et de quelles régions de France viennent-elles?

1. On les fourre au jambon comme plat principal ou au chocolat comme dessert.
2. C'est une tarte garnie de lard et d'œufs.
3. C'est un ragoût d'aubergines, de courgettes et de tomates.
4. C'est un plat de viande cuite avec du bœuf, des épices et du cidre.
5. Ils sont farcis de beurre à l'ail et aux échalottes.
6. C'est du fromage chauffé avec du vin blanc.

Vocabulaire

LE PETIT DÉJEUNER Breakfast

la brioche	brioche (bun)
le café au lait	coffee with cream
le café noir	black coffee
les gaufres (*f.*)	waffles
le lard	bacon
les œufs (*m.*)	eggs
à la coque	boiled
brouillés	scrambled
le pain	(loaf of) bread
le petit pain	roll
la tartine	slice of bread and butter (jam)

Mots similaires: **le bacon, le toast**

Révision: **les cèrèales** (*f.*), **le croissant**

LE DÉJEUNER Lunch

le sandwich au fromage	cheese sandwich
les (**pommes de terre**) **frites** (*f.*)	French fried potatoes
le sandwich au thon	tuna sandwich
le yaourt (**aux fruits**)	(fruit) yogurt

Mots similaires: **le consommé, la pizza, la soupe, les spaghettis** (*m.*)

Révision: **les frites** (*f.*), **le hamburger, le sandwich au jambon**

LES FROMAGES Cheeses

le gratin	cheese(-topped) dish

Mots similaires: **le brie, le camembert, le gruyère**

AU RESTAURANT At the restaurant

l'addition (*f.*)	bill
la caisse	cashier
la carte	menu
commander	to order
(non) compris(e)	(not) included
l'entrée (*f.*) **au choix**	choice of appetizer
le garçon	waiter
le menu à prix fixe	fixed price menu
le menu du jour	special of the day
le plat garni au choix	choice of entree
le pourboire	tip
le self-service	self-service restaurant, cafeteria
le service	service

Mots similaires: **le dîner, la haute cuisine, les hors-d'œuvre** (*m.*), **le maître d'hôtel, rapide, la réservation**

Révision: **américain(e), boire, le buffet, la cafétéria, chinois(e), dîner, favori(te), manger, la nourriture, payer, prendre, le prix, réserver, servir**

LA VIANDE Meat

l'agneau (*m.*)	lamb
le gigot d'agneau	leg of lamb
le bifteck	steak
la charcuterie	delicatessen
la choucroute	sauerkraut with meat
la cuisse de grenouille	frog leg
l'entrecôte (*f.*)	rib steak
les escalopes de veau (*f.*)	veal scallops
la fondue bourguignonne	meat fondue
la fondue savoyarde	cheese fondue
la grillade	barbecue
la matière grasse	fat
le pâté	pâté
le pâté de campagne	country pâté
le porc	pork
la côte de porc	pork chop
la saucisse	sausage
le saucisson	sausage; salami
la terrine du chef	chef's special pâté
le tournedos sauce béarnaise	filet with Béarnaise sauce
la viande de bœuf (porc)	beef (pork)

Mots similaires: **le chateaubriand, le salami**

Révision: **le couscous, le jambon, le steak**

LA VOLAILLE Poultry

la caille	quail
le canard	duck
le poulet	chicken

Mot similaire: **le coq au vin**

LE POISSON ET LES FRUITS DE MER Fish and seafood

les crevettes (*f.*)	prawns; shrimp
les écrevisses (*f.*)	(freshwater) crayfish
les escargots (*m.*)	snails
le homard	lobster
les huîtres (*f.*)	oysters
les langoustes (*f.*)	(sea) crayfish
les langoustines (*f.*)	scampi, prawn
les moules marinières (*f.*)	mussels (cooked) in white wine
les oursins (*m.*)	sea urchins
le saumon	salmon
la terrine de saumon	salmon pâté
le thon	tuna

Mots similaires: **les clams** (*m.*), **le crabe, la sardine, la sole meunière, le turbot**

LES LÉGUMES Vegetables

les asperges (*f.*)	asparagus
la crème d'asperges	cream of asparagus soup
l'aubergine (*f.*)	eggplant
l'avocat (vinaigrette) (*m.*)	avocado (in oil and vinegar dressing)
la branche	stalk (*of celery, etc.*)
le champignon	mushroom
le chou-fleur (les choux-fleurs)	(*head of*) cauliflower

les crudités (*f.*) raw vegetables
les flageolets (*m.*) kidney beans
les haricots verts (*m.*) green beans
la laitue lettuce
le maïs corn
  l'épi (*m.*) **de maïs** ear of corn
les morilles (*f.*) morel (*type of mushroom*)
l'oignon (*m.*) onion
l'oseille (*f.*) sorrel
les petits pois (*m.*) green peas
le poivron bell pepper
les pommes vapeur (*f.*) boiled potatoes
la ratatouille ratatouille (*vegetable stew*)
le riz rice
la salade salad
  d'endives aux noix of endive leaves and walnuts
  du chef chef's salad
  du jardin garden salad
  niçoise *niçoise* salad (*made with potatoes, tomatoes, olives, tuna*)
  verte green salad

Mots similaires: **le brocoli, la carotte, le céleri, la tomate**

LES FRUITS Fruit

l'abricot (*m.*) apricot
l'ananas (*m.*) pineapple
les cerises (*f.*) cherries
le citron lemon
les fruits secs (*m.*) dried fruit
la mangue mango
le pamplemousse grapefruit
la pastèque watermelon
la pêche peach
la poire pear
la pomme apple
le raisin grape

Mots similaires: **la banane, la mandarine, le melon, l'orange** (*f.*), **la papaye**

Révision: **la fraise**

LES DESSERTS Desserts

le biscuit cookie; cracker
la crème caramel custard with caramel
l'île flottante (*f.*) floating island (*meringue floating in cream*)
la noix walnut
l'orange givrée (*f.*) orange sorbet served in a frozen orange skin
le sorbet (**à la framboise**) (raspberry) sorbet
la tarte (**aux pommes**) (apple) tart
la tarte maison chef's special tart (pie)

Mot similaire: **la mousse au chocolat**

Révision: **le gâteau, la glace, la pâtisserie**

LES BOISSONS Drinks

la boisson non sucrée sugar-free drink
le chocolat chaud hot chocolate
l'eau minérale (*f.*) mineral water
le jus juice
  d'abricot apricot juice
  de citron lemon juice
  de fruits fruit juice
  d'orange orange juice
  de pomme apple juice
  de tomate tomato juice
le thé (**glacé**) (iced) tea
le vin wine
  blanc white wine
  rosé rosé (wine)
  rouge red wine

Mots similaires: **le champagne, le Coca-Cola, le cognac**

Révision: **l'apéritif** (*m.*), **la bière, le café, le lait, la limonade**

LES CONDIMENTS ET LES ÉPICES Condiments and spices

l'ail (*m.*) garlic
le beurre butter
  la plaquette bar; stick
la cannelle cinnamon
la confiture jam
la farine flour
l'huile (**d'olive**) (*f.*) (olive) oil
le laurier bay leaves

la levure	baking powder
le miel	honey
la moutarde	mustard
la noix muscade	nutmeg
la poêle	frying pan
le poivre	pepper
la poudre	powder
la sauce	sauce; dressing
le sel	salt
le thym	thyme
le tout	everything
la vinaigrette	oil and vinegar dressing

Mot similaire: **la margarine**

Révision: **le sucre**

LES MESURES ET LES RÉCIPIENTS
Measurements and containers

l'assiette (*f.*)	plate
la boîte	can; carton
la bouteille	bottle
la casserole	saucepan
cl = le centilitre	centiliter
la cuillerée	tablespoon
une dizaine (**de**)	about ten
g = le gramme	gram
la goutte	drop
le mixeur	blender
le morceau	piece, bit
la pièce	(a)piece; each
la plaquette (**de beurre**)	stick (of butter)
le plat de service	platter
le plateau	tray
le plat de service	platter
le pot	jar
la tasse	cup
la tranche	slice

Mots similaires: **le bol, le kilo (le kilogramme), le litre, le maximum, la portion, la quantité**

Révision: **le plat, le verre**

VERBES Verbs

aimer bien	to like
ajouter	to add
apporter	to bring
s'asseoir	to sit down
battre	to beat, to whip
beurrer	to butter
brûler	to burn
choisir	to choose
contenir	to contain, hold
couper	to cut
couvrir	to cover
cuire	to cook
découper	to carve, cut (up)
dépenser	to spend
disposer	to arrange; to set, lay
dorer	to brown
écraser	to crush; to flatten
être au régime	to be on a diet
faire de la gymnastique	to exercise
fondre	to melt
fréquenter	to frequent; to see often
laisser	to leave
mélanger	to mix (up); to blend
mesurer	to measure
se mettre au régime	to go on a diet
mettre sur le feu	to cook
mijoter	to simmer
mousser	to foam
napper (**de**)	to coat (with)
poivrer	to pepper
porter un toast	to drink (a toast) to, toast
rajouter	to put on, in; to add (some) more
refroidir	to cool down
régler	to settle
remettre	to put back
remuer	to stir
retirer	to take out, remove
saler	to salt
sembler	to seem
se sentir	to feel
souper	to have supper
tenir au chaud	to keep warm, hot
tomber	to fall
verser	to pour (out)
vexer	to hurt, upset, vex

Mots similaires: **calculer, désirer, imaginer, placer**

Révision: **avoir faim, cuisiner, déjeuner, faire des courses, grignoter, préparer**

LA DESCRIPTION DES ALIMENTS Describing food

à la crème	creamed; with (in) cream
à point	medium (*meat*)
assorti(e)	assorted
au four	baked
beurré(e)	buttered
bien cuit(e)	well done (*meat*)
coupé(e)	cut
fin	finely cut
en dés	diced
cru(e)	raw
doré(e)	browned, glazed
doux (douce)	sweet
émincé(e)	cut into thin slices
en gelée	in aspic
épais(se)	thick
frais (fraîche)	fresh
grillé(e)	toasted; grilled; roasted
haché(e)	chopped, minced
juteux (-euse)	juicy
mûr(e)	ripe
raffiné(e)	sophisticated, refined
rond(e)	round
saignant(e)	rare (*meat*)
sec (sèche)	dry, dried
sucré(e)	sugared

Mots similaires: **délicieux (-ieuse), extra-fin(e)**

SUBSTANTIFS Nouns

l'atmosphère (*f.*)	atmosphere
le copain (la copine)	pal, friend
le cours	walk (*avenue*)
la crème fraîche	fresh cream
la formule	formula
l'homme d'affaires (*m.*)	businessman
l'intrus(e)	intruder
la Norvège	Norway
l'occasion (*f.*)	occasion
la politesse	politeness
le produit	product
la recette	recipe
la santé	health
le soin	care
la verdure	greenery

Mots similaires: **l'ingrédient** (*m.*), **le liquide, la liste, la situation, la suggestion, la variété**

Révision: **la cuisine, le repas, le supermarché**

LA DESCRIPTION Adjectives

équilibré(e)	balanced
fabriqué(e) (en/aux)	made (in)
faible	weak
gourmand(e)	gluttonous
luxueux (-euse)	luxurious

Mot similaire: **nécessaire**

MOTS ET EXPRESSIONS UTILES Useful words and expressions

à base de	based on
à partir de	from
à votre avis	in your opinion
au choix	(your) choice of
car	because
chaque	each
copieusement	heartily
dehors	outside
doucement	gently, carefully; slowly
en	some; any (of it / them)
le long de	along
Moi non plus.	Me neither.
normalement	normally
pas encore	not yet
petit à petit	little by little
régulièrement	regularly
selon	according to
soyez	be (*command*)

LES AMIS AMÉRICAINS: Notes d'un voyage en Louisiane

Patrick a passé quelques semaines en Louisiane cet été grâce à un programme d'échanges organisé par France-Louisiane. Voici quelques-unes des notes qu'il a envoyées à sa famille et à ses amis pendant son séjour.

LA CHANSON LOUISIANAISE

L'une des choses qui m'a le plus frappé° ici, c'est la chanson louisianaise. Elle est à la fois si familière et si différente de la nôtre. En général, c'est une musique de violon, d'accordéon, de guitare et d'harmonica. Le chanteur chante avec une voix plaintive, comme dans la «country» américaine. Les mélodies rappellent parfois de vieilles mélodies françaises, mais on y retrouve aussi le folklore canadien, acadien et créole. Je l'aime beaucoup parce qu'elle est spontanée, pleine d'entrain:° c'est une musique pour danser, pour les bals du samedi soir. Mais j'aime aussi les paroles: elles parlent de la vie quotidienne avec une certaine philosophie très simple et beaucoup d'humour.

frappé: surprised
entrain: spirit

LE CAFÉ BRÛLOT

L'autre soir, j'ai fait une découverte dans ma famille d'accueil° de La Nouvelle-Orléans: le café louisianais! Voilà ce qui s'est passé: mon ami Chuck m'a offert de goûter à leur café Brûlot. Bien sûr, j'ai accepté: j'adore le café! Il a mis sur la table un récipient en argent.°

accueil: host
argent: silver

©PHILIP GOULD

Le festival de la musique cajun, Lafayette, Louisiane. Deux violonistes cajuns, Canray Fontenot et Dewey Balfa, jouent des airs qui rappellent de vieilles mélodies françaises, acadiennes et créoles.

—Tu vois, ce récipient, c'est un brûlot. On y fait chauffer° le café.

heat

—Mais qu'est-ce que tu mets dedans?

—D'abord, j'écrase° de la cannelle,° des clous de girofle,° du zeste d'orange et de citron, et deux morceaux de sucre.

crush / *cinammon*
clous... *cloves*

—Mon ami, c'est un cocktail ça, pas du café... Et maintenant qu'est-ce que tu fais?

—J'ajoute un peu de cognac et de curaçao. Et attention, hop... j'y mets le feu.°

flame

Il a fait flamber les alcools très vite pour me surprendre. Je suis resté bouche bée. Puis ça a commencé à sentir très bon. Ensuite, il a ajouté doucement le café.

—Voilà, ton café est prêt, remue° un peu pour faire fondre le sucre.

stir

J'ai hésité un peu quand même... Mais c'était excellent: chaud, fort, très parfumé... Depuis, je ne bois presque plus que ça!

Vrai ou faux?

1. La chanson louisianaise est un mélange de vieilles mélodies françaises et de jazz.
2. La chanson louisianaise se chante sur une musique d'accordéon, de violon et d'harmonica.
3. Le brûlot est une variété de café.
4. Le café Brûlot n'est qu'un mélange de café, de cognac et de curaçao.
5. Le café Brûlot est servi flambé.

NOTE CULTURELLE: Les heures des repas

Les Français prennent le plus souvent leur petit déjeuner entre six et huit heures du matin. Ils déjeunent entre midi et une heure et dînent entre sept et neuf heures.

Le petit déjeuner est léger, une tasse de café au lait ou de café noir avec une tartine beurrée ou un croissant. Le déjeuner était autrefois le repas principal, mais le rythme de vie actuel pousse les gens à grignoter quelque chose «sur le pouce» à midi, soit un sandwich, des crudités ou le plat du jour dans un petit bistrot. Le soir les Français aiment se réunir autour de la table en famille ou avec des amis pour partager un

©STUART COHEN

©PETER MENZEL

(à gauche) Menus d'un restaurant ouvert 24 heures sur 24, Nice, France. La plupart des restaurants en France ont leur carte et leurs menus du jour affichés dehors. Les Français aiment, avant d'entrer dans un restaurant, regarder quelles sont les spécialités de la maison.
(à droite) Un repas de famille, Saumer, France. Le dimanche beaucoup de Français déjeunent en famille. C'est une occasion pour se retrouver et renouer les liens entre les différentes générations.

bon repas. Le menu est en général plus copieux et arrosé d'une bonne bouteille de vin.

L'après-midi aussi on mange parfois quelque chose. Les enfants prennent leur goûter après l'école, des tartines ou du pain et du chocolat. Les grandes personnes qui se rendent visite préfèrent du thé avec des petits fours.

Peu importe l'heure, le repas reste encore un rite pendant lequel on se réunit et on raconte sa journée, ses problèmes et ses projets.

Questions

1. Décrivez un petit déjeuner français.
2. Quels sont les autres repas de la journée?
3. A quelle heure dînent les Français?
4. Pourquoi un repas est-il une sorte de rite?

LE FEUILLETON: *L'anniversaire de Charlotte*

Charlotte étudie à Toulouse, ses parents habitent à Limoges. Elle ne pourra° pas rentrer chez elle pour fêter son anniversaire en famille, le 7 avril. Son amie Mireille et elle vont donner une grande fête pour cette occasion.

ne... *will not be able*

—Tu sais, on va faire un méchoui, comme on le faisait au Maroc autrefois, quand mes parents y habitaient.

©OWEN FRANKEN / STOCK, BOSTON

Un déjeuner entre amis, Rabat, Maroc. La spécialité nord-africaine la plus connue en France est le couscous. On le prépare dans un couscoussier, une marmite à deux étages. On sert le couscous, c'est-à-dire, la semoule de blé dur, avec du poulet, du mouton, des légumes, du bouillon, des épices et du harissa, une sauce très piquante. Le complément indispensable au couscous est le thé vert à la menthe: il est très fort, très chaud et très sucré.

—J'ai l'impression que ça va nous donner beaucoup de travail...

—Oui, mais c'est une fête tellement décontractée, on est ensemble pour tout préparer... c'est vraiment sympa.° — sympathique

Mireille et Charlotte ont invité une vingtaine d'amis. Chacun donne cinquante francs pour aider à acheter ce qu'il faut et le 7, elles commencent les préparatifs. Il est midi, et Roger est venu les aider. Il a creusé° un trou rectangulaire dans le jardin pour faire le feu. — *dug*

—Alors, qu'est-ce qu'il faut faire, maintenant?

—Eh bien, allume le feu.

—Déjà?

—Oui, il faut l'allumer deux heures à l'avance: la viande doit cuire doucement sur les braises,° pas sur un grand feu. — *coals*

—A quelle heure allons-nous dîner, alors?

—Vers huit heures. La viande doit cuire environ cinq heures.

A trois heures de l'après-midi, le mouton est en broche° et commence à cuire. Les amis de Charlotte commencent à arriver. Ils dégustent la sangria que les deux jeunes filles ont préparée la veille.° — *spit*; *night before*

—Elle est délicieuse, ta sangria. Qu'est-ce que tu y as mis, Charlotte?

—J'y ai mis du vin rouge bien frais, du jus d'orange et de citron, des fraises, des oranges, des pêches et des citrons coupés en rondelles, et j'ai tout laissé macérer pendant vingt-quatre heures. Et il y en a beaucoup, alors sers-toi encore!

—Fernand, viens nous relayer! C'est ton tour de tourner la broche.

—Suzanne, tu veux nous aider à préparer le couscous?

—D'accord, qu'est-ce qu'il faut faire?

—Il faut éplucher° et couper des légumes: des tomates, des courgettes, des poivrons, des navets, des fonds d'artichauts et des oignons.

peel

Vers six heures, les légumes cuisent dans une marmite,° dans du bouillon de viande, avec des pois chiches, du sel, du poivre rouge et des épices.

pot

—Allez, maintenant, on va mettre le kèskès sur la marmite.

—Qu'est-ce que c'est que ça?

—Eh bien, c'est un tamis° dans lequel on met le couscous, comme ça il cuit à la vapeur des légumes qui sont en dessous.

sieve

—Dis-moi, ça a l'air délicieux... J'en ai l'eau à la bouche.

Maintenant, tout le monde est arrivé. Il commence à faire nuit et les jeunes se promènent dans le jardin, entre le feu où cuit le mouton, la table où se trouve la sangria et la maison où il y a de la musique et où l'on commence à danser. Tout d'un coup, Mireille tape dans une casserole.

—Le dîner est prêt! Venez vous servir!

—J'ai une faim de loup!°

J'ai... *I could eat a horse!*

—Eh bien, tiens, prends ce morceau, sers-toi du couscous.

—N'oubliez pas de mettre du cumin sur la viande et un peu de harissa° sur le couscous. Et attention, le harissa, c'est très fort!

spicy condiment

Ils s'asseyent tous autour du feu, sur des chaises, des tabourets,° par terre. Ils mangent, dansent, reviennent manger, retournent danser... Quand ils n'ont plus faim, Mireille et Fernand apportent un immense gâteau aux fraises, le gâteau préféré de Charlotte, illuminé de bougies.°

footstools

candles

—Ah mes amis, quel festin!

—Allez, Charlotte, souffle les bougies, et fais un vœu!

Elle s'exécute et tous ses amis, en chœur, commencent à chanter:

«Bon anniversaire,
Nos vœux les plus sincères,
Que° ces quelques fleurs t'apportent le bonheur
Que la vie entière te soit douce et légère,
Et que l'an fini nous soyons tous réunis.
Pour chanter en chœur, bon anniversaire!»

°*May*

Compréhension

Remettez les préparatifs de la fête dans l'ordre chronologique.

_____ Ils ont mis le mouton en broche.
_____ Elles ont préparé la sangria.
_____ Charlotte et Mireille ont décidé de faire un méchoui.
_____ Ils ont dîné.
_____ Elles ont fait les courses.
_____ Elles ont invité une vingtaine d'amis.
_____ Elles ont épluché et coupé les légumes.
_____ Ils ont apporté le gâteau d'anniversaire.
_____ Elles ont fait cuire les légumes et le couscous.
_____ Ils ont chanté: «Bon anniversaire».

7.1. *The Verbs* ***prendre*** *and* ***boire***

A. The verb **prendre** (*to take*) is conjugated like **apprendre** (Section 3.5).

je prends	nous prenons
tu prends	vous prenez
il/elle/on prend	ils/elles prennent

PASSÉ COMPOSÉ: j'ai pris
IMPARFAIT: je prenais

> **Prenons** un taxi au lieu du métro.
> *Let's take a taxi instead of the metro.*

B. In the present tense of the verb **boire** (*to drink*), the letter **v** is added to the plural forms. In addition, the sound **wa** becomes **uv** in the **nous** and **vous** forms.

je bois	nous b**uv**ons
tu bois	vous b**uv**ez
il/elle/on boit	ils/elles boi**v**ent

PASSÉ COMPOSÉ: j'ai bu
IMPARFAIT: je buvais

> Monsieur, que voulez-vous **boire?**
> *Sir, what would you like to drink?*

C. As you have seen, the verb **prendre** corresponds in meaning to English *to take.*

French speakers often use **prendre**, however, to express *to have* (*food*) = *to eat* or *to have* (*a drink*) = *to drink.* In the latter sense it is approximately equivalent to **boire.**

> Que **prenez**-vous quand il fait chaud et que vous avez soif? —Quand il fait chaud, j'aime **prendre** de la bière bien fraîche.
> *"What do you drink when it's hot and you're thirsty?" "When it's hot I like to drink very cold beer."*
>
> Qu'allez-vous boire? —Je vais **prendre** du vin rosé, s'il vous plaît.
> *"What are you going to have to drink?" "I'll have some rosé, please."*
>
> Qu'est-ce que vous **avez pris** comme hors d'œuvre? —**Nous avons pris** des crudités.
> *"What did you have as an appetizer?" "We had the relish plate (raw vegetables)."*

D. **Prendre** is also used in several common expressions: **prendre un repas** (**le petit déjeuner**), **prendre son temps, prendre quelqu'un au sérieux.**

Eh bien, Étienne, il **prend son temps!**
Well, Étienne is certainly taking his time!

L'ennui, c'est que tu ne me **prends** jamais **au sérieux.**
The problem is that you never take me seriously.

En général, à quelle heure prenez-vous le petit déjeuner? —A huit heures.
"When do you generally have breakfast?" "At eight o'clock."

Exercice 1

Remplacez les tirets par la forme correcte de **prendre** ou de **boire** au présent ou au passé composé.

1. Louis est vraiment en retard; ce matin il _____ son temps! S'il veut _____ l'autobus, il doit se dépêcher.
2. —Où as-tu _____ le petit déjeuner? —Chez Mme Martinet.
3. Vous avez la gueule de bois (*You are hung over*). Qu'est-ce que vous _____ hier soir?
4. Sylvie se _____ très au sérieux: elle n'a pas le sens de l'humour.
5. —Alors, qu'est-ce que tu manges? —Moi, je _____ un steak, des frites et une salade.
6. —Quand il fait froid, que _____-vous? du chocolat chaud ou du café? —En général, je _____ du café.
7. Ce matin, j'ai _____ du lait comme d'habitude.
8. J'ai _____ un taxi pour aller à la gare chercher Hélène.

*7.2. Expressing Quantities: The Partitive Article (**du, de la, de l'**) and Other Expressions of Quantity*

A. Most nouns can be classified as countable (tables, lamps, automobiles, animals, and so on) or noncountable (sand, sugar, milk, mud, and so on). Noncountable nouns are also called mass nouns.

Compare these examples of countable versus noncountable nouns:

two tables	five lamps	three automobiles	four dogs
some sand	a bit of sugar	a little milk	lots of mud

B. When French speakers refer to a mass noun and want to indicate only a part of the entire quantity (English = *some, any*), they use the *partitive* articles: **du** (= **de** + **le**), **de la,** or **de l'**.

De quoi a-t-on besoin pour faire une mousse au chocolat? —Il faut **du** chocolat, des jaunes d'œufs, du beurre, du sucre et des blancs d'œufs battus en neige.
"What do you put in a chocolate mousse?" "You put in chocolate, egg yolks, butter, sugar, and egg whites."

C. If the quantity is countable, French speakers use the plural indefinite article **des.**

Et qu'est-ce qu'il y a dans cette salade niçoise? —Il y a **des** pommes de terre, **des** anchois, **des** tomates, **des** haricots verts et du thon.
"What's in this niçoise salad?" "There are potatoes, anchovies, tomatoes, green beans, and tuna."

D. If the sentence is negative, the indefinite and partitive articles become **de,** except after the verb **être**.

Prennent-ils de la mousse au chocolat au déjeuner? —Non, ils **ne** prennent **pas de** mousse. Ils mangent toujours un fruit.
"Do they eat chocolate mousse for lunch?" "No, they don't eat chocolate mousse. They always eat a piece of fruit."

A quatre heures, on sert **du** thé mais on **ne** sert **pas de** café.
Tea is served at four o'clock, but coffee is not served.

C'est **du** vin mousseux; ce **n'est pas du** champagne.
It's sparkling wine; it isn't champagne.

E. Only the preposition **de,** not the partitive, is used with the following fixed expressions of quantity: **combien de, un peu de, beaucoup de, un verre de, assez de, trop de, tant de.**

Combien de Coca-Cola doit-on acheter?
How much Coke should we buy?

Est-ce que nous avons **assez de** salade? —Oui, mais il n'y a pas **beaucoup de** pain.
"Do we have enough salad?" "Yes, but there's not a lot of bread."

Veux-tu **un peu de** lait avec ton thé? —Non, mais j'aimerais un **verre d**'eau froide, s'il te plaît.
"Would you like some milk with your tea?" "No, but I'd like a glass of cold water, please."

F. You may have noticed that French speakers nearly always use an article of some kind in front of nouns. Compare the following sentences.

Je vais prendre **du** fromage.
I'm going to eat some cheese.

J'aime **le** fromage.
I like cheese.

The partitive article **du** indicates that the speaker means *a portion* (*some*). The definite article **le** indicates that the speaker is referring to cheese in general.

After verbs of preference such as **aimer, détester,** and **préférer,** the definite article is always used; one *likes* (*dislikes, prefers*) something in general, not just some (a portion) of it.

J'**aime la** viande mais je **déteste le** poisson.
I love meat but I hate fish.

Exercice 2

Un ami vous pose des questions sur vos habitudes alimentaires. Répondez en utilisant **des** ou les articles partitifs **du, de la** ou **de l'.**

MODÈLE: —Que prends-tu pour le petit déjeuner? (café au lait) →
—Je prends du café au lait.

1. Pour le dîner, qu'est-ce que tu manges? (salade, soupe et poisson)
2. A l'heure du goûter, que prends-tu? (pain et beurre)
3. Pour le déjeuner, qu'est-ce que tu préfères manger? (poulet ou viande)
4. Au restaurant, qu'est-ce que tu bois en général? (vin blanc)
5. Qu'est-ce que tu mets dans tes sandwichs? (mayonnaise, fromage, jambon)
6. Qu'est-ce que tu prends au petit déjeuner? (café, jus d'orange, pain, confiture)
7. Que mets-tu dans ta salade? (oignon, laitue, thon, huile, vinaigre, sel, poivre)
8. Qu'est-ce que que tu achètes chaque semaine? (lait, café, céréales, légumes...)

Exercice 3

Vous allez au supermarché. En relisant votre liste vous décidez de ne pas tout acheter.

MODÈLE: carottes, chou-fleur →
Je vais acheter des carottes mais pas de chou-fleur.

1. laitue, champignons
2. thon, tomates
3. olives, fromage
4. pommes de terre, poulet
5. crème, épinards
6. vin blanc, oignons
7. tranches de jambon, gâteau
8. eau minérale, huile de tournesol (*sunflower seed oil*)

7.3. *Expressing Quantities: The Pronoun of Quantity* **en** *(Part 2)*

A. You have already learned to use the pronoun **en** to refer to quantities without specifying the noun.

Voulez-vous trois poulets? —Oui, j'**en** veux trois.
"Do you want three chickens?" "Yes, I want three."

Est-ce qu'il y a une bouteille de vin dans le réfrigérateur? —Oui, bien sûr, il y **en** a trois (un, deux, dix, plusieurs, ...).
"Is there a bottle of wine in the refrigerator?" "Yes, of course, there are three of them"(one, two, ten, several, . . .).

B. The pronoun **en** can also be used to avoid repeating a partitive phrase.

Est-ce que Mme Durand prend toujours **du café** après le repas? —Oui, elle **en** prend toujours.
"Does Mrs. Durand always have coffee after dinner?" "Yes, she always does (have coffee)."

Voulez-vous **du sucre**? —Oui, j'**en** veux.
"Do you want some sugar?" "Yes, I do (want some)."

C. The pronoun **en** is also used to replace **de** + *noun* with an expression of quantity.

Est-ce qu'il reste encore **de la glace au chocolat?** —Oui, il **en** reste encore beaucoup.
"Is there any chocolate ice cream left?" "Yes, there is still a lot."

Exercice 4

Les quantités. Complétez les phrases ci-dessous avec les expressions suivantes: **trop de, assez de, peu de, tant de... que, beaucoup de.**

1. Jeannot, je n'ai pas _____ lait pour faire mon gâteau. Peux-tu aller en chercher?
2. _____ gens connaissent ce restaurant. Pourtant on y mange très bien.
3. Depuis l'ouverture du nouveau supermarché, _____ petits magasins dans le quartier ont fermé.
4. Hier soir, Gustave a bu _____ vin _____ ce matin il a la gueule de bois.
5. Attention, Antoinette! Si tu mets _____ beurre dans ta sauce, elle ne va pas être bonne.
6. Pour garder la forme, il faut faire _____ exercice, prendre _____ vitamines et ne pas manger _____ sucreries.
7. J'ai un ami écossais qui dit toujours: un _____ whisky ne fait pas de mal, au contraire c'est bon pour la santé. Moi, je préfère le lait. Il a _____ calcium et de vitamines _____ c'est bien meilleur pour la santé.
8. Les excès sont toujours mauvais: _____ nourriture ou d'alcool finissent par vous rendre malade.

Exercice 5

A. Vous passez quelques jours chez une amie. Elle vous pose beaucoup de questions pour connaître vos goûts. Répondez-lui en utilisant le pronom **en.**

MODÈLE: Mets-tu du lait dans ton café le matin? →
Oui, j'en mets. (Non, je n'en mets pas.)

1. Prends-tu de la viande à tous les repas?
2. Manges-tu du poisson le vendredi?
3. Est-ce que toi aussi tu as horreur des escargots?
4. Veux-tu des croissants au petit déjeuner?
5. Prends-tu du vin à tous les repas?
6. Est-ce que tu as envie de goûter ma tarte aux pommes?
7. Mets-tu du ketchup sur les frites?
8. Bois-tu du café décaféiné?
9. Rajoutes-tu du sel à tous les plats?
10. As-tu envie maintenant d'une bonne glace au chocolat?

B. Votre amie a organisé une petite soirée en votre honneur. Vous l'aidez à faire la liste des commissions. Répondez-lui en utilisant **en** et l'adverbe de quantité suggéré.

MODÈLE: Avons-nous des cornichons pour la charcuterie? (trop / assez) →
Oui, nous en avons trop!
(Non, nous n'en avons pas assez!)

1. Y a-t-il des œufs pour préparer le soufflé? (assez)
2. Avons-nous des olives pour la salade niçoise? (beaucoup)
3. Combien de tablettes de chocolat est-ce que tu mets dans ta mousse? (deux)
4. Est-ce qu'il reste du beurre? (un peu)
5. Y a-t-il de la viande pour tous? (très peu)
6. Est-ce que tu vois de la moutarde dans ce placard? (un pot)
7. Veux-tu aussi de la crème fraîche? (250 grammes)
8. Combien de boîtes de petits pois faut-il? (trois)
9. Avons-nous des oignons? (pas du tout)
10. Oh, j'oubliais le vin! (4 bouteilles!)

7.4. *Impersonal Direct Object Pronouns: **le, la, les***

A. As you know, the personal direct object pronouns **le, la,** and **les** are used to avoid the repetition of people's names. The same pronouns can also refer to things, places, and ideas, corresponding to English object pronouns *it* and *them.*

Où est ma **bicyclette?** —Je ne sais pas. Je ne **l'**ai pas vue.
"Where is my bicycle?" "I don't know. I haven't seen it."

Claire, tu veux aller voir ce film? —Non, je **l'**ai déjà vu la semaine dernière.
"Claire, do you want to see this movie?" "No, I already saw it last week."

B. Impersonal object pronouns are placed before the main verb, before the auxiliaries **être** and **avoir** in the **passé composé,** or before an infinitive, just like all other object pronouns. Remember that in negative sentences **ne** always precedes any object pronoun.

La salade? M. Michaud **ne *l'*a pas encore** préparée.
The salad? Mr. Michaud hasn't fixed it yet.

As-tu déjà servi **le dessert?** —Oui, je ***l'*ai** servi il y a une demi-heure.
"Have you already served the dessert?" "Yes, I served it half an hour ago."

Le pain? Je pars ***l'*acheter** maintenant.
The bread? I'm going out to buy it right now.

Les champignons? Charles veut ***les* manger** tout de suite.
The mushrooms? Charles wants to eat them right away.

C. Note the English equivalents of the French verbs listed below. In all cases, a preposition must be used in English to express what the French verb says without a preposition.

attendre	*to wait **for***	chercher	*to look **for***
écouter	*to listen **to***	regarder	*to look **at***

Note that, whereas the English verbs are followed by a *preposition + object of the preposition,* the French verbs can be used with direct object pronouns.

Depuis combien de temps **attends**-tu **Chantal?**—Je **l'attends** depuis une heure.
"How long have you been waiting for Chantal?" "I've been waiting for her for an hour."

Est-ce que tu **cherches Louis?** —Non, je ne **le cherche** pas, je **cherche Hélène.**
"Are you looking for Louis?" "No, I'm not looking for him, I'm looking for Hélène."

Sais-tu où est **Monique?** —Bien sûr, je **la regarde** en ce moment.
"Do you know where Monique is?" "Of course, I'm looking at her right now."

D. Compare the use of the impersonal direct object pronouns with the pronoun of quantity **en.**

Le café? Le voilà.
The coffee? There it is.

Voulez-vous **du café?** —Non merci, je n'**en** prends jamais avant de me coucher.
"Would you like some coffee?" "No thank you, I never drink it right before I go to bed."

J'ai acheté **du jus de fruits** et je **l'**ai bu.
I bought some juice and I drank it (*all of it*).

J'ai acheté **du jus de fruits** et j'**en** ai bu.
I bought some juice and I drank some (of it).

Exercice 6

Étienne est en train de (*in the process of*) préparer un dîner pour ses camarades du cours de français. Chantal lui avait promis de l'aider. Mais, comme elle est arrivée en retard, elle lui pose beaucoup de questions. Répondez à la place d'Étienne en utilisant les pronoms **le, la, l'** ou **les.**

MODÈLE: —Où as-tu mis la viande? (réfrigérateur) →
—Je l'ai mise dans le réfrigérateur.

1. Où as-tu acheté les fruits? (supermarché)
2. Quand vas-tu commencer la sauce? (au dernier moment)
3. Tu veux que je coupe le pain? (maintenant)
4. Où as-tu mis le dessert? (sur le buffet)
5. As-tu préparé la vinaigrette? (il y a dix minutes)
6. As-tu déjà ouvert la bouteille de vin? (non)
7. Est-ce que je l'ouvre? (dans un moment)
8. Où as-tu posé les légumes? (sur le frigo)
9. Qui va couper la viande? (toi!)

Exercice 7

Bernard et Irène se promènent en ville. Tout d'un coup, Irène disparaît dans une boutique. Dix minutes plus tard, Bernard commence à s'impatienter, mais que faire? Complétez cette histoire avec les verbes **chercher, attendre, regarder, écouter, parler** et **voir** au présent et les pronoms **le, la, l'** ou **me.**

Qu'est-ce que je peux faire? Je _____ _____ encore quelques minutes. Si elle ne ressort pas, j'entre dans le magasin et je _____ _____ dans tous les rayons (*departments*). Mais si je ne _____ trouve pas, je demande à une vendeuse si par hasard elle _____ _____ (*passé composé*) passer. Je lui _____ calmement, je souris, je _____ _____. Mais si elle ne _____ _____ pas parce qu'elle est trop occupée, je sens que je vais m'énerver (*to get upset*)! Je _____ partout, mais je ne _____ _____ pas. Mais où est-elle? Je _____ appelle, Irène, Irène! Elle ne répond pas. Je sors dans la rue et _____ _____ parmi les passants. Et tout d'un coup, je _____ _____. Elle _____ _____ du trottoir d'en face, le sourire aux lèvres, un gros paquet sous le bras!

Exercice 8

Conversation à table. Remplacez les tirets par **le** ou **en.**

1. —Passe-moi le sel, s'il te plaît!
   —Je te _____ ai déjà donné.
2. —Mmmmmm! Veux-tu encore du gâteau?
   —Non merci, je ne _____ ai plus envie.
3. Ce gigot? Je _____ ai acheté à la boucherie Devaux.
4. L'ananas? Il est très frais. Je _____ ai trouvé au marché de la rue Sainte-Véronique. Je _____ ai acheté plusieurs.
5. Ces gâteaux sont très beaux, n'est-ce pas? Voulez-vous _____ choisir un et _____ emporter chez vous?
6. Notre appartement? Non, je ne _____ ai pas décoré toute seule. Mon fils m'a aidée. Je _____ loue; je ne _____ suis pas la propriétaire.

7.5. Negation

A. Note the following pairs of positive and negative words and expressions.

quelque chose	rien	*something / nothing*
quelqu'un	personne	*somebody / nobody*
toujours	jamais	*always / never*
déjà	pas encore	*already / not yet*
encore	ne... plus	*still / no longer*

Most of these words and phrases can be used alone, as a direct response to a question.

> Qui veut m'aider à faire la salade? —**Personne.**
> *"Who wants to help me with the salad?" "Nobody."*
>
> Paulette, est-elle déjà arrivée? —Non, **pas encore.**
> *"Is Paulette already here?" "No, not yet."*

B. The words **rien** and **personne** can be used as subjects or objects. In either case **ne** must be used with them.

> Qu'est-ce qu'on va faire? **Rien n**'est terminé.
> *What are we going to do? Nothing is finished.*
>
> **Personne ne** veut travailler.
> *No one wants to work.*
>
> Je **n**'ai encore parlé à **personne.**
> *I haven't talked with anyone yet.*

C. A number of negative expressions are used in the same way as **ne... pas** in negative sentences.

ne... pas
ne... plus
ne... rien
ne... pas encore
ne... personne
ne... jamais

Elles **ne** fument **plus**.
They don't smoke any longer.

Je **ne** prends **jamais** de sucre avec le thé.
I never take sugar with my tea.

Je **ne** veux **pas encore** partir.
I don't want to leave yet.

D. As with **ne... pas,** the indefinite and partitive articles become **de** (**d'**) after these negative expressions.

Je **ne** mange **jamais d'**escargots.
I never eat escargots.

On **ne** voit **jamais d'**étudiants dans ce bistro.
You never see students in this bistro.

E. The negative expression **ne... que** is used to express a limitation. It is synonymous with **seulement** in most cases.

Je **n'**ai **que** dix francs.
I have only ten francs.

N'avez-vous **que** deux pêches?
Do you have only two peaches?

F. Note the use of the phrases (**moi**) **aussi** and (**moi**) **non plus** to express (*me*) *too* and (*me*) *neither*.*

Aimes-tu les escargots?

—Oui, je les aime beaucoup.	—Non, je ne les aime pas du tout.
—**Moi aussi.**	—**Moi non plus.**

"Do you like snails?"

"Yes, I like them a lot."	*"No, I don't like them at all."*
"Me too."	*"Me neither."*

***Non plus** does *not* express English *neither . . . nor.* Use **ne... ni... ni...** for that purpose.

Il **n**'aime **ni** la musique **ni** la danse.
He doesn't like either music or dance.

Other emphatic pronouns can, of course, be used with **aussi** and **non plus.**

Exercice 9

A. Vous n'êtes pas d'accord avec votre ami(e). Donnez une forme affirmative à toutes les phrases négatives.

MODÈLE: Je n'ai rien fait d'intéressant aujourd'hui. →
Mais si! Tu as fait quelque chose d'intéressant!

1. Je n'ai personne à qui parler.
2. Je n'ai pas encore de carte de crédit.
3. Je n'ai rien trouvé sur cet écrivain, Boris Vian.
4. Je n'ai jamais de chance aux cartes.
5. Toi non plus, tu n'es pas très gentil.
6. Je n'ai plus besoin de tes conseils.

B. Chantal et Monique. Donnez une forme négative à toutes les phrases affirmatives.

MODÈLE: Chantal a toujours de l'argent →
Monique n'a jamais d'argent.

1. Chantal a quelque chose d'intéressant à dire.
2. Chantal a encore des courses à faire.
3. Chantal a déjà des problèmes amoureux.
4. Chantal a quelqu'un avec qui étudier.
5. Chantal a toujours de bonnes idées.
6. Chantal est aussi très dynamique.

Exercise 10

Les goûts. Utilisez la forme **ne... que** dans les phrases suivantes.

MODÈLE: J'aime seulement les épinards et les carottes. →
Je n'aime que les épinards et les carottes.

1. Mon frère mange seulement des légumes et des céréales.
2. Ma mère achète seulement du lait pasteurisé.
3. Mon père choisit seulement les meilleurs morceaux de viande.
4. Je cuisine seulement le poulet aux herbes: c'est ma spécialité.
5. Mon amie aime seulement les potages et les fromages.
6. J'achète les fruits seulement au marché en plein air.

In **Chapitre huit** you will talk about many kinds of travel experiences, in particular the places you have been to, and you will learn about some aspects of travel within the Francophone world.

Une agence de voyages, Perpignan, France. Des étudiants y viennent pour organiser leur voyage de fin d'année.

CHAPITRE HUIT
Les voyages

THÈMES

- Talking About Geography and Geographical Features
- Modes of Transportation (Parts 1 and 2)
- Your Experiences on Trips

LECTURES

- Note culturelle: Les transports
- Note culturelle: Europcar —Location de voiture

LECTURES SUPPLÉMENTAIRES

- Les amis francophones: Les Îles de Lérins à Cannes
- Les amis francophones: On prend la voiture?
- Note culturelle: La sécurité sur l'autoroute

GRAMMAIRE

8.1. Expressing Location, Destination, and Origin: Prepositions + Place Names.
8.2. The Pronouns **y** and **en**
8.3. Describing Actions with Adverbs: **-ment; bon/bien, mauvais/mal, meilleur/mieux**
8.4. Describing Actions in Progress in the Past: The **imparfait**
8.5. Summary of the **passé composé** and **imparfait** to Describe Past Experiences

ACTIVITÉS ORALES

LA GÉOGRAPHIE

ATTENTION! Voir Grammaire 8.1–8.2.

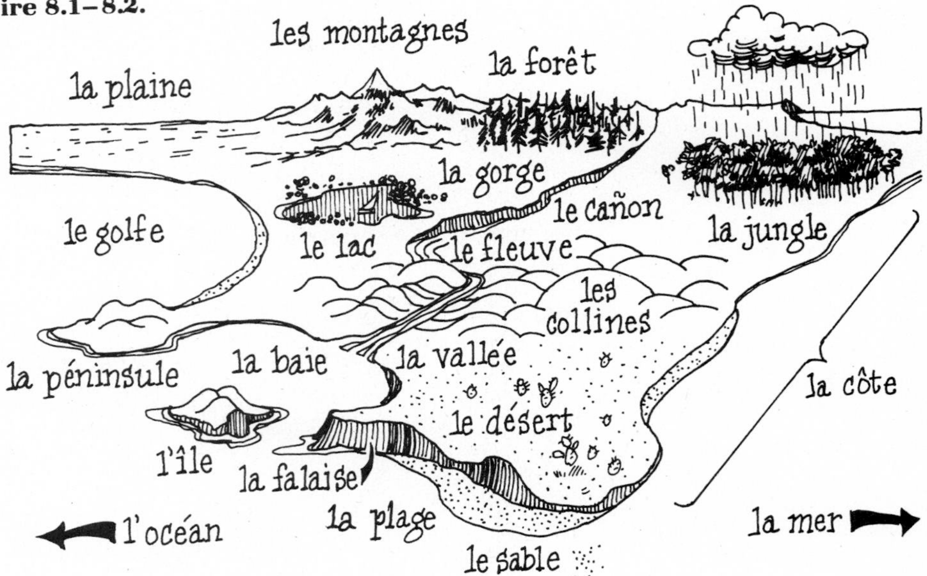

Activité 1. Définitions: La géographie

1. le lac
2. le cañon
3. la côte
4. la plage
5. l'île
6. la vallée
7. la montagne
8. le fleuve
9. la forêt
10. le désert
11. la jungle
12. la colline
13. la falaise

a. rivière qui se jette dans la mer
b. espace entre deux montagnes
c. lieu aride et souvent inhabité
d. grande étendue d'eau complètement entourée de terre
e. portion de terre complètement entourée d'eau
f. élévation considérable du sol
g. étendue de sable au bord de l'eau
h. endroit recouvert d'une végétation luxuriante
i. petite élévation arrondie
j. gorge très profonde
k. vaste terrain peuplé d'arbres
l. bord de mer
m. rochers très abrupts le long de la côte

Activité 2. Entrevues: Où as-tu voyagé?

1. D'où es-tu? Y retournes-tu souvent? Quand? Pourquoi?
2. As-tu de la famille dans un autre état? lequel? Leur rends-tu visite de temps en temps?
3. Habites-tu près de la plage? près de la montagne? Y passes-tu le week-end quand il fait beau? Qu'est-ce que tu y fais?
4. As-tu déjà voyagé en Europe? Quels pays y as-tu visités? Qu'est-ce que tu y as vu? En gardes-tu un bon souvenir? As-tu envie d'y retourner? Pourquoi?
5. Si tu n'as pas voyagé en Europe, penses-tu y aller bientôt? Quand? Veux-tu aller en France? en Angleterre? en Italie? en Espagne? Quelles villes veux-tu visiter? Pourquoi?
6. Es-tu allé(e) au Canada ou au Mexique récemment? Quels autres endroits as-tu visités cette année? l'année dernière? Étaient-ils intéressants? Est-ce que tu t'es amusé(e)?
7. Connais-tu Hawaï? Quand y es-tu allé(e)? Y as-tu nagé? Y as-tu fait de la planche à voile? Y faisait-il beau? En as-tu profité pour faire beaucoup de sport? Lesquels? Connais-tu un autre endroit exotique? Lequel? Pourquoi te plaît-il? Aimerais-tu y retourner un jour?

LES MOYENS DE TRANSPORT (Première partie)

ATTENTION! Voir Grammaire 8.3.

On peut voyager confortablement en avion.

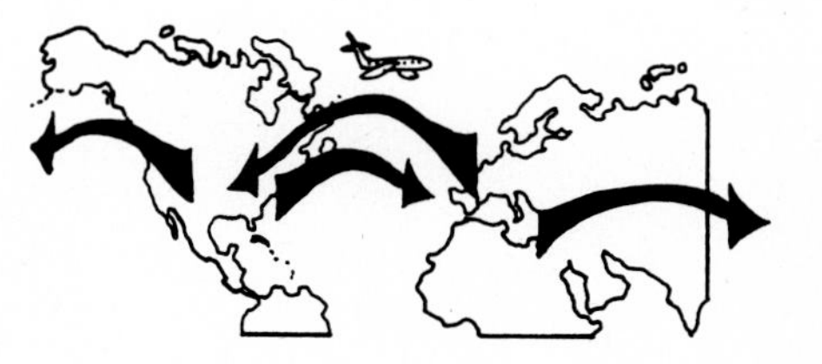

Nous voyageons fréquemment à travers le monde.

En Suisse les trains partent et arrivent toujours à l'heure.

Sur l'autoroute les voitures roulent très vite.

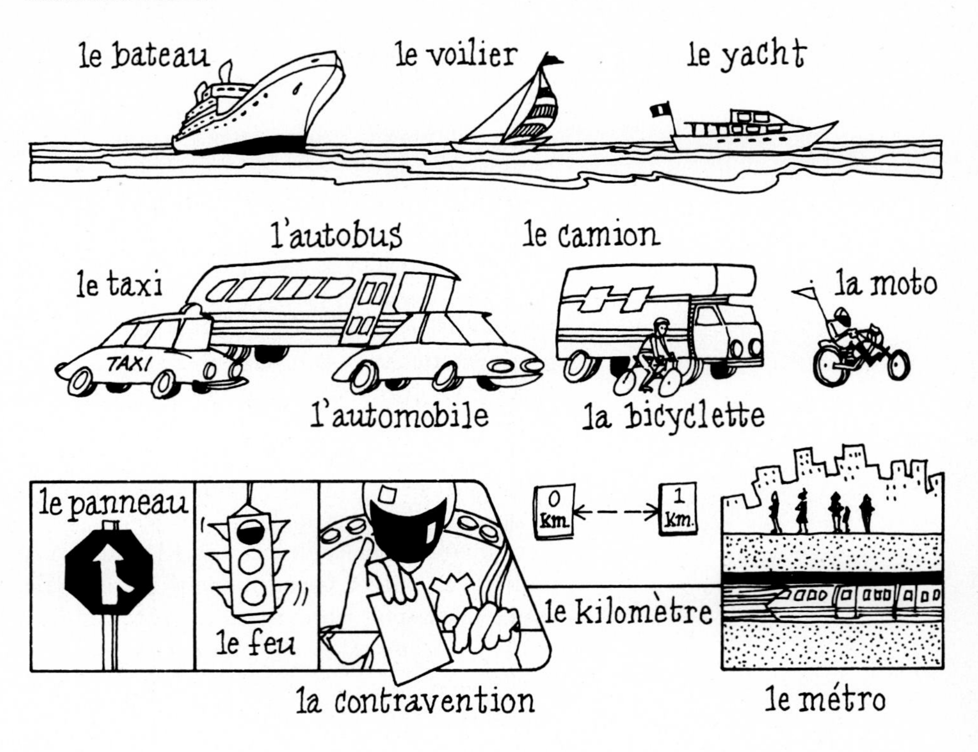

Activité 3. Les moyens de transport

1. l'avion
2. le bateau
3. le vélo
4. la voiture
5. le train
6. l'autobus
7. le métro

a. mot familier pour bicyclette
b. véhicule sur roues qui peut transporter de trente à quatre-vingts personnes
c. véhicule pour transport individuel ou familial
d. moyen de transport aérien
e. moyen de transport qui avance sur l'eau
f. moyen de transport constitué d'une locomotive et de wagons
g. transport en commun souterrain

Activité 4. Publicité: L'été en Europe

Visitez l'Europe en train cet été

La meilleure solution pour réaliser enfin votre rêve

Payez seulement **$392** pour 15 jours ou **$490** pour 21 jours
et découvrez toute l'Europe en voyageant première classe dans des trains modernes et confortables. Visitez 16 PAYS ET PLUS DE 80 VILLES ET VILLAGES.

Pour plus de détails consultez-nous

QUÉBEC TOURS

322 rue Saint-Étienne, Montréal
Tél. 514 429 3816

1. D'après cette publicité, quels sont les avantages de découvrir l'Europe en train? Dans quelles conditions peut-on voyager? Comment sont les trains?
2. Pourquoi l'agence de voyages propose-t-elle deux prix différents?
3. Et vous, préférez-vous voyager en avion, en train ou en autobus? Pourquoi? Prenez-vous fréquemment un de ces moyens de transport? Pour aller où?
4. Quels sont les avantages et les inconvénients de chacun de ces moyens de transport?
5. Avez-vous déjà pris le train en Europe? aux États-Unis? dans un autre pays? Lequel? Est-ce que cette publicité peut s'appliquer aux trains que vous connaissez? Expliquez votre réponse.
6. Est-ce que cette publicité vous donne envie de voyager en Europe cet été? Donnez vos raisons. Quel itinéraire aimeriez-vous suivre? Pourquoi?

Activité 5. Autres moyens de locomotion

Voici d'autres moyens de locomotion. Quels adjectifs vous paraissent le mieux les décrire? Expliquez les raisons de votre choix.

1. l'hélicoptère
2. le voilier
3. la moto
4. la bicyclette
5. la voiture
6. la marche
7. le yacht
8. l'ambulance
9. le canoë
10. le métro

a. amusant
b. dangereux
c. rapide
d. confortable
e. silencieux
f. fatigant
g. lent
h. sûr
i. reposant
j. bruyant
k. cher
l. efficace
m. terrifiant
n. courant
o. propre

En général, où et quand utilise-t-on ces moyens de locomotion? Qu'est-ce qu'ils ont de particulier? Pourquoi?

Activité 6. Publicité: UTA

UTA

NOS PASSAGERS SONT NOS HÔTES

L'Afrique par UTA
45 vols par semaine
26 escales

UTA vous souhaite la bienvenue à bord du Boeing 747–300 «Combi». Nous avons choisi les avions les plus performants et les mieux équipés pour nos vols longues distances. Le «Combi» offre 18 Première de Luxe, 42 classe Galaxy au pont supérieur et 202 classe Économique. Sa vitesse de croisière est de 945 km/h.

A bord, les hôtesses et les stewards ont pour mission de rendre votre voyage aussi agréable que possible. Les fauteuils sont conçus pour votre confort et les dossiers s'inclinent en appuyant simplement sur un bouton. Les repas et les boissons sont soigneusement choisis pour vous satisfaire. Nous vous attendons sur nos lignes très prochainement. N'hésitez pas à nous contacter.

D'après cette publicité, quels commentaires pouvez-vous faire sur les points suivants?

1. le nombre de vols par semaine
2. la vitesse de l'avion
3. les différentes classes
4. le rôle de l'équipage
5. le confort
6. les repas

NOTE CULTURELLE: *Les transports*

Les transports publics sont excellents en France et il n'est pas indispensable d'avoir une voiture pour se déplacer° facilement. Leur point fort est le train. Sa ponctualité est en effet légendaire: 95 pour cent des trains arrivent à l'heure. C'est l'une des priorités de la Société Nationale des Chemins de Fer (SNCF), qui est gérée° par l'État. La variété des services offerts est aussi exceptionnelle. Grâce aux trains auto-couchettes, on peut emporter sa voiture en train avec soi. Pendant le voyage, des repas gastronomiques sont servis dans les wagons-restaurants. De plus, de nombreux trains spéciaux sont ajoutés aux horaires habituels à l'époque des vacances. Et le TGV (Train à Grande Vitesse) offre le service de train le plus rapide du monde depuis 1981.

se... *to get around*

managed

Pourtant, les Français aiment aussi beaucoup rouler en voiture. Ils ont d'ailleurs de très bonnes routes: leur réseau routier° est le plus dense du monde. Un grand nombre de Français, et surtout beaucoup de jeunes, circulent en deux-roues. Les deux-roues, cyclomoteurs ou petites motos, coûtent moins cher qu'une voiture. Ils sont aussi très pratiques pour circuler en ville, parce qu'ils permettent d'éviter les embouteillages.° La plupart des villes françaises ont des problèmes de circulation: les rues sont souvent trop étroites° pour le nombre de voitures qui les utilisent. Les cyclistes et motocyclistes peuvent se faufiler° beaucoup plus facilement qu'une voiture et ils n'ont pas de problème de parking...

réseau... *highway system*

traffic jams

narrow

se... *make their way*

Toutefois,° les Français aiment aussi marcher. Les distances à parcourir pour faire les courses quotidiennes sont relativement courtes. On trouve un peu

However

La station de métro Saint-Michel, Paris. Le métro parisien, bien qu'un des plus anciens du monde, est très moderne. Il est très pratique car il va partout en ville, ses trains sont très fréquents et ses stations sont proches les unes des autres.

tous les commerces dans chaque quartier et il est donc facile de se passer de° voiture. Dans cet esprit, de très nombreuses villes françaises ont transformé des rues entières de leurs vieux quartiers pittoresques en zones piétonnes, où la circulation automobile est interdite et où l'on peut retrouver le plaisir de marcher.

se... *to get along without*

A Paris il y a le métro, inauguré pendant l'Exposition universelle de 1900. C'est un moyen de transport simple et pratique. Les trains sur pneumatiques sont confortables, peu bruyants et très fréquents. Le métro est ouvert dix-neuf heures par jour. On peut utiliser les mêmes tickets pour prendre le métro ou pour prendre l'autobus. Certaines stations de métro offrent une correspondance avec les lignes du RER (le Réseau Express Régional), qui permet de se rendre en banlieue. Mais en dépit de° ces avantages, plus de la moitié des Parisiens préfèrent utiliser leur voiture personnelle. Et les embouteillages parisiens, particulièrement à la sortie des bureaux et les jours de pluie, sont devenus légendaires...

en... *in spite of*

Questions

Quel est l'avantage principal, en France, ...

1. d'un wagon-restaurant?
2. d'un train auto-couchettes?
3. du TGV?
4. du métro parisien?
5. des deux-roues?
6. des zones piétonnes?

LES MOYENS DE TRANSPORT (Deuxième partie)

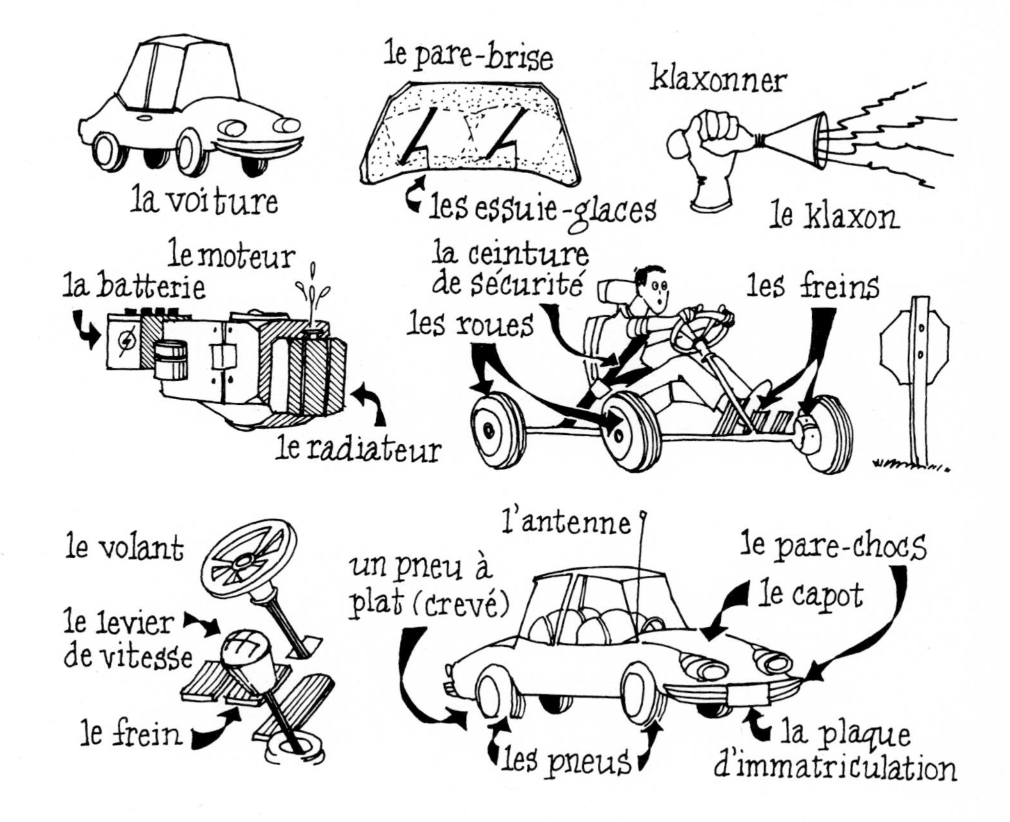

Activité 7. Définitions: Les parties de la voiture

1. les freins
2. les essuie-glaces
3. le clignotant
4. le volant
5. le klaxon
6. la plaque d'immatriculation
7. le siège
8. le pare-brise
9. les pneus
10. les phares
11. le coffre
12. la portière
13. l'essence
14. le radiateur
15. la ceinture de sécurité

a. liquide qui fait marcher le moteur d'une voiture
b. on l'emploie pour changer de direction
c. on les utilise pour arrêter la voiture
d. on l'ouvre et on la ferme pour entrer dans la voiture et pour en sortir
e. on le met pour prévenir les autres automobilistes que l'on va tourner
f. elle porte les nombres qui identifient la voiture
g. on y met des valises et d'autres affaires
h. son bruit sert à attirer l'attention des piétons et des autres conducteurs
i. lampes qui servent à éclairer la route
j. vitre à l'avant de la voiture qui protège les passagers du vent
k. elle protège les passagers en cas d'accident
l. ils permettent à la voiture de rouler
m. ils nettoient le pare-brise quand il pleut
n. on y met de l'eau pour refroidir le moteur
o. partie dans laquelle on s'assied

Activité 8. Comment bien entretenir votre voiture

Dites si vous êtes d'accord ou non avec les suggestions suivantes et expliquez pourquoi.

1. Gonflez toujours bien vos pneus.
2. Lavez toujours la voiture après vous en être servi.
3. Vérifiez le niveau de l'huile chaque fois que vous faites le plein d'essence.
4. Réglez le moteur toutes les semaines.
5. Achetez toujours du super.
6. Vérifiez souvent le niveau du liquide des freins.
7. Ouvrez le bouchon du radiateur quand le moteur est chaud.
8. Ayez toujours des ampoules de rechange dans votre boîte à gants.
9. Mettez de l'eau dans la batterie tous les six mois.
10. Remplacez le filtre du carburateur tous les deux ans.

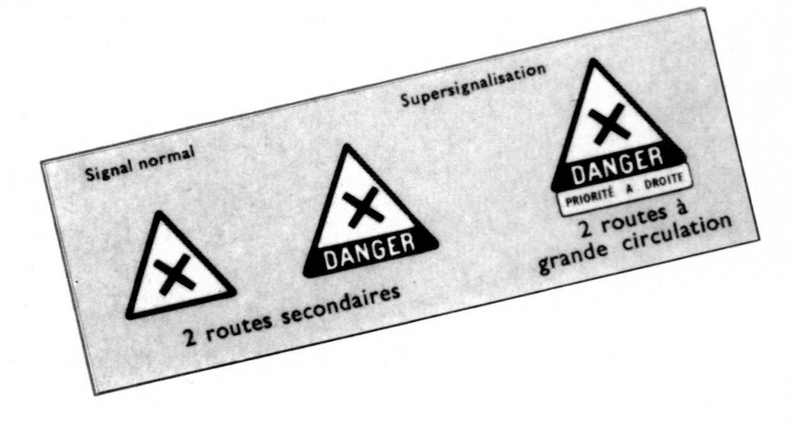

Activité 9. Le marché de l'automobile: Une voiture d'occasion

VOITURES D'OCCASION

MERCEDES 190 confort, 5 vitesses, modèle 1986, gris clair métallisé, intérieur gris foncé, glaces teintées, radio-stéréo, alarme, pneus neufs, état exceptionnel, 50 000 km, 130 000F. M. Lebreton, bur. 40.55.74.01 ou domicile 47.34.59.83.

RENAULT 25 GTS modèle 1985, air conditionné, radio-cassettes stéréo, antenne électrique, blanche, intérieur bleu, en très bon état, 11 000 km, tél. 47.07.43.12 après 18h.

PEUGEOT 504 1978, a peu roulé, excellente condition, blanche, toit ouvrant, radio, tél. 45.76.55.09.

PORSCHE CARRERA très bon état, 3,2 L, modèle '84, rouge, intérieur noir, air conditionné, radio-cassettes digitale Pioneer, ampli 100 W, rétroviseurs électriques, 220 000F. M. Lambert, bureau 48.91.24.55.

COUPE VOLVO 262C 1981, 90 000 km, série limitée, air conditionné, glaces, rétroviseur et antenne électriques. Alarme, radio-cassettes, intérieur cuir, 125 000F. Tél. 44.65.83.70.

FIAT PANDA 45 1985, 19 000 km, blanche, décapotable, parfait état. Prix 25 500F, tél. le matin 46.02.37.58.

MAZDA 929 2 L à injection, 19 000 km, bleue, 90 000F, tél. 69.28.75.00 après 19h.

1. Quelle est la voiture la plus vieille? la moins vieille?
2. Quelle voiture vous semble être en meilleur état?
3. De quelle couleur est la Mercedes?
4. Quelles voitures ont une radio-cassettes? une alarme? l'air conditionné?
5. Combien de kilomètres a la Volvo?
6. Si la Porsche vous intéresse, qui devez-vous appeler? A quel numéro?
7. Si la Fiat vous intéresse, quand est-ce que vous devez téléphoner?
8. Combien coûte la Peugeot? la Mazda? la Porsche?
9. Quelle voiture est décapotable?
10. Quelle voiture préférez-vous? Pourquoi?

Activité 10. Entrevue: La voiture

1. As-tu ta propre voiture? Comment est-elle? Est-ce qu'elle marche bien?
2. Quelle marque de voiture aimerais-tu avoir? Pourquoi?
3. Pourquoi as-tu acheté la voiture que tu as?
4. Quelles voitures sont les plus pratiques? les plus agréables à conduire?
5. Quelles sont les voitures de meilleure qualité?
6. Aimes-tu conduire? Pourquoi?
7. Répares-tu ta voiture toi-même? Pourquoi?
8. Qu'est-ce que tu fais quand ta voiture tombe en panne?

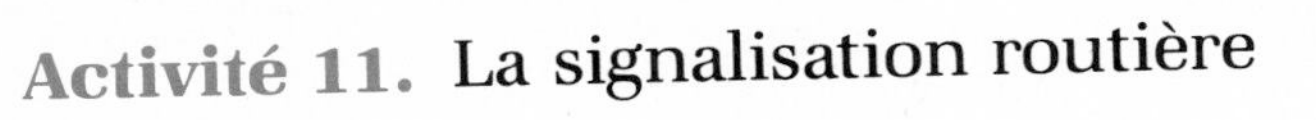

Activité 11. La signalisation routière

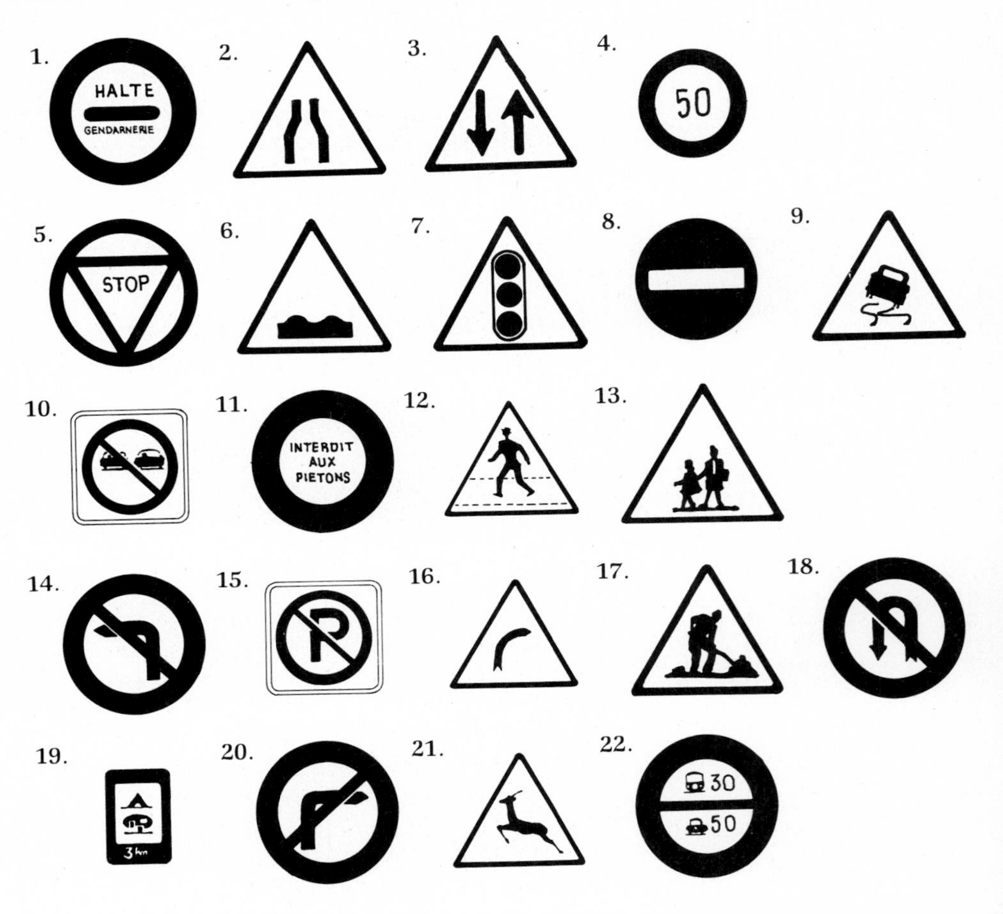

a. sens interdit, ne pas passer
b. défense de stationner
c. vitesse limitée pour tous les véhicules
d. virage dangereux à droite
e. défense de doubler
f. passage pour piétons
g. terrain de camping pour tentes et caravanes
h. attention aux animaux sauvages
i. défense de tourner à gauche
j. vitesse limitée d'après le poids du véhicule
k. défense de faire demi-tour
l. annonce des signaux lumineux tricolores
m. défense de tourner à droite
n. interdit à toutes personnes à pied
o. circulation à double sens
p. chaussée glissante
q. travaux
r. attention: la chaussée devient plus étroite
s. arrêtez-vous et cédez le passage
t. attention aux enfants, sortie d'école
u. arrêt obligatoire
v. dos d'âne, ralentir

NOTE CULTURELLE: Europcar—Location de voiture

Une station-service, Orsay, France. La voiture est le moyen de transport préféré des Français. Ils achètent des voitures de marques françaises comme Peugeot, Renault ou Citroën, mais aussi des voitures étrangères, en particulier des voitures allemandes, italiennes et japonaises.

EUROPCAR PLUS
dépensez moins pour louer plus

Louez plus de puissance pour la route, plus de confort, plus de raffinement, plus de standing.

Louez l'une de ces grandes voitures prestigieuses que vous aimez. Pour vos affaires, comme pour vos loisirs.

Avec le nouveau tarif Europcar PLUS donnez-vous le luxe de conduire la voiture de vos rêves. Le plaisir est illimité, le kilométrage aussi. Alors vous gagnez doublement. Et plus vous roulez, plus vous gagnez.

Europcar PLUS, un nouveau service international d'Europcar—avec les grands avantages et les petites attentions.

Appelez pour réserver: Paris, 30 43 82 82.

Questions

1. Quelles voitures pouvez-vous louer chez Europcar?
2. Sont-elles très chères?
3. Est-ce que le kilométrage est limité?
4. Quels sont les «avantages» d'après vous?

LES VOYAGES

ATTENTION! Grammaire 8.4–8.5.

Bernard et Irène sont allés à Montréal l'hiver dernier.

Quand ils sont arrivés il faisait très froid et il neigeait.

Ils ont visité la ville, ses musées et ses boutiques... et bien sûr, ses restaurants.

Ils étaient soulagés car pour une fois ils pouvaient parler français à l'étranger.

Quand ils sont rentrés à Lyon, ils étaient très contents de leur voyage et rêvaient déjà du prochain.

Activité 12. Voyager, ce n'est pas si facile que ça!

Mettez dans le bon ordre.

_____ payer les billets
_____ monter dans l'avion
_____ acheter le nécessaire pour le voyage
_____ préparer l'itinéraire
_____ aller à l'aéroport
_____ obtenir un passeport et un visa
_____ faire les valises
_____ acheter des chèques de voyage
_____ téléphoner à l'agence de voyages
_____ faire les réservations

Activité 13. Conversation: L'auto-stop

Quand on n'a pas de voiture, on prend souvent les transports en commun: le métro, l'autobus, le taxi ou le train. Mais certaines personnes préfèrent demander à un automobiliste inconnu de les conduire là où elles veulent aller pour économiser le prix du voyage. C'est ce qu'on appelle faire de «l'auto-stop». Les auto-stoppeurs (ou auto-stoppeuses) aiment voyager ainsi parce qu'ils ne doivent rien payer et parce que c'est une occasion pour eux de rencontrer des personnes intéressantes. Mais beaucoup de gens ne font jamais d'auto-stop parce qu'ils pensent que c'est dangereux.

1. Pensez-vous que ce soit une bonne idée de faire de l'auto-stop?
2. En avez-vous déjà fait? Quand? Pour aller où?
3. Est-ce que vos amis (parents) étaient d'accord?
4. Est-ce que vous en faites souvent?
5. Avez-vous eu de mauvaises expériences?
6. Êtes-vous pour ou contre l'auto-stop?
7. Vous êtes-vous déjà arrêté(e) pour prendre un auto-stoppeur (une auto-stoppeuse)?
8. Racontez quelques-unes de vos expériences passées.

Activité 14. Qui dans la classe...

1. n'a jamais visité le Canada?
2. a voyagé en Afrique? Quelle était la raison du voyage?
3. a vu le musée du Louvre quand il/elle était à Paris?
4. a dîné dans un restaurant français récemment? Quelle était l'occasion?
5. n'a jamais pris le train?
6. était au Mexique pendant le tremblement de terre de 1985?
7. a escaladé une montagne? Est-ce qu'elle était haute?
8. a visité une pyramide? Décrivez-la.
9. a déjà rencontré un Français (une Française)? Parlait-il/-elle anglais?
10. n'a jamais quitté les États-Unis? Mais quels états a-t-il/elle visités?

Activité 15. Roger au volant

Voici ce qui est arrivé à Roger le week-end dernier. Racontez ses aventures.

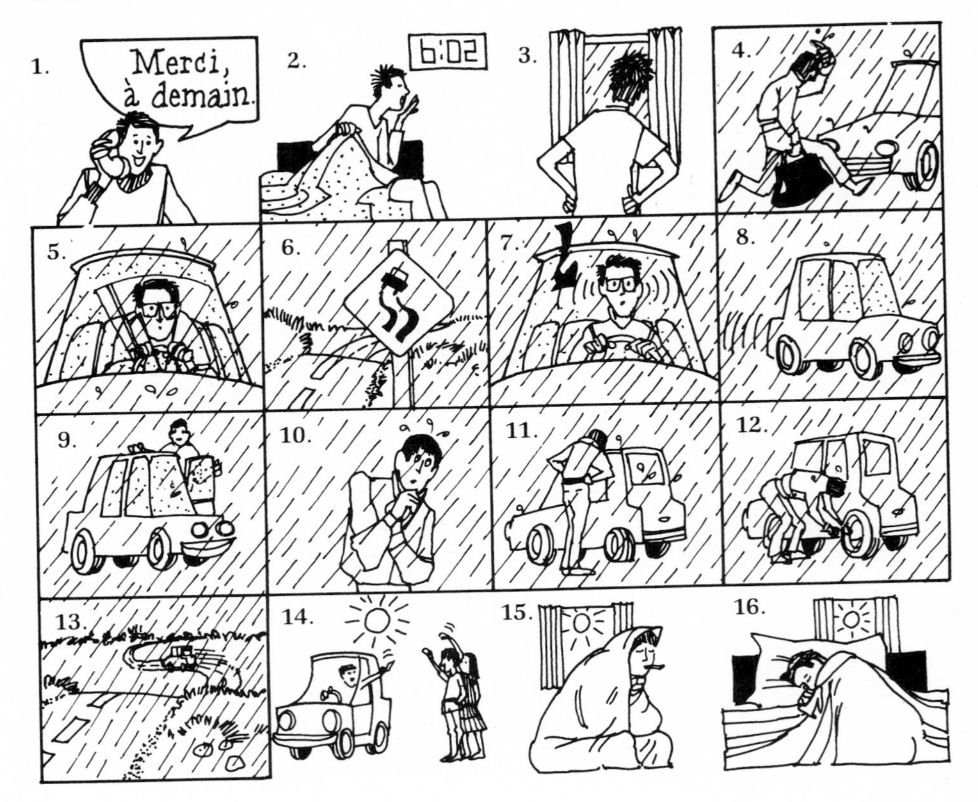

Activité 16. L'agence de voyages

Vous travaillez dans une agence de voyages. Vous avez plusieurs clients qui ont beaucoup voyagé et qui veulent passer des vacances exotiques l'été prochain. Lisez ce que vos clients ont déjà fait et préparez-leur un itinéraire attirant.

LES MICHAUD

Lui, c'est un écrivain français très célèbre, et elle, elle dirige une entreprise qui fabrique des jouets. Ils connaissent très bien la France. Ils connaissent bien le Canada aussi parce qu'ils y ont de très bons amis; ils ont visité le Québec, l'Ontario et Vancouver. Aux États-Unis ils ne connaissent que New York et Boston. Ils voyagent très souvent en Europe; ils ont skié dans les Alpes et ont fait de la voile en Méditerranée. Ils ne sont jamais allés dans les pays de l'est. Ils ont visité l'Afrique du Nord, l'Égypte et Israël. Ils n'ont jamais eu l'occasion de visiter l'Afrique de l'Ouest: le Sénégal, la Côte-d'Ivoire ou le Cameroun par exemple. Ils ne connaissent pas non plus l'Amérique du Sud. L'été dernier ils ont fait une croisière dans les pays scandinaves qu'ils ont adorée. Mais cette année ils souhaiteraient faire quelque chose d'un peu plus dépaysant. Mme

Michaud parle très bien l'anglais car elle l'utilise couramment dans son travail. M. Michaud parle l'italien, l'espagnol et un peu l'allemand. Il voudrait profiter de ce voyage pour s'inspirer pour son nouveau roman.

Préparez pour les Michaud un itinéraire d'un mois: «Vous partez de Paris le 5 juillet et vous arrivez à... »

MLLE BOLINI

Elle est attachée commerciale pour une société d'ordinateurs à Marseille. Elle voyage très souvent pour son travail, mais surtout en Europe et aux États-Unis. Elle connaît assez bien l'Amérique du Sud mais elle n'est jamais allée au Mexique. Elle n'a jamais voyagé en Orient ou en Afrique, pourtant elle a de la famille qui habite au Maroc. Mlle Bolini est une jeune femme très indépendante qui préfère passer ses vacances dans un coin tranquille loin de la foule et des touristes. Elle adore l'archéologie et les vieilles pierres. Le prix du voyage n'est pas un problème. Ce qu'elle veut surtout, c'est vivre une expérience intéressante et inoubliable.

Préparez pour Mlle Bolini un itinéraire de deux semaines: «Vous partez de Marseille le 20 août et vous arrivez à... »

Vocabulaire

LA GÉOGRAPHIE Geography

la baie	bay
le cañon	canyon
les collines (*f.*)	hills
la côte	coast
le dos d'âne	bump (*in the road*)
l'étendue (*f.*)	area, expanse
la falaise	cliff
le fleuve	river
la forêt	forest
l'île (*f.*)	island
la pierre	stone
le rocher	rock
la terre	earth, ground

Mots similaires: **le désert, l'élévation** (*f.*), **le golfe, la gorge, la jungle, l'océan** (*m.*), **la péninsule, la plaine, le terrain, la vallée, la végétation**

Révision: **l'arbre** (*m.*), **le lac, la mer, la montagne, la plage, la rivière, le sable**

LES MOYENS DE TRANSPORT Means of transportation

le camion	truck
la caravane	trailer
faire de la voile	to sail
la marche	walking
le transport en commun	public transportation
le vélo	bicycle
le voilier	sailboat
le wagon	train car

Mots similaires: **l'ambulance** (*f.*), **l'automobile** (*f.*), **le canoë, l'hélicoptère** (*m.*), **la locomotive, le taxi, le train, le véhicule, le yacht**

Révision: **l'autobus** (*m.*), **le bateau, la bicyclette, le métro, la moto, la voiture**

L'AUTOMOBILE The car

à injection	injection
ampli = l'amplificateur (*m.*)	amplifier
l'ampoule de rechange (*f.*)	replacement bulb
la boîte à gants	glove compartment
le bouchon	cap
le capot	hood
la ceinture de sécurité	seat belt
le clignotant	turn signal
le coffre	trunk
la contravention	citation, traffic ticket
l'essence (*f.*)	gasoline
les essuie-glaces (*m.*)	windshield wipers
le feu (**le signal lumineux tricolore**)	traffic signal
le filtre	filter
les freins (*m.*)	brakes
la glace	window (*of a car*)
le klaxon	horn
klaxonner	to honk the horn
le levier de vitesse	gearshift
le pare-brise	windshield
le pare-chocs	bumper
passer	to enter (*a space*)
les phares (*m.*)	headlights
la plaque d'immatriculation	license plate
les pneus (*m.*)	tires
un pneu à plat (**crevé**)	flat tire
la portière	door
le rétroviseur	rearview mirror
les roues (*f.*)	wheels
le siège	seat
la signalisation routière	road signs
stationner	to park
le super	supreme (*gasoline*)
le toit ouvrant	sunroof
tomber en panne	to break down
le volant	(steering) wheel

Mots similaires: **l'air conditionné** (*m.*), **l'antenne** (*f.*), **la batterie, le carburateur, km/h** (**kilomètres** [*m.*] **à l'heure**), **L** (**litres** [*m.*]), **le moteur, le radiateur**

VOYAGER EN AVION Traveling by plane

à l'étranger (*m.*)	abroad
l'aéroport (*m.*)	airport
l'agence de voyages (*f.*)	travel agency
le billet	ticket
les chèques de voyage (*m.*)	traveler's checks
l'équipage (*m.*)	(air) crew
l'escale (*f.*)	stopover
faire les valises	to pack one's suitcases
le/la passager (**-ère**)	passenger
la valise	suitcase
le vol (**longue distance**)	(long distance) flight

Mots similaires: **le passeport, le steward, le/la touriste, le visa**

Révision: **l'itinéraire** (*m.*), **le voyage**

LES CONTINENTS, LES PAYS ET D'AUTRES LIEUX Continents, countries, and other places

l'Afrique du Nord (*f.*)	North Africa
l'Amérique du Nord (*f.*)	North America
l'Amérique du Sud (*f.*)	South America
la Méditerranée	Mediterranean (Sea)
l'Orient (*m.*)	Orient
les pays scandinaves (*m.*)	Scandinavian countries

Mots similaires: **l'Afrique** (*f.*), **les Alpes** (*f.*), **l'Angleterre** (*f.*), **le Cameroun, le Canada, la Côte-d'Ivoire, l'Egypte** (*f.*), **l'Espagne** (*f.*), **les États-Unis** (*m.*), **l'Europe** (*f.*), **la France, Hawaï, Israël, l'Italie** (*f.*), **le Maroc, le Mexique, le Québec, le Sénégal, la Suisse**

LES VERBES Verbs

appeler	to call
s'appliquer	to apply
appuyer	to press, push
arrêter	to stop
attirer	to attract
avoir l'occasion (**de**)	to have the chance, opportunity (to)
céder le passage	to yield the right of way
concevoir	to conceive
coûter	to cost

diriger	to direct
doubler	to pass (a car)
éclairer	to light (up)
employer	to use
entrer	to enter
entretenir	to maintain
fabriquer	to manufacture
faire de l'auto-stop	to hitchhike
faire demi-tour	to make a U-turn
faire le plein	to fill (up)
gonfler	to inflate
s'incliner	to recline
s'inspirer	to be inspired
s'intéresser (à)	to be interested (in)
se jeter	to throw (oneself)
marcher (bien)	to work, function (well)
paraître	to seem, appear
porter	to show; to bear
prendre	to pick up
prévenir	to warn
proposer	to propose, suggest
protéger	to protect
ralentir	to slow down
réaliser	to realize, fulfill
régler	to tune (*engine*)
remplacer	to replace
rendre	to render, make
repartir	to leave (again)
rouler	to go, run (*machine*)
satisfaire	to satisfy
souhaiter	to wish
transporter	to transport, carry
utiliser	to use
vérifier	to check

Mots similaires: **avancer, consulter, contacter, économiser, hésiter, identifier, profiter, tourner**

Révision: **s'amuser, s'arrêter, arriver, escalader, faire les réservations, nager, partir, passer (du temps), rendre visite (à), rentrer, retourner, skier, tourner, visiter** (*un lieu*), **voyager**

LA DESCRIPTION Description

aérien(ne)	(relating to) air
agréable	pleasant
arrondi(e)	rounded
attirant(e)	attractive, appealing
bruyant(e)	noisy
choisi(e)	chosen
commercial(e)	business
conçu(e)	conceived
constitué(e)	composed
courant(e)	ordinary, common
décapotable	convertible
dépaysant(e)	giving a change of scenery to, a welcome change of surroundings
efficace	efficient
entouré(e) (de)	surrounded (by)
équipé(e)	equipped
étroit(e)	narrow
familial(e)	family
familier (-ière)	familiar, colloquial
fatigant(e)	tiring
glissant(e)	slippery
inconnu(e)	unknown
inhabité(e)	uninhabited
inoubliable	unforgettable
interdit(e)	forbidden
lent(e)	slow
luxuriant(e)	luxuriant, lush
-même(s)	-self (-selves)
parfait(e)	perfect
particulier (-ière)	special, particular
peuplé(e) (de)	planted (with)
pratique	practical
profond(e)	deep
propre	own
recouvert(e) (de)	covered (with)
reposant(e)	restful
sauvage	wild
silencieux (-ieuse)	silent
soulagé(e)	relieved, soothed
souterrain(e)	underground
supérieur(e)	upper
sûr(e)	sure, reliable
teinté(e)	tinted
terrifiant(e)	terrifying
tranquille	calm, tranquil

Mots similaires: **abrupt(e), amusant(e), aride, certain(e), confortable, considérable, dangereux (-euse), digital(e), électrique, exceptionnel(le), exotique, indépendant(e), individuel(le), limité(e), obligatoire, vaste**

LES ADVERBES Adverbs

confortablement	comfortably
constamment	constantly
couramment	fluently
ne... que	only
non plus	not either, neither
pourtant	however; nonetheless
prochainement	soon, shortly
prudemment	prudently
récemment	recently
soigneusement	carefully
tout d'un coup	all of a sudden; suddenly

LES SUBSTANTIFS Nouns

l'annonce (*f.*)	notice, announcement
l'arrêt (*m.*)	stop
l'attaché(e)	attaché; assistant
l'automobiliste (*m., f.*)	motorist
l'auto-stop (*m.*)	hitchhiking
l'auto-stoppeur (-euse)	hitchhiker
l'avant (*m.*)	front (*part*)
la bienvenue	welcome
le bouton	button
bur. = le bureau	office
la chaussée	road, roadway
la circulation	traffic
le coin	corner
le/la conducteur (-trice)	driver
la croisière	cruise
le cuir	leather
le domicile	residence
le dossier	back (of chair)
l'écrivain (*m.*)	writer
l'entreprise (*f.*)	business, enterprise
l'espace (*m.*)	space (*between objects*)
l'état (*m.*)	state, condition
la foule	crowd
l'hôte, l'hôtesse	host, hostess
l'huile (*f.*)	oil
l'inconvénient (*m.*)	disadvantage
le jouet	toy
la ligne	(air)line
le luxe	luxury
la marque	brand
le niveau	level
l'occasion (*f.*)	occasion; chance, opportunity
le panneau	sign; billboard
la partie	part
le passage pour piétons	pedestrian crossing
le/la piéton(ne)	pedestrian
le pont	deck (*on a plane, ship*)
la publicité	advertisement
le rêve	dream
la route	road
le sens interdit	wrong way
la série	series
les signaux lumineux tricolores (*m.*)	traffic signal
le terrain de camping	campground
le tremblement de terre	earthquake
le virage	turn (*in a road*)
la vitesse de croisière	cruising speed
la vitre	window

Mots similaires: **l'accident** (*m.*), **l'alarme** (*f.*), **l'archéologie** (*f.*), **l'aventure** (*f.*), **la condition, le confort, la conversation, le détail, la direction, la distance, l'intérieur** (*m.*), **la limite, la locomotion, la mission, le point, la pyramide, la qualité, la solution, la stéréo, la tente, le tour, le village**

Révision: **l'autoroute** (*f.*), **le bord de mer, la boutique, le musée, le nombre, la radio, le restaurant, les vacances** (*f.*)

MOTS ET EXPRESSIONS UTILES Useful words and expressions

à bord	on board
à double sens	two-way
à pied	on foot
à travers	through
aussi... que	as . . . as
d'après	according to
défense de + *inf.*	no (*turning, parking, etc.*), (*turning, parking, etc.*) prohibited
d'occasion	secondhand, used
en cas de	in case of
gris clair métallisé	light metallic gray
gris foncé	dark gray
le long de	along
le/la/les moins	the least
les plus performants	the highest performing
plusieurs fois	several times

Révision: **à droite, à gauche**

LES AMIS FRANCOPHONES: Les Îles de Lérins à Cannes

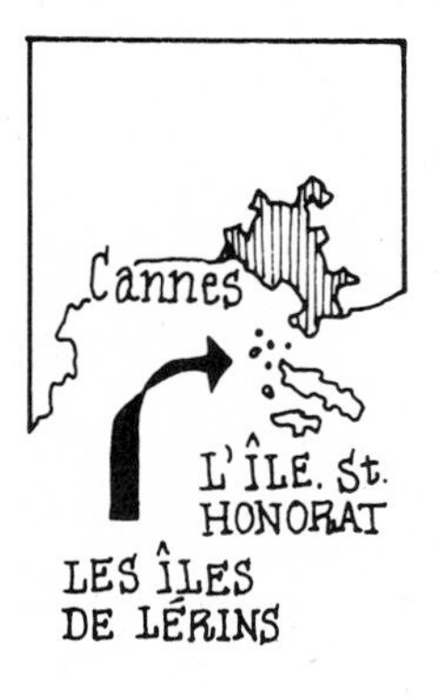

Joseph séjourne cet été sur la Côte d'Azur, dans le sud de la France, où habite son ami Claude. Aujourd'hui, Claude et lui sont allés pique-niquer sur l'une des deux îles au large de° Cannes, l'Île Saint-Honorat. Ils ont pris l'un des petits bateaux à moteur qui font le trajet entre Cannes et les îles. Ils se sont installés dans une petite crique,° sous un pin. Ils ont nagé, ils ont trouvé beaucoup d'oursins° et de petits poulpes.° Joseph a été très impressionné par la beauté de l'île: c'est un site protégé où il n'y a pas d'habitation, excepté un vieux monastère construit au milieu d'une forêt de pins. Il a écouté son ami lui raconter l'histoire de Saint-Honorat.

au... *off* (*the coast of*)
cove
sea urchins / *octopuses*

—On raconte qu'autrefois, les deux îles ne formaient qu'une seule grande île.

—Qui est-ce qui t'a dit ça?

—C'est mon grand-père qui m'a raconté cette légende. On dit qu'un grand philosophe, Apollon de Tyane, est venu tout seul sur l'île il y a très longtemps. Il avait beaucoup de savoir et de vertus. Il a caché dans l'île des talismans qui pouvaient aider les hommes de demain. Après son départ, les Romains sont venus dans l'île mais ils n'ont pas trouvé les talismans. Quand ils sont partis, brusquement, l'île s'est couverte d'une végétation folle: le diable avait appris l'existence des talismans. Alors il a fait venir dans l'île une légion démoniaque de serpents et de plantes. Les figuiers, les eucalyptus, les cyprès, les acacias, les cactus et les bambous ont envahi° tous les coins de l'île. Personne n'osait plus y venir.

invaded

—C'est une légende de quelle époque?

—On dit que cela s'est passé au IVème siècle de notre ère. A cette époque un jeune pèlerin° qui s'appelait Honorat est passé le long de la baie. L'île a tremblé. Quand Honorat a regardé l'île, la terre a encore tremblé et la mer est devenue violente. Tout à coup, l'île s'est coupée en deux et Satan est apparu, immense, un pied sur chaque moitié d'île. Mais la terre a tremblé à nouveau et Satan a perdu pied. Il est tombé dans la mer, s'est transformé en un énorme dragon et s'est enfui,° la bouche en feu.

pilgrim
fled

Le village d'Èze, la Côte d'Azur, France. Ce village est perché sur un rocher. Il date du XIVème siècle. On trouve beaucoup de vieux villages fortifiés dans l'arrière pays niçois. Ils sont tous très spectaculaires car ils sont construits sur les collines et ont, généralement, une vue magnifique sur la région.

—Et alors... ?

—Alors, Honorat a débarqué dans l'île. Il a fait partir les serpents, il a fait sortir de l'eau des rochers. De nombreux disciples sont venus pour étudier et prier avec lui. En 426, quand il est devenu archevêque° d'Arles, l'île était un monastère célèbre en Occident. Sa bibliothèque était d'une grande richesse. Parmi les disciples qui ont étudié au monastère, il y avait Saint Patrick,* qui est allé plus tard évangéliser l'Irlande, Saint-Loup de Troyes† qui a combattu Attila, Saint-Césaire d'Arles,‡ Saint-Hilaire§ et tant d'autres. Et tu sais ce qu'on dit?

archbishop

—Non, raconte...

—Eh bien, on dit que les moines de Lérins ont découvert les talismans d'Apollon de Tyane. Ils ont appris les secrets que le philosophe avait cachés pour les hommes de l'avenir. Et c'est ainsi que l'île de Saint-Honorat est devenue un grand centre de civilisation...

Questions

1. Où sont Claude et Joseph?
2. Qu'a fait Apollon de Tyane dans l'île?
3. Pourquoi l'île s'est-elle couverte de plantes et de serpents?
4. Qu'est-il arrivé quand Honoré est passé près de l'île?
5. Qu'est-ce qu'Honoré a créé dans l'île?
6. Qu'est-ce que les moines de Lérins ont découvert dans l'île?

LES AMIS FRANCOPHONES: On prend la voiture?

Claire, Paulette et Joseph sont invités chez des amis qui habitent à l'autre bout de Paris. Claire et Paulette veulent prendre le métro mais Joseph préfère conduire. Un seul petit problème, ils ne savent pas très bien où ils vont. Les deux filles essayent de convaincre° Joseph

to convince

---

*Saint-Patrick (389-461), patron de l'Irlande. Enlevé par des pirates irlandais, il a passé six ans en esclavage en Irlande. Après avoir achevé sa formation en Gaule, il est reparti évangéliser l'Irlande en 432. Sa fête est le 17 mars.

†Saint-Loup de Troyes (383-478). Évêque de Troyes (426), il a défendu Troyes contre Attila (451). Sa fête est le 29 juillet.

‡Saint-Césaire d'Arles (470-542). Évêque d'Arles (503), primat des Gaules (514). Sa fête est le 27 août.

§Saint-Hilaire (416-468), quarante-sixième Pape. Il a institué des conciles gaulois annuels sous la direction de l'archevêque d'Arles. Sa fête est le 28 février.

©BERYL GOLDBERG

La Butte Montmartre, Paris. Quartier pittoresque qui conserve un air de village. On y trouve encore de nombreux artistes. Il connaît une grande animation nocturne avec ses boîtes de nuit et ses cabarets. Ses rues étroites rendent la circulation très difficile, et trouver une place pour se garer est souvent un vrai cauchemar!

que le métro est bien plus pratique. Claire lui montre un plan du métro:

—Tu vois, nous sommes à Monge et nous devons aller à Wagram. C'est très facile; il faut prendre la direction Pont de Neuilly et changer à l'Étoile. Ensuite on prend la direction Nation et on change à...

—Arrête! C'est trop compliqué, on prend la voiture, c'est décidé.

Les voilà partis. Comme il est six heures du soir, il y a beaucoup de circulation. Joseph hésite plusieurs fois car il ne connaît pas son chemin. Il décide de passer par l'Étoile. Quelle mauvaise idée! Ils tombent dans un embouteillage terrible. Paulette n'est pas du tout contente:

—Tu ne m'écoutes jamais. Je t'ai dit mille fois que le métro est beaucoup plus rapide aux heures de pointe.° Mais Joseph ne lui répond pas. Lui aussi, il commence à s'impatienter.

heures... *rush hour*

Enfin ils trouvent la rue qu'ils cherchaient, mais malheureusement elle est en sens interdit. Ils sont obligés de faire un grand détour pour la prendre. Ils trouvent l'immeuble sans problème et Joseph dit en souriant:

—Vous voyez, nous y sommes, ce n'était pas la peine de faire tant d'histoires.

Oui, mais la voiture, où vont-ils la garer? La solution est simple. Il suffit de trouver une place... mais cela peut être très difficile à Paris. Alors nos amis sont obligés de faire des tours et des tours. Claire et Paulette sont furieuses car ils sont déjà en retard. Ils trouvent finalement une place et se garent... à dix minutes de l'immeuble. Et dire que leurs amis habitent juste à côté de la station Wagram!

Questions

1. Pourquoi Claire et Paulette ne veulent-elles pas prendre la voiture pour aller chez leurs amis?
2. Est-ce les trois amis y arrivent facilement? Pourquoi?
3. Que se passe-t-il quand ils arrivent devant l'immeuble?
4. Où est la station de métro Wagram?

NOTE CULTURELLE: La sécurité sur l'autoroute

1. GARDEZ VOS DISTANCES
Ne roulez pas trop près du véhicule qui vous précède, surtout la nuit ou en cas de brouillard. Dans ce cas, il faut augmenter encore la distance qui vous en sépare.

2. FAITES LE PLEIN D'AIR
Attention aux pneus sous-gonflés.[1] Suivez les prescriptions de gonflage indiquées par votre constructeur[2] ou votre garagiste pour la conduite sur autoroute.

[1]*underinflated* [2]*manufacturer*

3. SURVEILLEZ VOS ARRIÈRES
Regardez souvent dans votre rétroviseur, surtout avant de dépasser un véhicule. Sur l'autoroute, pensez à ceux qui vous suivent autant qu'à ceux qui vous précèdent.

4. EN CAS DE PANNE[1]

- Rangez-vous sur la bande d'arrêt d'urgence.
- Allumez vos feux de détresse ou placez votre triangle de signalisation.[2]
- Rendez-vous à la borne[3] d'appel d'urgence la plus proche (il y en a une tous les deux kilomètres).
- Suivez attentivement les instructions données sur l'affichette jaune collée sur la borne. Elle vous indique tout ce que vous devez faire et vous donne les tarifs des dépanneurs agréés.[4]

(Conseils de la Société des Autoroutes Paris–Rhin–Rhône)

[1]*breakdown* [2]*warning* [3]*station* [4]dépanneurs... *registered mechanics*

Questions

Quand est-ce qu'un bon conducteur doit...

1. garder ses distances?
2. faire le plein d'air?
3. surveiller ses arrières?
4. allumer ses feux de détresse?

GRAMMAIRE ET EXERCICES

8.1. Expressing Location, Destination, and Origin: Prepositions + Place Names

A. In French the names of places are masculine or feminine, like other nouns.

> **La France** est un pays très intéressant, mais **le Brésil** est un pays exotique.
> *France is a very interesting country, but Brazil is an exotic country.*

B. Place names that end in the letter **-e** are usually feminine, but some—which must be memorized—are masculine. The gender of other place names must be memorized also.

FÉMININ	MASCULIN
la France	le Portugal
l'Allemagne	le Japon
l'Espagne	le Canada
la Chine	le Maroc
la Californie	le Texas
la Floride	le Connecticut
la Louisiane	l'Oregon
la Virginie	le Chili

Exceptions: ***le* Mexique, *le* Cambodge, *le* Zaïre**

C. To name a location or destination, use **à, au, aux,** or **en** according to the following rules.

1. Use **à** with the names of cities and most islands or groups of islands (**à Hawaï, à Haïti, à Cuba**).

> Paulette Rouet habite **à Paris.***
> *Paulette Rouet lives in Paris.*
>
> Raoul va retourner **à Trois-Rivières** pour passer ses vacances.
> *Raoul is going to return to Trois-Rivières to spend his vacation.*

2. Use **au** with masculine singular place names other than cities or most islands.

> Marie Durand habite **au Canada.**
> *Marie Durand lives in Canada.*
>
> Irène et Bernard voulaient voyager **au Brésil,** mais ils n'avaient pas le temps.
> *Irène and Bernard wanted to travel to Brazil, but they didn't have the time.*

---

*When followed by the name of a city, the use of **à** with **habiter** is optional: **Paulette Rouet habite Paris.**

3. Use **aux** with masculine *plural* place names.

   Claire habite normalement **aux États-Unis,** mais cette année elle étudie en France.
   Claire usually lives in the United States, but this year she is studying in France.

4. Use **en** with feminine place names and with masculine place names that begin with a vowel or an ***h*-muet**.

   Joseph Laplanche et son amie Paulette Rouet vont skier **en Suisse** pour Pâques.
   Joseph Laplanche and his friend Paulette Rouet are going skiing in Switzerland for Easter.

D. To talk about arriving (coming) from a place, use **de, d', du, de l',** or **des** according to the following rules.

1. Use **de/d'** with the names of cities, most islands, and any feminine place names. Also use **d'** with any masculine place names that begin with a vowel or an ***h*-muet.**

   de Marseille
   d'Orléans
   d'Afrique
   de Russie
   de Louisiane
   d'Israël
   d'Haïti
   d'Hawaï

   Irène et Bernard arrivent **de Russie** demain soir.
   Irène and Bernard are arriving from Russia tomorrow evening.

2. Use **du** with masculine place names that begin with a consonant.

   du Texas   du Canada   du Japon

   D'où venez-vous? —**Du Texas.**
   "Where are you from?" "Texas."

3. Use **de l'** with masculine state names and provinces that begin with a vowel.

   de l'Ohio   de l'Ontario

   Cet avion vient d'arriver **de l'Ontario,** de Toronto, je crois.
   That plane just arrived from Ontario, from Toronto, I believe.

4. Use **des** with masculine plural place names.

   des États-Unis   des Pays-Bas

   Claire White vient d'arriver **des États-Unis,** mais elle parle déjà français.
   Claire White just arrived from the United States, but she already speaks French.

Exercice 1

Le tour du monde. Vous posez des questions à un jeune globe-trotter.

MODÈLE: l'Amérique du Sud / le Pérou →
Allez-vous en Amérique du Sud?
Oui, je vais au Pérou.

1. l'Europe / le Portugal et l'Espagne
2. l'Asie / la Chine et l'Inde
3. l'Afrique / la Tunisie et le Zaïre
4. l'Amérique du Nord / les États-Unis: la Californie et le Texas
5. l'Amérique du Sud / le Brésil et l'Argentine

Exercice 2

Cartes postales. D'où viennent les cartes postales de Charles?

MODÈLE: l'Asie / la Chine →
Cette carte, vient-elle d'Asie?
Oui, elle vient de Chine. Charles doit être en Chine.

1. l'Amérique centrale / le Mexique
2. l'Afrique du Nord / l'Algérie
3. l'Amérique du Nord / le Canada
4. l'Europe / la France
5. l'Asie / les Philippines

8.2. *The Pronouns **y** and **en***

A. The pronoun **y** replaces a preposition + location (place) word. As with other object pronouns, the pronoun **y** precedes main verbs, auxiliaries, and infinitives.

Adrienne, est-elle encore **en Afrique?** —Non, elle n'**y** est plus; elle est rentrée hier.
"Is Adrienne still in Africa?" "No, she isn't there any more; she got back yesterday."

Vas-tu **chez les Michaud** ce soir? —Non, je n'**y** vais pas.

"Are you going to the Michauds' house tonight?" "No, I'm not going there."

B. The pronoun **y** can also replace a prepositional phrase made up of **à** + a noun indicating an idea or thing.*

---

*As you know, a prepositional phrase with **à** + a noun representing a person is replaced by an indirect object pronoun (Grammar Section 3.4).

Je donne la bicyclette **à Paul.** → Je **lui** donne la bicyclette.

Bernard, pense-t-il **aux vacances d'hiver?** —Oui, il **y** pense toujours.

"Is Bernard thinking about a winter vacation?" "Yes, he thinks about it all the time."

Est-ce qu'Étienne réussit **à tous ses examens?** —Oui, il **y** réussit toujours.

"Does Étienne always do well on his exams?" "Yes, he always does well on them."

C. The pronoun **en** can replace the preposition **de** + a place.

Cet avion vient **de Bruxelles.** —Quelle coïncidence! J'**en** viens aussi.

"That plane is arriving from Brussels." "What a coincidence! I'm just coming from there too."

Est-ce que vous revenez **des États-Unis?** —Oui, j'**en** reviens.

"Are you coming back from the United States?" "Yes, I'm coming back from there."

D. Almost any prepositional phrase with **de** can be replaced by the pronoun **en.** These verbs and verb phrases are often used with **en**.

avoir besoin de	to need
avoir envie de	to feel like (*doing something*)
être fier (fière) de	to be proud of
être satisfait(e) de	to be satisfied about/with
être heureux (-euse) de	to be happy about
discuter de	to discuss, talk about
parler de	to talk about

Claire, **es-tu contente de ta visite à Paris?** —Oui, j'**en** suis très contente.

"Claire, are you happy about your visit to Paris?" "Yes, I'm very happy (about it)."

Jeannot, **as-tu envie d'une glace?** —Oui, j'**en** ai très envie.

"Jeannot, do you feel like (having) some ice cream?" "Yes, I would really like some."

Est-ce que Raoul vous **parle** souvent **de ses projets?** —Oui, il m'**en** parle souvent.

"Does Raoul often talk to you about his projects?" "Yes, he often talks to me about them."

E. Remember that the pronoun **en** is also used to replace the partitive (**du, de la, de l'**) and the indefinite articles (**un, une, des**) (Grammar Section 7.3) and also with expressions of quantity.

Veux-tu **du sucre?** —Non merci, je n'**en** prends pas.

"Would you like some sugar?" "No, thank you, I don't use any."

Est-ce que tu as mangé **des pommes?** —Oui, j'**en** ai mangé une.

"Did you eat some apples?" "Yes, I ate one (of them)."

Exercice 3

Un détective suit un suspect. Doit-il le suivre partout?

MODÈLE: Le suspect entre **dans un bureau de poste.** →
Le détective **y** entre aussi. (Le détective n'**y** entre pas.)

1. Le suspect entre chez un coiffeur.
2. Le suspect monte dans le bus.
3. Le suspect s'arrête et entre chez McDonald.
4. Le suspect descend à la gare Saint-Lazare.
5. La police emmène le suspect au commissariat.

Exercice 4

Période d'examens. Étienne et Louis parlent de leur examen d'histoire. Répondez en utilisant le pronom **y.**

MODÈLE: Tu réfléchis **au problème?**
Oui, j'**y** réfléchis depuis hier.

1. —A quoi penses-tu, Étienne?
   —Je pense à l'examen d'histoire. Et toi?
   —Moi aussi, _____.
2. —Tu as répondu à toutes les questions?
   —Oui, _____. Mais je ne sais pas si j'ai donné les bonnes réponses!
3. —Tu as bien réfléchi à ce que tu écrivais?
   —Bien sûr, _____.
4. —Tu es resté à l'université après l'examen?
   —Non, _____! Je suis rentré chez moi. Et toi, tu es allé chez Albert?
   —Oui, _____. Et le soir nous sommes allés au cinéma avec des copains.

Exercice 5

Un père curieux. Raoul rentre chez lui pour les vacances de Noël. C'est son premier voyage depuis qu'il est en Louisiane. Répondez à sa place en utilisant le pronom **en.**

MODÈLE: As-tu besoin **de mes conseils?** →
Non, je n'**en** ai pas besoin. (Oui, j'**en** ai besoin.)

1. As-tu des problèmes à l'université?
2. Es-tu heureux d'avoir choisi ces cours?
3. Es-tu content de tes professeurs?
4. Fais-tu beaucoup de sport?
5. Manges-tu des plats cajuns de temps en temps?
6. As-tu envie de te reposer un peu maintenant?

8.3. Describing Actions with Adverbs: -ment; bon/bien, mauvais/mal, meilleur/mieux

A. Many adverbs (words that describe actions) are invariable in form. Some common adverbs that you have already used are **beaucoup, bien, ici, souvent, tôt, très,** and so on.

Moi, j'ai **beaucoup** voyagé cette année.
I've traveled a lot this year.

N'aimes-tu pas te lever **très tôt?**
Don't you like to get up very early?

B. To form adverbs from adjectives, add **-ment** to the feminine form of adjectives whose masculine form ends in a consonant.

actif/active	active**ment**
franc/franche	franche**ment**
long/longue	longue**ment**
lent/lente	lente**ment**
certain / certaine	certaine**ment**
particulier/particulière	particulière**ment**
malheureux/malheureuse	malheureuse**ment**
doux/douce	douce**ment**

Malheureusement, M. et Mme Tour ne veulent pas manger ici.
Unfortunately, Mr. and Mrs. Tour do not want to eat here.

Parlez **doucement.** Le bébé dort.
Speak softly. The baby is sleeping.

Exceptions:	gentil/gentille	**gentiment**
	bref/brève	**brièvement**

Elle nous accueille toujours **gentiment.**
She always receives us very kindly.

If the masculine form of the adjective ends in a vowel, there is no need to add an **-e.**

absolu	**absolument**
vrai	**vraiment**

Vous croyez **vraiment** que notre équipe va gagner dimanche?
Do you really think that our team is going to win on Sunday?

If the masculine ends in **-ent** or **-ant,** remove that ending and add **-emment** or **-amment,** respectively.

réc**ent**	réc**emment**
impati**ent**	impati**emment**
intellig**ent**	intellig**emment**
fréqu**ent**	fréqu**emment**
évid**ent**	évid**emment**
cour**ant**	cour**amment**
const**ant**	const**amment**

Je vous prie de répondre **intelligemment** à ces questions.
Please answer these questions intelligently.

Je vais **fréquemment** chez ma cousine Chantal.
I often go to my cousin Chantal's house.

Raoul parle **couramment** le français.
Raoul speaks French fluently.

C. Compare the following pairs of frequently used adjectives and adverbs.

		comparatif	**superlatif**
adjectif	bon(ne) *good*	meilleur(e) *better*	le meilleur (la meilleure) (*the*) *best*
adverbe	bien *well*	mieux *better*	le mieux (*the*) *best*
adjectif	mauvais(e) *bad*	plus mauvais(e) pire *worse*	le plus mauvais (la plus mauvaise) le / la pire (*the*) *worst*
adverbe	mal *bad*(*ly*)	plus mal *worse*	le plus mal (*the*) *worst*

Ne va pas voir ce film. Il est très **mauvais!**
Don't go to see that film. It's very bad!

Allons manger une glace ici. Ce sont **les meilleures** de la région!
Let's have an ice cream here. They're the best in the area!

Dans notre classe, c'est Albert qui joue **le mieux** au tennis.
In our class, Albert plays tennis the best.

Jeannot, si tu continues à travailler aussi **mal** à l'école, tu vas passer tes vacances à étudier.
Jeannot, if you continue to do so badly in school, you're going to spend your summer vacation studying.

Exercice 6

Transformez les adjectifs en adverbes.

Philippe allait _____ (*évident*)[1] partir pour un long voyage. Il s'était _____ (*long*)[2] préparé; il avait _____ (*pénible: painstaking*)[3] réuni tous les papiers nécessaires et il attendait _____ (*impatient*)[4] son billet d'avion. Il voulait _____ (*vrai*)[5] organiser un safari en Afrique et il espérait gagner beaucoup d'argent.

Si je travaille _____ (*intelligent*),[6] pensait-il, je pourrai (*will be able to*) _____ (*facile*)[7] fournir plusieurs zoos en spécimens rares. Je devrai (*will have to*) _____ (*certain*)[8] engager des spécialistes et _____ (*fréquent*)[9] acheter du matériel. Je serai (*will be*) _____ (*raisonnable*)[10] occupé pendant plusieurs mois. Et quand je rentrerai (*return*), je serai _____ (*particulier*)[11] fier! Quelle aventure!

Mais le rêve de Philippe ne pouvait pas se réaliser. Il avait _____ (*malheureux*)[12] oublié qu'il était allergique aux animaux à poil (*furry*)!

Exercice 7

Comparaison. Un visiteur vient d'assister à un cours de français. Voici ce qu'il pense des étudiants.

MODÈLE: travailler bien (Louis, Chantal, Étienne)
Louis travaille bien, Chantal travaille mieux et c'est Étienne qui travaille le mieux de toute la classe.

1. prononcer mal (Albert, Monique, Étienne)
2. avoir un bon vocabulaire (Étienne, Chantal, Hélène)
3. avoir une mauvaise attitude (Albert, Monique, Hélène)
4. écouter bien (Étienne, Louis, Chantal)
5. écrire mal (Chantal, Albert, Louis)

8.4. *Describing Actions in Progress in the Past: The* ***imparfait***

A. The **imparfait** can be used with action verbs to describe an action in progress (ongoing) in the past. To express this idea, English speakers often use *was* + the *-ing* form of the verb: *we were dancing, I was watching,* and so on.

Je **lisais** le journal, Albert **étudiait** pour un examen et Chantal **regardait** la télévision.
I was reading the newspaper, Albert was studying for an exam, and Chantal was watching television.

Quand je **vivais** en Afrique, je **connaissais** beaucoup d'artisans doués.
When I was living in Africa, I got to know a lot of gifted artisans.

The **imparfait** is often used in this way with conjunctions such as **pendant que** (*during*) to emphasize that several actions were in progress at the same time in the past.

> **Pendant que** Raoul **jouait** au tennis, Hélène **parlait** avec Étienne.
> *While Raoul was playing tennis, Hélène was talking to Étienne.*

B. The **imparfait** may also be used to describe an activity that was in progress when another action interrupted it. The interrupting activity is expressed by the **passé composé.**

> Je **buvais** du café quand le train **est arrivé.**
> *I was drinking coffee when the train arrived.*
>
> Moi, je **dormais** quand vous **êtes partis.**
> *I was sleeping when you left.*
>
> Que **faisiez**-vous quand je vous **ai téléphoné?**
> *What were you doing when I called?*

8.5. *Summary of the* ***passé composé*** *and* ***imparfait*** *to Describe Past Experiences*

A. Habitual or repeated actions in the past = **imparfait** (Grammar Section 6.1)

Here are some expressions used with the **imparfait** to emphasize past habitual action: **souvent, toujours, d'habitude, tous les ans** (**jours, ...**).

> **Tous les ans** nous **faisions** un voyage en Grèce.
> *Every year we used to travel to Greece.*

B. An action or series of single actions completed in the past = **passé composé** (Grammar Sections 5.1–5.2)

Here are some expressions often used with the **passé composé: soudain** (*suddenly*), **tout à coup** (*all at once*), **un jour, mardi soir** (**samedi matin, ...**), **ce jour-là,** and so on.

> **Soudain** Sylvie s'**est levée** et **est partie** sans dire un mot.
> *Suddenly Sylvie got up and left without saying a word.*

C. A "state" in the past = **imparfait** (Grammar Section 6.2)

> Je **savais** qu'il ne **voulait** pas me parler.
> *I knew that he didn't want to talk to me.*

Remember that when "state" verbs are used in the **passé composé,** they focus on a different aspect of the action and often correspond to a different English verb.

Savais-tu que Mme Martin allait nous rendre les examens demain? — Oui, je l'**ai su** hier soir.
"Did you know that Mrs. Martin was going to give us back the exams tomorrow?" "Yes, I found out about it yesterday evening."

D. An action in progress in the past = **imparfait** (Grammar Section 8.4)

Je **lisais** quand le téléphone a sonné.
I was reading when the telephone rang.

Exercice 8

Un vol mouvementé. Claire était en vacances. Elle allait visiter New York et passer quelques jours chez sa cousine. Elle voyageait seule et voulait se reposer. Malheureusement, il y a eu beaucoup d'incidents pendant le vol...

MODÈLE: regarder / fenêtre... quelqu'un / renverser (*to spill*) du café sur elle →
Claire regardait par la fenêtre quand quelqu'un a renversé du café sur elle.

1. lire / roman... lumières / s'éteindre subitement
2. écouter / musique classique... sac / tomber sur elle
3. dormir / paisiblement... hôtesse de l'air / secouer (*to shake*) brutalement
4. manger / repas... avion / traverser une zone de turbulences
5. parler / voisin... réacteur (*motor, m.*) / s'arrêter de fonctionner

Exercice 9

Souvenirs de vacances. Mettez les verbes entre parenthèses au passé composé ou à l'imparfait.

—Qu'est-ce que tu (*faire*)[1] l'été dernier?
—Je (*aller*)[2] à Paris avec des amis. Nous (*vouloir*)[3] découvrir les joies d'une grande ville et nous (*penser*)[4] faire du shopping.
—Qu'est-ce que tu (*voir*)[5] là-bas?
—Ah! beaucoup de choses! Nous (*visiter*)[6] plusieurs musées et nous (*faire*)[7] des courses aux grands magasins. Nous (*se promener*)[8] et nous (*découvrir*)[9] beaucoup de petits restaurants merveilleux. Nous (*être*)[10] ivres de joie. Nous ne (*avoir*)[11] pas beaucoup d'argent mais l'hôtel ne (*coûter*)[12] pas très cher. De plus, nous (*acheter*)[13] quelquefois du pain, du fromage, des fruits et des légumes pour pique-niquer au lieu de manger au restaurant.

Exercice 10

Souvenirs d'enfance de Paulette. Mettez les verbes entre parenthèses au passé composé ou à l'imparfait.

Quand je (*être*)[1] petite, ma famille et moi (*aller*)[2] chaque année passer le mois d'août en Espagne. Nous (*louer*)[3] le même appartement au bord de la mer. En route mon père (*conduire*)[4] la voiture pendant que ma mère (*lire*)[5] la carte. En général nous (*arriver*)[6] tard le soir, après un long voyage, fatigués mais très contents. Tous les jours nous (*rester*)[7] des heures sur la plage. Nous (*se baigner*),[8] nous (*prendre*)[9] le soleil et aussi nous (*jouer*)[10] avec nos amis espagnols. Nous (*passer*)[11] des vacances formidables!

Un jour, je (*suivre*)[12] mon meilleur ami, Pedro, qui (*vouloir*)[13] me montrer de gros rochers dans la mer pas très loin de la plage. Je ne (*savoir*)[14] pas nager mais je lui (*dire*),[15] pour l'impressionner, que je ne (*avoir*)[16] pas besoin de bouée (*life preserver*), et nous (*partir*).[17] Nous (*arriver*)[18] près des rochers sans problèmes, car je (*avoir*)[19] pied. Nous (*être*)[20] très contents. Voilà qu'au retour, le vent (*se lever*)[21] et la mer (*commencer*)[22] à s'agiter. Pedro (*nager*)[23] tranquillement, mais moi, je (*avoir*)[24] du mal (*to have a hard time*) à avancer. Je (*sauter*)[25] pour rester à la surface et je (*boire*)[26] la tasse (*to get a mouthful of water*). Tout d'un coup je (*avoir*)[27] très peur. Je (*penser*):[28] «Je vais me noyer (*drown*)!» Je (*continuer*)[29] à sauter désespérément et à avaler (*to swallow*) de l'eau salée. Je me (*demander*):[30] «Mais où donc est la plage? Nous ne (*aller*)[31] pas si loin!» Quand nous (*arriver*),[32] je (*se coucher*)[33] sur le sable et je (*pleurer*).[34] Je me (*jurer: to swear*)[35] de ne plus jamais suivre Pedro!

In **Chapitre neuf** you will continue to talk about travel and travel-related experiences: getting around in unfamiliar places, following directions, reading maps, and so on. You will also learn about more places to visit in the Francophone world.

L'aéroport Charles de Gaulle, Paris.

CHAPITRE NEUF
Un voyage dans le monde francophone

THÈMES | **LECTURES**

- Making Travel Plans
- Finding Places, Following Directions, and Reading Maps
  - Le feuilleton: Le 84
- Traveling in Francophone Countries
  - Les amis francophones: Le carnaval de Nice

LECTURES SUPPLÉMENTAIRES

- Nos amis francophones: Impressions de Saint-Rémy
- Note culturelle: Promenade à Paris
- Note culturelle: Le Palais de Versailles

GRAMMAIRE

9.1. The Relative Pronouns **où** and **dont**
9.2. Plans: The Formal Future
9.3. Commands
9.4. Using **tout:** Adjective and Pronoun

ACTIVITÉS ORALES

PROJETS DE VOYAGE

ATTENTION! Voir Grammaire 9.1–9.2.

futur	
j' arriverai	nous arriverons
tu arriveras	vous arriverez
il/elle/on arrivera	ils/elles arriveront

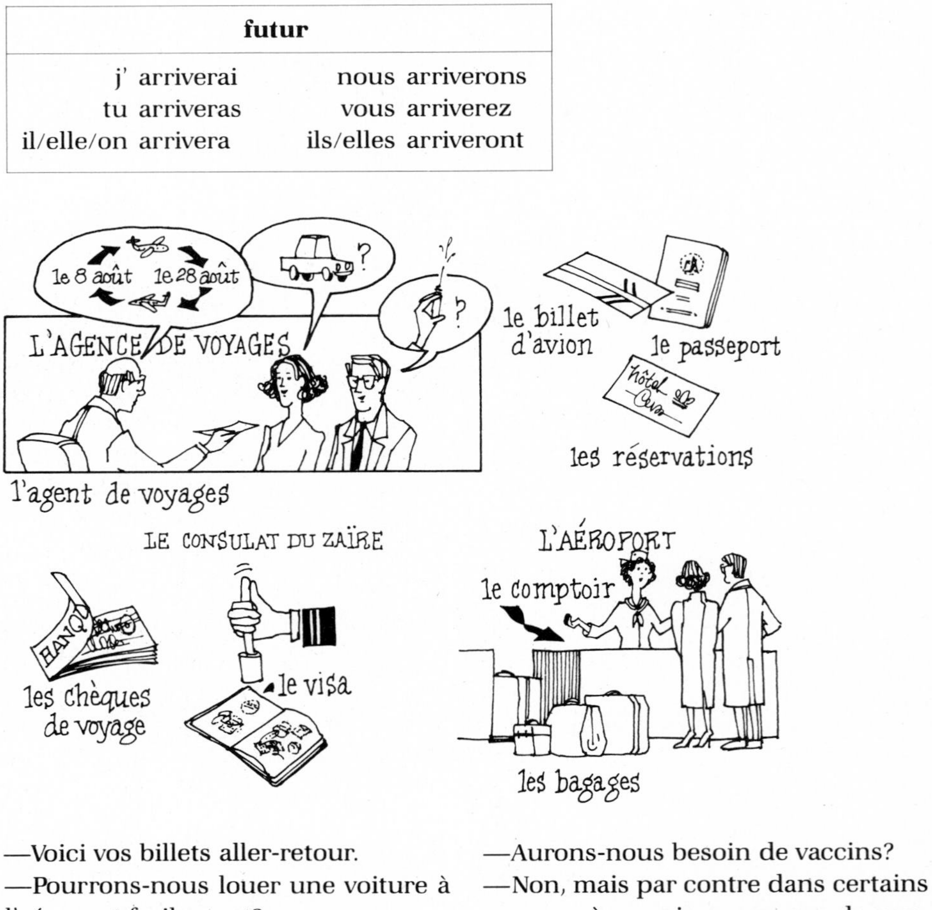

—Voici vos billets aller-retour.
—Pourrons-nous louer une voiture à l'aéroport facilement?
—Oui, mais si vous voulez, je ferai moi-même la réservation d'ici.

—Aurons-nous besoin de vaccins?
—Non, mais par contre dans certains pays où vous irez, on vous demandera un visa.

—Voici les chèques de voyage que vous m'avez commandés. N'oubliez pas de les signer.
—Merci, je n'oublierai pas.

—Je ne sais pas si votre avion partira à l'heure.

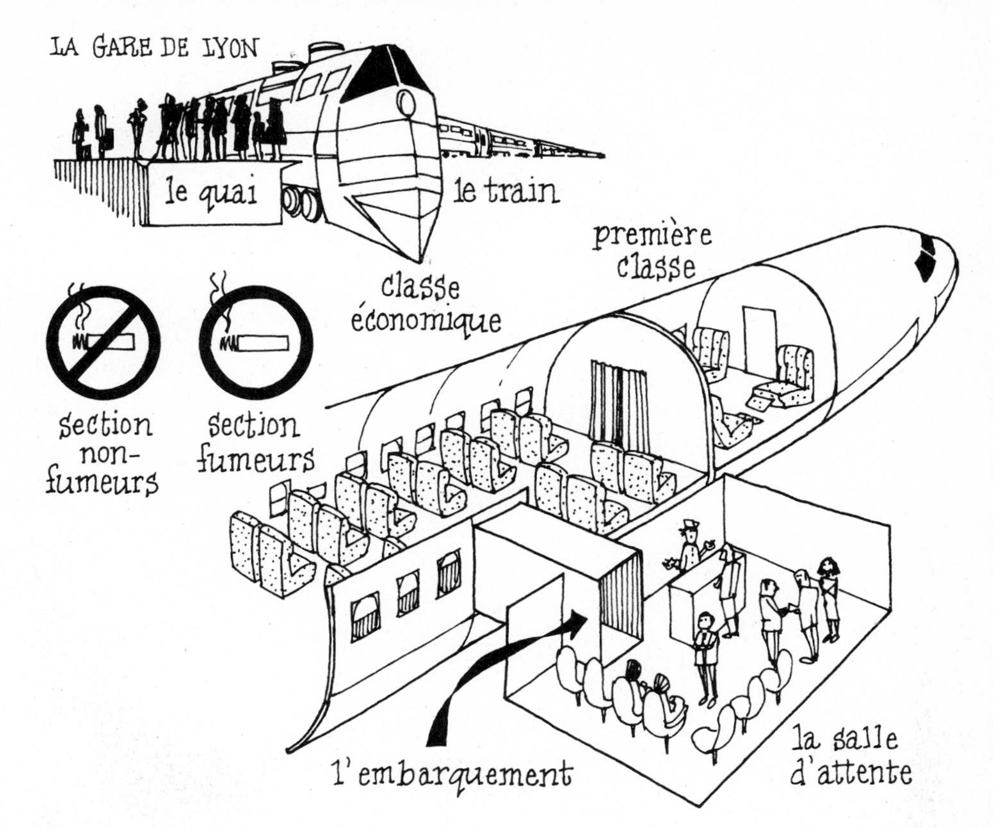

«Nous sommes désolés de vous informer que le vol 315 pour Kinshasa dont le départ était prévu à quinze heures aura une heure de retard.»

«Le train de Lyon entrera en gare à seize heures trente, quai numéro trois.»

Activité 1. Que ferez-vous?

L'année prochaine vous ferez un très long voyage autour du monde. Vous aurez un emploi du temps très chargé: voici quelques endroits que vous visiterez. Que ferez-vous dans chacun de ces pays?

MODÈLE: Je prendrai des photos. Je mangerai...

1. La première semaine vous serez à Monaco.
2. Une semaine plus tard vous voyagerez à Moscou.
3. Puis vous irez à Pékin.
4. Ensuite vous visiterez l'Alaska.
5. Vous vous réchaufferez pendant quelques jours en Guadeloupe.
6. Enfin vous découvrirez les secrets de l'Amazone.

Activité 2. Interaction: Une semaine à Paris

É1: Où iras-tu samedi? (Que visiteras-tu samedi?)
É2: J'irai à... (Je visiterai...)
É1: Qu'est-ce que tu y admireras? (Qu'est-ce que tu y verras?)
É2: J'y admirerai... (J'y verrai...)

Paris	le musée du Louvre	la Joconde*	mercredi
Versailles	le château	la galerie des Glaces	samedi
Chartres	la cathédrale	les vitraux	mardi
Fontainebleau	le château	les jardins	dimanche
Paris	l'île de la Cité	la Sainte-Chapelle	jeudi
Paris	les Invalides	le tombeau de Napoléon	vendredi
Giverny	la maison de Monet	les étangs de nénuphars†	lundi

Activité 3. Projets de week-end

Que ferez-vous le week-end prochain si... ?

MODÈLE: S'il fait beau... →
S'il fait beau j'irai pique-niquer avec des amis à la campagne.

1. S'il pleut...
2. Si vous avez une fête d'anniversaire...
3. Si on vous donne un billet d'avion gratuit...
4. Si un ami (une amie) vous rend visite...
5. Si on vous invite à faire de la voile...
6. Si vous êtes malade...

Activité 4. Dialogues: Les problèmes en voyage

UN OUBLI IRRÉPARABLE

Jean-Luc et Martine Leblanc vont passer leurs vacances en Tunisie. Toutes leurs réservations sont faites et confirmées. Le jour du départ ils arrivent à l'aéroport un peu en avance. Quand ils se présentent pour enregistrer leurs bagages, Martine ne retrouve plus les billets d'avion. Jouez les rôles de Jean-Luc, de Martine et de l'employé(e) d'Air France.

---

*Nom donné dans les pays francophones à la «*Mona Lisa*».

†Monet s'est inspiré des étangs de nénuphars (*water lilies*) de sa maison de Giverny pour peindre beaucoup de ses tableaux.

L'EMPLOYÉ(E): Je suis désolé(e), Madame, mais si vous n'avez pas vos billets vous ne pourrez pas voyager.
JEAN-LUC: Enfin, Martine, réfléchis! Où les as-tu mis?
MARTINE: Les billets dont vous me parlez...

TOUT EST COMPLET

Lors d'un voyage d'affaires à Montréal, Marguerite Michaud reçoit un coup de fil de Paris l'informant que son mari est malade à l'hôpital. Elle téléphone immédiatement à une agence de voyages pour s'informer des horaires des vols sur Paris. Mais voilà que presque tous les vols sont complets. Jouez les rôles de l'employé(e) et de Mme Michaud.

L'EMPLOYÉ(E): Je suis désolé(e), Madame, mais il ne vous sera pas possible...
MARGUERITE: Eh bien alors,...

JE DOIS RENTRER A TOULOUSE

Charlotte Mercier, une jeune étudiante en biologie à l'université de Toulouse, est aujourd'hui à Bordeaux chez des amis. Elle doit être à Toulouse demain avant midi pour passer un examen. Elle parle avec un employé de la SNCF.* Elle demande les horaires des trains, le prix des billets et d'autres détails importants. Jouez les rôles de Charlotte et de l'employé.

L'EMPLOYÉ: Bonjour, Mademoiselle. Que désirez-vous?
CHARLOTTE: Bonjour, Monsieur. A quelle heure...
L'EMPLOYÉ: Vous avez un train à...
CHARLOTTE: Et...

Activité 5. Découvrez l'Inde.

Cherchez l'information dans cette publicité.

1. Combien de vols par semaine y a-t-il entre Paris et l'Inde?
2. Quel est le prix du billet aller-retour en classe économique?
3. Où est-ce qu'Air France a des bureaux en Inde?
4. Quelles autres possibilités y a-t-il? Des circuits de combien de jours? À quel prix? Y a-t-il des circuits moins chers?

Les services
AIR FRANCE
- Paris–Delhi 3 fois par semaine en Boeing 747
- Paris–Bombay 3 fois par semaine sans escale en Boeing 747
- Première classe, Air France «Le Club», classe «Économique»
- Aller-retour à partir de 5 690F

Air France à Delhi:
Tél. 374775

Air France à Bombay:
Tél. 202.48.18

Jet tours
Nombreuses propositions de circuits à partir de 9 900F, pour un forfait de 10 jours/7 nuits. Consultez le catalogue Été 1987.

Jumbo
Nombreuses propositions pour toutes les bourses. Consultez le catalogue Printemps-Été 1987.

AIR FRANCE
AU PAYS DES MAHARAJAS

*la SNCF = la Société Nationale des Chemins de Fer

SE REPÉRER EN VILLE

ATTENTION! Voir Grammaire 9.3.

Québec centre-ville

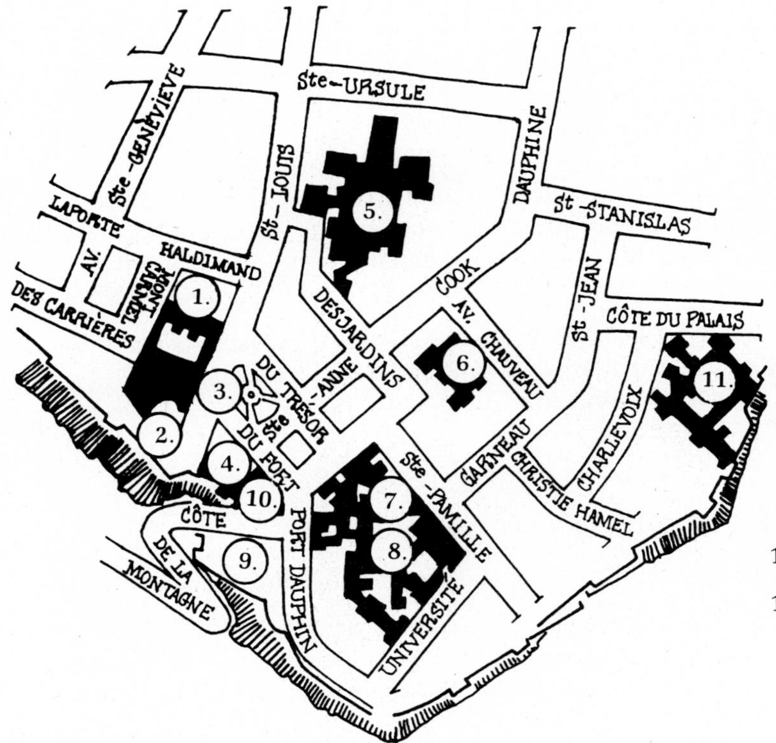

1. Hôtel Château Frontenac
2. Monument de Champlain
3. place d'Armes
4. Musée du Fort
5. Couvent des Ursulines
6. place de l'Hôtel de Ville
7. Basilique Notre-Dame
8. Séminaire de Québec
9. Parc Montmorency
10. Bureau de Poste
11. Hôtel-Dieu de Québec

POUR ALLER DU CHÂTEAU FRONTENAC A L'HÔTEL-DIEU DE QUÉBEC

Prenez la rue Haldimand **à droite.** Au bout de la rue **tournez de nouveau à droite** et **traversez** la place. **Tournez à gauche** dans la rue Ste-Anne et **continuez tout droit.** Au carrefour **prenez** la rue Desjardins **à droite,** puis la rue Ste-Pamille juste **en face de** vous. Ensuite prenez la première **à gauche** et tout de suite la première **à droite.** Enfin **tournez à gauche** dans la rue Charlevoix l'hôpital sera à votre droite **à l'angle** des rues Charlevoix et la Côte du Palais.

Activité 6. Paris en métro

Expliquez comment aller d'une station de métro à une autre. N'oubliez pas d'indiquer les correspondances nécessaires.

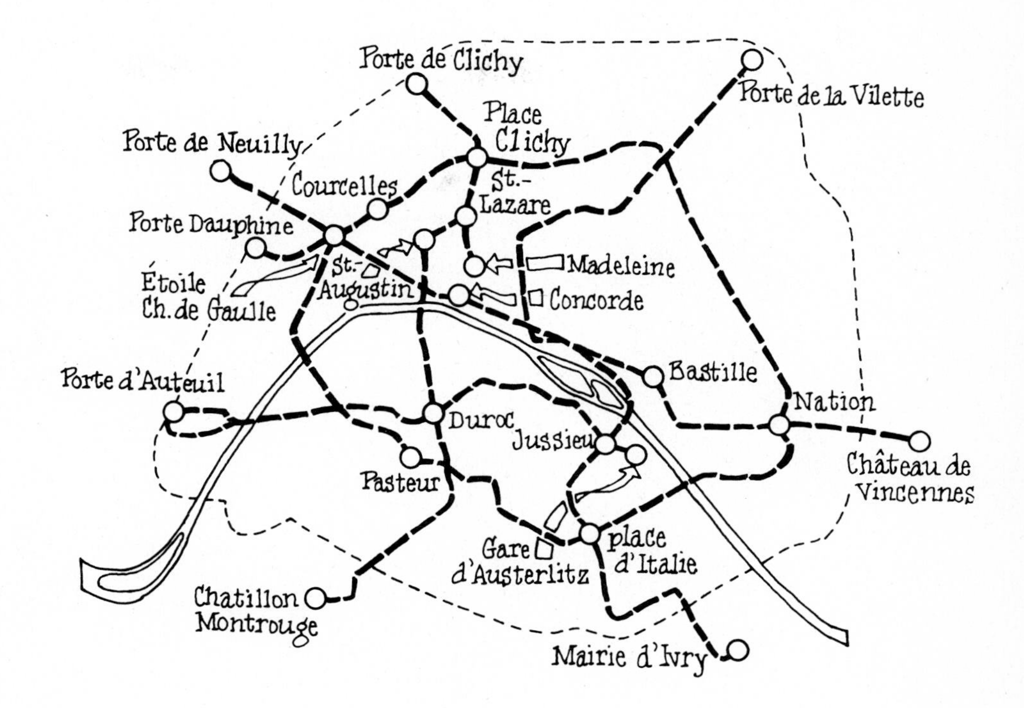

MODÈLE: de Courcelles à Jussieu →
Prenez le métro en direction Porte Dauphine jusqu'à Charles de Gaulle-Étoile. Là, prenez la correspondance Nation. Descendez à Place d'Italie. Puis prenez la direction Porte de la Vilette. Jussieu est la première station.

1. de Pasteur à Courcelles
2. de Saint-Augustin à la Gare d'Austerlitz
3. de la Place d'Italie à Nation
4. de Bastille à Saint-Lazare
5. de la Place Clichy à Jussieu

Activité 7. Le plan de Paris

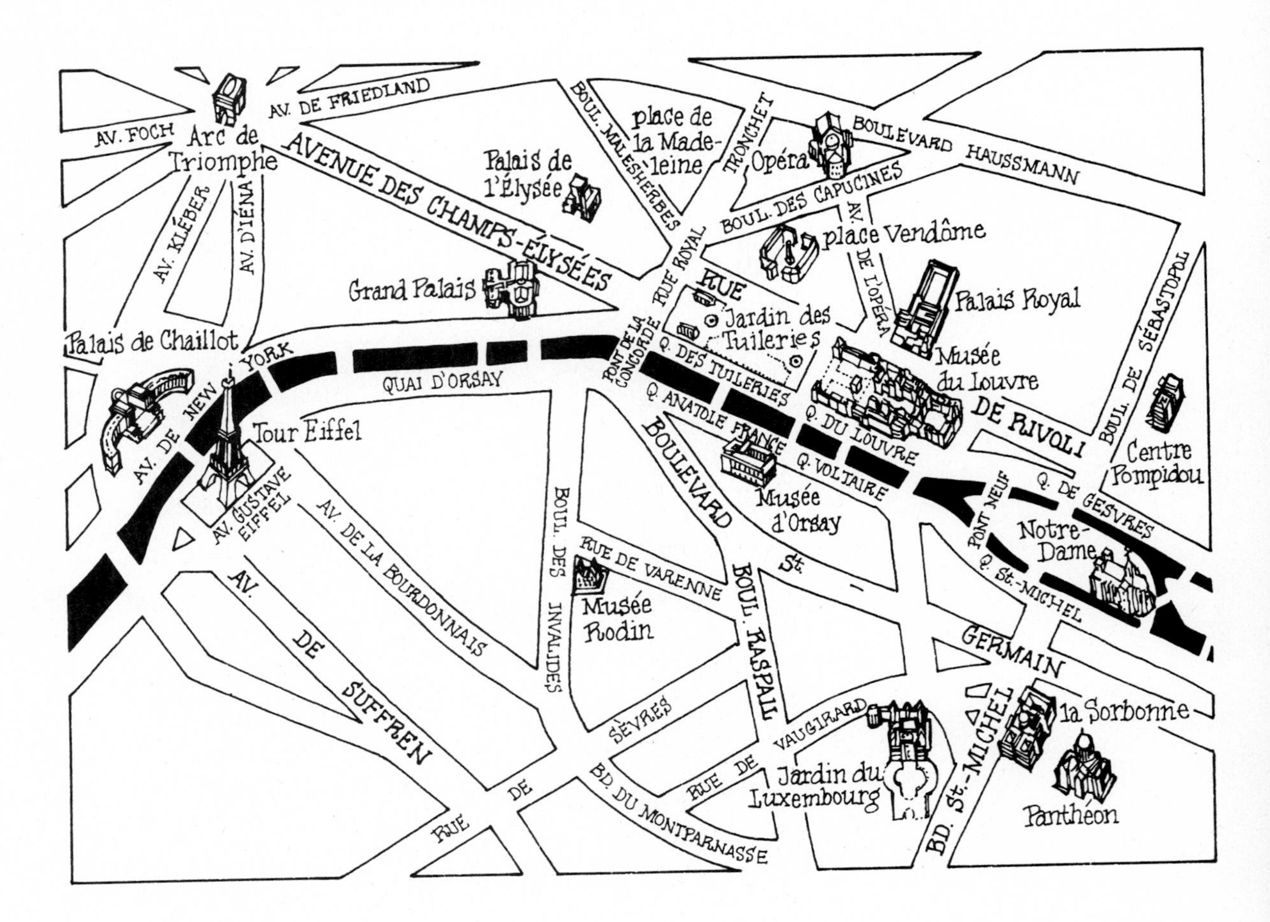

Expliquez comment aller d'un endroit à l'autre.

MODÈLE: Pour aller de la Tour Eiffel à l'Arc de Triomphe →
Traversez la Seine. Prenez la rue des Nations Unies jusqu'à l'avenue d'Iéna. Prenez l'avenue d'Iéna et suivez-la tout droit. Vous verrez l'Arc de Triomphe en face de vous.

1. du Jardin du Luxembourg au Jardin des Tuileries
2. de la Place Vendôme à Notre-Dame
3. du Louvre au Palais de Chaillot
4. du Grand Palais à la Place de la Madeleine
5. de la Sorbonne au Musée d'Orsay
6. du Panthéon au Centre Pompidou
7. de l'Élysée à l'Opéra
8. du Palais Royal au Musée Rodin

Activité 8. Dialogue: Y a-t-il une station-service par ici?

Vous sortez de chez vous quand une voiture pleine de touristes s'arrête à côté de vous. Ils vous demandent s'il y a une station-service dans le quartier.

UN(E) TOURISTE: Pardon, Monsieur (Madame, Mademoiselle). Y a-t-il une station-service par ici?

VOUS: Oui, il y en a une tout près d'ici. Vous voyez cette rue là-bas? Eh bien suivez-la tout droit et...

LE FEUILLETON: Le 84

Jean-Luc Leblanc, directeur d'une compagnie d'assurances,° se prépare pour aller travailler. Comme toujours, il est en retard.

insurance

—Si je ne me dépêche pas, se dit-il, je serai encore en retard. Et ce sera la deuxième fois cette semaine.

Chaque matin je fais la même chose. Je mets le réveil à six heures, quand il sonne je l'arrête et je me rendors quelques minutes... parfois très longues! Heureusement ce matin le téléphone n'a pas sonné. Ce maudit appareil sonne toujours quand on l'attend le moins.

Voyons, est-ce que j'ai tout pris? Ma serviette, ma carte orange pour l'autobus... Ça y est, je suis prêt!

Jean-Luc quitte sa maison.

—Je n'ai plus que vingt minutes; cinq pour aller jusqu'à l'arrêt et prendre l'autobus, dix pour le trajet et puis cinq pour marcher jusqu'au bureau. Si je ne rencontre personne et s'il n'y a pas d'embouteillage,° je serai au bureau à huit heures pile.°

traffic jam
sharp

—Excusez-moi, me dit un monsieur avec une tête de touriste. Je me suis perdu et je ne connais pas très bien la ville. Pourriez-vous m'indiquer quel bus je dois prendre pour aller à la Tour Montparnasse, s'il vous plaît?

—La Tour Montparnasse... ? Oui, bien sûr. Euh... voyons... (En fait je devrais lui dire que je ne peux pas l'aider parce que moi non plus je ne connais pas la ville.)

—Enfin quelqu'un qui a le temps de m'expliquer mon chemin! Voyez-vous, j'ai toujours du mal à lire ces plans pour touristes.

—Eh bien, c'est très facile... (L'autobus va arriver d'un moment à l'autre... ! Pauvre homme... il a vraiment l'air perdu.) Tournez à droite dans la rue de Courcelles, vous y verrez tout de suite l'abri-bus.° Prenez le 84 et descendez au Luxembourg; là, prenez le 95 qui va à la gare Montparnasse. Vous reconnaîtrez la Tour facilement: c'est la plus haute de Paris!

bus stop with roof

—Oui, oui... dans la rue... je prends d'abord le 95, puis le 84 jusqu'à la gare...

—Mais non. D'abord le 84 et ensuite le 95 (Mais il ne comprend rien... ma parole!).

—Ah oui, le 84... mais... où déjà?

—C'est ça... (Je n'ai vraiment pas de chance! Le 84, c'est le bus que je prends chaque matin pour aller travailler.) Écoutez, suivez-moi, je dois prendre le même bus. Nous ferons une partie du trajet ensemble.

—Le touriste me sourit soulagé, et me suit à l'arrêt. Quant à° moi... j'arriverai un peu en retard au bureau.

Quant... *As for*

Questions

1. Pourquoi M. Leblanc n'a-t-il pas envie d'aider le touriste?
2. Pourquoi le touriste est-il perdu?
3. Pourquoi M. Leblanc pense-t-il qu'il sera en retard?

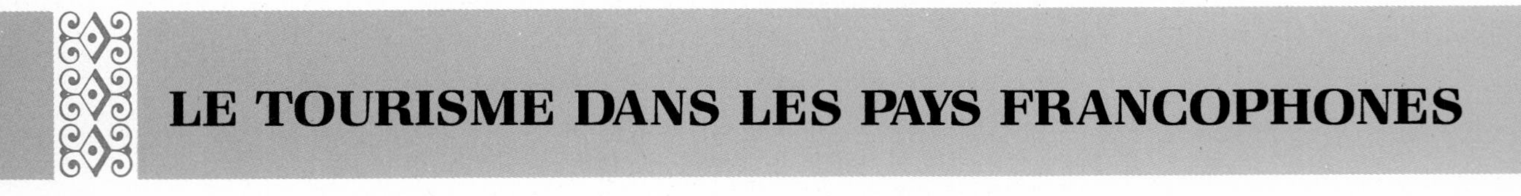

LE TOURISME DANS LES PAYS FRANCOPHONES

ATTENTION! Voir Grammaire 9.4.

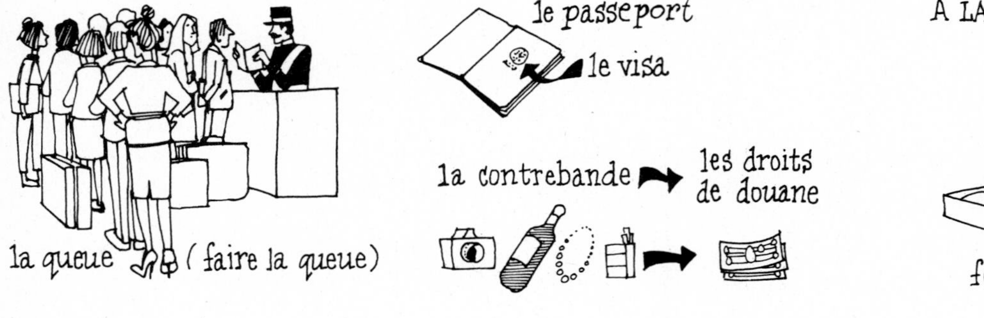

A LA DOUANE

fouiller les bagages

—C'est tout ce que vous avez à déclarer?

—Oui, tout est là.

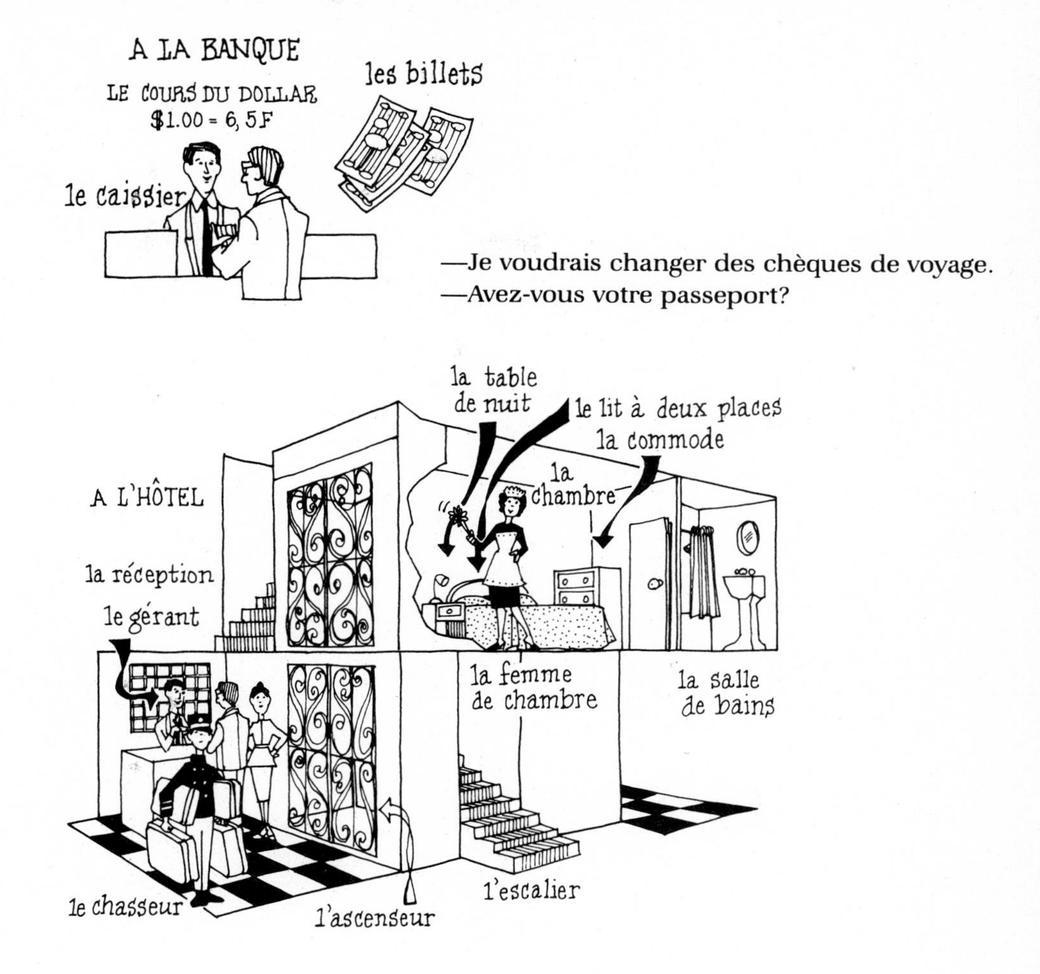

—Je voudrais changer des chèques de voyage.
—Avez-vous votre passeport?

—Avez-vous une chambre pour la nuit?
—Je suis désolé mais toutes nos chambres sont occupées. L'hôtel est complet pendant toute la semaine de Pâques.

Activité 9. Dialogue original: A la douane

Adrienne Bolini et son amie Emmanuelle sont à l'hôtel en train de faire les valises. Elles rentrent demain à Marseille après avoir passé quinze jours en Grèce. Elles ramènent beaucoup de cadeaux pour leur famille et leurs amis. Comme elles ont acheté quelques bijoux et autres objets de valeur, elles vont certainement devoir payer des droits de douane à leur arrivée. Emmanuelle pense qu'il vaut mieux cacher les objets les plus coûteux, surtout les plus petits, et ne pas les déclarer. D'après elle, c'est ce que tout le monde fait. Jouez les rôles d'Adrienne et d'Emmanuelle.

ADRIENNE: Mais moi, je ne veux pas avoir d'histoires avec la douane!
EMMANUELLE: Ne sois pas ridicule, tout le monde le fait. Il suffit de...
ADRIENNE: A mon avis...
EMMANUELLE: Mais non! Tu...

Activité 10. Le Crédit Lyonnais

Au Crédit Lyonnais nous sommes toujours soucieux de mieux vous servir. La gamme étendue de nos services vous est offerte pour faciliter vos achats et vos paiements à tout moment.
Nos cartes de crédit, nos distributeurs automatiques, nos chèques de voyage et chèques certifiés vous offrent aussi des services complémentaires très utiles.

1. Décrivez ce que vous voyez sur le dessin. Que peut-on faire avec ces cartes?
2. Quels sont les services offerts par le Crédit Lyonnais? Expliquez à quoi ils servent.
3. Utilisez-vous des cartes de crédit? Pourquoi (pas)?
4. Emportez-vous des chèques de voyage quand vous partez en voyage? Pourquoi (pas)?

Activité 11. Entrevues

LA POLICE ET LA DOUANE

1. As-tu déjà voyagé à l'étranger?
2. Est-ce que tu as eu besoin de demander un passeport? Est-ce que tu l'as eu facilement?
3. Est-ce que tu as dû passer la police? la douane?
4. Est-ce que tu as fait la queue longtemps?
5. Est-ce que tu as été obligé(e) d'ouvrir toutes tes valises? A ton avis, que cherchaient les douaniers?
6. Est-ce que tous les passagers ont été fouillés?

LE CHANGE

1. As-tu déjà changé des dollars en une autre monnaie? Laquelle?
2. Quel était le cours du dollar à ce moment-là?
3. As-tu changé ton argent à la banque? à l'hôtel?
4. As-tu changé un peu ou beaucoup d'argent?
5. Est-ce que tu t'es habitué(e) rapidement à la monnaie du pays? Pourquoi?

Activité 12. Dialogue original: Au bureau de change

Vous travaillez dans un bureau de change de votre ville. Une jeune touriste française arrive avec des chèques de voyage en francs français et elle veut les toucher en dollars. Mais elle a oublié son passeport à l'hôtel et elle n'a aucune pièce d'identité sur elle.

VOUS: Vous désirez, Mademoiselle?
LA TOURISTE: Je voudrais toucher ces chèques de voyage.
VOUS: Très bien. Votre passeport, s'il vous plaît.
LA TOURISTE: Oh!...

Activité 13. Le Club Med*

Du soleil, du repos, du sport et maintenant des ateliers d'apprentissage:[1] voilà la formule qui rend le club si populaire. Il existe des Clubs Méditerranée dans le monde entier. Vous payez avant de partir, le club s'occupe du reste. Mais le plus important c'est de se sentir vraiment en vacances, loin de tout. Si vous aimez le sport, à vous de choisir entre toutes les possibilités: la voile, le tennis, le ski nautique, la planche à voile entre autres. Si vous préférez apprendre quelque chose de nouveau, les ateliers vous attendent: jardinage, bricolage[2] ou même informatique. Mais si vous ne voulez rien faire, la plage et les palmiers sont toujours à votre disposition.

Mais dépêchez-vous[3] car les vacances ne durent qu'une ou deux semaines. Au Club on oublie tout, même l'argent: il est remplacé par des boules de collier[4] de couleurs différentes pour payer vos petits extras. N'oubliez pas votre huile de bronzage, et amusez-vous bien!

[1]ateliers... *training classes* [2]*tinkering* [3]*hurry* [4]boules... *necklace beads*

©PETER MENZEL

Une plage du sud de la France. En été, les plages sont envahies de touristes français ou étrangers. Beaucoup d'entre eux aiment rester des heures sur la plage à bronzer. D'autres préfèrent les sports comme la voile, le ski nautique ou la pêche. Mais le plus populaire entre les jeunes reste la planche à voile.

1. Que peut-on faire au Club?
2. Aimeriez-vous y aller? Pourquoi?
3. Que pensez-vous des voyages organisés? Pourquoi?
4. Quelles sont, à votre avis, les vacances «idéales»?

***Le Club Med** est un club de vacances avec des «villages» un peu partout dans le monde. Il offre aux vacanciers une atmosphère détendue et une grande variété de sports et d'activités.

Activité 14. Entrevue: L'hébergement

1. As-tu cherché à te loger dans un autre pays? Où? Est-ce que tu as trouvé facilement une chambre?
2. Avec qui voyageais-tu? Voulais-tu descendre à l'hôtel ou dans une auberge de jeunesse? Pourquoi?
3. Quels sont les avantages de l'hôtel? ceux de l'auberge de jeunesse? leurs inconvénients?
4. Es-tu jamais descendu(e) dans un hôtel de luxe? Lequel? Où? Pourquoi? Est-ce que ça t'a plu?
5. As-tu dormi dans un très mauvais hôtel? Où? Quand? Pourquoi? Qu'est-ce qui s'est passé?
6. En général, choisis-tu les hôtels dans un guide? Lequel? Connais-tu le Guide Michelin? L'as-tu déjà utilisé? Quand? Pour aller où?

Activité 15. Dialogue original: Est-ce que je peux voir la chambre?

Vous venez d'arriver à Carcassonne après avoir passé votre journée au volant sur des petites routes touristiques. Vous êtes très fatigué(e) et vous cherchez une chambre pour la nuit. Vous pensez reprendre la route le lendemain matin en direction de Bordeaux. Vous arrivez dans une petite auberge très pittoresque, «l'Auberge des Remparts». Vous posez beaucoup de questions à l'employé(e) de la réception pour avoir toutes les informations nécessaires et vous lui demandez de vous montrer la chambre. Décidez si vous allez la prendre ou non.

L'EMPLOYÉ(E): Bonsoir, Monsieur (Madame, Mademoiselle). Vous voulez une chambre pour la nuit?

VOUS: Oui, mais d'abord je voudrais...

L'EMPLOYÉ(E): Mais bien sûr. Suivez-moi...

Activité 16. Hilton International Abidjan

Supposez que vous avez passé la nuit à l'hôtel Hilton International Abidjan, en Côte-d'Ivoire. Remplissez ce questionnaire.

Nous vous souhaitons la bienvenue à Abidjan. Nous nous mettons à votre entière disposition pour rendre votre séjour très agréable.

Nous nous efforçons de maintenir l'atmosphère accueillante qui caractérise notre chaîne dans le monde entier. C'est pour cela que nous vous demandons cordialement de nous y aider.

Veuillez avoir la gentillesse de remplir ce questionnaire. Laissez-le à la réception. Nous vous remercions par avance de vos commentaires et suggestions.

QUESTIONNAIRE

RÉSERVATIONS

Comment avez-vous fait votre réservation?

	OUI	NON
Directement avec le personnel de l'hôtel	☐	☐
Par l'intermédiaire d'une agence de voyages	☐	☐
Par l'intermédiaire d'une compagnie d'aviation	☐	☐

A L'ARRIVÉE

Comment avez-vous été reçu(e)?

Courtoisement	☐	☐
Rapidement	☐	☐
Efficacement	☐	☐

LA RÉCEPTION

En avez-vous aimé le décor?	☐	☐
Les ascenseurs marchaient-ils convenablement?	☐	☐
Les toilettes étaient-elles propres?	☐	☐

VOTRE CHAMBRE

Était-elle propre? confortable? agréable?	☐	☐
Manquait-il quelque chose?	☐	☐

LES RESTAURANTS ET LES BARS

Le service était-il bon?	☐	☐
La qualité était-elle satisfaisante?	☐	☐
Le décor du bar vous a-t-il plu?	☐	☐
Et celui du restaurant?	☐	☐

LE SERVICE

Le service était	EXCELLENT	BON	MÉDIOCRE	MAUVAIS
Réceptionniste	☐	☐	☐	☐
Concierge	☐	☐	☐	☐
Standardiste	☐	☐	☐	☐
Femmes de chambre	☐	☐	☐	☐
Serveurs (Serveuses) du restaurant	☐	☐	☐	☐

LE DÉPART

Pourquoi avez-vous choisi cet hôtel?

Séjour précédent satisfaisant ☐
Séjour dans d'autres hôtels Hilton ☐
Recommandations ☐
Agence de voyages ☐
Publicité ☐

RAISONS DE VOTRE VOYAGE

Affaires ☐
Tourisme ☐
Les deux ☐

NOUS VOUS REMERCIONS INFINIMENT DE VOTRE COOPÉRATION

LES AMIS FRANCOPHONES: Le carnaval de Nice

Le carnaval de Nice, France. Chaque année on organise à Nice un grand défilé de chars pour commémorer le carnaval. On fête aussi Mardi Gras dans beaucoup d'autres villes francophones. Par exemple, à Haïti les gens se déguisent avec des costumes magnifiques, à La Nouvelle-Orléans on donne un grand bal masqué à la French Opera House et à Québec on fait un gros bonhomme de neige que l'on proclame roi du carnaval.

Mesdames, Mesdemoiselles, Messieurs, bonjour. Voici notre confrère Julien Leroux avec son commentaire habituel.

Mes amis, bonjour. Samedi dernier j'ai eu le grand plaisir de me trouver à Nice pour fêter l'arrivée du carnaval. Comme chaque année la ville a accueilli des milliers de touristes venus pour participer aux festivités. Dès la tombée de la nuit, la foule° avait envahi les rues dans l'attente du défilé.

Les chars,° tapissés de fleurs de toutes les couleurs, avançaient sur la promenade des Anglais au rythme des orchestres. Certains, véritables œuvres d'art, représentaient les quatre saisons, comme un hommage à la vie. D'autres, des châteaux aux tours crénelées,° ou des scènes paysannes. Sur les chars, des hommes, des femmes et des enfants saluaient la foule. Leurs costumes multicolores scintillaient sous les lumières. Chers auditeurs, je ne sais pas si vous vous rendez compte des mois qu'il a fallu pour dresser tous ces décors et réaliser tous ces costumes; c'est admirable!

Tout était joie et gaieté. Comme si par magie chacun avait oublié, l'espace d'une nuit,° problèmes et soucis.

Une atmosphère de fraternité régnait dans les rues. Partout on chantait, dansait et riait aux éclats. Dans

foule: *crowds*
chars: *floats*
crénelées: *crenulated, notched*
l'espace... *for one night*

les cafés pleins de monde on buvait pour célébrer le carnaval. Enfants et grandes personnes lançaient des poignées° de confettis ou des serpentins sur les passants. Les Niçois, accoudés° à leurs fenêtres, suivaient le spectacle qui se prolongeait tard dans la nuit. Après le défilé, je me suis promené pendant des heures dans la ville pour mieux partager cette fièvre de carnaval. Nous avons eu de la chance car le temps était doux, ce qui invitait à être dehors. Bientôt le petit matin a surpris les derniers passants sur le chemin du retour. Malheureusement le tapis de fleurs qui recouvrait les rues de la ville commençait déjà à se fâner.°

handfuls
leaning on their elbows
se... *to fade, wilt*

L'aspect le plus remarquable du carnaval c'est que les gens sortent dans les rues dans le seul but° de s'amuser. Le carnaval est vraiment une des fêtes les plus gaies de l'année. Je suis très content d'y être allé car c'est une expérience inoubliable. Mon conseil? Eh bien, si vous ne connaissez pas encore le carnaval de Nice, ne le manquez pas l'année prochaine. Je vous assure, vous ne le regretterez pas.

goal

Chers auditeurs, il est temps de vous quitter, merci et à demain.

Questions

1. Décrivez l'atmosphère du carnaval de Nice.
2. Que font les gens dans les rues et les cafés?
3. Comment sont les chars? les costumes?
4. Quel est l'aspect le plus impressionnant du carnaval?
5. Quel conseil donne Julien Leroux à ses auditeurs?

Vocabulaire

LES VOYAGES Trips

l'auberge de jeunesse (*f.*)	youth hostel
la basilique	basilica
le billet aller-retour	roundtrip ticket
la bourse	budget
le bureau de change	foreign exchange office
le château	castle
le circuit	tour; (round) trip
le cours	exchange rate
le distributeur automatique	automatic teller machine
la douane	customs
le/la douanier (-ière)	customs agent
les droits de douane (*m.*)	customs duties
l'embarquement (*m.*)	boarding

l'étang (*m.*) pond
le forfait package (*trip, deal*)
le guide guide, guidebook
l'huile de bronzage (*f.*) tanning oil
l'Inde (*f.*) India
la monnaie currency
les nénuphars (*m.*) water lilies
le palais palace
la pièce d'identité identification; means of identification
le plan map
la première classe first class
le quai platform
la queue (waiting) line
le retard delay
la salle d'attente waiting room
la section (non-)fumeurs (no) smoking section
le séjour stay, sojourn
la station de métro subway station
la tour tower
le vitrail (les vitraux) stained-glass window

Mots similaires: **l'agent de voyages** (*m.*), **l'Alaska** (*m.*), **l'Amazone** (*f.*), **les bagages** (*m.*), **le catalogue, la chapelle, la classe économique, le consulat, la galerie, la Grèce, la Guadeloupe, Monaco, Moscou, Pékin, le tourisme, le vaccin**

Révision: **l'aéroport** (*m.*), **l'agence de voyages** (*f.*), **le billet d'avion, les chèques de voyage** (*m.*), **le départ, l'emploi du temps** (*m.*), **l'escale** (*f.*), **la gare, l'horaire** (*m.*), **le musée, l'opéra** (*m.*), **le passeport, les réservations** (*f.*), **le train, les vacances** (*f.*), **le visa, le vol, le voyage d'affaires**

L'HÔTEL The hotel

le chasseur bellhop
le comptoir counter (front desk)
le/la concierge caretaker
la femme de chambre (chamber)maid
le/la gérant(e) manager
l'hébergement (*m.*) lodging
le lit à deux places double bed
la réception reception desk
le/la standardiste switchboard operator
les toilettes (*f.*) rest rooms

Mot similaire: **le bar**

Révision: **l'ascenseur** (*m.*), **la chambre, l'escalier** (*m.*), **l'hôtel de luxe** (*m.*)

LA DESCRIPTION Description

acceuillant(e) welcoming
certifié(e) certified
chacun(e) each
chargé(e) busy, full
complémentaire complementary
complet (-ète) complete, full
confirmé(e) confirmed
coûteux (-euse) costly
détendu(e) relaxed
entier (-ière) complete
gratuit(e) free
nombreux (-euse) numerous
occupé(e) occupied
offert(e) offered
pittoresque picturesque
précédent(e) previous, preceding
prévu(e) scheduled
propre clean
ridicule ridiculous
satisfaisant(e) satisfying
soucieux (-ieuse) concerned, worried
touristique tourist

Mots similaires: **extra, idéal(e), international(e), irréparable, médiocre, original(e)**

ADVERBES Adverbs

convenablement properly
cordialement cordially
courtoisement courteously
directement directly
efficacement efficiently
facilement easily
infiniment infinitely; very, very much
tout droit straight ahead

Mot similaire: **certainement**

VERBES Verbs

cacher to hide
changer to exchange; to cash

se dépêcher to hurry up
descendre to get off; stay (in a hotel)
s'efforcer to try hard, strive
enregistrer ses bagages to check one's luggage
faire la queue to stand in line
fouiller to search, go through
s'habituer à to get used to
se loger to lodge, stay
maintenir to maintain
montrer to show
passer la douane/la police to go through, clear customs / the police
passer un examen to take a test
se passer to happen
se présenter to come, appear
ramener to bring back
se réchauffer to warm oneself (up)
réfléchir (à) to think (about)
remercier to thank
remplir to fill out
se repérer to find one's way around, get one's bearings
reprendre la route to get back on the road
signer to sign
toucher to cash (check)
traverser to cross
valoir mieux to be better

Mots similaires: **caractériser, consulter, continuer, déclarer, exister, faciliter, informer, obliger, utiliser**

Révision: **passer faire les valises,** (*to spend* [*time*])

LES SUBSTANTIFS Nouns

l'achat (*m.*) purchase
l'atelier d'apprentissage (*m.*) workshop
les bijoux (*m.*) jewelry
les boules de collier (*f.*) necklace beads
le bricolage puttering around
le carrefour intersection
la chaîne chain (*of stores*)
la compagnie d'aviation airline
le contrôle inspection, supervision
la correspondance connection
le devoir duty, obligation; homework
Dieu (*m.*) God
la disposition disposal
la gamme étendue full range
la gentillesse kindness
les histoires (*f.*) trouble (*colloquial*)
le jardinage gardening
le lendemain next day
l'oubli (*m.*) forgetting; leaving behind
le paiement payment
la proposition proposal, suggestion
le repos rest
le tombeau tomb
la valeur value, worth

Mots similaires: **l'atmosphère** (*f.*), **la carte de crédit, le centre, le club, la contrebande, la coopération, le décor, l'intermédiaire** (*m., f.*), **l'objet** (*m.*), **le personnel, le questionnaire, la recommandation, le secret, la suggestion**

Révision: **Pâques**

MOTS ET EXPRESSIONS UTILES Useful words and expressions

à l'arrivée upon arrival
à mon avis in my opinion
à tout moment at all times
à votre disposition at your service
au bout de at the end of
autour de around
de nouveau again
dont whose
en avance early, in advance
en direction toward, in the direction of
en train de in the process of
enfin come now, come on (*exclamation*)
il suffit de it is enough / sufficient to; just . . .
informant que informing that
les deux both
lors at the time of
mais voilà que but then
par contre on the other hand
par ici by here, near here
tout le monde everybody
Vous désirez? May I help you?

NOS AMIS FRANCOPHONES: **Impressions de Saint-Rémy**

Charlotte et son ami Roger ont fait une excursion à Saint-Rémy de Provence avec un groupe d'étudiants américains. De retour, ils discutent avec leur amie Mireille de leurs impressions de la ville.

MIREILLE: Alors, vous avez aimé Saint-Rémy?
CHARLOTTE: Oui, nous y avons passé deux journées épatantes.° — *exciting*
MIREILLE: Qu'est-ce que vous avez fait là-bas?
ROGER: Le premier jour, nous avons visité les ruines de Glanum.
MIREILLE: C'était une belle cité gréco-romaine... Vous avez vu les monuments romains qu'on appelle «Les Antiques»?
ROGER: Oui, nous avons pique-niqué dans le parc où ils se trouvent, sous les pins. Il faisait très chaud...
MIREILLE: Tu savais que Van Gogh* a vécu près de Glanum.
CHARLOTTE: Oui, notre guide nous l'a dit. Le même jour, il nous a emmenés voir le village des Baux, pas très loin de Glanum.

©STUART COHEN

Les Baux-de-Provence, France. Ce village est situé au nord-est d'Arles. C'est une cité médiévale en ruines, construite sur un immense plateau. La Provence est une région riche en ruines gréco-romaines et en villages du moyen âge. Ces villages sont souvent bâtis sur des hauteurs parce que les villageois devaient se protéger contre les pirates maures.

***Vincent Van Gogh,** peintre et dessinateur hollandais (1853–1890). Son œuvre comprend des scènes paysannes, des natures mortes, des paysages et des portraits. Dans la mesure où il s'est servi de la couleur pour exprimer «les passions humaines» plus fortement, il est le précurseur de l'expressionnisme.

ROGER: Le village médiéval est bâti sur un plateau qui domine toute la région, c'est absolument spectaculaire.

MIREILLE: Les seigneurs des Baux étaient très puissants et très fiers: ils prétendaient que les rois mages étaient leurs ancêtres!

CHARLOTTE: Ce soir-là, nous sommes retournés à Glanum où il y avait un concert symphonique et un magnifique feu d'artifice.° — feu... *fireworks show*

ROGER: Et le lendemain, nous avons assisté à un lâcher de taureaux° dans la ville de Saint-Rémy. C'était très pittoresque! — lâcher... *running of the bulls*

MIREILLE: Vous avez eu une parfaite expérience provençale!

CHARLOTTE: C'est vrai, et un de mes meilleurs souvenirs, c'est le marché de la vieille ville de Saint-Rémy. Dans les petites rues piétonnières on vend des produits locaux; du miel, des fruits, de l'huile d'olive, des herbes de Provence... Ça sentait très bon et il y avait beaucoup d'animation. Les Provençaux sont si chaleureux... J'ai beaucoup aimé Saint-Rémy.

Vrai ou faux?

1. Les Antiques est une vieille cité gréco-romaine.
2. Les Baux est un village médiéval bâti sur un plateau.
3. Charlotte et Roger ont assisté à un lâcher de taureaux à Glanum.
4. Au marché du vieux Saint-Rémy, on vend du miel, de l'huile d'olive et des plantes vertes.

NOTE CULTURELLE: Promenade à Paris

Claire habite à Paris depuis quelques mois. Chaque jour, elle fait une promenade dans un nouveau coin de la ville. Elle raconte ses découvertes à son amie.

Chère Patricia,

Je pense beaucoup à toi et à ton rêve de voir Paris l'an prochain. Je t'assure que tu ne seras pas déçue:° — *disappointed*

Le Quartier Latin, Paris. C'est le quartier universitaire où se trouve la Sorbonne, fondée en 1253. On l'appelle Quartier Latin car au XIIIème siècle les étudiants parlent entre eux le latin. Le Quartier est toujours très animé.

chaque jour je découvre un peu de la ville et chaque jour je suis un peu plus impressionnée par ce que je vois.

Tu te rends compte, c'est la capitale depuis plus de mille ans et un quart des Français y habite! Je me suis déjà beaucoup promenée dans Paris, entre mes cours. J'ai vu la plupart des grands monuments: la Tour Eiffel, qui est presque centenaire, Notre-Dame de Paris, la Sainte-Chapelle, l'Arc de Triomphe, le Sacré-Cœur. Et puis j'ai passé quelques journées dans certains des grands musées. J'ai salué pour toi la Joconde,° au Louvre, j'ai exploré les expositions de Beaubourg qui sont *très* modernes, et j'ai fait un pèlerinage° au nouveau grand musée parisien, le musée d'Orsay, la nouvelle demeure° des Impressionnistes.* C'est extraordinaire!

Mona Lisa
pilgrimage
home

Mais tu vois, ce que j'aime par dessus tout à Paris, c'est l'atmosphère de ses quartiers. Autrefois Paris était un archipel de petits villages qui sont devenus des quartiers de la ville quand la ville a grandi. Et chacun a gardé son atmosphère très spéciale. Par exemple, le Quartier Latin a toujours été le quartier des étudiants, des cafés et des librairies. J'adore m'y promener pour voir la foule et boire une limonade dans un des grands cafés à terrasse. La Butte Montmartre est aussi très pittoresque. Sais-tu qu'on y cultive encore la vigne! C'était le quartier des grands artistes, autrefois. Un autre quartier où j'adore flâner est le Marais, avec ses vieux hôtels particuliers° si somptueux. Ils sont juste à côté du Forum des Halles,† un complexe de magasins d'architecture ultra-moderne. C'est une des surprises de Paris: l'ancien et le moderne font bonne compagnie.

hôtels... *mansions*

Mes promenades préférées sont souvent près de la Seine. Il y a là des jardins, des ponts et des quais tellement pittoresques. J'aime beaucoup en particulier le quai des Grands-Augustins qui est bordé de stands de bouquinistes.° De temps en temps j'y découvre de petits trésors, de vieilles cartes postales, de jolies vues du vieux Paris. Je n'aurai jamais assez d'une année pour tout voir, tu sais...

secondhand book dealers

Deux des tours de la Conciergerie, Paris.

***L'Impressionnisme:** Mouvement de peinture qui a eu lieu en France dans la deuxième moitié du XIXème siècle. Les Impressionnistes voulaient représenter les objets tels qu'on les voyaient. Ils ont utilisé la couleur pour recréer le jeu de la lumière, les reflets et les ombres. La première exposition Impressionniste a eu lieu à Paris en 1874. Parmi les peintres les plus connus on peut citer Édouard Manet, Claude Monet, Berthe Morisot, Auguste Renoir, Edgar Degas et Camille Pissarro.

†**Les Halles,** ancien marché couvert de la ville, situé dans le premier arrondissement de Paris.

Questions

Qu'est-ce qui est typique de...

1. la Butte Montmartre?
2. le musée d'Orsay?
3. le quai des Grands-Augustins?
4. le Quartier Latin?
5. le Marais?
6. Beaubourg?

NOTE CULTURELLE: Le palais de Versailles

PREMIÈRE PARTIE: VERSAILLES

Le palais de Versailles est le plus impressionnant des châteaux français. Il a été commencé au XVIIème siècle, sous la direction personnelle de Louis XIV. Il a été édifié en cinquante ans par une armée d'artistes et d'architectes qui avaient trente-six mille ouvriers sous leurs ordres. Le château était à la fois la demeure° du roi, *residence*

©PETER MENZEL

L'Orangerie, château de Versailles, France. Ce bâtiment est l'œuvre de Hardouin-Mansart. Il y a un millier d'orangers cultivés dans des caisses dans les jardins du château. A la belle saison, on les sort dans le jardin et on les place autour des parterres de fleurs et des bassins. En hiver, on les rentre dans l'Orangerie pour les protéger du froid.

un luxueux hôtel (où logeaient 1 000 courtisans et 4 000 serviteurs) et le siège° du gouvernement. Sa façade est imposante, elle a trois étages et elle est couronnée d'une terrasse. Cette terrasse fait face aux prestigieux jardins à la française qu'a dessinés Le Nôtre. *seat*

L'architecture et la décoration des bâtiments sont splendides: plafonds peints, boiseries° sculptées, esca- *paneling* liers grandioses, mobilier somptueux. L'une des plus belles salles du palais est la galerie des Glaces, où se déroulaient les grandes cérémonies. Le parc qui entoure le palais est également magnifique. Il combine des terrasses, des escaliers, des bassins, des fontaines, des temples et une multitude de statues. Il est traversé par le Grand Canal, un canal de 2 000 mètres de long où se déroulaient d'extraordinaires fêtes nautiques. Trois millions de visiteurs de tous les pays viennent voir Versailles chaque année, en autobus, en train ou en voiture. Mais l'une des visites les plus originales est aérienne: en ballon ou en hélicoptère, on peut mieux apprécier l'architecture des bâtiments et le tracé° du parc.

° *plan*

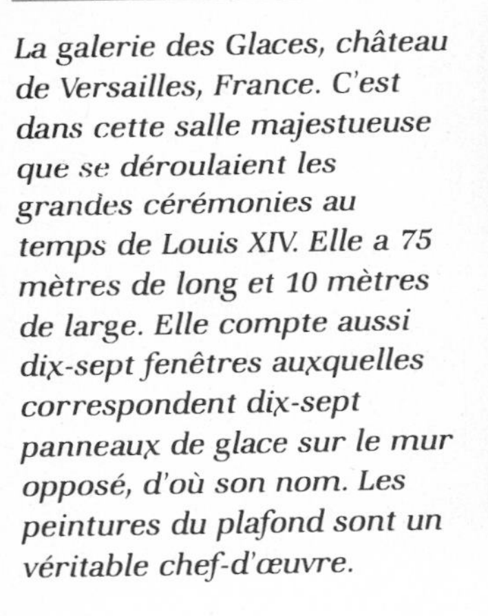
La galerie des Glaces, château de Versailles, France. C'est dans cette salle majestueuse que se déroulaient les grandes cérémonies au temps de Louis XIV. Elle a 75 mètres de long et 10 mètres de large. Elle compte aussi dix-sept fenêtres auxquelles correspondent dix-sept panneaux de glace sur le mur opposé, d'où son nom. Les peintures du plafond sont un véritable chef-d'œuvre.

Questions

1. Quelles étaient les trois fonctions principales du palais?
2. Qui habitait au palais de Versailles?
3. Où se déroulaient les grandes cérémonies? les fêtes nautiques?

DEUXIÈME PARTIE: RETOUR DE VERSAILLES

Mme Martin bavarde avec son amie Jacqueline Ollier, un professeur canadien, de son voyage en France.

—Tu as eu le temps de visiter Versailles?

—Oui, j'y ai passé une journée et ça n'était vraiment pas assez! L'intérieur est un labyrinthe de chambres, de salons, de bibliothèques, de salles de bal, de salles de conseil, de salles de jeux, et elles sont toutes plus belles les unes que les autres.

—Il a beaucoup souffert pendant la Révolution française, en 1789, non?

—En effet, le palais a été très abîmé° pendant et après la Révolution, mais on l'a entièrement restauré au XXème siècle.

damaged

—Est-ce que la visite en vaut la peine?

—Oui, vraiment, je n'ai jamais rien vu d'aussi beau. Il y a des peintures, des statues, des tapisseries, de l'or partout.

—Et le parc?

—Il est immense. J'ai beaucoup aimé les bassins et leurs fontaines. Et il y a des fleurs partout... Sais-tu que près du Trianon,* les jardiniers pouvaient changer l'aspect du jardin en une seule nuit, en déplaçant deux millions de pots de fleurs. Et l'Orangerie† abrite° un millier d'arbres l'hiver.

shelters

—Quel luxe incroyable! Louis XIV donnait beaucoup de fêtes à Versailles, n'est-ce pas?

—Oui, des fêtes extraordinaires qui impressionnaient toute l'Europe. C'est vraiment un lieu exceptionnel qui rappelle le prestige du règne de Louis XIV et le talent des artistes et des artisans de cette époque.

—Tu as l'air vraiment emballée° par ta visite.

thrilled

—C'est vrai. J'espère qu'un jour tu pourras y aller toi aussi!

Questions

1. Est-ce que Versailles est en ruine, aujourd'hui?
2. Pourquoi est-ce qu'une journée n'est pas assez pour voir Versailles?
3. Comment les jardiniers pouvaient-ils transformer le jardin du Trianon?
4. Est-ce que Versailles a plu à Mme Martin?

***Trianon:** nom de deux châteaux construits dans le parc du château de Versailles. Le grand Trianon a été construit en 1670 et le petit Trianon en 1762.

†**L'Orangerie:** Bâtiment fermé où l'on met pendant la saison froide les orangers cultivés dans des caisses.

9.1. *The Relative Pronouns* **où** *and* **dont**

A. The relative pronoun **où** is used to refer to places or expressions of time when connecting two sentences.

Où est le magasin **où** tu as acheté ton pull?

Where is the shop where you bought your sweater?

J'étais malade le jour **où** il m'a téléphoné.

I was sick the day he called me.

B. **Dont,** also a relative pronoun, is often used when the verbal expression that follows it includes **de.** Here are some common expressions that are used with **dont** as a relative pronoun:

avoir besoin de	to need (*someone, something*)
avoir envie de	to feel like (*doing something*)
avoir peur de	to be afraid of (*someone, something*)
se souvenir de	to remember (*someone, something*)
se rendre compte de	to realize, become aware of (*something*)
être content(**e**) (**heureux** [**-euse**],...) **de**	to be content (happy, . . .) about (*something*)
parler de	to talk about (*someone, something*)

La guerre est une chose **dont** tout le monde a peur.

War is something everyone is afraid of.

Voici le garçon **dont** je vous ai parlé.

Here is the young man I talked to you about.

C. **Dont** may also be used to replace **de** + *noun* in possessive constructions.

Étienne est le camarade de classe **dont** tu connais la sœur. (tu connais la sœur **d'Étienne**)
Étienne is the classmate whose sister you know.

J'ai pris des photos d'un château **dont** les meubles (**d'un château**) sont du XVIIIème siècle.
I've taken photos of a chateau whose furniture is from the eighteenth century.

Exercice 1

Projets de voyage. Remplacez les tirets par **où** ou **dont**.

1. La ville _____ je vais aller est charmante.
2. La cousine _____ je vous ai parlé va m'attendre à l'aéroport.
3. Ensuite, elle va me conduire jusqu'à l'hôtel _____ j'ai réservé une chambre.
4. Ensuite je vais me reposer un peu, car ce voyage _____ j'ai tellement envie va être très fatigant.
5. Nous allons nous retrouver au café _____ nous avions l'habitude de prendre le petit déjeuner.
6. Puis, nous allons visiter le nouveau musée _____ j'ai entendu parler.
7. C'est le musée _____ on expose des œuvres du XIème siècle.
8. Après, nous allons nous promener le long de la Seine _____ se reflètent les quais et les péniches _____ je me souviens toujours.

9.2. *Plans: The Formal Future*

A. Remember that one way to indicate future actions is to use the verb **aller** + *infinitive*, just as *to be going to* + *infinitive* is used in English.

> **Je vais appeler** l'agence de voyages immédiatement.
> *I'm going to call the travel agency immediately.*

B. In both French and English there is a more formal future tense. In English the auxiliary verb *will* (*will go, will read, ...*) is used. In French the formal future is formed by adding these endings to most infinitives that end in **-er** and **-ir**: **-ai, -as, -a, -ons, -ez, -ont**.

je parler**ai**	je dormir**ai**
tu parler**as**	tu dormir**as**
il/elle/on parler**a**	il/elle/on dormir**a**
nous parler**ons**	nous dormir**ons**
vous parler**ez**	vous dormir**ez**
ils/elles parler**ont**	ils/elles dormir**ont**

Pronunciation hint: **dormirai** (ai = é), **dormiras, dormira, dormirons, dormirez, dormirõnt.**

> Demain, Albert **parlera** de son examen avec Mme Martin.
> *Tomorrow Albert will speak with Mrs. Martin about his exam.*
>
> C'est un bon hôtel. Vous y **dormirez** très bien.
> *It's a good hotel. You'll sleep well there.*

C. Verbs that end in **-re** drop the final **-e** of the infinitive before adding the future endings.

j' attendr**ai**	nous attendr**ons**
tu attendr**as**	vous attendr**ez**
il/elle/on attendr**a**	ils/elles attendr**ont**

On vous attendra dehors.
We'll wait for you outside.

D. Some verbs form the future with an irregular stem instead of with the infinitive.

aller	**ir**ai	pleuvoir	**pleuvr**a
avoir	**aur**ai	pouvoir	**pourr**ai
courir	**courr**ai	savoir	**saur**ai
devoir	**devr**ai	venir	**viendr**ai
envoyer	**enverr**ai	voir	**verr**ai
être	**ser**ai	vouloir	**voudr**ai
faire	**fer**ai		

Est-ce qu'on **pourra** voyager en Europe cet été?
Will we be able to travel to Europe this summer?

Nous **reviendrons** vous voir le mois prochain.
We'll come back to see you again next month.

Je **ferai** tout ça demain, c'est promis.
I'll do all of that tomorrow, that's a promise.

Mme Michaud m'**enverra** la réponse dans quelques jours.
Mrs. Michaud will send me the answer in a few days.

E. Verbs of the **-er** group with spelling and pronunciation changes in the present-tense singular forms maintain these changes in the future stem.

	PRÉSENT	FUTUR
acheter:	j'ach**è**te	j'ach**è**terai
appeler:	j'appe**ll**e	j'appe**ll**erai
employer:	j'emplo**i**e	j'emplo**i**erai
jeter:	je je**tt**e	je je**tt**erai

Je t'**appellerai** ce soir. Est-ce que tu seras chez toi?
I'll call you this evening. Will you be at home?

Nous **achèterons** une nouvelle radio et nous **jetterons** la vieille.
We'll buy a new radio and throw out the old one.

F. In French the future forms must be used to express future actions after the conjunctions **quand** (*when*), **lorsque** (*when*), **dès que** (*as soon as*), and **aussitôt que** (*as soon as*). In English the present tense is used after these conjunctions.

Je te téléphonerai **dès que j'arriverai.**
I'll phone you as soon as I arrive.

Lorsque Charlotte **sera** prête, nous pourrons partir.
When Charlotte is ready, we'll be able to leave.

G. Use the preposition **dans** + *an expression of time* with the future to indicate that an event will take place at the end of (after) a certain period.

Nous **arriverons** à Paris **dans quinze minutes.**
We'll arrive in Paris in fifteen minutes.

Exercice 2

A. Projets de voyage: les préparatifs. Remplacez les tirets par un des verbes suivants au futur et à la forme correcte: **aller, acheter, avoir, commencer, vérifier, attendre, rentrer, oublier, mettre, retourner, partir, payer, demander, durer, passer, revenir, montrer.**

1. Demain, je _____ à l'agence de voyages et je _____ des renseignements. A quelle heure _____ le vol Paris–Tokyo le 18 de ce mois? Combien de temps _____-t-il? avec escale? Y _____-t-il une voiture de location qui m' _____ à l'arrivée?
2. Après ma démarche à l'agence, je _____ quelques vêtements en ville: une veste chaude, des gants et une belle paire de bottes. Je _____ à la pharmacie pour prendre quelques affaires de toilette (savon, shampooing, eau de toilette) et je _____ chez moi.
3. Le lendemain je _____ à faire mes valises. J'y _____ mes chaussures, mes vêtements et mes guides. Je _____ ma liste: Ah oui! je ne _____ pas d'acheter des films couleur pour mon appareil-photo. Et puis je _____ à l'agence et je _____ mon billet.
4. Quand je _____, je _____ mes photos à tous mes amis.

B. Avant le départ. Une étudiante va partir passer une année à l'étranger avec AFS (*American Field Service*). Elle dit au revoir à sa mère. Remplacez les tirets par un des verbes suivants au futur: **faire, pouvoir, venir, répondre, envoyer, écrire, devoir, savoir.**

1. A l'aéroport ma mère me _____ ses dernières recommandations: «_____-tu trouver ton hôtel? _____-tu passer les vacances de Noël avec nous? _____-tu des cartes postales?»
2. Je lui _____: «Maman, sois tranquille, je t'_____ dès que je le _____. Mais tu _____ être patiente car le courrier est parfois très lent!»

9.3. Commands

It is not likely that you will need to give many direct commands in French during the period of time that you are studying with ***Deux mondes.*** But you should be able to recognize direct commands when you hear or read them. In fact, you have been hearing direct commands since **Activité 1** of the **Chapitre préliminaire.**

A. The **vous** form of the present tense is used as a direct command in polite (formal) situations when you are addressing one person or to address more than one person (even those to whom you say **tu** as individuals).

Regardez! Un restaurant algérien. Voulez-vous y entrer?
Look! An Algerian restaurant. Do you (all) want to go in?

Une station-service? **Suivez** cette rue-là tout droit.
A service station? Go straight down that street.

B. To give a command to someone whom you address as **tu,** you need an informal command. For regular **-er** verbs, the informal command is the same as the present tense **tu** form but without the final **-s.**

Regarde Paul. Que fait-il?
Look at Paul. What's he doing?

Mange vite! Il faut partir.
Eat quickly! We've got to leave.

For most other verbs (**-re, -ir**[**e**], and irregulars), the present tense **tu** form and the command forms are identical, both in pronunciation and spelling.

Attends-moi un moment.
Wait for me a moment.

Finis ton devoir maintenant.
Finish your homework now.

C. *Let's* commands are given with the **nous** form of the present tense.

Allons dîner au Poulailler* ce soir.
Let's have dinner at the Poulailler this evening.

Attendons-les encore un peu.
Let's wait for them a little while longer.

D. The following verbs have irregular command forms:

INFINITIF	**être**	**avoir**
tu	sois	aie
vous	soyez	ayez
nous	soyons	ayons

*__Le Poulailler:__ nom d'un restaurant parisien.

Sois gentil, Bernard. Vas chercher la voiture, s'il te plaît.
Be nice, Bernard. Go get the car, please.

E. Negative command forms are identical to the affirmative forms.

Ne **buvez** pas } de café ce soir.
Ne **bois** pas }
Don't drink coffee this evening.

Ne **buvons** pas de café ce soir.
Let's not drink coffee this evening.

F. Single pronouns are used with commands in the following ways.

- Pronouns follow and are attached to affirmative commands.

DIRECT OBJECT

Les billets? Oui, bien sûr, **achète-les** demain.
The tickets? Yes, of course, buy them tomorrow.

Jeannot va te raconter une belle histoire. **Écoute-le** bien.
Jeannot is going to tell you a nice story. Listen to him carefully.

INDIRECT OBJECT

Donne-lui son stylo. Il en a besoin.
Give him his pen. He needs it.

Expliquez-leur la route, s'il vous plaît.
Tell them how to get there, please.

REFLEXIVE OBJECT

M. Durand, levez-**vous,** s'il vous plaît.
Mr. Durand, get up, please.

Jeannot, brosse-**toi** les dents avant de te coucher.
Jeannot, brush your teeth before going to bed.

- All pronouns precede negative commands.

Ne **l'écoute** pas. Il ment!
Don't listen to him. He's lying!

Ne **me parle** plus.
Don't talk to me any more.

Ne **te baigne** pas maintenant; nous sommes pressés.
Don't take a bath now; we're in a hurry.

- The pronouns **moi** and **toi** (rather than **me** and **te**) are used with affirmative commands.

Ne **me** parle pas. Écoute-**moi.**
Don't talk to me. Listen to me.

Ne **te** lève pas à huit heures. Lève-**toi** à sept heures et demie.
Don't get up at eight o'clock. Get up at seven-thirty.

- The pronouns **y** and **en** follow the same placement rules as other object pronouns.

De la glace? N'**en mangez** pas maintenant, s'il vous plaît.
Ice cream? Don't eat any right now, please.

Vous êtes tous prêts? Alors **allons-y!**
You're all ready? Let's go then!

Note that the **s** is retained in affirmative **tu** commands with the pronouns **y** and **en: parles-en, vas-y.** You will learn more about using pronouns with commands in Chapter 12.

Exercice 3

Vous êtes en ville avec un ami de votre père. Il vous demande de le tutoyer mais vous oubliez tout le temps. Alors il vous corrige chaque fois.

MODÈLE: Attendez-moi une minute! →
Attends-moi une minute!

1. Ne marchez pas si vite!
2. Mangez-en un peu plus. Ce gâteau est délicieux!
3. Ne vous impatientez pas, j'arrive!
4. Ne le prenez pas! Ce bus va dans la mauvaise direction.
5. Achetez-les! Elles sont vraiment très jolies, ces cartes postales.
6. Parlez plus fort, je ne vous entends pas!
7. Soyez gentil, prenez-moi en photo devant cette fontaine!
8. Allez-y, je vous attends ici!
9. Prêtez-moi votre plan, s'il vous plaît. Je crois que nous nous sommes perdus!
10. Revenez nous voir bientôt!

9.4. *Using **tout:** Adjective and Pronoun*

A. The word **tout** may be used as an adjective or as a pronoun. As an adjective, **tout** agrees with the noun it modifies in gender and number, like other adjectives: **tout, toute, tous, toutes.**

Joseph a étudié **toute la journée** pour préparer son examen.
Joseph studied all day to get ready for his exam.

Mon cousin adore **tous les films** de Truffaut.
My cousin loves all of Truffaut's films.

B. As a pronoun, **tout** may refer to a definite or an indefinite antecedent. If the antecedent is indefinite, **tout** is invariable in form.

Aujourd'hui **tout** va mal.
Today everything is going wrong.

When there is a definite plural antecedent, the forms **tous** or **toutes** are used.

Mes amis? **Tous** sont arrivés en retard.
My friends? They all arrived late.

Mes sœurs? **Toutes** habitent à Québec.
My sisters? All of them live in Quebec.

Pronunciation hint: When **tous** is used as a pronoun (meaning *everyone* or *everybody*), the final **-s** is pronounced: ***Tous* sont ici.**

Exercice 4

Voici quelqu'un qui a des idées très précises et qui aime généraliser. Remplacez les tirets par **tout, tous** ou **toutes.**

1. _____ les enfants sont amusants!
2. _____ les jeunes étudiants ont de l'ambition.
3. _____ est bien qui finit bien.
4. _____ les sports facilitent le développement du corps.
5. _____ les religions aident l'humanité.
6. Certaines personnes ont peur de _____.
7. _____ les voyages forment l'esprit.
8. Qui risque _____ perd _____.
9. _____ ceux que j'ai rencontrés à Québec m'ont reconnu(e).
10. J'invite _____ celles qui aiment jouer au bridge.

In **Chapitre dix** you will talk about health-related situations and problems—illnesses and accidents as well as staying healthy and in shape. You will continue to talk about past experiences.

Une visite médicale, Paris. Ce médecin prend la tension de sa patiente.

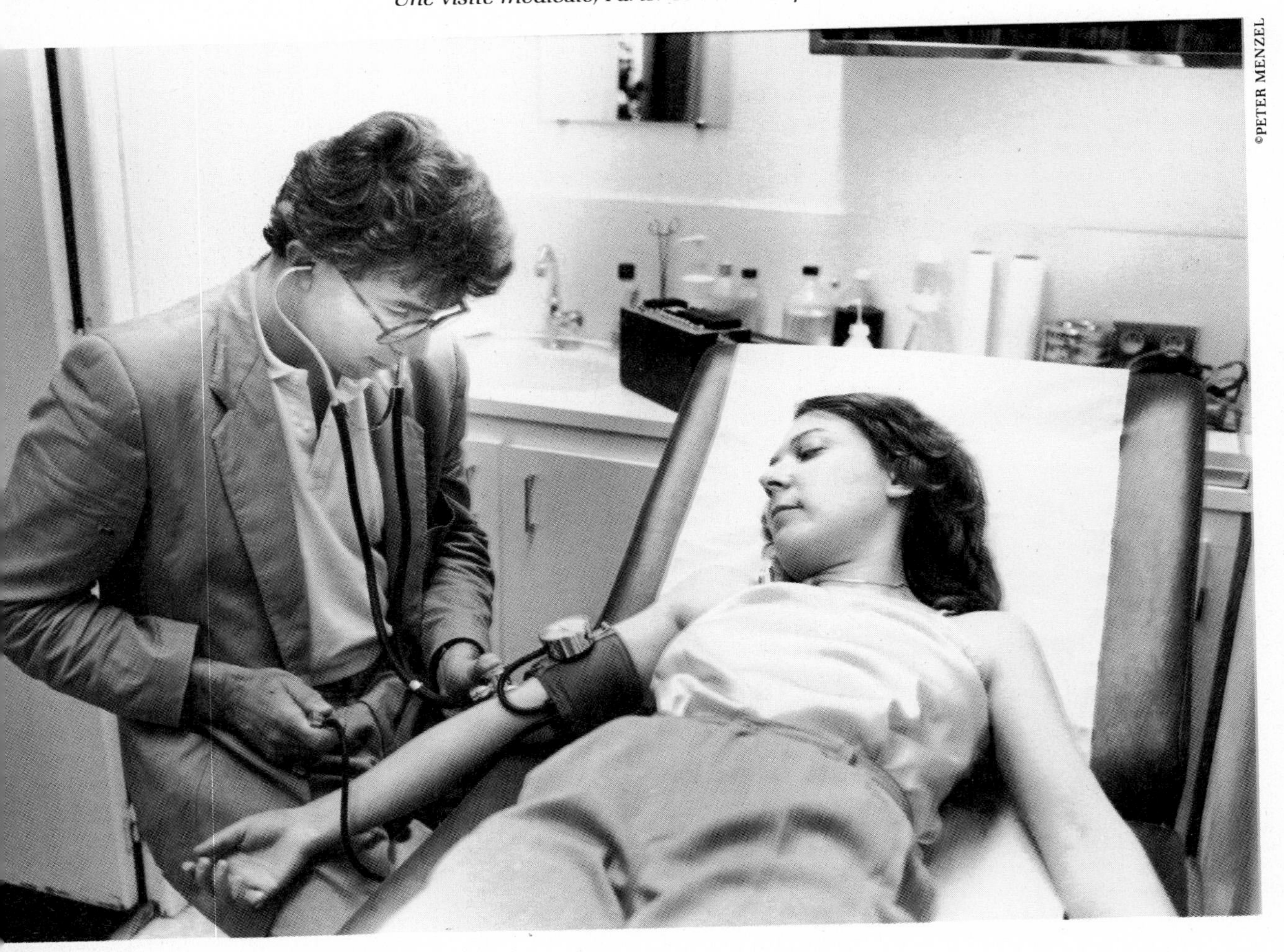

CHAPITRE DIX
La santé et les urgences

THÈMES

- The Parts of the Body (Part 2)
- Talking About Health and Illnesses and Their Treatment
- Staying Healthy
- Accidents and Emergencies
- Visits to the Doctor, Pharmacy, and Hospital

LECTURES

- Dans le journal: Tragédie aérienne—quatre survivants
- Note culturelle: Le médecin de famille

LECTURES SUPPLÉMENTAIRES

- Le feuilleton: Pauvre malade!
- Note culturelle: Les nouvelles médecines
- Note culturelle: Les médicaments

GRAMMAIRE

10.1. Expressing States and Changes of State: Reflexive Pronouns; *become, get*
10.2. Making Others Do Something: Causative **faire**
10.3. Expressing Obligation: **il faut** + *Infinitive,* **il faut que** + *Subjunctive*
10.4. The **plus-que-parfait**
10.5. Expressing *to leave:* **partir, sortir; quitter; laisser**
10.6. Present Subjunctive Following **vouloir** and Impersonal Expressions of Volition and Necessity

ACTIVITÉS ORALES

LES PARTIES DU CORPS (Deuxième partie)

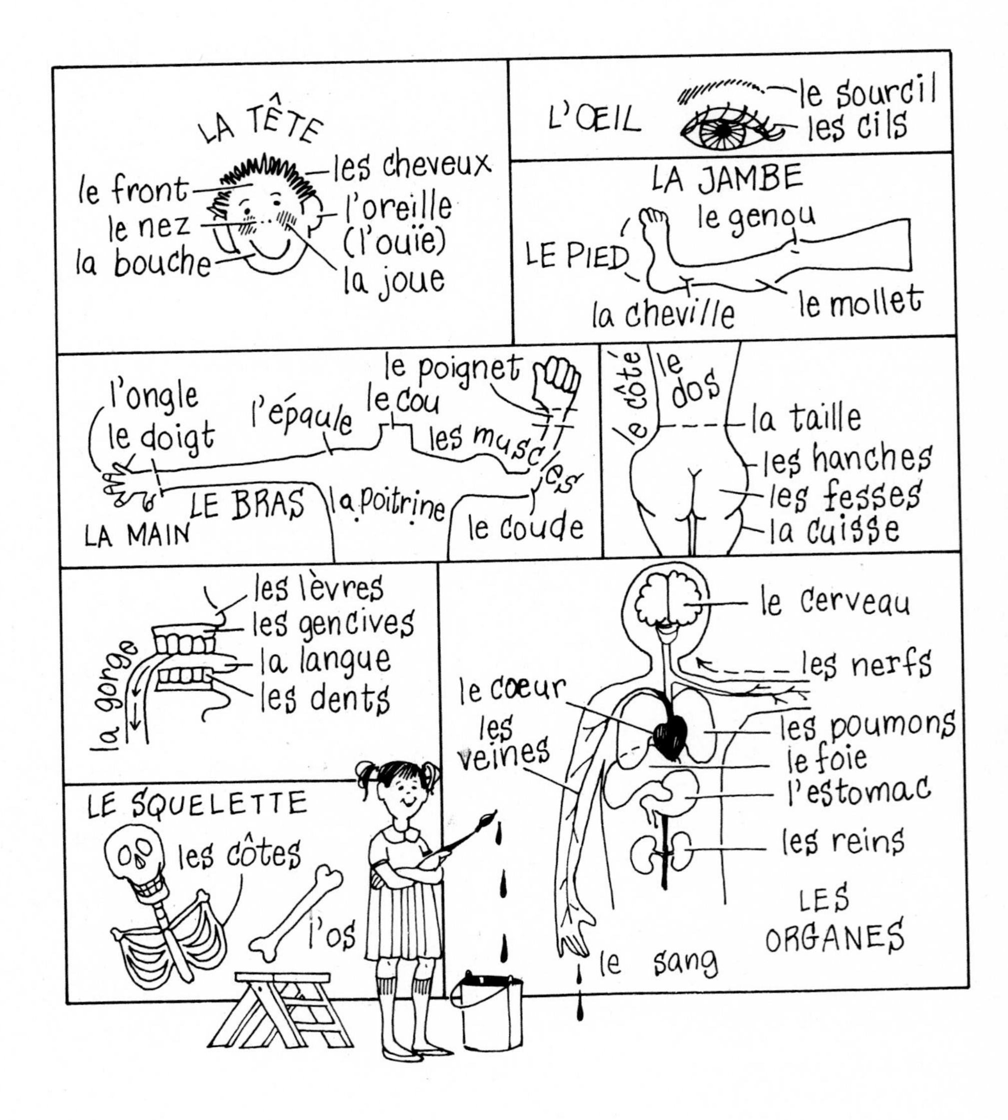

Activité 1. Les fonctions du corps

Quelles fonctions remplissent ces parties de notre corps?

MODÈLE: la bouche →
Avec la bouche nous mangeons et nous parlons.

1. les mains
2. les jambes
3. les yeux
4. les bras
5. les dents
6. les lèvres
7. le nez
8. les oreilles
9. les doigts
10. les poumons

a. marcher
b. attraper
c. toucher
d. embrasser
e. gesticuler
f. entendre
g. respirer
h. voir
i. mâcher
j. sentir
k. écrire
l. courir
m. _____?

Activité 2. Définitions: Les parties du corps

1. les poumons
2. le cerveau
3. le cœur
4. la gorge
5. les reins
6. les muscles
7. le sang
8. les oreilles
9. les côtes
10. la langue

a. masse nerveuse logée dans le crâne
b. organe central qui fait circuler le sang
c. os plats du thorax, de forme courbe
d. liquide rouge qui circule dans les veines et les artères
e. organe que l'on utilise pour parler et manger
f. organes internes qui purifient le sang
g. ce que nous utilisons pour percevoir les sons
h. leurs contractions permettent le mouvement du corps
i. partie interne du cou
j. organes que l'on utilise pour respirer

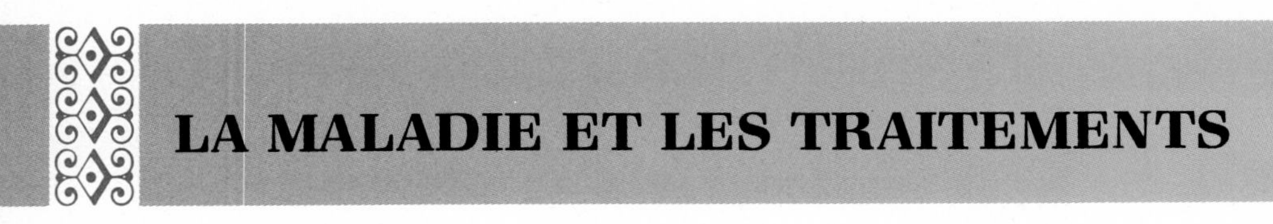

LA MALADIE ET LES TRAITEMENTS

ATTENTION! Voir Grammaire 10.1–10.2.

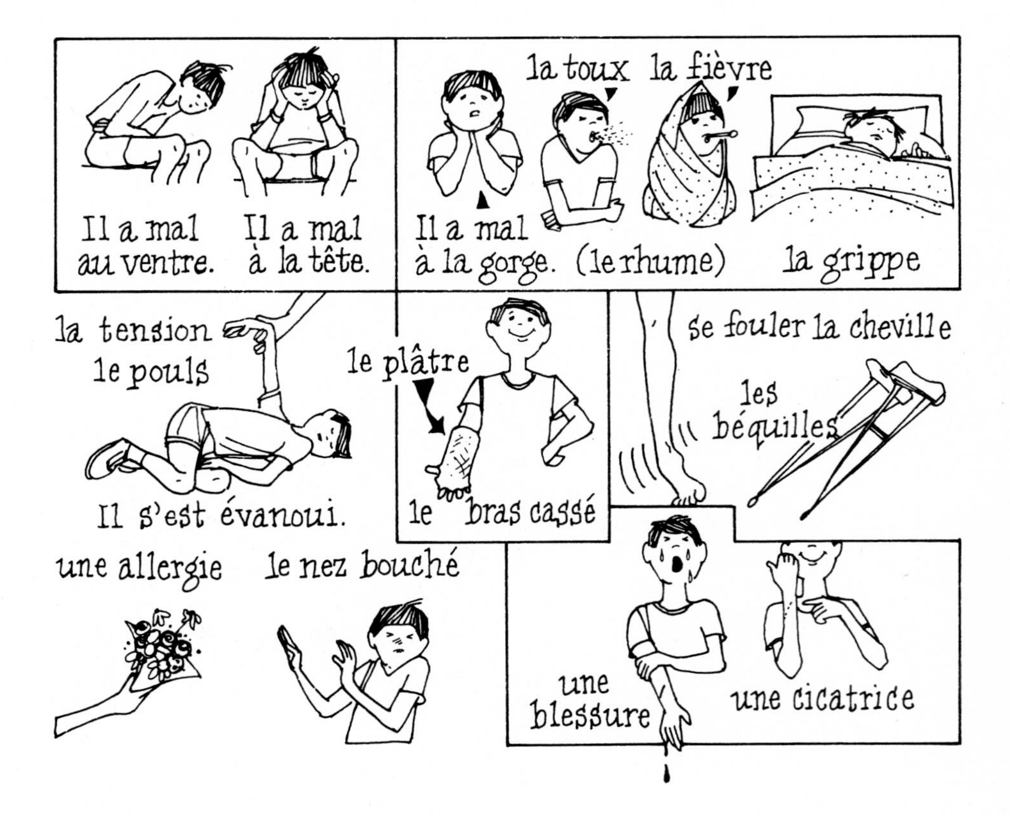

Activité 3. Quand je me sens mal...

Choisissez: • toujours • généralement • parfois • jamais

1. Quand j'ai de la fièvre,
   a. je reste au lit toute la journée.
   b. je prends de l'aspirine.
   c. je me mets de mauvaise humeur.
   d. je bois beaucoup de liquide.
   e. je me fais livrer une pizza.
   f. ______.
2. Quand je tousse,
   a. je prends du sirop.
   b. je fais appeler le médecin.
   c. je marche avec des béquilles.
   d. je me fâche avec mes amis.
   e. je bois du thé chaud.
   f. ______.

3. Quand j'ai mal au cœur,
   a. je fais du vélo.
   b. je me fais prendre la tension et le pouls.
   c. je m'allonge un moment.
   d. je me sens déprimé(e).
   e. je prends un peu d'air frais.
   f. _____.

4. Quand j'ai mal à la tête,
   a. je me repose dix minutes.
   b. je me mets des gouttes dans le nez.
   c. j'écoute de la musique classique.
   d. je m'évanouis.
   e. je me mets quelque chose de froid sur le front.
   f. _____.

5. Quand je suis enrhumé(e),
   a. je prends des médicaments pour l'allergie.
   b. je reste chez moi au chaud.
   c. je me foule la cheville.
   d. j'ai mal à la gorge et j'ai le nez bouché.
   e. je me fais couper les cheveux.
   f. _____.

Activité 4. Les remèdes

Qu'est-ce que vous faites dans les situations suivantes?

MODÈLE: Si vous avez de la fièvre? →
Si j'ai de la fièvre, je prends des antibiotiques.

1. Si vous êtes enrhumé(e)?
2. Si vous toussez?
3. Si vous avez mal à la tête?
4. Si vous vous coupez un doigt?
5. Si vous avez mal à la gorge?
6. Si vous avez une cheville enflée?
7. Si vous vous faites un bleu?
8. Si vous êtes très malade?

a. Je prends de la vitamine C.
b. Je me mets un sparadrap.
c. Je prends du sirop pour la toux.
d. Je fais des gargarismes.
e. Je prends deux cachets d'aspirine.
f. Je me mets de la pommade.
g. Je me fais soigner par un médecin.
h. Je me fais masser.
i. _____?

Activité 5. Sondage: La personnalité

Êtes-vous une personne irritable ou tranquille?

1. Je m'énerve quand mes propres amis me mentent. *oui* *non* *parfois*
2. Je me fâche quand ma famille me dit ce qu'il faut que je fasse. *oui* *non* *parfois*
3. Je me mets de mauvaise humeur quand un ancien professeur ne me reconnaît pas. *oui* *non* *parfois*

4. Je suis furieux (-ieuse) quand il faut que je recommence un devoir. *oui* *non* *parfois*
5. Je râle quand on me téléphone à certaines heures. *oui* *non* *parfois*
6. Je rouspète quand il faut que je me lève très tôt. *oui* *non* *parfois*

RÉSULTATS: Oui = 2 points. Parfois = 1 point. Non = 0 point.
De 8 à 10 points = Vous êtes une personne très irritable. Il faut que vous vous contrôliez un peu!
De 5 à 7 points = Vous êtes une personne de tempérament équilibré.
De 0 à 4 points = Vous êtes une personne très calme.

Activité 6. Entrevue: Le moral

1. Es-tu une personne gaie? pessimiste? dynamique?
2. Quand est-ce que tu es vraiment content(e)? Est-ce que cela t'arrive souvent? Pourquoi?
3. Es-tu heureux (-euse) quand tu es seul(e)? Pourquoi (pas)? En général, qu'est-ce que tu fais quand tu es seul(e)?
4. Qu'est-ce qui te déprime? Qu'est-ce qui t'angoisse? Pourquoi?
5. Est-ce que tu te mets souvent en colère? Qu'est-ce qui te met dans cet état? Pourquoi? Qu'est-ce que tu fais pour te calmer?
6. Qu'est-ce qui te rend triste? Qu'est-ce que tu fais quand tu as le cafard?

Activité 7. Les états d'âme

Comment réagissez-vous quand... ?

MODÈLE: vous avez un examen de maths →
Quand j'ai un examen de maths, je me sens très énervé(e).

1. vous perdez cinquante dollars dans la rue
2. vous découvrez qu'on vous a volé votre voiture
3. votre meilleur ami (meilleure amie) se fâche avec vous
4. vous gagnez un million de dollars à la loterie
5. vous avez un accident de voiture

Activité 8. Les maladies

Trouvez l'intrus et expliquez pourquoi cette activité n'appartient pas au groupe.

1. Hier ma fille était malade.
   a. J'ai fait venir le médecin.
   b. Je lui ai fait prendre un médicament.
   c. Je l'ai laissée jouer dans le jardin.
   d. J'ai pris sa température.

2. L'hiver dernier j'ai beaucoup toussé.
   a. Je me suis mis des gouttes dans le nez.
   b. J'ai pris du sirop.
   c. J'ai fait des gargarismes.
   d. J'ai bu du thé au citron avec du miel.
3. Si vous avez une blessure à la main droite,
   a. vous vous mettez un sparadrap ou un bandage.
   b. vous restez chez vous de peur d'être contagieux (-ieuse).
   c. vous la désinfectez à l'alcool pour éviter toute infection.
   d. vous saluez de la main gauche.
4. Mon petit frère a la varicelle et c'est pour cela
   a. qu'il ne peut pas aller à l'école.
   b. que ses amis jouent avec lui dans sa chambre.
   c. que nous avons appelé le médecin hier soir.
   d. qu'il doit prendre de l'aspirine.
5. Je crois que j'ai les oreillons.
   a. J'ai le cou enflé.
   b. J'ai de la fièvre.
   c. Je me sens en pleine forme.
   d. J'ai mal à la tête.

LA SANTÉ

ATTENTION! Voir Grammaire 10.3.

Il faut que vous mangiez beaucoup de fruits et de légumes pour être en bonne santé.

Il faut que je fasse de l'exercice tous les jours pour me sentir en forme.

Il faut que nous dormions beaucoup avant les examens si nous voulons être détendus.

Il ne faut pas que tu restes trop longtemps au soleil. C'est mauvais pour la peau.

Activité 9. Les dix commandements de la santé

Voici dix suggestions pour une meilleure santé. Classez-les, selon vous, par ordre d'importance.

_____ Il faut que vous mangiez une nourriture riche en protéines.
_____ Il faut que vous marchiez cinq kilomètres par jour.
_____ Il faut que vous dormiez huit heures par nuit.
_____ Il faut que vous preniez des vitamines tous les jours.
_____ Il faut que vous consultiez votre docteur une fois par an.
_____ Il faut que vous vous amusiez avec vos amis.
_____ Il faut que vous vous pesiez régulièrement.
_____ Il faut que vous fassiez du sport toute l'année.
_____ Il faut que vous appreniez à vous détendre.
_____ Il faut que vous buviez deux litres d'eau par jour.

Activité 10. Publicité: La nouvelle Gym

ENCORE PLUS TONIQUE A LA SALLE DES CHAMPS-ÉLYSÉES!

Le dépaysement, le tonus, la gym californienne vous attendent à la Salle des Champs-Élysées. Il faut que vous vous occupiez de votre corps dès aujourd'hui si vous voulez être en forme pour les vacances.

- MUSCULATION
- AÉROBICS
- SEMELLES DE FONTE
- DANSE MODERNE

Mises en forme matinales, fins de journées détendues, midis pratiques, week-ends sportifs.

Faites vos horaires, faites votre choix. La Salle des Champs-Élysées vous propose la gym à la carte.

Nos moniteurs, tous professeurs d'éducation physique diplômés d'État, sont là pour vous conseiller et vous guider.

Abonnement par an et par personne: 3 500F
Groupe de: 2 à 4 personnes: 3 000F 5 à 10 personnes: 2 500F
OUVERT TOUS LES JOURS de 7h à 24h, le samedi de 9h à 20h, le dimanche de 9h à 16h

LA SALLE DES CHAMPS-ÉLYSÉES 55 bis rue Ponthieu, Paris 8e
Tél. 43.59.87.71

1. Quel genre d'exercice peut-on faire dans ce gymnase? Quels horaires propose-t-il? Quelle atmosphère?
2. Est-ce qu'il faut que les moniteurs qui y travaillent soient diplômés?
3. Laquelle des activités proposées par la Salle des Champs-Élysées aimeriez-vous pratiquer?
4. Faites-vous de l'exercice régulièrement? Quelle sorte d'exercice? Où?
5. D'une façon générale, qu'est-ce qu'il faut faire pour rester en forme? Pourquoi?

Activité 11. Que faut-il faire pour rester en bonne santé?

Dites à vos camarades ce qu'il faut qu'ils fassent—ou qu'ils ne fassent pas!—pour garder la forme. Expliquez-leur pourquoi.

MODÈLE: faire de l'exercice →
Il faut que vous fassiez beaucoup d'exercice si vous voulez garder la ligne.

1. dormir au moins huit heures par nuit
2. manger beaucoup de viande
3. prendre le soleil toute la journée
4. boire de l'alcool
5. courir cinq kilomètres par jour
6. éviter les plats trop riches
7. fumer deux paquets de cigarettes par jour
8. rajouter du sel à tous les aliments
9. aller danser tous les soirs
10. consulter son médecin régulièrement

Activité 12. Dialogue original: J'ai mal à la tête

Ce soir, vous aviez l'intention d'aller danser avec des amis. Votre ami Renaud doit venir vous chercher dans une heure. Mais à présent, vous avez très mal à la tête et vous n'avez plus envie de sortir. Tout à coup le téléphone sonne. Vous décrochez et c'est justement Renaud.

RENAUD: Salut! Tu es prêt(e)?
VOUS: Salut, Renaud! Comment vas-tu?
RENAUD: Bien, et toi?
VOUS: Malheureusement je...

Activité 13. Discussion: La santé et la nourriture

1. Quels aliments sont bons pour la santé? Lesquels sont mauvais?
2. Mangez-vous toujours des aliments sains? Pourquoi (pas)?

3. Quels sont les additifs et les préservatifs? Lesquels sont des produits naturels? chimiques? Pourquoi les utilise-t-on? A votre avis, sont-ils nécessaires? dangereux? Expliquez.
4. Quand on est trop gros, qu'est-ce qu'il faut faire pour maigrir? Et quand on est trop maigre, qu'est-ce qu'on peut faire pour grossir?
5. Est-ce que le petit déjeuner est important? Pourquoi? Le prenez-vous tous les jours? Pourquoi (pas)?
6. Pour être en forme, est-ce qu'il suffit de manger des repas équilibrés ou faut-il prendre aussi des vitamines? Pourquoi (pas)?

LES ACCIDENTS ET LES URGENCES

ATTENTION! Voir Grammaire 10.4–10.5.

L'automobiliste n'avait pas vu le garçon qui roulait en bicyclette.

Envoyez une ambulance, s'il vous plaît! C'est une urgence! Au secours!

Quand l'ambulance est arrivée le garçon avait perdu connaissance.

Heureusement le garçon n'avait que des blessures superficielles.

Activité 14. Un témoignage

Cherchez l'ordre logique. ATTENTION! Il y a seulement quatre phrases complètes.

_____ je suis sorti immédiatement dans la rue
_____ le blessé avait perdu connaissance
_____ je déjeunais tranquillement dans un restaurant
_____ et j'ai vu qu'il y avait eu un accident très grave
_____ mais le restaurateur avait déjà téléphoné à l'hôpital
_____ quand l'ambulance est arrivée
_____ j'ai cherché une cabine pour appeler une ambulance
_____ quand j'ai entendu un violent coup de frein

Activité 15. Qu'est-ce qui s'est passé?

1. 

2. 

3. 

4. 

5. 

6. 

7. 

8. 

DANS LE JOURNAL: Tragédie aérienne—quatre survivants[1]

©STUART COHEN

Un petit aéroport dans les Alpes, France. On trouve des aéro-clubs un peu partout en France. Des compagnies privées vous permettent de faire du tourisme aérien. Il y a aussi des lignes qui relient les cités touristiques et les stations de ski aux grandes villes.

Le Dauphiné Libéré
Grenoble, le 7 juillet 1987

Un entretien[2] exclusif avec Anne Bastide et Georges Delaroche, deux des survivants du spectaculaire accident aérien qui a eu lieu le mois dernier dans les Alpes.

LE JOURNALISTE: Je voudrais avant tout vous remercier[3] de m'accorder cette entrevue. Je sais combien il vous est pénible de parler de cette tragédie, mais nous sommes tous curieux de savoir comment vous vous êtes sauvés. Pouvez-vous me dire ce qui s'est passé exactement?

MLLE BASTIDE: A vrai dire nous ne savons pas très bien. Nous avons décollé de Grenoble avec seulement huit passagers à bord. La compagnie pour laquelle je travaille a de petits avions qui relient[4] les villes principales de la région aux stations de ski. Tout allait bien quand soudain nous avons entendu une explosion... c'était le moteur droit.

LE JOURNALISTE: Est-ce que l'avion s'est écrasé[5] immédiatement?

MLLE BASTIDE: Non, d'abord le pilote a réussi à contrôler l'appareil bien que[6] nous perdions de l'altitude rapidement. Quand il a aperçu la clairière[7] il a essayé d'y atterrir. Jusqu'au dernier moment tout semblait bien se passer, vu[8] les circonstances. Mais l'impact a été trop violent.

LE JOURNALISTE: Il semble que c'est grâce aux efforts du pilote, lui aussi tué sur le coup,[9] qu'il y a eu des survivants.

M. DELAROCHE: En effet, Mlle Bastide, deux autres passagers et moi-même avons survécu. Les deux autres survivants, Jean-Loup Pelletier et Thomas Fontaine, n'ont pas pu nous rejoindre pour cette entrevue parce qu'ils n'habitent pas la région. Mais tous les deux sont indemnes.[10]

LE JOURNALISTE: C'est une bonne nouvelle! Pouvez-vous me décrire comment vous avez réussi à sortir de l'avion?

M. DELAROCHE: Eh bien, Messieurs Pelletier et Fontaine ont utilisé la sortie de secours et ont sauté à terre.

LE JOURNALISTE: Et vous n'êtes pas sorti avec eux?

M. DELAROCHE: Non, j'étais coincé[11] entre deux sièges. Mademoiselle Bastide s'est aperçue[12] que j'étais encore vivant et les a appelés. Ils m'ont aidé à m'en tirer. Moi, j'avais presque perdu connaissance.[13]

LE JOURNALISTE: Alors, Mademoiselle Bastide, c'est vous la véritable héroïne de cette tragédie.

MLLE BASTIDE: Pas du tout. Je n'ai fait que mon devoir. Vous savez, moi aussi j'avais envie de sortir de l'appareil en courant,[14] mais j'avais l'obligation morale de vérifier qu'il n'y avait pas d'autres passagers encore vivants.

LE JOURNALISTE: Et qu'est-ce que vous avez fait après avoir quitté l'avion?

M. DELAROCHE: Mademoiselle Bastide savait où se trouvaient la nourriture, les couvertures et la pharmacie... Elle est remontée dans l'avion avec M. Fontaine pour chercher le nécessaire. Heureusement la radio marchait encore, et ils ont pu appeler la tour de contrôle de Grenoble. Nous avons été retrouvés le jour même par un hélicoptère de la gendarmerie.[15]

LE JOURNALISTE: Je suis très heureux de voir que vous allez beaucoup mieux. Encore merci d'avoir partagé ces moments difficiles avec nos lecteurs.

---

[1]*survivors* [2]*interview* [3]*thank* [4]*link* [5]s'est... *crashed* [6]bien... *although* [7]*clearing* [8]*considering* [9]tué... *killed on the spot* [10]*uninjured* [11]*trapped* [12]s'est... *realized* [13]*consciousness* [14]en... *as fast as possible* [15]*police headquarters*

Compréhension

Mettez en ordre chronologique.

_____ Ils ont dégagé M. Delaroche d'entre les sièges.
_____ Ils ont été retrouvés.
_____ Ils ont trouvé la radio.
_____ Ils ont cherché des aliments.
_____ L'avion s'est écrasé.
_____ Ils ont pu appeler l'aéroport.
_____ Il y a eu une explosion dans le moteur.
_____ Ils ont décollé de l'aéroport de Grenoble.
_____ La radio marchait encore.

CHEZ LE MÉDECIN, A LA PHARMACIE ET A L'HÔPITAL

ATTENTION! Voir Grammaire 10.6.

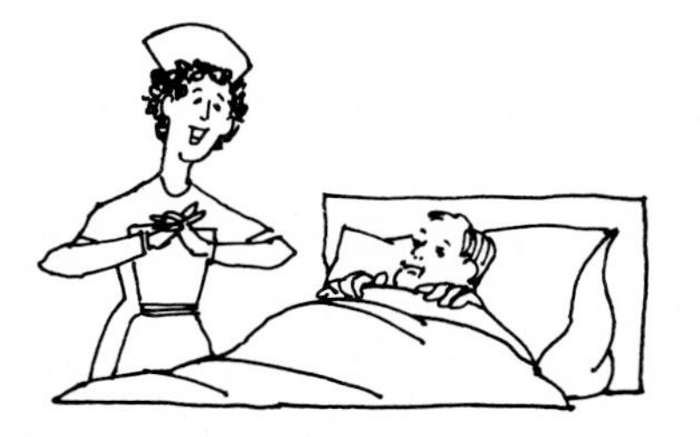

Il est important que l'infirmière s'occupe des patients avec gentillesse.

Il est indispensable qu'on aille chez le dentiste quand on a mal aux dents.

Il vaut mieux que tu demandes à la pharmacienne quel médicament tu peux prendre pour l'allergie.

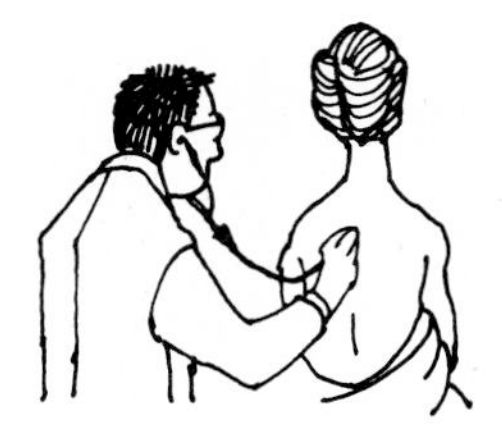

Il est essentiel que le médecin ausculte le malade pour savoir ce qu'il a.

Il est bon que la psychiatre (la psychologue) écoute ses patients pour traiter leurs troubles psychiques.

Il faut que le chirurgien opère le patient de toute urgence.

Je veux que le vétérinaire voie mon chien parce qu'il est très malade.

Activité 16. Quelles sont les activités de ces professionnels?

1. le médecin
2. le pharmacien/la pharmacienne
3. l'infirmier/l'infirmière
4. le/la psychiatre
5. le chirurgien/la chirurgienne
6. le/la dentiste

a. soigne les malades et assiste le médecin
b. opère les patients
c. ausculte les malades et prescrit les ordonnances
d. aide les personnes qui ont des problèmes psychologiques
e. prépare les ordonnances et fournit les médicaments
f. plombe les caries

Activité 17. Chez le médecin

Trouvez le traitement qui correspond à chaque symptôme.

LES SYMPTÔMES

1. J'ai mal à la tête.
2. J'ai mal à la gorge.
3. J'ai mal au cœur.
4. J'ai la tête qui tourne.
5. Je tousse beaucoup.
6. J'ai mal au genou.

LES RECOMMANDATIONS

a. Je veux que vous fassiez des gargarismes deux fois par jour.
b. Il est bon que vous preniez ce sirop toutes les quatre heures.
c. Il est indispensable que vous fassiez des radios.
d. Il faut que vous preniez de l'aspirine et que vous vous allongiez un peu.
e. Il est important que vous suiviez ce régime pendant quelques jours.
f. Il vaut mieux que vous vous reposiez un peu et que vous preniez ces pastilles pour la tension.

Activité 18. Entrevue: A l'hôpital

1. As-tu déjà été hospitalisé(e)? Quand? Où?
2. Qu'est-ce que tu avais? Combien de temps es-tu resté(e) à l'hôpital? Pourquoi?
3. Est-ce qu'on t'a fait des analyses de sang? des radios? une transfusion?
4. Est-ce que tu as été obligé(e) de garder le lit quand tu es rentré(e) chez toi? Pendant combien de temps?
5. Est-ce que c'était douloureux? grave?
6. Est-ce que tu as pris beaucoup de médicaments? Lesquels?
7. Comment était le médecin qui t'a soigné(e)? Et les infirmières?
8. Avais-tu une assurance maladie? Est-ce qu'elle t'a tout remboursé?

Activité 19. Dialogues originaux: Les problèmes de santé

1. Vous allez à la pharmacie acheter un médicament pour la grippe. Malheureusement vous n'arrivez pas à vous rappeler comment on dit «grippe» en français. Il ne vous reste qu'à expliquer vos symptômes au pharmacien.

   LE PHARMACIEN: Est-ce que je peux vous aider...
   VOUS: Eh bien voilà...

2. Vous vous sentez très mal. Vous voulez voir votre médecin, mais vous n'avez pas de rendez-vous. Vous téléphonez à son cabinet et sa secrétaire vous répond que le docteur est pris toute la journée. Vous insistez.

   VOUS: Je voudrais voir le docteur cet après-midi, s'il vous plaît, Madame.
   LA SECRÉTAIRE: Je suis désolée, Monsieur (Madame, Mademoiselle), mais...
   VOUS: Mais il faut absolument que je le voie aujourd'hui...

NOTE CULTURELLE: Le médecin de famille

Les malades français n'ont pas besoin de sortir du lit pour voir leur médecin de famille: ils peuvent recevoir sa visite chez eux. Si on lui téléphone tôt le matin, il vient en général avant midi. Sinon, il viendra entre dix-sept heures et vingt-deux heures, pendant sa deuxième tournée de visites. Les soins° qu'il donne à domicile sont des soins de base,° par exemple, pour une grippe, une maladie infantile ou une angine.

soins° *treatments*
de... *basic*

©PETER MENZEL

L'hôpital Kremlin-Bicêtre dans la banlieue sud de Paris. Trois médecins comparent des radiographies. Il y a de nombreux hôpitaux et cliniques privées à Paris et dans la région parisienne. En général, chaque hôpital se spécialise dans un domaine bien précis. Par exemple, l'hôpital Necker est l'hôpital des enfants; l'hôpital Saint-Louis est renommé pour l'hématologie et celui de Villejuif pour le cancer.

L'après-midi, ce docteur donne aussi des consultations dans son cabinet. C'est un horaire exigeant° et il n'est pas rare que plusieurs docteurs s'associent, en un cabinet de groupes, afin de partager les responsabilités. Dans les grandes villes, certains docteurs font leurs tournées de façon originale: ils utilisent une moto spécialement équipée pour les urgences médicales. Ils évitent ainsi de perdre trop de temps dans les embouteillages!

° *demanding*

Vrai ou faux?

1. Les médecins français donnent toutes leurs consultations dans leur cabinet.
2. Ils font deux tournées de visites à domicile: une le matin et une autre le soir.
3. Dans les grandes villes, les embouteillages posent des problèmes de temps aux médecins.

Vocabulaire

LES PARTIES DU CORPS Parts of the body

le cerveau	brain
la cheville	ankle
les cils (*m.*)	eyelashes
le côté	side
les côtes (*f.*)	ribs
le cou	neck
le coude	elbow
le crâne	cranium, skull
la cuisse	thigh
l'épaule (*f.*)	shoulder
les fesses (*f.*)	buttocks, bottom
le foie	liver
le front	forehead
les gencives (*f.*)	gums
la gorge	throat
les hanches (*f.*)	hips
la joue	cheek
la langue	tongue
les lèvres (*f.*)	lips
le mollet	calf
l'ongle (*m.*)	(finger)nail
l'orteil (*m.*)	toe
l'os (*m.*)	bone
l'ouïe (*f.*)	(sense of) hearing
la peau	skin
le poignet	fist
la poitrine	chest
les poumons (*m.*)	lungs
les reins (*m.*)	kidneys
le sang	blood
le sourcil	eyebrow
le squelette	skeleton
la taille	waist
le ventre	stomach

Mots similaires: **l'artère** (*f.*), **le muscle, les nerfs** (*m.*), **l'organe** (*m.*), **le thorax, les veines** (*f.*)

Révision: **la bouche, le bras, les cheveux** (*m.*), **le cœur, les dents** (*f.*), **le doigt, le dos, l'estomac** (*m.*), **le genou, la jambe, la main, le nez, l'oreille** (*f.*), **le pied, la tête, les yeux** (*m.*)

LES MALADIES Illnesses

attraper	to catch (*a cold*)
avoir mal au cœur	to feel nauseous
la blessure	wound
la carie	cavity
la cicatrice	scar
la fièvre	fever
garder le lit	to stay in bed
la grippe	flu
les oreillons (*m.*)	mumps
le rhume	cold
la rougeole	measles
la toux	cough
la varicelle	chickenpox

Mots similaires: **l'allergie** (*f.*), **l'infection** (*f.*), **le symptôme, la tension**

Révision: **avoir mal à**

ÉTATS PHYSIQUES ET MENTAUX Physical and mental states

avoir le cafard	to have the blues
bouché(e)	stopped up, blocked up
le dépaysement	disorientation
se déprimer	to get depressed
douloureux (-euse)	painful
en (pleine) forme	in good (top) shape
énervé(e)	nervous, edgy
s'énerver	to get worked up, become edgy
enflé(e)	swollen
être enrhumé(e)	to have a cold
se fâcher	to get upset, angry
gai(e)	cheerful, happy
heureux (-euse)	happy
se mettre de bonne/mauvaise humeur	to get in a good / bad mood
mort(e)	dead
sain(e)	healthy
tonique	invigorating, stimulating

Mots similaires: **calme, contagieux (-ieuse), dynamique, l'esprit** (*m.*), **irritable, la nausée, pessimiste, le tempérament**

Révision: **déprimé(e), furieux (-ieuse), malade, tranquille, triste**

MÉDICAMENTS ET REMÈDES Medicines and remedies

l'analyse de sang (*f.*)	blood test
le cachet	tablet
la douleur	pain
faire des gargarismes (*m.*)	to gargle
faire des radios (*f.*)	to take x-rays
la goutte	drop
opérer	to operate on
la pastille	lozenge
plomber	to fill (*cavities*)
la pommade	ointment
le pouls	pulse
le sirop	cough syrup
suivre un régime	to go on a diet
le traitement	treatment
traiter	to treat

Mots similaires: **l'alcool** (*m.*), **l'antibiotique** (*m.*), **l'aspirine** (*f.*), **le bandage, désinfecter, la transfusion**

Révision: **ausculter, le miel, prendre la température, prescrire une ordonnance, soigner, le thé au citron**

LES PROFESSIONS MÉDICALES Medical professions

le/la chirurgien(ne)	surgeon
le/la patient(e)	patient
le/la pharmacien(ne)	pharmacist
le/la psychiatre	psychiatrist
le/la vétérinaire	veterinarian

Mot similaire: **le docteur**

Révision: **le/la dentiste, l'infirmier (-ière), le/la malade, le médecin**

LA MISE EN FORME Getting in shape

faire de l'exercice (*m.*)	to exercise, do exercises
garder la forme/la ligne	to stay in shape / keep one's figure
grossir	to gain weight
maigrir	to grow thinner
la musculation	muscle development exercises
le régime	diet
rouler en bicyclette	to be riding a bike
la semelle de fonte	leg weights
le tonus	(muscular) tone

Mots similaires: **l'aérobics** (*f.*), **la danse**

Révision: **l'aérobique** (*f.*), **faire du sport, faire du vélo, le gymnase, la gym**(**nastique**), **pratiquer**

ACCIDENTS ET URGENCES Accidents and emergencies

Au secours!	Help!
les béquilles (*f.*)	crutches
le/la blessé(**e**)	wounded person
la civière	stretcher
se couper	to cut oneself
la Croix-Rouge	Red Cross
se faire un bleu	to bruise oneself
se fouler la cheville	to sprain one's ankle
le plâtre	plaster
le sparadrap	Band-Aid
le/la survivant(**e**)	survivor
le témoignage	eyewitness account
le témoin	witness

Mots similaires: **la clinique, la fracture, la lésion**

Révision: **l'ambulance** (*f.*), **l'hôpital** (*m.*)

VERBES Verbs

s'allonger	to stretch out, lie down
angoisser	to cause anguish, distress
appartenir (**à**)	to belong (to)
arriver	to happen
avaler	to swallow
avoir l'intention (**de**)	to intend (to)
se calmer	to calm oneself
circuler	to circulate
conseiller	to counsel, advise
se contrôler	to control oneself
décrocher	to pick up the (phone) receiver
se détendre	to relax
donner un baiser	to kiss
embrasser	to kiss; to embrace
envoyer	to send
éternuer	to sneeze
être obligé(**e**) **de**	to have to
s'évanouir	to faint
éviter	to avoid
fournir	to furnish
gesticuler	to gesture
gratter	to scratch
livrer	to deliver
mâcher	to chew
masser	to massage
mentir	to lie
mordre	to bite
percevoir	to perceive
perdre connaissance	to lose consciousness
se peser	to weigh oneself
râler	to groan, moan
réagir	to react
recommencer	to start over, begin again
rembourser	to reimburse
respirer	to breathe
ressentir	to feel
rester au chaud	to stay where it's warm
rouspéter	to moan, grumble
saluer	to greet
sentir	to feel (*physical contact*)
se sentir	to feel (*well, ill, excited, etc.*)
tousser	to cough
voler (**à**)	to steal (from)

Mots similaires: **assister, guider, insister, purifier**

Révision: **déprimer, se mettre en colère, se reposer**

LA DESCRIPTION Description

cassé(**e**)	broken
chimique	chemical
courbé	curved
diplômé(**e**)	licensed

interne internal
logé(e) lodged
nerveux (-euse) nervous
plat(e) flat
pris(e) busy

Mots similaires: **californien(ne), central(e), certain(e), essentiel(le), grave, hospitalisé(e), inconscient(e), indigné(e), indispensable, logique, naturel(le), professionnel(le), psychique, psychologique, riche, superficiel(le), violent(e)**

Révision: **équilibré(e)**

SUBSTANTIFS Nouns

l'abonnement (*m.*) membership; subscription
les aliments (*m.*) food
l'âme (*f.*) soul
l'assurance maladie (*f.*) medical insurance
la cabine phone booth
le coup de frein screeching of brakes
le diplôme d'état state diploma
la façon manner, way
la fin end
le paquet pack, package
la pilule pill
le son sound
la tension blood pressure

Mots similaires: **l'additif** (*m.*), **l'air** (*m.*), **le commandement, la contraction, la fonction, la forme, l'importance** (*f.*), **la masse, le moniteur, le moral, le mouvement, la personnalité, la phrase, le préservatif, le produit, la protéine, le/la restaurateur (-trice), la situation, le trouble**

Révision: **la pharmacie, le rendez-vous**

MOTS ET EXPRESSIONS UTILES Useful words and expressions

à présent presently, at present
absolument absolutely
auparavant before
cela that
de peur de for fear of
de toute urgence with the utmost urgency
dès starting, beginning
il faut que to have to
il vaut mieux que it's better that
le ... que it's only
justement in fact
malheureusement unfortunately
profondément deeply

Mot similaire: **à la carte**

LE FEUILLETON: Pauvre malade!

Marie-Rose Saulnier est au téléphone avec son amie Martine Leblanc. Marie-Rose se plaint des maladies imaginaires de son mari François.

«Ah! Martine, je ne sais vraiment plus quoi faire avec François. Il est toujours en train de° se plaindre: s'il n'a pas mal quelque part, il souffre d'une maladie quelconque.° Il a déjà vu le médecin trois fois cette semaine. La première fois, il est allé le voir parce qu'il était enrhumé. Il éternuait,° toussait et n'arrêtait pas de se moucher.° François croyait qu'il avait quelque chose de grave. «J'ai une pneumonie!» disait-il à tout le monde. La deuxième fois, il a pris rendez-vous parce qu'il s'était donné un léger coup sur le front avec la porte de la chambre et se plaignait de terribles maux de tête.

Enfin la dernière fois que François est allé chez le médecin, il était persuadé qu'il avait une maladie incurable. Les symptômes? Eh bien, nausée, fatigue, somnolence,° douleurs musculaires. Le médecin lui a dit qu'il fallait qu'il se repose et qu'il prenne une semaine de vacances. Mais ce qu'il y a de plus extraordinaire avec les maladies de François c'est qu'il ne perd jamais l'appétit; au contraire, plus il se sent mal et plus il mange. En fait, je crois qu'il veut tout simplement attirer mon attention pour que° je m'occupe de lui. Mais malheureusement le jour où il sera vraiment malade, personne ne va le croire.»

Il... *He's always*
some
was sneezing
se... *blow his nose*
sleepiness
pour... *so that*

Questions

1. De quels symptômes souffrait François lors de sa première visite chez le médecin?
2. Que lui a recommandé le médecin la dernière fois qu'il l'a vu?
3. D'après sa femme, de quoi souffre réellement François? Quel en est le danger?

NOTE CULTURELLE: Les nouvelles médecines

©STUART COHEN

Une herboristerie, Lyon, France. Comme les Français font de plus en plus confiance aux herbes médicinales, le nombre des herboristeries a beaucoup augmenté ces dernières années. De nos jours, les herboristeries vendent aussi des drogues simples, des produits hygiéniques et de la parfumerie.

De nos jours, les Français s'intéressent de plus en plus à ce qu'ils appellent les «nouvelles médecines». Quelles sont ces «nouvelles médecines»? Eh bien, ce sont parfois des techniques médicales venues de pays étrangers comme, par exemple, l'acupuncture. Ou bien des sciences anciennes remises au goût° du jour, que l'on appelle «médecines douces» parce qu'elles sont très naturelles.

goût: fashion, style

Parmi ces dernières, les Français font surtout confiance à **l'homéopathie,** qui utilise des remèdes selon la théorie des similitudes: c'est-à-dire que l'on donne à une personne malade des doses très diluées des substances qui, sur une personne saine, produiraient des symptômes semblables à la maladie. Ainsi si une personne souffre d'insomnie, l'homéopathe lui prescrira du Cofféa, substance à base de caféine, pour le guérir. Mais il y a aussi les partisans de la **phytothérapie,** qui utilise les plantes médicinales, et de l'**oligothérapie,** basée sur le contenu en minéraux de notre alimentation. Certaines sont plus inattendues, telle° la **chronobiologie** qui est basée sur les cycles rythmiques de notre corps, les biorythmes; ou encore la **chromothérapie** qui s'inspire des vertus des couleurs et de leur correspondance avec nos organes.

telle: such as

Mais les Français aiment tout particulièrement les traitements «complémentaires», c'est-à-dire les traitements qui combinent plusieurs méthodes médicales différentes.

Compréhension

Donnez les définitions des «nouvelles médecines» suivantes.

1. la phytothérapie
2. les médecines douces
3. la chromothérapie
4. les traitements complémentaires

cines? Êtes-vous pour ou contre? Feriez-vous confiance à une de ces médecines pour vous faire soigner?

NOTE CULTURELLE: Les médicaments

Les Français demandent souvent conseil à leur pharmacien pour leurs petits problèmes de santé: un mal de gorge, un coup de soleil, une foulure.° Le pharmacien, qui a en général une bonne formation° médicale, peut leur conseiller certains remèdes simples. Il vend dans sa pharmacie non seulement des produits pharmaceutiques mais aussi des produits de toilette et de parfumerie. Les médicaments sont en général présentés dans des emballages° très attrayants et les Français en sont les plus gros consommateurs d'Europe.

sprain / *training, background* / *packaging*

Les médicaments prescrits par un docteur sont généralement remboursés,° entièrement ou en partie selon leur nature, par la Sécurité sociale. Le malade les achète chez le pharmacien. Ensuite, il remplit un formulaire et il y colle° la «vignette», un petit timbre° médical qui se trouve sur la boîte.° Il envoie ces papiers à la caisse de Sécurité sociale, qui le remboursera plus tard.

paid for / *pastes / stamp* / *medicine container*

L'intérieur d'une pharmacie, Arles, France. La pharmacie joue un rôle important dans la vie des Français. C'est là où ils vont quand ils ont de petits problèmes de santé, comme un rhume ou une blessure sans importance. Le pharmacien, qui connaît bien la plupart de ses clients, les conseille et leur donne un médicament que l'on peut acheter sans ordonnance.

Questions

Selon ce texte, qu'est-ce qui est typique du système français en ce qui concerne...

1. les pharmaciens?
2. les pharmacies?
3. les médicaments?
4. les malades français?

GRAMMAIRE ET EXERCICES

10.1. Expressing States and Changes of State: Reflexive Pronouns; become, get

A. To describe how you or someone else feels, use the verb **sentir** with a reflexive pronoun.

Madame Durand, **vous sentez-vous** mieux aujourd'hui? —Oui, **je me sens** beaucoup mieux.
"Mrs. Durand, do you feel better today?" "Yes, I feel much better."

B. The expression **se fâcher** (**avec**) corresponds to English *to get angry* (*with*).

Mais, Joseph, pourquoi est-ce que tu **t'es fâché avec** moi? Je ne t'ai rien fait.
But Joseph, why did you get angry with me? I haven't done anything to you.

C. In English, the verbs *get* or *become* plus an adjective are often used to describe new states, as in the expression *to get angry.* Many French verbs are used with a reflexive pronoun to describe a change of state, like **se fâcher** (**avec/contre**). The following are additional examples of verbs used with reflexive pronouns to describe changes in state: **se calmer** (*to calm down, become calm*), **s'énerver** (*to become nervous, upset, irritated*), **s'impatienter** (*to become impatient*), **s'inquiéter** (*to become worried, uneasy*), **se mettre de mauvaise humeur/en colère** (*to get into a bad mood/to become angry*), **se réjouir** (*to become happy*).

Raoul, je **me réjouis** de votre succès!
Raoul, I'm delighted by your success!

M. Kambé, ne **vous impatientez** pas. Il faut garder votre plâtre encore une semaine.
Mr. Kambé, don't get impatient. You must keep your cast on one more week.

D. The preceding verbs are also used nonreflexively to refer to an external condition or to the cause of the change of state. In addition, several other frequently used verbs express external conditions or the cause of a change: **déprimer** (*to depress*), **rendre** (**triste, heureux,** etc.) (*to make* [*sad, happy,* etc.]).

Marguerite, je t'ai déjà dit mille fois que de ne pas dormir me **met** toujours de mauvaise humeur.
Marguerite, I've told you a thousand times that not sleeping always puts me in a bad mood.

Claire, ne me dis rien. Les départs me **rendent** toujours triste.
Claire, don't say anything (*to me*). *Leaving always makes me sad.*

M. Leroux, est-que les films de guerre vous **dépriment** beaucoup? —Pas vraiment. J'en ai trop vu.
"Mr. Leroux, do war movies depress you a lot?" "Not really. I've seen too many."

Exercice 1

Remplacez les tirets par la forme correcte des verbes suivants: **se fâcher, se réjouir, se sentir, se calmer, se mettre de mauvaise humeur, s'impatienter.** Faites attention au temps correct: futur, présent, infinitif, impératif.

1. J'espère que vous _____ mieux demain. Cette grippe est vraiment désagréable.
2. Il ne faut pas _____: je vous ai dit que je vous enlèverai le plâtre demain. Restez calme.
3. Pourquoi _____-tu avec moi? Je n'ai rien fait. Ce n'est pas de ma faute si tu t'es cassé le bras!
4. _____-toi! Tu garderas ces béquilles encore six semaines! Et tu les utiliseras tous les jours!
5. Avoir mal à la tête me _____. Je n'ai plus envie de parler, ni de lire, ni d'écrire; alors je vais me coucher.
6. Quelle bonne nouvelle! L'opération a réussi! Je _____ de te voir en si bonne santé!

10.2. Making Others Do Something: Causative ***faire***

A. When a form of the verb **faire** (*to do; to make*) is followed by an infinitive, the meaning is "causative"; that is, the subject of **faire** is making (causing) someone else to carry out the action of the infinitive.

Le médecin ne **fait** pas **attendre** ses patients.
The doctor doesn't make his patients wait.

Mme Martin nous **fait parler** français en classe.
Mrs. Martin makes us (has us) speak French in class.

Le médecin me **fait prendre** des vitamines tous les jours.
The doctor makes me (has me) take vitamins every day.

Étienne n'est pas ici maintenant. L'infirmière l'**a fait sortir** de la pièce.
Étienne isn't here now. The nurse had him (made him) leave the room.

B. Note that, as in the preceding examples, the person who carries out the action of the infinitive can be expressed by an object pronoun or by a noun. When the agent of the action is expressed by a pronoun, the pronoun must precede the form of **faire;** that is, it precedes both the form of **faire** and the following infinitive.

Mme Martin **nous fait** parler...
Le médecin **me fait** prendre...
L'infirmière **l'a fait** sortir...

Exercice 2

Une visite du médecin. Complétez les tirets en utilisant **faire** + *infinitif*. Choix: **faire prendre, faire boire, faire respirer, faire venir, faire tousser, faire ouvrir, faire parler, faire entrer.**

Hier j'étais très malade. Je me sentais fiévreuse. Jeanne, avec qui je partage mon appartement, a téléphoné au médecin. Il est arrivé vers huit heures. Elle l'_____[1] et lui a demandé de la suivre. Ils sont montés dans ma chambre.

Le médecin a commencé par m'ausculter: il m'a _____[2] la bouche et dire «ahahah». Puis il m'a _____[3] et m'a _____[4] profondément. Il a dit à Jeanne: «Ce n'est rien, juste une petite grippe. _____-lui _____[5] deux cachets d'aspirine et mettez-la au lit. _____-lui _____[6] du thé chaud et de l'eau, et donnez-lui un peu de soupe. Surtout, évitez de la _____[7]. Vous n'aviez pas besoin de me _____[8]. Pauline a pris un peu froid, c'est tout. Demain elle ira beaucoup mieux.»

10.3. *Expressing Obligation:* ***il faut*** + Infinitive, ***il faut que*** + Subjunctive

A. The impersonal expression **il faut** is followed directly by an infinitive in French when obligation is expressed in a general sense, that is, without mentioning a specific person.

Les enfants! Dépêchez-vous. **Il faut être** à l'hôpital à huit heures.
Hurry up, kids! It's necessary to (We have to) be at the hospital at eight o'clock.

Gustave, **il faut** toujours **arriver** à l'heure quand on a rendez-vous chez le médecin.
Gustave, it's necessary to (you must) always be on time when you have an appointment with the doctor.

Note that the impersonal expression is used in French even when it sounds better in English to mention a specific person.

Il faut être... { *It is necessary to be ...* / *We have to ...* }

Il faut arriver... { *It's necessary to be ...* / *You must ...* }

Here are some additional examples.

Tu sais, Charles, **il faut manger** sainement et faire de l'exercice pour être en forme.
You know, Charles, you have to eat well and get exercise to be in shape.

Il faut désinfecter cette blessure tout de suite. Elle a l'air assez profonde.
We have to disinfect that wound immediately. It looks quite deep.

B. If a specific person *is* mentioned in French, **il faut** is followed not by an infinitive but by the conjunction **que,** the word that refers to the specific person(s), and a conjugated verb. The verb form that follows **il faut que** is called the "present subjunctive." (All other tenses you have studied so far—the present, the **passé composé**, **the imparfait**, the future—are called the "indicative.")

The endings for the subjunctive forms are the same for all French verbs.*

je	**-e**	nous	**-ions**
tu	**-es**	vous	**-iez**
il/elle/on	**-e**	ils/elles	**-ent**

C. For **-er** verbs (the category into which most French verbs fall), the present subjunctive forms for all singular and for the **ils/elles** forms are identical to the present indicative forms.

parler	INDICATIF	SUBJONCTIF
je	parle	parle
tu	parles	parles
il/elle/on	parle	parle
nous	parlons	parl**ions**
vous	parlez	parl**iez**
ils/elles	parlent	parlent

Pronunciation hint: The forms ending in **-e, -es, -e,** and **-ent** are all pronounced the same. The **nous** and **vous** forms are pronounced the same as the corresponding forms of the **imparfait.**

Antoinette, nous avons pris du poids. Il faut que nous **mangions** un peu moins pour maigrir. —Tu as raison, maman, mais il faut que nous **consultions** le médecin d'abord.
"Antoinette, you and I have gained some weight. We have to eat a little less to lose weight." "You're right, Mom, but first we need to consult with a doctor."

Exceptions:* **avoir, être (in G, this Section).

Pauline et Marion ne se sentent pas très bien. Il faut que j'**appelle** le médecin.
Pauline and Marion are not feeling well. I'll have to call the doctor.

D. For **-re** and **-ir** verbs, the stem of the present subjunctive is the same as the stem for the **ils/elles** present indicative form. Thus, stem-final consonants that are pronounced in the **ils/elles** forms of the present indicative will appear in all of the subjunctive forms.

vendre	INDICATIF	SUBJONCTIF
je	vends	ven**d**e
tu	vends	ven**d**es
il/elle/on	vend	ven**d**e
nous	vendons	ven**d**ions
vous	vendez	ven**d**iez
ils/elles	ven**d**ent	ven**d**ent

Il faut que Charles **vende** sa bicyclette.
Charles has to sell his bike.

dormir	INDICATIF	SUBJONCTIF
je	dors	dor**m**e
tu	dors	dor**m**es
il/elle/on	dort	dor**m**e
nous	dormons	dor**m**ions
vous	dormez	dor**m**iez
ils/elles	dor**m**ent	dor**m**ent

Gustave! Jeannot! Taisez-vous! Il faut que vous **dormiez** maintenant. Il est déjà tard.
Gustave! Jeannot! Keep quiet! You've got to (It's necessary for you to) sleep now. It's late already.

finir	INDICATIF	SUBJONCTIF
je	finis	fini**ss**e
tu	finis	fini**ss**es
il/elle/on	finit	fini**ss**e
nous	finissons	fini**ss**ions
vous	finissez	fini**ss**iez
ils/elles	fini**ss**ent	fini**ss**ent

Le docteur a dit qu'il faut que nous **finissions** plus tôt aujourd'hui.
The doctor said that it's necessary for us (we'll need) to finish earlier today.

E. For a few verbs, the **nous** and **vous** present subjunctive stems match the **nous** and **vous** present indicative stems, even though all other forms are based, as expected, on the **ils/elles** forms. Compare, for example, the present indicative and subjunctive forms of **boire.**

boire	INDICATIF	SUBJONCTIF
je	bois	b**oive**
tu	bois	b**oive**s
il/elle/on	boit	b**oive**
nous	b**uv**ons	b**uv**ions
vous	b**uv**ez	b**uv**iez
ils/elles	b**oiv**ent	b**oiv**ent

Il faut qu'on **boive** du vin français tant qu'on est en France.
You should drink French wine while you're in France.

Here are some other verbs that follow the same pattern:

croire (**croie/croyions**), **devoir** (**doive/devions**), **prendre** (**prenne/prenions**), **recevoir** (**reçoive/recevions**), **venir** (**vienne/venions**), **voir** (**voie/voyions**).

Mme Saulnier, il faut que vous **preniez** vos pastilles pour la tension tous les jours.
Mrs. Saulnier, you've got to take your blood pressure pills every day.

Sylvie, il faut absolument que tu **voies** ce film. Il est excellent!
Sylvie, you've really got to see that film. It's excellent!

F. Five verbs add the present subjunctive endings to an irregular stem: **pouvoir, savoir, faire, aller, vouloir.**

je	**puiss**e	**sach**e	**fass**e	**aill**e	**veuill**e
tu	puisses	saches	fasses	ailles	veuilles
il/elle/on	puisse	sache	fasse	aille	veuille
nous	puissions	sachions	fassions	**all**ions	**voul**ions
vous	puissiez	sachiez	fassiez	**all**iez	**voul**iez
ils/elles	puissent	sachent	fassent	aillent	veuillent

Irène, il faut que nous **allions** à l'hôtel. J'y ai laissé notre argent.
Irène, we have to go to the hotel. I left our money there.

Jeannot, tu as très bien travaillé cette fois-ci. Il faut que tu **saches** que je suis très fier de toi.
Jeannot, you did really well this time. I want you to know that I am very proud of you.

G. The verbs **être** and **avoir** have an irregular stem and take irregular endings in the present subjunctive.

je sois	j' aie
tu sois	tu aies
il/elle/on soit	il/elle/on ait
nous soyons	nous ayons
vous soyez	vous ayez
ils/elles soient	ils/elles aient

Daniel, dépêche-toi! Il faut que nous **soyons** chez Julien à neuf heures.
Daniel, hurry up! We have to be at Julien's house at nine o'clock.

Il faut que vous **ayez** une ordonnance pour ce médicament, Monsieur.
You need a prescription for that medicine, sir.

Exercice 3

Vos amis vous demandent conseil. Répondez à leurs questions en commençant vos phrases par: Il faut que tu (vous)...

Choix: mettre de la crème solaire à indice de protection élevé / conduire prudemment / manger une nourriture saine, en petites quantités / faire de l'aérobique / aller au gymnase régulièrement / se brosser les dents trois fois par jour

1. Je ne veux pas avoir d'accident. Que dois-je faire?
2. Je ne veux plus grossir. Que dois-je faire?
3. Je veux modeler mon corps et oxygéner mon sang. Que dois-je faire?
4. Je ne veux pas attraper de coups de soleil (*sunburn*). Que dois-je faire?
5. Je ne veux plus avoir de mauvaise haleine (*breath*). Que dois-je faire?
6. Je veux être fort et développer mes muscles. Que dois-je faire?

Exercice 4

Transformez les phrases suivantes selon le modèle.

MODÈLE: Le médecin dit au patient: «Vous devez **prendre** deux aspirines». → «Il faut que **vous preniez** deux aspirines.»

1. Mme Leblanc dit à Pauline: «Tu dois **boire** ce sirop».
2. Rose et Liliane sont tombées de leur vélo: «Elles doivent **aller** à l'hôpital!»
3. Le médecin dit à une malade pessimiste: «Vous devez **vouloir** guérir».
4. L'infirmière dit au petit garçon: «Nous devons tous **avoir** de l'énergie pour bien travailler».
5. L'interne dit à un patient: «Je dois **revenir** demain».
6. Le chirurgien dit à son patient: «Vous devez **être** content: l'opération a très bien réussi».

10.4. The *plus-que-parfait*

A. The **plus-que-parfait** (*past perfect*) is the tense used to express that one action occurred in the past before another.

Je n'ai pas entendu mon réveil et quand je suis arrivé à l'aéroport, l'avion **était** déjà **parti.**
I didn't hear my alarm clock, and when I got to the airport the plane had already left.

B. The **plus-que-parfait** is formed like the **passé composé,** except that the imperfect forms of the verbs **avoir** and **être** are used.

j'**avais** parlé	j'**étais** sorti(e)	nous **avions** parlé	nous **étions** sorti(e)s
tu **avais** parlé	tu **étais** sorti(e)	vous **aviez** parlé	vous **étiez** sorti(e)(s)
il/elle/on **avait** parlé	il/elle/on **était** sorti(e)	ils/elles **avaient** parlé	ils/elles **étaient** sorti(e)s

C. The **plus-que-parfait** is often used in sentences that contain the conjunctions **quand** (*when*) and **lorsque** (*when*). Typically, the **passé composé** occurs in the clause that begins with **quand/lorsque.**

Lorsque nous **sommes arrivés** à la pharmacie, le pharmacien **avait** déjà **préparé** les ordonnances.
When we arrived at the drugstore, the pharmacist had already prepared the prescriptions.

Le médecin **s'était** déjà **couché quand** l'infirmière lui **a téléphoné.**
The doctor had already gone to bed when the nurse telephoned him.

Exercice 5

Mettez les verbes entre parenthèses au plus-que-parfait.

1. Ma mère (*prendre*) rendez-vous avant de nous emmener chez le médecin.
2. L'infirmière m'(*prendre*) du sang et l'(*envoyer*) au laboratoire, mais quand je lui ai téléphoné en fin d'après-midi, elle n'avait pas encore les résultats.
3. Le médecin m'(*peser*) et m'(*ausculter*), mais il voulait me faire revenir pour le diagnostic.
4. L'infirmière m'(*prêter*) des livres et m'(*laisser*) regarder la télé, mais quand elle est partie, le médecin m'a prescrit du repos.
5. L'anesthésiste m'(*endormir*) avant l'opération et, quand je me suis réveillée, ma mère était à côté de moi.
6. Le médecin m'(*enlever*) le plâtre et je pouvais enfin rejouer au tennis.

Exercice 6

Complétez cette histoire. Il s'agit d'une personne imaginaire qui fait tout en retard. Utilisez le plus-que-parfait et le mot **déjà** dans chaque fin de phrase.

MODÈLE: Quand j'ai perdu ma première dent, mon frère *avait déjà perdu* la sienne (*his*).

1. Quand j'ai mis un sparadrap sur mon doigt, ma sœur en _____ un sur le sien (*hers*).
2. Quand je suis arrivé chez le médecin, mes parents y _____ avant moi.
3. Quand j'ai eu les oreillons, mon frère et ma sœur les _____ avant moi.
4. Quand j'ai pris du sirop pour la toux, mes frères en _____ avant moi.
5. Quand je me suis cassé la jambe, mon copain se _____ la sienne (*his*) en skiant.

10.5. Expressing to leave: ***partir, sortir; quitter; laisser***

A. As you have already seen, (Grammar Section 2.5), there are a number of ways to express English *to leave* in French, depending on the meaning you want to convey. As you know, **partir** and **sortir** both express *to leave* in the context of places, locations, and occasions. Remember these specific uses of the two verbs.

- **partir pour** = *to leave for* a place, location, or occasion
  Claire White **part** demain **pour** Calais.
- **partir de** = *to leave* (*from*) a specific place
  Elle **part de** la Gare du Nord à huit heures.
- **sortir de** = *to leave, go out* (*of*) a place
  A quelle heure est-ce qu'on **sort du** cinéma?
- **sortir** = *to go out* (for the evening, on a date, and so on)
  Est-ce qu'on va **sortir** ce soir?

Neither of these verbs, however, can express English *to leave a person* or *to leave someone or something behind.*

B. Like **partir** and **sortir,** the verb **quitter** can express *to leave a place or location.*

Claire, je suis fatigué de travailler si dur. Demain je **quitte** Paris.
Claire, I'm sick of working so hard. I'm leaving Paris tomorrow.

More important, **quitter** is also the verb used to express *to leave a person* in French.

Les enfants ne veulent jamais **quitter** leurs grands-parents.
Children never want to leave their grandparents.

Note that **quitter** is always followed by a noun, not by a preposition. Compare:

Je quitte **Paris** à onze heures.
Je pars **de Paris** à onze heures.
} *I'm leaving Paris at eleven o'clock.*

C. *To leave someone or something behind* is expressed in French by the verb **laisser.**

Bernard, tu te rappelles les lettres que tu voulais voir? Eh bien, je vais les **laisser** sur la table.
Bernard, do you remember the letters that you wanted to see? Well, I'm going to leave them on the table.

Exercice 7

Utilisez le verbe qui convient (**quitter, partir, laisser, sortir**) au temps correct: futur, passé composé, infinitif.

1. Hier, Monique _____ ses enfants pour aller à l'hôpital.
2. Ce matin, Albert _____ de la salle des urgences, l'air triste et déprimé.
3. Charles, je vais _____ tes affaires là sur le bureau.
4. Claire, ta cousine _____ pour Hawaï jeudi; elle va y passer une semaine.
5. Bernard, j'_____ ta sœur chez Odile; elle rentrera vers minuit.
6. Quand elle _____ de la salle d'opérations il y a une heure, elle était encore inconsciente.
7. Madame Martin, vous _____ demain; vous pourrez rentrer chez vous.
8. Madame Michaud, vous pourrez _____ l'hôpital demain matin à huit heures; l'infirmière vous accompagnera.
9. Chantal, est-ce que tu _____ ce soir?

10.6. *Present Subjunctive Following* **vouloir** *and Impersonal Expressions of Volition and Necessity*

A. At times, instead of giving a direct command we wish to give commands preceded by a "softening" expression, such as *I want* (*you to do something*), *it's necessary* (*that we do something*), *I suggest* (*that he do it*), *I prefer* (*that she not come*), and so on. These expressions may be used to give "soft" commands to others. The most frequent of these "soft" commands in French is the impersonal expression **il faut que...** (*it is necessary that . . .*), which you saw in this chapter in Grammar Section 10.3.

B. "Soft" commands are also expressed with the verb **vouloir** (*to want, desire*). **Vouloir** is followed by the subjunctive when someone expresses the desire to influence the actions of another (*to want someone to do something*). Note that the conjunction **que** (*that*) links the matrix (the "soft" command itself) and the following clause (the proposed action).

Irène **veut que** nous **fassions** un voyage en Italie pendant les vacances de Pâques.
Irène wants us to take a trip to Italy during Easter vacation.

Monsieur, je **veux que** vous **veniez** avec moi, s'il vous plaît.
Sir, I want you to come with me, please.

C. A number of impersonal expressions express indirectly the wish or desire to influence the actions of others, whether by advice (*It is advisable that . . .*), suggestion (*It is preferable that . . .*), or opinion (*It is necessary that . . .*).

In all cases, subjunctive verb forms must be used after these impersonal expressions. Note again that the conjunction **que** links the matrix (the "soft" command) and the following clause (the proposed action).

Here are some common ways to give impersonal "soft" commands in French: **il faut que** (*it's necessary that*); **il est essentiel que** (*it's essential that*); **il est important que** (*it's important that*); **il est indispensable que** (*it's absolutely necessary* [*indispensable*] *that*); **il est nécessaire que** (*it's necessary that*); **il est temps que** (*it's time that*); **il vaut mieux que** (*it's better that*).

M. Leblanc, **il est temps que** vous **fassiez** attention à votre santé. D'abord, **il est important que** vous **changiez** vos habitudes alimentaires. Ensuite, **il faut que** vous vous **arrêtiez** de fumer et que vous **fassiez** un peu d'exercice. Et finalement **il est indispensable que** vous **preniez** quelques jours de vacances.
Mr. Leblanc, it's time for you to pay attention to your health. First, it's important for you to change your eating habits. Then, it's necessary that you stop smoking and that you get a little exercise. And finally it's absolutely necessary that you take a few days of vacation.

Remember (Grammar Section 10.3) that if there is no mention of a particular subject in the following clause, the infinitive is used.

Il faut **faire** de l'exercice tous les jours, mais il vaut mieux que **vous suiviez** les conseils du médecin.
It's necessary to exercise every day, but it's better that you follow the doctor's orders.

Il faut and **il vaut mieux** are directly followed by the infinitive. The other expressions of volition and necessity are followed by **de** + infinitive.

Il est important **de**
Il est essentiel **de** } faire de l'exercice...
Il est nécessaire **de**

Exercice 8

Un malade se révolte. Un membre de la famille essaie de le raisonner. Transformez ces phrases en suivant le modèle.

MODÈLE: Je ne veux pas me reposer!
Oui, je sais, mais quand même il est important que tu te reposes!

1. Je ne veux pas prendre mes pastilles pour la gorge!
2. Je ne veux pas faire de gargarismes!
3. Je ne veux pas aller me faire faire de radios!
4. Je ne veux pas boire ce sirop!
5. Je ne veux pas suivre de régime!
6. Je ne veux pas aller voir un psychiatre!
7. Je ne veux pas finir mes antibiotiques!
8. Je ne veux pas me mettre de cortisone!

In **Chapitre onze** you will talk about manufactured goods of all kinds, including high tech items, and about experiences related to buying and selling goods. You will learn about clothing fashions, technology, and other aspects of commerce in the Francophone world.

Les galeries Lafayette, Paris

CHAPITRE ONZE
Les achats et la technologie

THÈMES

- Talking About Manufactured Products, Materials, and Their Uses
- Shopping and Clothing
- Modern Technology

LECTURES

- Note culturelle: La mode en France
- Les amis francophones: *Infostore*

LECTURES SUPPLÉMENTAIRES

- Le feuilleton: La publicité
- Note culturelle: La France d'aujourd'hui

GRAMMAIRE

11.1. Asking Questions: **qui est-ce qui/que; qu'est-ce qui/que; quoi; lequel**
11.2. Adjectives Used as Nouns
11.3. Demonstrative Pronouns: **celui, celle, ceux, celles**
11.4. Using Pronouns Together: Indirect and Direct Object Pronouns; **y; en**
11.5. Presenting Hypothetical Conditions with **si:** The Conditional

ACTIVITÉS ORALES

LES PRODUITS, LES MATÉRIAUX ET LEUR USAGE

ATTENTION! Voir Grammaire 11.1–11.3.

le grand	les vieux	celui	ceux
la petite	les neuves	celle	celles

Les ciseaux sont en acier.

le coton

La calculatrice est en plastique.

le papier aluminium

Le bâtiment est en ciment.

Le blouson est en cuir.

Le mur est en pierre.

Le vase est en verre.

Les bottes sont en caoutchouc.

La bague a un diamant.

Les outils sont en métal.

le charbon

Le tricot est en laine.

Le banc est en bois.

Les bijoux sont en or et en argent.

La cheminée est en briques.

Le portail est en fer.

La cravate est en soie.

La chemise est en polyester.

la terre

Activité 1. Les matériaux

En quoi sont ces objets?

MODÈLE: les lunettes →
Les lunettes sont en verre et en plastique ou en acier (en métal).

1. l'ouvre-boîte
2. la bouteille
3. la maison
4. les boucles d'oreille
5. les chaussures
6. la robe
7. les pneus
8. le fauteuil
9. le moulin à café
10. le microscope
11. le pull
12. le téléviseur

Activité 2. L'utilisation des matériaux

Avec les produits et matériaux suivants, quels objets peut-on faire?

MODÈLE: l'argent →
On fait des bijoux avec de l'argent.
On l'utilise aussi pour plomber les dents.

1. l'acier
2. le pétrole
3. le bois
4. les diamants
5. le plastique
6. le coton
7. le ciment
8. la laine
9. le verre
10. le caoutchouc

Activité 3. Interaction: Mes préférences

Vous avez besoin d'acheter plusieurs cadeaux. Le vendeur (La vendeuse) vous montre plusieurs articles de couleurs et de formes différentes. Dites celui que vous préférez et pourquoi. Jouez les deux rôles avec un(e) camarade de classe.

MODÈLE: le pull en laine ou celui en coton →
Préférez-vous le pull en laine ou celui en coton?
Je préfère celui en laine parce qu'il est plus chaud.

1. la bague en or ou celle en argent
2. les ciseaux en acier ou ceux en plastique
3. la théière en porcelaine ou celle en cuivre
4. la grande ou la petite calculatrice
5. la table en bois ou celle en verre
6. l'ouvre-boîte électrique ou le manuel
7. le téléviseur en couleurs ou celui en noir et blanc
8. les coupes en verre ou celles en cristal

Activité 4. Combien ça coûte?

Faites une liste des appareils suivants en commençant par le plus cher et en finissant par le meilleur marché. Ensuite décidez lesquels vous considérez les plus utiles, voire même indispensables, et expliquez pourquoi.

1. une calculatrice de poche
2. un four à micro-ondes
3. un réfrigérateur
4. un couteau électrique
5. une sorbetière
6. un réveil-radio
7. un mixeur
8. un gaufrier électrique
9. un magnétoscope
10. un magnétophone

Activité 5. Discussion: Les appareils ménagers

1. Quels appareils ménagers avez-vous chez vous?
2. Lesquels utilisez-vous le plus souvent? le moins souvent? jamais?
3. Parmi les appareils que l'on trouve dans le commerce, et que vous n'avez pas encore, lequel aimeriez-vous acheter en priorité? Pourquoi? Lequel vous semble superflu?
4. Imaginez que vous ne pouvez garder qu'un seul appareil électrique chez vous. Lequel choisiriez-vous? Pourquoi?
5. Votre ami(e) vous demande s'il (si elle) peut vous emprunter votre chaîne stéréo. La lui prêtez-vous? Expliquez pourquoi (pas).
6. D'une façon générale, prêtez-vous vos affaires fréquemment? Y a-t-il des choses que vous ne prêtez jamais? Lesquelles?
7. Est-ce que vous empruntez souvent des affaires à vos ami(e)s? Les rendez-vous toujours?

Activité 6. A quoi ça sert?

Déterminez quels objets ces personnes utilisent couramment. Pour quoi s'en servent-elles?

MODÈLE: le pilote →
Le pilote se sert d'une boussole pour naviguer.

1. le cuisinier
2. le charpentier
3. la comptable
4. le boucher
5. la coiffeuse
6. la chirurgienne
7. le photographe
8. le jardinier
9. le mécanicien
10. la chimiste

a. un scalpel
b. une poêle
c. un microscope
d. un rouleau de pellicule
e. une calculatrice
f. une pelle
g. un séchoir électrique
h. des outils
i. un marteau
j. un couteau
k. une boussole
l. _____?

Activité 7. De quoi a-t-on besoin pour... ?

Choisissez les objets dont on a besoin pour faire les activités suivantes. Pouvez-vous en rajouter d'autres?

MODÈLE: pour skier, des skis → Pour skier on a besoin de skis.

1. pour couper du tissu
2. pour ouvrir une bouteille
3. pour réparer une voiture
4. pour enlever la neige
5. pour dormir à la belle étoile

a. une tente
b. des outils
c. une pelle
d. des ciseaux
e. un tire-bouchon
f. _____?

LES ACHATS ET LES VÊTEMENTS

ATTENTION! Voir Grammaire 11.4.

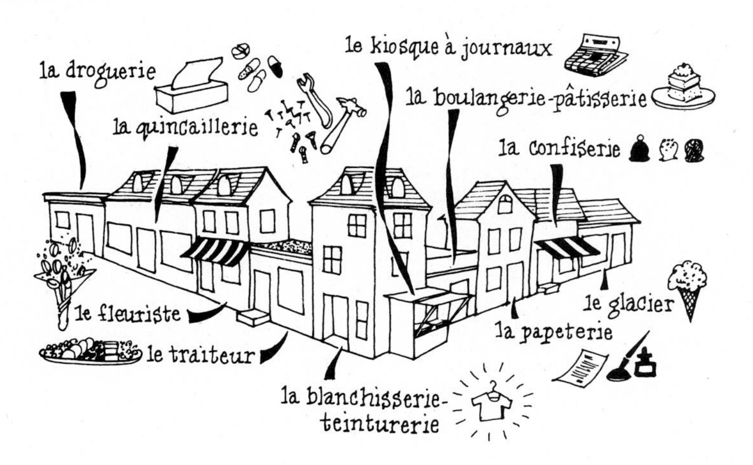

—Combien coûtent ces T-shirts?
—Quarante-cinq francs, Mademoiselle.
—Ils ne sont pas chers. Je vous en prends deux.

—Je voudrais voir la robe bleue que vous avez en vitrine, s'il vous plaît.
—Quelle taille faites-vous, Madame?
—Du quarante.

Cette chemise est trop grande pour moi.
Ce jean me serre trop.
Cette robe me va très bien.

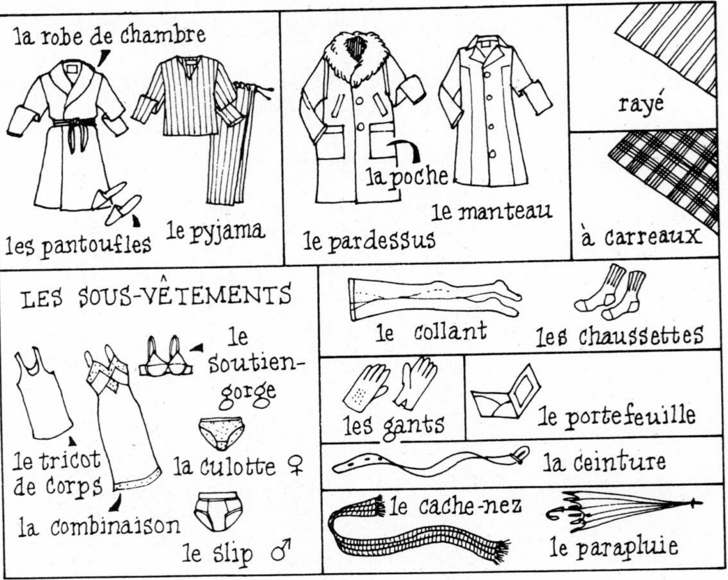

Activité 8. Interaction: Lèche-vitrines—Idées cadeaux

É1: Est-ce que tu achèteras ce rasoir électrique à ton père pour son anniversaire?

É2: Oui, je le lui achèterai. (Non, je ne le lui achèterai pas parce que... Je lui offrirai...)

É1: Combien coûte-t-il?

É2: Il coûte trois cent soixante-quinze francs.

Compact-disc
La perfection du son
Tous les classiques
215F

Vidéocassette BASF
Netteté de l'image
Qualité du son
250F

Thermomètre
digital électronique
vous donne la température
de votre vin au degré près.
399F

Four micro-ondes
compact Moulinex
(45,5 cm de large)
1 600F

Cassettes stéréo
Grand choix de tous
vos chanteurs favoris
95F

Compteur pour
bicyclette
Affiche la vitesse et
le kilométrage 250F

Calculatrice
format carte de crédit
avec alimentation solaire
180F

Eau de toilette
pour homme
Lacoste
180F

Parfum
Chanel N° 5
390F

Rasoir électrique
rechargeable
375F

Minirécepteur FM
Idéal pour les jeunes
265F

Lunettes de soleil
pliantes
plusieurs coloris 530F

Activité 9. Les cadeaux de Noël

Imaginez que vous devez acheter des cadeaux de Noël pour les personnes suivantes. Que pouvez-vous leur offrir? Donnez les raisons de votre choix.

1. Bertrand Thellier, soixante ans, est passionné de musique.
2. Odette Jouvet, maîtresse de maison, adore cuisiner.
3. Gérard Perrin, jeune étudiant, passe ses week-ends à bricoler.
4. Yvon Berger, homme d'affaires, aime beaucoup voyager.
5. Benjamin Seguin, quinze ans, est fanatique de sport.
6. Yvette Moreau, jeune cadre, adore skier.
7. Jean et Miryam Lebel, jeunes mariés, s'installent dans leur première maison.
8. Gilbert et Mathilde Duhamel, vos voisins, viennent d'avoir un nouvel enfant.

Activité 10. Mon anniversaire

Pour votre anniversaire vous avez reçu plusieurs chèques. Votre mère vous en a donné un de quarante-cinq dollars, votre père un de cinquante dollars et vos grands-parents vous en ont envoyé un de soixante dollars. Malheureusement ce n'est pas assez pour acheter toutes les choses que vous voulez. Lesquelles allez-vous choisir? N'oubliez pas que vous ne pouvez pas dépenser plus que ce que vous avez reçu.

un blouson	$75.00	un Walkman	$19.50
des tennis	$24.95	un réveil-radio	$46.00
une raquette de tennis	$35.49	une calculatrice	$ 6.90
des balles de tennis	$ 3.85	un appareil-photo	$99.99
un dictionnaire français–anglais	$ 7.65	un disque	$ 7.95

Activité 11. Définitions: Les vêtements

1. le cache-nez
2. la chemise de nuit
3. le chapeau
4. l'imperméable
5. l'anorak

a. se met sur la tête
b. se met pour dormir
c. se met quand il pleut
d. se met pour skier
e. se met autour du cou
f. _____?

Activité 12. Interaction: Les soldes

É1: Combien coûtait le chemisier en soie?
É2: Il coûtait huit cent quinze francs.

É1: Combien l'as-tu payé?
É2: Je l'ai payé sept cent soixante-six francs.

GALERIES LAFAYETTE
Soldes exceptionnels jusqu'à la fin du mois

POUR VOUS, MESDAMES

- Long cardigan ras du cou en lambswool et angora divers coloris, 585F
 ....Soldé 499F
- Pantalon en coton rayé (blanc et noir, rouge ou turquoise), 320F
 ....Soldé 256F
- Pull en coton à manches longues, bleu et blanc, 650F
 ....Soldé 575F
- Jupe droite en jersey (en marron, gris et vert, 385F)
 .... Soldée 225F
- Robe en laine avec épaulettes et ceinture en cuir, 1 720F
 .... Soldée 1 240F
- Chemisier en soie, 815F
 ....Soldé 766F

POUR VOUS, MESSIEURS

- Chemise mélange coton et polyester, manches longues, 395F
 .... Soldée 295F
- Jean à pinces 295F
 ....Soldé 199F
- Cravates en soie, grandes marques, 190F
 ....Soldées 115F
- Chaussettes, 100% coton, 59F
 ....Soldées 47F la paire
- Costume, 100% laine, 1 990F
 ....Soldé 1 459F

POUR LES ENFANTS

- Pull en laine, manches raglan, en deux couleurs, 145F
 ....Soldé 115F
- Blouson col droit, boutonné devant, en mohair, 458F
 ....Soldé 399F
- Chemise en coton, 75F
 .... Soldée 62F50
- Pantalon en velours côtelé, 160F
 ....Soldé 130F

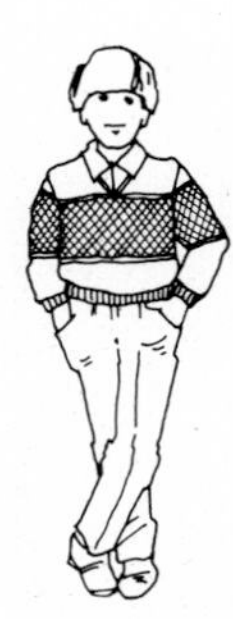

Activité 13. Un cadeau très spécial

Quel vêtement pouvez-vous offrir aux personnes suivantes? Justifiez votre choix et dites à quelle occasion vous leur donnerez ce cadeau.

MODÈLE: votre tante →
Je vais lui offrir une écharpe en laine parce qu'elle a toujours froid. Je la lui donnerai pour Noël.

1. votre père (mère)
2. votre professeur
3. votre grand-père (grand-mère)
4. votre sœur (frère)
5. votre meilleur(e) ami(e)

Activité 14. Entrevue

FAIRE DES COURSES A L'ÉTRANGER (DANS UN AUTRE ÉTAT)

1. As-tu déjà fait des courses à l'étranger (dans un autre état)? Où? Quand? Combien d'argent as-tu dépensé? Qu'as-tu acheté?
2. As-tu trouvé des choses intéressantes? amusantes?
3. Quelle différence y a-t-il entre les magasins de ta ville et ceux que tu connais à l'étranger (dans un autre état)?
4. Ramènes-tu beaucoup de cadeaux pour ta famille et tes amis quand tu pars en vacances? Pourquoi (pas)?
5. En général, aimes-tu aller dans les magasins? Lesquels préfères-tu? Pourquoi?
6. Qu'est-ce que tu détestes le plus acheter? Pourquoi?

NOTE CULTURELLE: La mode en France

©PETER MENZEL / STOCK, BOSTON

Des étudiants font du lèche-vitrines. Les jeunes Français d'aujourd'hui ne s'intéressent pas beaucoup à la mode. L'important pour eux, c'est le "look". Ils s'habillent selon leurs opinions: Punks, BCBG, extrême droite, New-wave, Hyper-gauchiste, Rockers, Silicon Valley . . . Chaque groupe a aussi son propre territoire, ses idoles et son langage particulier.

La France est un pays où l'on fait très attention à son apparence et où la mode joue un rôle important dans la vie de tous. Les grands couturiers,° tels que Pierre Cardin, Christian Dior ou Yves Saint-Laurent, dictent la nouvelle mode pour chaque saison avec leurs collections d'hiver et d'été. Ces modèles de haute couture sont achetés par une clientèle très riche et internationale; mais ils sont aussi reproduits dans les magazines et imités un peu partout. Des collections de prêt-à-porter, moins chères, dessinées aussi par les grands couturiers, se vendent dans les boutiques et les grands magasins.

°*designers*

L'habillement° occupe encore une part importante du budget des Français, hommes et femmes. Ils sont toujours, par exemple, les plus gros acheteurs de chaussures d'Europe. Toutefois,° la mode qui était surtout un phénomène de masse, a aujourd'hui tendance à s'individualiser. Les jeunes portent encore beaucoup le jean, mais les pantalons à pinces ou en velours lui font une grande concurrence.° Beaucoup s'habillent maintenant pour exprimer° une image plus personnelle, se donner un «look» particulier: look des années soixante, look «jeune cadre dynamique» (appelé «Youpie»), ou encore look BCBG° (Bon Chic, Bon Genre). La

°*Clothing*
°*However*
°*competition*
°*to express*
°*"preppy"*

coiffure et les accessoires sont très utilisés pour renforcer cette image, en particulier chez les hommes avec les montres, la boucle d'oreille ou les lunettes. Cette recherche de l'originalité vestimentaire semble aujourd'hui gagner du terrain sur la mode.

Questions

1. Comment les grands couturiers lancent-ils la mode?
2. Quel type de vêtements la clientèle riche achète-t-elle? et la clientèle moins riche?
3. Quelle est la tenue de loisirs typique des jeunes?
4. Quelles différences y a-t-il entre la mode et le look?

LA TECHNOLOGIE MODERNE

ATTENTION! Voir Grammaire 11.5.

Conditionnel
je parlerais
tu parlerais
il/elle/on parlerait
nous parlerions
vous parleriez
ils/elles parleraient

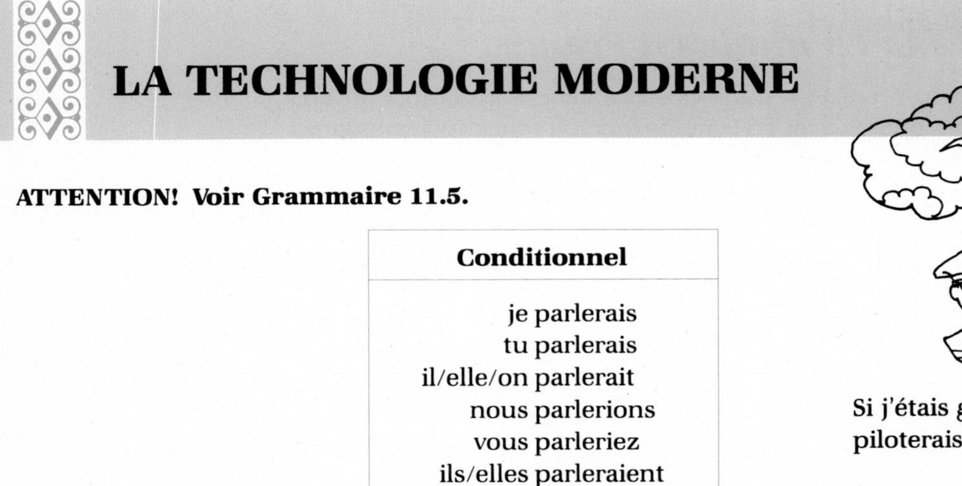

Si je n'avais pas le Minitel,* je perdrais beaucoup de temps à chercher des renseignements pour mes livres.

*Terminal relié au téléphone

Si j'étais grand je piloterais le Concorde.

Qu'est-ce que tu aimerais faire demain? —Si je le pouvais, j'irais voir décoller la fusée Ariane.

Si nous avions quelques jours de vacances, nous prendrions le TGV pour aller dans le Midi.

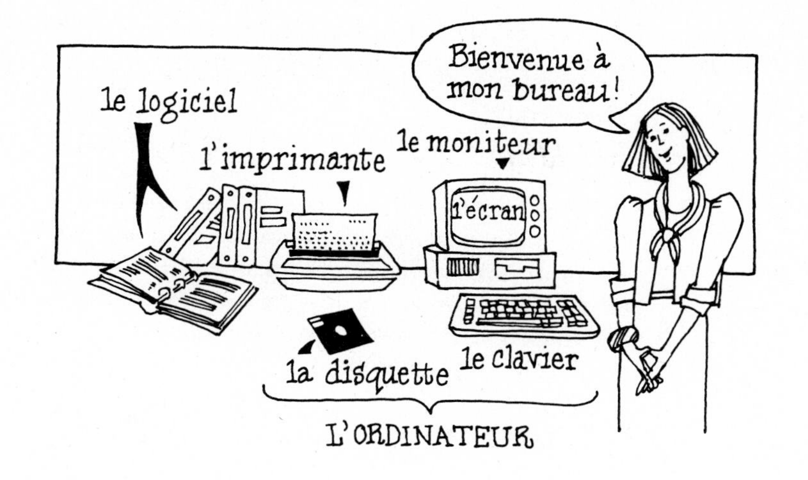

Activité 15. Définitions

1. la Navette spatiale américaine
2. le répondeur téléphonique
3. le logiciel
4. l'hélicoptère
5. le photocopieur
6. l'imprimante

a. Appareil qui reproduit les textes sur papier.
b. Appareil qui vole grâce à des hélices.
c. Équivalent américain de la fusée Ariane.
d. Appareil qui prend les messages quand il n'y a personne à la maison.
e. Appareil qui reproduit des documents écrits.
f. Système qui fait marcher l'ordinateur.

Activité 16. Suppositions

Essayez d'imaginer ce que vous feriez dans les circonstances suivantes.

MODÈLE: si vous receviez 25 000 dollars →
Si je recevais 25 000 dollars, je ferais le tour du monde.

1. si vous aviez six mois de vacances
2. si votre pneu crevait sur une petite route isolée
3. si vous deviez changer de ville
4. si votre meilleur ami (meilleure amie) se fâchait contre vous
5. si votre ordinateur tombait en panne
6. si vous preniez dix kilos

Activité 17. Discussion: La technologie et vous

1. Avez-vous ou aimeriez-vous avoir un ordinateur? Pourquoi (pas)? Lequel? Pourquoi?
2. Est-ce que l'ordinateur a changé ou changerait votre façon de travailler? Comment?
3. Quel logiciel utilisez-vous? Lequel voudriez-vous essayer?
4. Parmi les technologies nouvelles, laquelle vous paraît la plus importante? Pourquoi? Laquelle influence le plus votre vie?
5. Quelle nouvelle découverte vous semble imminente? Quelles pourraient en être les conséquences? Pourquoi?
6. Si vous étiez chercheur, quelle spécialité choisiriez-vous? Pourquoi?

LES AMIS FRANCOPHONES: Infostore

Raymond et Micheline vont aller aujourd'hui dans un magasin parisien qui vend de l'équipement électronique d'avant-garde. Raymond a besoin d'équiper son nouveau bureau dans la petite compagnie qu'il vient de monter.°

vient... *has just started*

INFOSTORE

Le supermagasin de la bureautique, de la communication et de la micro-informatique.

- **Bureautique:** Plus de 50 machines de traitement de texte,[1] machines à écrire et photocopieurs.
- **Calcul:** Plus de 150 calculatrices, imprimantes, scientifiques et financières.
- **Communication:** Plus de 100 téléphones, répondeurs téléphoniques, vidéotextes et télécopieurs.
- **Micro-informatique:** Plus de 40 micro-ordinateurs personnels et professionnels; plus de 350 logiciels et applications. Et tous les accessoires: rubans, disquettes, livres spécialisés, documentation.

Possibilités de crédit-bail par Locabail et crédit Cételex.

[1]traitement... *word processing*

1. Quels sont les appareils pour le bureau que vend ce magasin?
2. Quels sont les trois types de calculatrices que l'on peut y trouver?
3. Quels sont les accessoires que l'on utilise avec un ordinateur?
4. Combien de logiciels y a-t-il dans ce magasin?
5. Quelles facilités de paiement offre-t-il?

L'École Nationale Supérieure de Création Industrielle, Paris. L'ordinateur devient un outil indispensable dans le lieu de travail. Grâce aux écoles spécialisées et aux cours de formation professionnelle donnés aux adultes, le nombre des utilisateurs augmente de jour en jour.

Vocabulaire

LES MATÉRIAUX Materials

l'acier (*m.*)	steel
l'argent (*m.*)	silver
le caoutchouc	rubber
le charbon	coal
le cuivre	copper
le fer	iron
la laine	wool
l'or (*m.*)	gold
le papier aluminium	foil
le pétrole	petroleum
la soie	silk
le velours	velvet

Mots similaires: **la brique, le ciment, le coton, le cristal, le lambswool, le métal, le mohair, le plastique, le polyester, la porcelaine, le turquoise**

Révision: **le bois, le cuir, la pierre, le verre**

LES COURSES ET LE MARCHANDAGE Shopping and bargaining

la blanchisserie-teinturerie	dry cleaner's (shop)
la confiserie	candy shop
la droguerie	cleaning supply store
en vitrine	in the window (on display)
faire du shopping	to go shopping
le glacier	ice cream parlor
les grandes marques	designer (clothes).
Je vous en prends deux.	I'll take two.
le lèche-vitrines	window-shopping
la papeterie	stationery shop
Quelle taille faites-vous? —Du 40.	"What size are you (do you take)?" "(Size) 40."
la quincaillerie	hardware store
serrer	to be tight (*clothing*)
soldé(e)	on sale for
les soldes (*m.*)	sale
Il/Elle va bien.	It fits well, suits well.

Mot similaire: **la spécialité**

Révision: **acheter, l'appareil** (*m.*), **l'article** (*m.*), **la boulangerie-pâtisserie, le chèque, cher (chère), coûter, dépenser, faire les courses, le franc, le magasin, la marque**

LES VÊTEMENTS Clothing

l'anorak (*m.*)	ski jacket
le cache-nez	scarf, muffler
la ceinture	belt
la chemise de nuit	nightgown
le col	collar
les collants (*m.*)	leotards, tights; panty hose
la combinaison	slip
la culotte	panties
l'écharpe (*f.*)	scarf
l'épaulette (*f.*)	shoulder pad
les gants (*m.*)	gloves
l'imperméable (*m.*)	raincoat
la jupe droite	straight skirt
les lunettes de soleil (*f.*)	sun glasses
la manche	sleeve
les pantoufles (*f.*)	slippers
le parapluie	umbrella
le pardessus	overcoat
la pince	dart (*sewing*), pleat
la poche	pocket
la robe de chambre	robe
le slip	briefs
les sous-vêtements (*m.*)	underwear
le soutien-gorge	bra
le tissu	fabric
le tricot	sweater
le tricot de corps	undershirt

Mots similaires: **l'angora** (*m.*), **le cardigan, le jersey, le pyjama, le raglan, le T-shirt**

Révision: **le blouson, les bottes** (*f.*), **les chaussettes** (*f.*), **les chaussures** (*f.*), **la chemise, le costume, la cravate, le jean, le manteau, le pantalon, le pull, la robe, les tennis** (*m.*)

LES MÉTIERS ET LES PROFESSIONS Occupations and professions

le/la boucher (-ère)	butcher
le cadre	manager
le charpentier	carpenter
le/la chercheur (-euse)	researcher, research worker
le/la comptable	accountant
le/la fleuriste	florist
le/la jardinier (-ière)	gardener
le/la photographe	photographer
le traiteur	caterer

Mot similaire: **le/la chimiste**

Révision: **le/la coiffeur (-euse), le/la cuisinier (-ière), le/la mécanicien(ne)**

LA HAUTE TECHNOLOGIE "High tech"

l'alimentation solaire (*f.*)	solar power
la calculatrice	calculator
le clavier	keyboard
l'écran (*m.*)	screen
le four à micro-ondes	microwave oven
la fusée	rocket
l'hélice (*f.*)	propeller
l'imprimante (*f.*)	printer
le logiciel	software
le magnétophone	tape recorder
le magnétoscope	videotape recorder
le minirécepteur FM	FM receiver
le répondeur téléphonique	answering machine
le téléviseur	television set
le terminal	(computer) terminal

Mots similaires: **le compact-disque, le concorde, la disquette, le microscope, le photocopieur, la vidéocassette, le Walkman**

Révision: **l'ordinateur** (*m.*)

VERBES Verbs

afficher	to put up, post
bâtir	to build
crever	to be punctured, blow out (*tire*)
décoller	to take off, be launched
dormir à la belle étoile	to sleep outdoors
être passionné(e) de	to have a passion for
faire le tour du monde	to go around the world
s'installer	to settle, move in
se mettre	to put on (*clothing*)
se perdre	to get lost
prendre ____ kilos	to gain ____ kilos
réfléchir	to think
rendre	to give back
reproduire	to reproduce
se servir de	to use

Mots similaires: **adapter, considérer, déterminer, influencer, justifier, naviguer**

Révision: **couper, tomber en panne**

LA DESCRIPTION Description

boutonné(e)	buttoned
côtelé(e)	ribbed (*velvet*), corduroy
droit(e)	straight
isolé(e)	isolated
le meilleur marché	cheapest
pliant(e)	folding
ras du cou	crewneck
rayé(e)	striped
relié(e)	linked
superflu(e)	superfluous

Mots similaires: **compact(e), digital(e), divers(e), électronique, énorme, exceptionnel(le), fanatique, imminent(e), indispensable, manuel(le), mini-, rechargeable, synthétique**

Révision: **ménager (-ère)**

SUBSTANTIFS Nouns

l'appareil (*m.*)	appliance
l'appareil-photo (*m.*)	camera
la bague	ring
la balle	ball
le banc	bench
les boucles d'oreille (*f.*)	earrings
la boussole	compass
le changement	change
le chemin	road

les ciseaux (*m.*) scissors
le coloris color, shade
le compteur speedometer; odometer
la coupe goblet
le couteau (électrique) (electric) knife
la découverte discovery
le degré degree
l'eau courant(e) running water
l'eau de toilette (*f.*) toilet water
le gaufrier électrique waffle iron
les jeunes mariés (*m.*) newlywed couple
le kilométrage mileage
le kiosque à journaux newsstand
la machine à écrire typewriter
le marteau hammer
le Midi south of France
le moulin à café coffee grinder
la navette shuttle
la netteté sharpness, clarity
l'outil (*m.*) tool
l'ouvre-boîte (*m.*) can opener
la pelle shovel
la pellicule film (*for camera*)
la poêle frying pan
le portail portal, large gate
le portefeuille wallet
le rasoir électrique electric razor
les renseignements (*m.*) information
le réveil-radio clock radio
le rouleau roll (of film)
le séchoir électrique clothes dryer
la sorbetière ice cream maker
la terre soil
la théière teapot
le tire-bouchon corkscrew
le trottoir sidewalk
l'usage (*m.*) use
l'utilisation (*f.*) use

Mots similaires: **la conséquence, le diamant, le dictionnaire, la différence, le document, l'électricité** (*f.*), **l'équivalent** (*m.*), **le format, l'image** (*f.*), **l'influence** (*f.*), **le message, le mixeur, la paire, le parfum, la perfection, la raquette, le scalpel, le ski, le style de vie, la supposition, le système, le texte, le thermomètre, le vase**

Révision: **les bijoux** (*m.*), **la chaîne stéréo, le choix, le réfrigérateur**

MOTS ET EXPRESSIONS UTILES Useful words and expressions

à carreaux checked (*pattern*)
A quoi ça sert? What is it for?
au degré près to the nearest degree
_____ centimètre(s) (cm) de large _____ centimeter(s) wide
de quoi what
en dehors outside, besides
en priorité as a (matter of) priority
près approximately
soudain suddenly
voire indeed

LE FEUILLETON: La publicité

ROGERS/MONKMEYER PRESS PHOTO SERVICE

Un magasin de jeux électroniques, à Nice. Les jeux électroniques sont aussi très populaires en France, surtout parmi les adolescents. Ils y jouent à la maison ou dans des salles spécialement aménagées où l'on trouve des dizaines de jeux différents.

Pierre Michaud se passionne pour le progrès technologique. Il utilise un ordinateur pour écrire ses livres et ses articles. Il a acheté récemment un nouveau logiciel qui lui permet de créer des index et de corriger ses fautes d'orthographe. Il lui suffit dorénavant° d'appuyer sur une touche° pour voir défiler° sur son écran le résultat de longues heures de travail assidu. Son imprimante à laser a remplacé son ancienne machine à écrire. Non seulement elle lui fait gagner un temps précieux, mais la qualité du texte est bien supérieure. En plus, grâce à son terminal Minitel, il a accès à une bonne partie de l'information dont il a besoin pour rendre ses récits plus réalistes.

henceforth
key / displayed

Inutile de dire que chaque membre de la famille possède tous les appareils électriques et électroniques nécessaires à leur travail et à leurs loisirs. Mais voilà que l'attitude de son fils Guillaume commence à préoccuper Pierre sérieusement. Comme beaucoup de jeunes Français, Guillaume se laisse influencer par les publicités dans les journaux et dans les autres médias.

Il a constamment besoin d'argent pour acheter un nouveau gadget, même si celui-ci s'avère° totalement inutile.

proves to be

C'est ce qui a poussé Pierre à écrire une série d'articles sur l'influence de la publicité chez les adolescents.

* * * * * *

Quelques jours après avoir fini son premier article, son épouse Marguerite a invité leurs voisins, Jean-Luc et Martine, à dîner.

—Sur quoi travailles-tu en ce moment? a demandé Jean-Luc à Pierre pendant le repas.

—Je suis en train d'écrire° un article—le premier d'une série—sur les artifices publicitaires qui nous poussent à acheter toujours plus...

en... *in the process of writing*

—Pierre s'est fâché avec Guillaume l'autre jour, a expliqué Marguerite, parce que Guillaume voulait acheter un jeu électronique.

—Voyons, Pierre, ils sont si amusants! s'est exclamé Martine. Nous en avons acheté un pour nos enfants le mois dernier. Tout le monde y joue le week-end, même la petite Marion, on s'amuse comme des fous.

—Bien sûr, a dit Pierre d'un air très sérieux, et je parie° que vous avez acheté un de ceux qu'on voit sans cesse à la télé ou dans les journaux.

bet

—Tu exagères, nous ne sommes pas si intoxiqués que ça, a répliqué Jean-Luc en riant.

—Tu penses que j'exagère, eh bien alors, dis-moi quelque chose, Jean-Luc. Tu sais combien de fois nous achetons des produits dont nous n'avons pas besoin? Si on faisait une liste des choses vraiment indispensables, on pourrait probablement les compter sur les doigts de la main: maison, nourriture, vêtements... bon, je sais que ma liste est un peu simpliste, mais a-t-on vraiment besoin de tous ces nouveaux gadgets que les publicités essaient de nous vendre? Acheter, consommer, c'est leur seule devise.

—Tu sais, de nos jours les gens ne sont plus aussi naïfs, a dit Marguerite.

—Évidemment, a rajouté Pierre sur un ton sarcastique. Nous pouvons toujours choisir de ne pas regarder la télé, de ne pas écouter la radio et de ne pas lire les journaux! Ce qui est impossible! Je suis sûr que vous avez acheté ce jeu à la mode en ce moment tout simplement parce que vos enfants vous en ont convaincu.

—Tu as peut-être raison, a fini par admettre Jean-Luc. J'ai une idée: si nous ne regardions aucune,° je dis bien aucune pub pendant un mois, nous pourrions déterminer jusqu'à quel point nous sommes influencés.

ne... *didn't watch any*

—Tu veux dire faire comme si les pubs n'existaient pas? a demandé Martine.

—Absolument. On va désormais° fermer les yeux et les oreilles chaque fois qu'on passera une pub, soit° à la télé, à la radio ou dans un magazine, a expliqué Jean-Luc.

from now on

be it

—Tu es sérieux? a demandé Pierre.

—Et comment! C'est le meilleur moyen de prouver ta théorie, a répondu Jean-Luc, emballé° par son idée.

worked up, enthused

—Eh bien... c'est d'accord... et sur cela, les deux amis se sont serré la main.

Questions

1. Quels produits de la technologie moderne Pierre utilise-t-il pour son travail?
2. Quel est le sujet des articles que Pierre écrit actuellement?
3. Pourquoi est-ce que ce sujet l'intéresse soudainement?
4. Que pensent Jean-Luc et Martine des jeux électroniques?
5. D'après Pierre, quelles sont les choses vraiment indispensables pour vivre?
6. Quelle idée a eue Jean-Luc? Qu'est-ce qu'il veut prouver? Que font les deux amis quand ils se mettent d'accord?

NOTE CULTURELLE: La France d'aujourd'hui

Si je vous posais la question suivante: Quel est le produit français le plus vendu aux États-Unis? Vous répondriez sûrement le parfum, le vin ou les vêtements. Mais si je précisais «produit technologique», là, vous hésiteriez peut-être. Eh bien, de nos jours, ce sont les moteurs d'avion fabriqués par la SNECMA° en collaboration avec General Electric qui rapportent le plus de dollars à la France. Un modèle de coopération franco-américaine qui inspirera beaucoup d'autres entreprises dans l'avenir.

company name

La France un pays technologique? Ne soyez pas

©STUART COHEN

©PETER MENZEL

(à gauche) Une étudiante choisit des cartes dans une librairie. La société Michelin, mondialement connue pour ses pneus, fait aussi des cartes routières et des guides. Son fameux «Guide Rouge» vous donne les hôtels et les restaurants; ses «Guides Verts», les lieux et les monuments à visiter. (à droite) Le salon de l'aéronautique, Paris. La construction aéronautique est une industrie de pointe en France depuis des années. On fabrique des avions militaires comme le Mirage et des avions commerciaux comme l'Airbus.

surpris! Après tout Pasteur, Montgolfier et Lumière* étaient, eux aussi, français. Et oui, l'image d'après-guerre du Français avec un béret et une baguette sous le bras n'est plus qu'un lointain souvenir. Si les Français mangent toujours du pain (quand ils ne sont pas au régime), les bérets, par contre, se font de plus en plus rares. A moins, bien sûr, que Cardin ou Yves Saint-Laurent en décident autrement. Ainsi, au seuil° du XXIème siècle, la France est l'un des pays de pointe° dans le monde technologique. Concorde, Ariane, Peugeot, Michelin, Renault, parmi bien d'autres, sont des noms familiers à nous tous.

threshhold
de... *top*

Mais si nous parlions un peu de ces «inconnus» qui affectent directement ou indirectement notre vie quotidienne. Si vous prenez le métro de New York, par exemple, il y a de fortes chances pour que vous voyagiez dans un wagon français, conçu° par les Ateliers du Nord. Il y en a déjà plus de deux cents en service, et autant de commandés. Pour ceux qui ont la chance de voyager en première classe, Air France a introduit dans tous ses longs courriers des sièges complètement automatiques dont la forme, adaptée à celle du corps, vous permet de voyager dans le plus grand

manufactured

---

*Louis Pasteur, inventeur de la pasteurisation; Joseph Montgolfier et son frère Étienne, inventeurs des premiers ballons à air chaud; Jean-Louis Lumière et son frère Auguste, inventeurs du cinématographe.

confort. Si vous choisissez de prendre Pan Am ou Eastern, vous vous trouverez souvent assis dans un des Airbus que fabrique la compagnie Aérospatiale à Toulouse. Elle fait aussi des hélicoptères. Elle fournit non seulement vingt pour cent du marché civil américain, mais aussi le «HH–65A Dolphin» au Coast Guard. Les objectifs° des caméras de chaînes de télévision européennes et américaines sont fabriqués par une petite entreprise d'environ six cents personnes, Angenieux. Saviez-vous qu'elle fournissait du matériel à la NASA depuis plus de vingt ans? Même le premier producteur de ciment d'Amérique du Nord est français, la Lafarge Corporation. Nous pouvons ajouter beaucoup d'autres noms à cette liste, comme Rossignol et Salomon, qui fabriquent des skis et des fixations° respectivement; Air Liquide, producteur de gaz industriel; Thomson, qui vend des systèmes de communication très sophistiqués à l'armée américaine; Matra, qui fournit des missiles et des bombes aux États-Unis; Ada, le logiciel adopté aussi par l'armée américaine; Falcon, premier fournisseur d'avions privés—ses «Mystères» sont très convoités° par les grosses entreprises américaines. Mais le produit qui vous fera le plus sourire, c'est le «popcorn»! Non, je ne plaisante pas. Limagrain, une entreprise de haute réputation technique et qui se spécialise dans le développement de graines «in vitro», vend maintenant son popcorn aux États-Unis. C'est la fin de tout! Mais rassurez-vous, la France produit toujours de bons vins et de bons petits plats bien mijotés!

lenses

ski bindings

prized, coveted

Questions

1. Quels étaient les produits traditionnellement vendus par la France?
2. Quels sont les nouveaux marchés que la France essaie de conquérir?
3. Quels produits français connaissiez-vous déjà? Lesquels sont totalement nouveaux pour vous? Lequel vous surprend le plus?
4. Pouvez-vous donner quelques exemples de produits français que vous utilisez régulièrement?
5. Quels autres produits français connaissez-vous? Faites une liste, déterminez leur importance et expliquez pourquoi.

11.1. *Asking Questions:* ***qui est-ce qui/que; qu'est-ce qui/que; quoi; lequel***

A. As you know (Grammar Section 2.3), the interrogative word **qui** (*who*) refers to people and **que** (*what*) to things or ideas. In addition, there are four "long" versions of **qui** and **que: qui est-ce qui/que** and **qu'est-ce qui/ que.**

B. The choice of which to use is very simple. As you might expect, the first interrogative signals the choice between people (who?) and things (what?):

Qui est-ce qui vient d'arriver?
Who has just arrived?

Qu'est-ce qui fait fondre l'or?
What makes gold melt?

The second choice is also between **qui** and **que,** but this time the choice refers to the grammatical function of the interrogative expression. If it is the subject of the question, use **qui** in the second position: **qui est-ce qui** (*who?*) or **qu'est-ce qui** (*what?*). If the interrogative expression is an object, use **que: qui est-ce que** (*who/whom?*) or **qu'est-ce que** (*what?*).

Qui est-ce qui a fait ces poupées de porcelaine?
Who made these porcelain dolls?

Qu'est-ce qui est en solde?
What's on sale?

Qui est-ce que tu as invité ce soir?
Whom did you invite tonight?

Qu'est-ce que cet homme fabrique?
What is that man making?

In summary then, the long interrogative forms require you to make two choices: both involve **qui/que.** The first corresponds to the *people/thing* distinction and the second to the grammatical *subject/object* distinction.

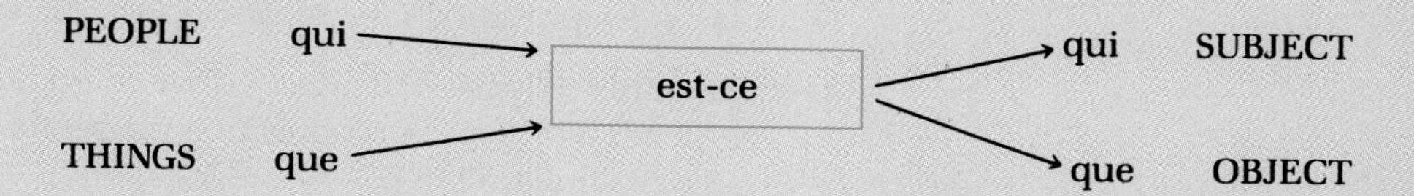

C. When the question calls for a preposition, the interrogative expresstion is automatically an object, and only **que** can be used in the second position.

De qui est-ce que tu parles? *Whom are you talking about?*

In the case of things the first **que** is replaced by **quoi.**

A **quoi est-ce que** tu penses? *What are you thinking about?*

D. The interrogative **lequel** (and its forms **laquelle, lesquels, lesquelles**) is used to ask for a choice among several people or objects.

Est-ce que tu aimes les voitures de sport? —Bien sûr! —**Laquelle** voudrais-tu conduire?
"Do you like sports cars?" "Of course!" "Which one would you like to drive?"

Est-ce que tu as déjà vu les trois nouveaux professeurs? —Oui. **Lequel** connais-tu?
"Have you seen the three new professors yet?" "Yes. Which one do you know?"

Exercice 1

Posez des questions en remplaçant les mots indiqués par un pronom interrogatif (**quoi, qui, que**). Utilisez **est-ce que** ou l'inversion.

MODÈLE: Marie a besoin d'*un tire-bouchon.* →
De quoi a-t-elle besoin?
De quoi est-ce qu'elle a besoin?

1. Le cuisinier se sert d'*un mixeur.*
2. Le photographe travaille pour *sa femme.*
3. La coiffeuse utilise *un séchoir électrique.*
4. Le mécanicien discute avec *le propriétaire de la voiture.*
5. Le comptable pense à *ses comptes.*

Exercice 2

Remplacez les pronoms interrogatifs longs par une forme brève *si possible.*

1. Le bijoutier travaille l'or. Mais qu'est-ce qu'il répare maintenant?
2. Ton père se prépare à monter une maquette. Mais qu'est-ce qu'il vérifie avec sa calculatrice?
3. J'entends un craquement dans le jardin. Qu'est-ce qui est tombé?
4. Nous sommes dans le laboratoire de biologie. Qu'est-ce que Charlotte observe au microscope?
5. Regarde cet homme là-bas. Qu'est-ce qui brille à son doigt?

11.2. *Adjectives Used as Nouns*

In English and French, adjectives can be nominalized, that is, used as nouns. In English the word *one* follows the adjective when it is nominalized. In French, a nominalized adjective is preceded by a definite or an indefinite article.

Isabelle, aimes-tu cette robe? —Non, je préfère **la rouge.**
"Isabelle, do you like this dress?" "No, I prefer the red one."

Je voudrais une calculatrice, s'il vous plaît. —**Une grande** ou **une petite?**
"I'd like a calculator, please." "A big one or a small one?"

Exercice 3

Martine et Marguerite ne savent pas quoi acheter. Aidez-les selon le modèle.

MODÈLE: MARGUERITE: Est-ce que je dois acheter la robe rouge ou la bleue?
VOUS: Marguerite, je te conseille d'acheter la bleue.

1. MARTINE: Est-ce que je dois acheter le mixeur français ou l'allemand?
2. MARGUERITE: Est-ce que je dois acheter l'ouvre-boîte électrique ou le manuel?
3. MARTINE: Est-ce que je dois acheter la calculatrice solaire ou celle à piles?
4. MARGUERITE: Est-ce que je dois acheter la chaîne argentée ou la dorée?
5. MARTINE: Est-ce que je dois acheter le grand réfrigérateur ou le moyen?

11.3. *Demonstrative Pronouns:* ***celui, celle, ceux, celles***

A. As you know (Grammar Section D.5), demonstrative adjectives emphasize the words they modify, pointing out their location.

Antoinette, regarde **ces** pulls. Lequel préfères-tu?
Antoinette, look at these sweaters. Which one do you prefer?

B. Demonstrative pronouns always refer to some previously mentioned thing, person, place, or idea. They correspond to English *the one(s) that/who, those who,* and so on.

celui, celle	*this/that one* (*m., f.*)
ceux, celles	*these/those* (*m., f.*)

Antoinette, regarde ces **pulls.** Lequel préfères-tu? —**Ceux** en coton sont vraiment très jolis!
"Antoinette, look at these sweaters. Which one do you prefer? "The cotton ones are really nice!"

Ma **voiture** est très vieille, mais **celle** de mon voisin est toute neuve.*
My car is quite old, but my neighbor's is brand new.

C. Demonstrative pronouns are often used to differentiate between two nouns. In these cases, **-ci** (*here*) and **-là** (*there*) are attached to the pronoun to emphasize relative location.

celui-ci/-là celle-ci/-là	*this/that one* (*m.*)	ceux-ci/-là celles-ci/-là	*these/those* (*m.*)

Alors, Monsieur, quelle calculatrice prendrez-vous? —**Celle-ci.**
"Well, sir, which calculator are you going to take?" "This one (*here*)."

Je ne sais pas quel rasoir prendre. Pouvez-vous me conseiller?
—Personnellement, je pense que **celui-ci** est bien meilleur.
"I don't know which razor to take. Could you give me some advice?"
"Personally, I think that this one (*here*) *is a lot better."*

Je voudrais voir le chemisier que vous avez en vitrine, s'il vous plaît.
—**Celui-ci?** —Non, **celui-là.**
"I would like to see the blouse that you have in the window, please."
"This one here?" "No, that one there."

Exercice 4

Dans un magasin d'articles ménagers, Mme Michaud et sa fille Antoinette comparent les prix et la qualité des appareils. Utilisez **celui-là** (**celle-là, ceux-là, celles-là**).

MODÈLE: le four à micro-ondes / 2 400F (super) / 1 800F (pratique) →
A: Ce four à micro-ondes coûte 2 400F. Il est super!
MME M: Oui, mais celui-là coûte 1 800F et il est très pratique.

1. la sorbetière / 650F (électrique) / 300F (manuelle)
2. le magnétoscope / 3 600F (français) / 2 400F (japonais)
3. le gaufrier électrique / 180F (grand) / 120F (trop petit)
4. la théière / 420F (en porcelaine) / 600F (en cuivre)
5. les coupes / 540F (en cristal) / 120F (en verre)
6. les couteaux / 240F (en acier de bonne qualité) / 48F (en acier bon marché)

*The demonstrative pronouns can also be followed by prepositions such as **de** (**celui de**), or by relative pronouns such as **qui** (**celui qui**) or **dont** (**celui dont**): **Cette auto? C'est *celle de* mon père.**

11.4. *Using Pronouns Together: Indirect and Direct Object Pronouns; y; en*

A. Sometimes there is more than one object pronoun in a sentence. This can happen if you want to do something for someone, take something to someone, fix something for someone, buy something for someone, and so on. The indirect object (**me, te, lui, nous, vous, leur**) is usually the *person for whom* you are doing something, and the direct object (**le, la, les**) is the thing involved.

Est-ce que tu as déjà vu la nouvelle boulangerie-pâtisserie au coin de la rue? —Oui, mon frère **me l**'a montrée hier soir.
"Have you seen the new bakery/pastry shop yet?" "Yes, my brother showed it to me yesterday evening."

Two object pronouns always occur in a fixed order in French. The following guidelines will help you use pronouns together and understand them when you see or hear them. While all of these combinations may be confusing in abstract sentences taken out of context, in the context of real conversations or when reading you will generally know to whom and what the pronouns refer.

B. Here are the possible combinations of the third person direct object pronouns (**le, la, l', les**) with the indirect object pronouns **me, te, nous,** and **vous.**

Indirect		**Direct**
me te nous vous	+	le/l' la/l' les

me le/l'	te le/l'	nous le/l'	vous le/l'
me la/l'	te la/l'	nous la/l'	vous la/l'
me les	te les	nous les	vous les

Marie-Rose, as-tu mon séchoir électrique? —Oui, tu **me l**'as donné hier.
"Marie-Rose, do you have my hair dryer?" "Yes, you gave it to me yesterday."

Antoinette, essaie ce pull. S'il te va, je **te l**'offre.
Antoinette, try on this sweater. If it fits you, I'll buy it for you.

C. When third person indirect object pronouns (**lui, leur**) are used with a direct object pronoun, the order of the two pronouns is the same as in English: *it to her, them to him,* and so on.

Indirect		Direct
le la les	+	lui leur
le lui la lui les lui		le leur la leur les leur

Claire, as-tu envoyé la lettre à tes parents? —Oui, je **la leur** ai envoyé**e** hier.*
"Claire, have you sent the letter to your parents?" "Yes, I sent it to them yesterday."

Il faut rendre ces pantoufles à Étienne. —Pourquoi est-ce que tu ne **les lui** rends pas maintenant?
"We have to give these slippers back to Étienne." "Why don't you give them to him now?"

D. Both **en** (*of it, of them*) and **y** (*there*) may also be used in combination with other object pronouns. They follow all other pronouns, immediately preceding the main verb or an infinitive.

Bon, Monsieur, je **vous en prends** trois et je **lui en prends** cinq.
Fine, sir, I'll take three of them from you and five from him.

Mais, Monsieur, je **vous y conduirai** volontiers.
But, sir, I'll be happy to take you there.

E. The rules of placement for more than one object pronoun are the same as for single object pronouns with respect to the verbs in the sentence. You will use more than one object pronoun with commands in Chapter 12. Object pronouns precede main and auxiliary verbs and are placed directly before infinitives.

Où se trouve le compact-disque? Est-ce que tu **le leur as** donné? —Oui, je **le leur ai** donné hier soir.
"Where is the compact disc? Did you give it to them?" "Yes, I gave it to them yesterday evening."

Quand vas-tu acheter le parapluie pour Marion? —Je vais **le lui acheter** cet après-midi.
"When are you going to buy the umbrella for Marion?" "I'm going to buy it for her this afternoon."

---

*Remember that when a direct object pronoun precedes the **passé composé,** the participle agrees with the pronoun (Grammar Section 5.4).

Exercice 5

Paulette, Claire et Arlette, une amie canadienne, vont faire du shopping en ville. Complétez l'histoire en choisissant la réponse correcte parmi les réponses suggérées.

1. Paulette veut essayer le pyjama jaune que Claire est en train d'essayer. Mais Claire, qui s'admire devant la glace, ne veut pas (*la lui, le leur, le lui*) donner.
2. Arlette est au rayon des sous-vêtements. Paulette et Claire la cherchent depuis un moment. Finalement, elles (*la lui, l'y, lui en*) trouvent.
3. Quand Paulette et Claire arrivent au rayon des sous-vêtements, Arlette est en train d'acheter plusieurs slips et soutiens-gorge. Elle se retourne et (*la leur, les en, les leur*) montre.
4. Paulette décide d'acheter un cadeau pour l'anniversaire de Joseph. «Un portefeuille!» pense-t-elle. «Je vais (*la lui, le leur, le lui*) donner dans un gros paquet.»
5. Claire et Arlette commencent à faire des projets pour aller au Canada ensemble. Elles (*lui, les, en*) font tout le reste de la journée.
6. Paulette s'arrête devant un magasin de cadeaux. Dans la vitrine elle voit de jolies tasses en porcelaine et pense, «Quel ravissant cadeau pour ma mère! Je pourrais (*les y, la leur, les lui*) offrir pour la fête des Mères.» Elle entre dans le magasin.

Exercice 6

Transformez les phrases en utilisant des pronoms directs ou indirects (**le, la, les, lui, leur**), **y** ou **en.** Suivez le modèle.

MODÈLE: Est-ce que Martine a donné *la robe en soie à sa mère?* →
Oui, elle la lui a donnée ce matin.

1. Est-ce qu'Adrienne a laissé *sa bague à la bijouterie?*
2. Est-ce que Martine a prêté *ses gants à sa voisine?*
3. Est-ce que Chantal a rencontré *son amie Hélène à la papeterie?*
4. Est-ce qu'Antoinette a apporté *des journaux à ses parents?*
5. Est-ce que Mme Durand a donné *de la tarte au citron à son petit-fils?*
6. Est-ce qu'Antoinette a acheté *ces roses chez le fleuriste?*
7. Est-ce que Sylvie a offert *des disques à Charles?*

11.5. *Presenting Hypothetical Conditions with* ***si:*** *The Conditional*

A. The conditional is used to express the consequence of a hypothetical situation (*if . . . then . . .*). In English we use *would + a verb* to express the same idea.

Si j'avais plus d'argent, je **voyagerais** plus souvent.
If I had more money, (then) I would travel more often.

Often the hypothesis (*if . . .*) is understood but not expressed.

C'est un problème sérieux. Je **voudrais** en parler d'abord avec sa famille.
It's a serious problem. I would like to talk about it with her family first.

B. The conditional is formed on the same stem as the future (Grammar Section 9.2) but with the endings of the **imparfait: -ais, -ais, -ait, -ions, -iez, -aient.**

je parler**ais**	nous parler**ions**
tu parler**ais**	vous parler**iez**
il/elle/on parler**ait**	ils/elles parler**aient**

Pronunciation hint: parlerais, parlerait, parlerions, parleriez, parleraient.

Si je le pouvais, j'**apprendrais** à piloter un hélicoptère.
If I could, I would learn to fly a helicopter.

Mon frère vous **conduirait** volontiers à l'aéroport mais sa voiture est en panne.
My brother would gladly take you to the airport but his car is broken down.

Si vous pouviez réparer le photocopieur aujourd'hui, vous me **rendriez** un grand service.
If you could repair the copy machine today, you would be doing me a great favor.

Since the conditional stem is the same as the future stem, any verb that is irregular in the future is also irregular in the conditional.

aller	j'**ir**ais	pleuvoir	il pleuv**r**ait
avoir	j'**aur**ais	pouvoir	je pou**rr**ais
courir	je cou**rr**ais	savoir	je s**aur**ais
devoir	je dev**r**ais	venir	je v**iendr**ais
envoyer	j'env**err**ais	voir	je v**err**ais
être	je **ser**ais	vouloir	je vou**dr**ais
faire	je **fer**ais		

Je **devrais** apprendre à utiliser l'ordinateur, mais je n'en ai pas le temps en ce moment.
I should learn to use the computer, but I just don't have the time now.

Si tu avais acheté un ordinateur il y a six mois, tu **saurais** déjà t'en servir.
If you had bought a computer six months ago, you would already know how to use it.

Si j'avais une nouvelle disquette, je **ferais** une copie de ce logiciel que je viens d'acheter.
If I had a new diskette, I would make a copy of that software I just bought.

C. Note that the imperfect is always used in the *if* (**si**) clause, and the conditional in the consequence clause.

Jean-Luc, si tu **étais** moins paresseux, tu te **lèverais** à six heures du matin et tu **viendrais** courir trois kilomètres avec moi.
Jean-Luc, if you weren't so lazy, you would get up at six o'clock and you would come and run three kilometers with me.

M. Vincent, que **feriez**-vous si vous **aviez** un million de francs?
Mr. Vincent, what would you do if you had a million francs?

D. The conditional is frequently used with these verbs to express requests and suggestions politely: **vouloir, pouvoir, devoir, faire.**

Je crois, Florence, que vous **feriez** bien de vous décider maintenant.
I think, Florence, that you would do well to decide about it right now.

Adrienne, **pourriez**-vous me donner une autre disquette?
Adrienne, could you please give me another diskette?

Mme Michaud, je pense que vous **devriez** annoncer les promotions cette semaine.
Mrs. Michaud, I think that you really should announce the promotions this week.

M. Michaud, nous **voudrions** essayer votre Minitel.
Mr. Michaud, we would like to try your Minitel.

Exercice 7

Mettez les verbes entre parenthèses au conditionnel.

MODÈLE: Si j'avais beaucoup d'argent, je (*aller*) en France en Concorde. →
Si j'avais beaucoup d'argent, j'irais en France en Concorde.

1. Si Mireille partait en vacances, elle (*prendre*) le TGV pour aller à Paris.
2. Si je n'avais pas d'imprimante, je (*perdre*) beaucoup de temps à recopier mes notes.
3. Si le Minitel n'existait pas, il (*falloir*) l'inventer.
4. Si les ordinateurs tombaient en panne, nous (*devoir*) faire tous les calculs à l'aide d'une calculatrice.
5. Si j'écrivais un nouveau logiciel spécialisé, je le (*faire*) publier.
6. Si vous utilisiez des disques durs, vous y (*mettre*) plus de données et vous (*économiser*) du temps et de la place.
7. Si tu achetais un nouvel ordinateur, tu (*choisir*) un Macintosh.

In **Chapitre douze** you will learn more about persuading others to do things by making suggestions, offering advice, extending invitations, and so on. You will also talk more about future plans.

Deux ouvrières se font des confidences dans le bus qui les ramène chez elles.

CHAPITRE DOUZE

Les conseils et les projets

THÈMES

- Giving Instructions and Commands
- Giving and Following Advice
- Talking About the Future and Future Plans

LECTURES

- Note culturelle: Le débat sur la télévision

LECTURES SUPPLÉMENTAIRES

- Un éditorial: L'importance des langues étrangères
- Les amis francophones: Un vrai cordon-bleu!

GRAMMAIRE

12.1. Using Pronouns with Commands
12.2. Indirect Commands: Expressions Like **dire** + **de** + *Infinitive*
12.3. Possession: Possessive Pronouns
12.4. Present Subjunctive Following Personal Expressions of Volition
12.5. Future Activities and Possibilities: The Future, the Conditional, the Future Perfect

ACTIVITÉS ORALES

INSTRUCTIONS ET ORDRES

ATTENTION! Voir Grammaire 12.1–12.3.

—Rangez vos jouets, les enfants! Jeannot, ramasse les tiens et aide tes sœurs à emporter les leurs dans leur chambre.

—Apportez-moi un autre écouteur, s'il vous plaît, Mademoiselle. J'ai perdu le mien.

—Hum! J'ai besoin de la calculatrice. Va me la chercher, s'il te plaît.
—Laquelle tu veux, la mienne ou celle de papa?
—La sienne.

—Est-ce que ce sont vos bagages?
—Non, voici les nôtres.
—Montrez-les-moi, je vous prie.

—Mon muguet est déjà fané. Comment faites-vous pour garder le vôtre si longtemps?
—C'est très facile, arrosez-le un peu tous les jours.

Activité 1. Les ordres

Auxquelles de ces personnes demanderiez-vous de faire les activités suivantes?

1. une femme de ménage
2. une hôtesse de l'air
3. une vendeuse, dans une boutique de vêtements
4. un serveur, dans un restaurant
5. un boulanger
6. des élèves, à l'école

a. Je voudrais le mien saignant, mais apportez-le-moi sans sauce, s'il vous plaît.
b. Repassez la robe d'Antoinette, s'il vous plaît, et mettez-la dans la penderie à côté des miennes.
c. Pouvez-vous m'apporter un peu de Dramamine, s'il vous plaît? J'ai oublié de prendre la mienne.
d. Relisez-les pour corriger vos fautes, et ne regardez pas la dictée de votre voisin mais la vôtre!
e. Montrez-le-moi en noir, s'il vous plaît, mais le même modèle que le sien.
f. Les vôtres sont bien meilleurs que les leurs! Donnez m'en six et quatre brioches aussi.

Activité 2. Une question d'interprétation

De quoi parlent ces personnes? A quels articles font-elles allusion?

1. N'en mangez pas trop. C'est mauvais pour les dents!
2. Conduisez la mienne si la vôtre est en panne.
3. Mettons-y aussi notre appareil-photo.
4. Envoyez-le-lui aujourd'hui même.
5. Dépensez-le intelligemment!
6. Donnez-les-moi à la fin du cours.
7. Prenez-en une cuillerée trois fois par jour.

ARTICLES

a. le sac à dos
b. la voiture
c. l'argent
d. le télégramme
e. des bonbons
f. du sirop
g. les devoirs
h. _____

Activité 3. Discussion: Les obligations

1. Vous souvenez-vous de ce que vos parents vous disaient de faire quand vous étiez petit(e)? Obéissiez-vous toujours? Pourquoi (pas)? Donnez des exemples.

2. Est-ce que vos parents vous permettaient de faire tout ce que vous vouliez quand vous étiez jeune adolescent(e)? Qu'est-ce qu'ils vous interdisaient de faire? Les écoutiez-vous? Pourquoi (pas)?
3. Aviez-vous des ami(e)s qui vous persuadaient de faire des choses que vous ne deviez pas? Vous laissiez-vous convaincre? Pourquoi (pas)? Donnez des exemples.
4. Est-ce qu'il vous est déjà arrivé d'essayer d'empêcher quelqu'un de faire quelque chose? Qui? Pourquoi? Y êtes-vous arrivé(e)?
5. Est-ce que vous aimez quand quelqu'un vous conseille de faire quelque chose même si vous ne lui avez rien demandé? Suivez-vous généralement ses conseils? Pourquoi (pas)?
6. Est-ce que de temps en temps il vous arrive de donner des ordres? A qui? Pourquoi? Que dites-vous?
7. Quand vous voulez proposer à un ami (à une amie) de faire quelque chose qu'il (qu'elle) n'aime pas faire, comment vous y prenez-vous? Êtes-vous diplomate? Obtenez-vous toujours ce que vous voulez?

Activité 4. Dialogue original: «Le mien vaut bien le tien!»

Imaginez que quelqu'un est en train de dénigrer un objet que vous aimez beaucoup. Réagissez et essayez de le faire changer d'avis!

LA PERSONNE: Ton (Ta)... est horrible! Le mien (La mienne) est...
VOUS: Mais pas du tout! Le mien (La mienne)...

LES SUGGESTIONS ET LES CONSEILS

ATTENTION! Voir Grammaire 12.4.

je voudrais que...
je désire que...
je souhaite que...
je préfère que...
je suggère que...
j'ai besoin que...
j'exige que...
il vaut mieux que...
il est bon que...
il est inutile que...

+ subjonctif

—Je souhaite que vous attendiez un peu avant de vous marier.

—Je suggère que nous finissions ce travail aujourd'hui.

—J'ai besoin que tu me rendes un petit service ce soir.

—Je préfère que vous ne fumiez pas en classe.

—Je voudrais que vous ne fassiez pas autant de bruit!

—J'exige que tu me montres tes devoirs tous les jours.

Activité 5. Conseils pour une vie heureuse

D'après vous, quel est le degré d'importance des activités suivantes pour mener une vie heureuse? Expliquez vos opinions.

Pour vivre heureux, je crois qu'il est indispensable qu'on...
qu'il vaut mieux qu'on...
qu'il est inutile qu'on...
qu'il est impensable qu'on...

1. Soyez patient!
2. Mangez à volonté!
3. Dépensez votre argent modérément!
4. Travaillez pour le plaisir de travailler et non pas seulement pour gagner de l'argent!
5. Surveillez votre santé!
6. Gardez toujours le sens de l'humour!
7. Fumez deux paquets de cigarettes par jour!
8. Découvrez d'autres pays!
9. Ayez beaucoup d'enfants!

10. Buvez du vin tous les jours!
11. Faites de l'exercice trois fois par semaine!
12. Profitez des bons moments!
13. Allez à l'université!
14. Ne vous droguez pas!
15. Prenez le temps de discuter avec vos amis!
16. Vivez dangereusement!

Activité 6. Les conseils et l'amitié: Soyez diplomate!

Vous voulez conseiller ces personnes sans les offenser. Faites-le avec beaucoup de tact et expliquez-leur les raisons de votre conseil.

MODÈLE: un homme qui sale trop ses aliments →
Il n'est pas bon que vous saliez trop vos aliments. C'est mauvais pour votre tension.

1. un enfant qui traverse au milieu de la rue
2. une petite fille qui ne veut pas se brosser les dents
3. une amie qui ne vous écrit jamais
4. un jeune homme qui conduit trop vite
5. un ami qui boit beaucoup de café
6. une personne âgée qui reste enfermée chez elle
7. un homme qui ne fait jamais d'exercice
8. une femme qui se sent déprimée

Activité 7. Comment influencer les autres

Tôt ou tard, nous éprouvons tous le besoin de changer le cours des événements. Si vous en aviez l'occasion, quelles personnes aimeriez-vous pouvoir influencer? Que leur diriez-vous? Expliquez vos raisons.

MODÈLE: il est important que / le recteur de votre université →
Monsieur le recteur, il est important que notre université accorde un plus grand budget à la recherche scientifique parce que...

1. Il vaut mieux que...
2. Il est indispensable que...
3. J'exige que...
4. Je suggère que...
5. Je souhaite que...
6. Je voudrais que...
7. ______

a. votre mère / père
b. votre professeur de français
c. le président des États-Unis
d. votre fiancé(e)
e. votre camarade de chambre
f. le maire de votre ville
g. ______

Activité 8. Entrevue: Après le diplôme

1. Que feras-tu quand tu finiras tes études?
2. Tes parents, que veulent-ils que tu fasses? Que tu ne fasses pas?
3. Est-ce qu'il est important que tu suives leurs conseils? ou bien préfères-tu agir selon tes propres désirs?
4. Envisages-tu de te marier? Qu'en pensent tes parents?
5. Veux-tu avoir des enfants un jour? Pourquoi (pas)? Si oui, combien?
6. Est-ce que tes parents veulent que tu fondes une famille? Pourquoi (pas)?
7. Aimerais-tu rester chez tes parents un peu plus longtemps? Pourquoi (pas)?
8. Est-ce que tes parents veulent que tu vives avec eux encore quelque temps? Pourquoi (pas)?

Activité 9. Dialogue original

Raoul veut partir camper à la montagne avec un groupe d'amis. Son père trouve que c'est une excellente idée. Mais voilà que Raoul lui demande s'il peut emprunter sa voiture parce qu'elle est plus grande et qu'on peut y mettre beaucoup plus de choses. Son père finit par accepter mais non sans réticence. Avec un(e) camarade jouez les rôles de Raoul et de son père.

RAOUL: Mais papa, tu sais bien que je suis toujours très prudent. D'ailleurs je n'ai jamais eu d'accident.
M. DURAND: Oui, mais il vaut mieux que...

Activité 10. Suivons les bons conseils!

Tous les jours, les personnes qui nous entourent nous donnent des tas de conseils. «Il faut que tu fasses ci» ou «Je te conseille de faire ça». Faites la liste de ceux que vous entendez le plus souvent. Dites qui vous les donne, si vous les suivez et pourquoi.

Activité 11. Suppositions

1. Étienne doit passer un examen demain matin à huit heures. Son voisin fait tellement de bruit qu'il l'empêche de dormir. Alors Étienne décide d'aller lui parler. Quand il lui demande de baisser un peu le volume de sa stéréo, celui-ci lui claque la porte au nez. Que suggérez-vous à Étienne de faire?

MODÈLES: Il faut que tu...
Je te conseille de...

2. Isabelle Roi est très tendue aujourd'hui. Elle attend depuis ce matin un coup de fil d'un réalisateur qui doit lui confirmer si elle a été choisie ou non pour jouer le rôle principal dans un nouveau feuilleton télévisé. Mais elle n'ose pas lui téléphoner. Que lui conseillez-vous?

MODÈLES: Il vaut mieux que...
Je te suggère de...

3. Marguerite Michaud veut lancer un nouveau jouet pour Noël. Mais certains membres du conseil d'administration s'y opposent formellement car cela représente un gros investissement. Pourtant elle est sûre que son idée pourrait rapporter de gros bénéfices à la société. Que peut-elle faire pour les convaincre?

MODÈLES: Il est possible que...
Je vous conseille de...

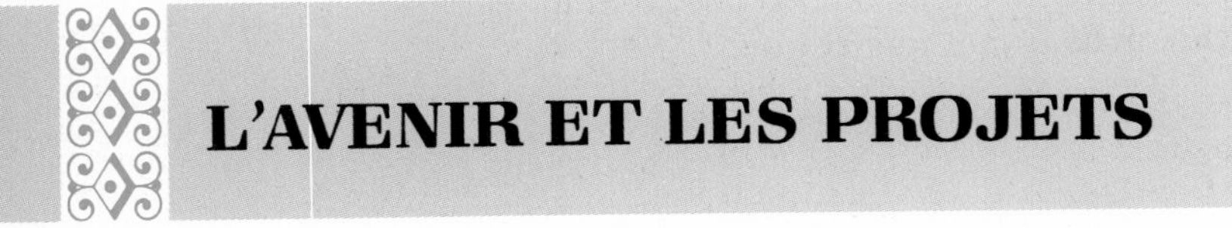

L'AVENIR ET LES PROJETS

ATTENTION! Voir Grammaire 12.5.

—Maman, est-ce que je pourrai aller à la patinoire cet après-midi?
—Oui, dès que tu auras fini tes devoirs je t'y emmènerai.

—Quand je rentrerai aux États-Unis, je resterai en contact avec mes amis français en leur écrivant régulièrement.

—Si tu partais de bonne heure demain matin, tu pourrais dire un petit bonjour à Hervé et Bernadette en arrivant.
—Tu as raison, d'autant plus que leur maison se trouve tout près de l'hôtel où je vais descendre.

—Grand-mère, tu crois que ça se dit en France, «il fait brun»?
—Non, on dit «il fait nuit». Pourquoi?
—Parce que j'ai peur de ne rien comprendre quand je serai là-bas.
—Mais si, mon chéri, tu les comprendras... et puis il te suffira d'utiliser un peu ton imagination!

Activité 12. Le monde de demain

Que pensez-vous des affirmations suivantes? Dites si vous êtes d'accord ou non, et pourquoi.

1. La paix règnera sur la planète.
2. L'Europe occidentale sera un État fédéral.
3. On se nourrira en avalant des gélules.
4. Dans certains pays, les plus démunis mourront de faim.
5. Le trajet Paris–New York se fera en deux heures.
6. La pollution détruira toute la végétation.
7. Les cinémas disparaîtront en faveur des vidéos.
8. On apprendra les langues en communiquant avec un robot.
9. On ne pourra plus rouler en voiture dans le centre des grandes villes.
10. Tout le monde saura utiliser un ordinateur.

Activité 13. Discussion: Que nous réserve l'avenir?

1. Pensez-vous souvent à l'avenir? Est-ce qu'il vous arrive de vous demander ce que vous deviendrez dans vingt ou trente ans?
2. Envisagez-vous de faire carrière dans une grosse entreprise? Quel genre de travail aimeriez-vous faire?
3. Croyez-vous que l'on puisse être heureux en travaillant toujours dans la même société? Pourquoi?
4. Vous sentez-vous capable de fonder votre propre compagnie? Comment l'appelleriez-vous? Savez-vous déjà ce que vous voulez faire?
5. Que signifie pour vous «réussir dans la vie»? Est-ce l'argent? la satisfaction personnelle? l'aventure?

6. Que représente pour vous le bonheur? Est-ce un but en lui-même? Y aurait-il différents types de bonheur?
7. Quel rôle joue l'argent dans la recherche du bonheur? Est-ce qu'il peut s'acheter?
8. Quel est votre but dans la vie? Pensez-vous pouvoir l'atteindre un jour? Par quel moyen? Quels sacrifices seriez-vous prêt(e) à faire pour obtenir ce que vous voulez?
9. Peut-on programmer à l'avance son avenir? Qu'est-ce qui pourraient venir tout bouleverser?
10. Est-il possible de tout prévoir à l'avance? Que se passerait-il si on pouvait voir l'avenir? Serions-nous plus ou moins heureux?

Activité 14. La boule de cristal

Vous êtes voyant(e) et vous prédisez l'avenir à un(e) camarade de classe. Que voyez-vous dans votre boule de cristal?

MODÈLE: Quand tu auras fini tes études, tu... →
Quand tu auras fini tes études, tu mèneras une vie passionnante.

1. Dès que tu auras fondé ta propre compagnie, tu...
2. Lorsque tu auras gagné ton premier million de dollars, tu...
3. Aussitôt que tu seras devenu(e) célèbre, tu...
4. Quand tu auras fait le tour du monde, tu...
5. Lorsque tu auras acheté une belle villa, tu...
6. Dès que tu seras élu(e) président(e) des États-Unis, tu...
7. ______

Activité 15. Le monde en l'an 2057

Vous venez de finir une maquette d'une ville du futur. Comment expliqueriez-vous à vos amis les changements qu'il y aura?

MODÈLE: Les voitures voleront...

NOTE CULTURELLE: Le débat sur la télévision

La télévision est le loisir principal des Français. Mais ils ne sont pas toujours d'accord sur son rôle: culture ou distraction?

Les émissions les plus regardées sont les informations,° les films et les variétés. Les films qui ont pour vedettes° Louis de Funès, Fernandel, Jean-Paul Belmondo et Alain Delon obtiennent des records d'audience. Mais Yves Montand reste le plus populaire. Les émissions de variétés sont des spectacles composés de chansons, de numéros de danse et de numéros comiques, orchestrés par un présentateur à la mode.

news
stars

Pourtant, les informations restent l'émission la plus suivie. Elles satisfont une majorité des téléspectateurs. Et les émissions culturelles et politiques, bien que° moins regardées, sont quand même très nombreuses. Il n'est donc pas étonnant que les Français estiment que leur télévision informe mieux qu'elle ne distrait. En fait, les enfants français regardent moins la télé que leurs parents.

bien... *although*

Les nouvelles technologies liées au petit écran vont peut-être changer tout cela: avec le magnétoscope, l'ordinateur, la télévision par câble ou par satellite et les jeux vidéo, la télévision est en train de devenir un petit centre de loisirs audiovisuels. Il est très possible qu'elle devienne bientôt un outil pour se distraire plutôt que pour s'instruire.

Vrai ou faux?

1. Jean-Paul Belmondo est la vedette de films la plus aimée des téléspectateurs français.
2. Une émission de variétés est parfois un opéra, parfois une symphonie, parfois un ballet.
3. Les débats politiques sont les émissions les plus regardées en France.
4. Les enfants français regardent moins la télévision que leurs parents.
5. Les Français s'intéressent beaucoup aux nouvelles technologies liées à la télévision.

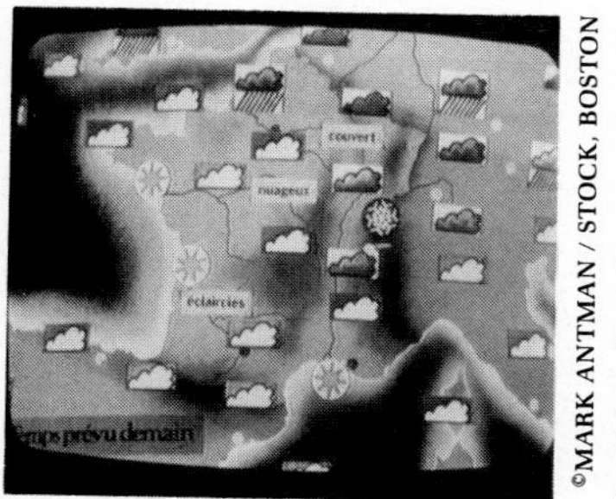

La météo à la télévision. A midi, comme le soir, le journal télévisé donne les prévisions du temps pour le lendemain pour tout le pays. Quel temps fera-t-il demain?

Vocabulaire

LA VOLONTÉ Volition

exiger que	to demand that
il est dommage que	it's too bad that
il est impensable que	it's unthinkable that
il est inutile que	it is useless that (*for someone to*)
interdire (de)	to prohibit, forbid
je vous prie	I beg (of) you; please
suggérer que	to suggest that

Mot similaire: **persuader (de)**

Révision: **avoir besoin que, conseiller, désirer que, il est bon que, il est important que, il est indispensable que, il est possible que, il faut que, il vaut mieux que, permettre de, préférer que, proposer, souhaiter que, vouloir que**

VERBES Verbs

accorder	to grant, award
agir	to act
arriver à	to succeed in, manage to
atteindre	to attain, reach
baisser	to lower
bouleverser	to disrupt; to change completely
changer d'avis	to change one's mind
claquer la porte au nez	to slam the door in someone's face
communiquer	to communicate
comprendre	understand
convaincre	to convince
se laisser convaincre	to let oneself be convinced
croire	to believe
se demander	to wonder
dénigrer	to defame, denigrate
détruire	to destroy
se dire	to be said
disparaître	to disappear
se droguer	to take drugs
élire	to elect
emmener	to take (*a person*)
empêcher de	to prevent, stop
entourer	to surround
envisager (de)	to be thinking of, contemplating (*doing something*)
éprouver	to feel, experience
être en panne	to break down
faire allusion à	to refer, allude to
faire carrière dans...	to make one's career in . . .
fonder (une famille)	to start (*a family*)
gagner de l'argent	to earn money
lancer	to launch, bring out
se marier (avec)	to get married (to)
mener	to lead, live
montrer	to show
mourir	to die
se nourrir	to eat
obéir (à)	to obey
offenser	to offend
oser	to dare
prédire	to predict
s'y prendre	to set about (*doing*) it
prévoir	to foresee
programmer	to program
ramasser	to pick up
rapporter	to yield, produce
régner	to reign
relire	to read again
rendre service (à)	to be of service, help (to)
réserver	to hold in store
réussir	to succeed
signifier	to mean, signify
suivre un conseil	to follow a piece of advice
surveiller	to watch, keep an eye on
valoir	to be worth

Mots similaires: **accepter, confirmer, influencer, persuader, représenter**

SUBSTANTIFS Nouns

l'amitié (*f.*)	friendship
l'avenir (*m.*)	future
le bénéfice	benefit
le besoin	need

le bonheur	happiness
le/la boulanger (**-ère**)	baker
la boule de cristal	crystal ball
le but	goal
chéri(**e**)	dear, darling
le conseil d'administration	board of directors
le cours des événements	the course of events
le/la démuni(**e**)	impoverished person
la dictée	dictation
l'écouteur (*m.*)	headphones
l'élève (*m., f.*)	student
l'étude (*f.*)	study
l'Europe occidentale	Western Europe
la faute	error, mistake
la gélule	capsule
l'hôtesse de l'air (*f.*)	airline stewardess
l'investissement (*m.*)	investment
le/la leur (**les leurs**)	theirs
le maire	mayor
la maquette	(scale) model
le mien (**la mienne, les miens, les miennes**)	mine
le muguet	lily of the valley
le/la nôtre (**les nôtres**)	ours
la paix	peace
la patinoire	ice-skating rink
la penderie	closet
le/la réalisateur (**-trice**)	(film) director
la recherche	search
la réticence	hesitation, reluctance
le sac à dos	backpack
le sens de l'humour	sense of humor
le sien (**la sienne, les siens, les siennes**)	his, hers, its
le tien (**la tienne, les tiens, les tiennes**)	yours
le trajet	distance, route, journey
le/la vôtre (**les vôtres**)	yours
le/la voyant(**e**)	seer; clairvoyant

Mots similaires: **l'adolescent**(**e**) (*m., f.*), **l'affirmation** (*f.*), **l'aventure** (*f.*), **le budget, le contact, le désir, la Dramamine, le futur, l'instruction** (*f.*), **l'interprétation** (*f.*), **le membre, le moment, la planète, la pollution, le/la président**(**e**), **le sacrifice, la satisfaction, la supposition, le tact, le télégramme, le type, la vidéo, le volume**

LA DESCRIPTION Description

âgé(**e**)	aged, elderly
diplomate	diplomatic
élu(**e**)	elected
enfermé(**e**)	shut in
en lettres minuscules	lower case (letters)
fané(**e**)	wilted
personnel(**le**)	personal
tendu(**e**)	tense, strained

Mots similaires: **capable, fédéral**(**e**), **horrible, principal**(**e**), **prudent**(**e**), **scientifique, télévisé**(**e**)

ADVERBES Adverbs

aussitôt	immediately
dangereusement	dangerously
formellement	formally
intelligemment	intelligently
modérément	moderately

MOTS ET EXPRESSIONS UTILES Useful words and expressions

à l'avance	in advance
au milieu de	in the middle of
autant de	as, so much / many
à volonté	at will
Comment faites-vous pour...?	What do you do to . . .? How do you . . .?
d'ailleurs	besides
d'autant plus que	all the more so since / because
dès que	as soon as
des tas de	loads of, lots of
en faveur de	in favor of
il fait brun	it is dusky, twilight (*Canadianism*)
il fait nuit	it is dark
lorsque	when
tôt ou tard	sooner or later

UN ÉDITORIAL: L'importance des langues étrangères

Aujourd'hui j'aimerais vous parler de l'importance des langues étrangères. Pourquoi est-il si important de parler au moins une autre langue? Tout simplement pour communiquer et mieux comprendre une autre culture. Pendant très longtemps les Français, se complaisant[1] dans leur propre culture, oubliaient rapidement les langues apprises dans les salles de classe. Seule une minorité pouvait converser aisément avec des étrangers. Mais ceci n'est plus tout à fait vrai pour les nouvelles générations, car depuis quelques années déjà, les écoles françaises font un très gros effort pour enseigner les langues étrangères d'une façon efficace et «durable». Il n'est plus question de dire «j'ai fait de l'anglais (ou de l'espagnol) au lycée». Il faut le parler! L'anglais y est toujours obligatoire et l'éventail[2] des langues proposées comme «seconde langue» s'élargit de plus en plus.

Ce phénomène est vrai pour toute l'Europe. D'une part il existe des pays bilingues—comme par exemple la Suisse, où le français, l'allemand et l'italien sont les langues officielles, ou la Belgique, où l'on parle français et flamand. D'un autre côté, dans les pays du Marché Commun la connaissance des «langues» est devenue

---

[1]se... *taking pleasure* [2]*range*

Une boîte de céréales vendue en France. Il est bon de savoir parler un peu la langue du pays où l'on va quand on voyage, au moins pour ne pas mourir de faim! Ainsi, si vous allez en France vous pourrez toujours acheter des céréales au supermarché si vous avez la nostalgie des petits déjeuners américains.

indispensable dans certains secteurs. «Pour mieux vendre, il faut d'abord se comprendre», a avoué récemment un homme d'affaires allemand. Ainsi, si vous êtes élu membre du Parlement européen, il est toujours plus agréable de pouvoir communiquer avec votre voisin sans l'aide d'un interprète.

Traditionnellement on a toujours appris la langue du pays dominant. Ainsi les pays colonisateurs ont exporté leurs langues dans des pays lointains. Et de nos jours on parle toujours français, anglais ou espagnol à des milliers de kilomètres des pays d'origines. Dans le cas du français, il est resté la langue officielle d'une vingtaine de pays africains, tels que le Zaïre, le Congo, la Côte-d'Ivoire ou le Sénégal, berceau[1] de l'un des grands poètes de langue française et membre de l'Académie française, Léopold Senghor. Le français est aussi la deuxième langue dans beaucoup d'autres pays tels que le Maroc, la Tunisie ou l'Algérie. C'est avant tout la nécessité de communiquer avec le monde extérieur qui a poussé ces pays africains à conserver la langue de leurs anciens colonisateurs en parallèle avec leurs propres langues et dialectes locaux. Certains de ces pays ont même gardé des liens[2] économiques avec la France en restant membres de la Communauté française.

Mais cette évolution est encore assez lente dans d'autres pays. Les Américains, par exemple, ont la réputation de ne parler que leur langue. Peu d'entre eux s'intéressent à d'autres cultures; il y en a même qui sont parfois surpris quand, dans un hôtel ou un magasin à l'étranger, on ne comprend pas l'anglais. Bien sûr cette attitude est en train de changer et de plus en plus de personnes essaient au moins de «baragouiner»[3] la langue du pays qu'elles visitent. Les États-Unis, étant une grande puissance industrielle, ont une influence considérable sur les médias du monde entier: cinéma, télévision et chansons. Quant aux[4] Canadiens, beaucoup d'entre eux sont bilingues. Il ne faut pas oublier que Montréal est la deuxième ville francophone du monde après Paris.

Je crois qu'il est temps d'aller m'inscrire pour apprendre une autre langue... peut-être le chinois! En tout cas, ils sont fort nombreux à le parler et je trouverai toujours quelqu'un avec qui le pratiquer!

Julien Leroux

---

[1]*cradle* [2]*ties* [3]*massacre, mangle* [4]Quant... *As for*

Compréhension

Lisez les affirmations suivantes et dites si elles correspondent à ce que Julien Leroux nous dit dans son éditorial. Expliquez pourquoi.

1. On ne parle français qu'en Europe.
2. Il n'est pas important de parler plusieurs langues en Europe.
3. Les grandes puissances ont toujours imposé leur langue.
4. Les Américains refusent d'apprendre des langues étrangères.
5. Le français est parlé en Amérique du Nord.
6. Les pays africains ne parlent que les langues de leurs anciens colonisateurs.

LES AMIS FRANCOPHONES: Un vrai cordon-bleu!

Michel Dubois est un jeune cadre dynamique qui travaille dans une société d'électronique de pointe° à Marseille. Il est ingénieur de formation et expert en intelligence artificielle. Il n'habite Marseille que depuis deux ans mais il s'y est déjà fait beaucoup d'amis. Il est grand, sportif et très sympathique. Il loue un petit appartement dans le quartier résidentiel du Prado. Il s'entend très bien avec sa voisine de palier,° Mme Tavernier. C'est une dame charmante, d'une soixantaine d'années, veuve depuis peu de temps. Il lui donne un coup de main de temps en temps quand elle en a besoin, et en retour elle lui arrose ses plantes quand il est en déplacement.°

de... *leading*

staircase landing

en... *out of town*

Michel sort depuis quelque temps avec une jeune femme qu'il a connue au bureau et qu'il considère exceptionnelle. Il l'a invitée à dîner ce soir chez lui pour la première fois. Il a quitté son bureau plus tôt que de coutume et aussitôt arrivé chez lui, il a sonné chez sa voisine. Mme Tavernier était fort surprise de voir Michel aussi agité.

—Oh, Madame, je suis heureux que vous soyez à la maison. J'ai besoin de votre aide! J'ai une invitée qui vient dîner ce soir à la maison, une jeune femme extraordinaire... je suis sûr qu'elle vous plairait. Elle s'appelle Adrienne Bolini et nous travaillons dans la même société. Elle est belle, brillante... Je crois que je suis amoureux d'elle! Il faut absolument que vous m'aidiez...

—Avec plaisir, mais je dois avouer que je ne vois pas en quoi je peux vous être utile, Michel.

—Eh bien, quand je lui ai proposé de venir dîner

chez moi, je lui ai dit que j'étais un excellent cuisinier... un vrai cordon-bleu, quoi! Mais malheureusement je ne pense pas que mes œufs brouillés soient tout à fait à la hauteur°...

à... up to her standards

—Vous, cuisinier! Ha, ha! Ne me faites pas rire. Mais quelle idée de raconter une histoire pareille...

—Je suis désespéré, Madame Tavernier. Je me suis engagé à préparer un dîner digne de Bocuse* pour huit heures et je ne sais pas par où commencer.

—Pourquoi vous n'achetez pas tout chez un traiteur? Vous pouvez être certain que ce sera bon et bien présenté.

—Je ne peux pas, elle s'en rendrait compte tout de suite et je passerais pour un idiot. D'ailleurs je suis déjà allé dîner chez elle à deux reprises, et chaque fois elle a préparé un repas somptueux. Je me demande à quoi je pensais quand je lui ai dit «la semaine prochaine c'est mon tour»!

—Si je comprends bien vous voulez que je vous donne une de mes recettes maison...

—Je savais que je pouvais compter sur vous. Je vous en serai éternellement reconnaissant!

—Vous n'avez qu'à faire des steaks au poivre avec du riz blanc, une bonne salade et comme entrée des asperges avec une bonne vinaigrette.

—Tout ça a l'air délicieux mais comment je m'y prends? Et comme dessert?

—Prenez un papier et un crayon et écrivez tout ce que je vous dis. Achetez une livre d'asperges que vous ferez bouillir quelques minutes; elles ne doivent pas être trop molles. Égoutez°-les et laissez-les refroidir dans un plat. Préparez une vinaigrette un peu épaisse° avec de la moutarde, du sel, du poivre, du vinaigre et de l'huile. Vous me suivez?

Drain
thick

—Oui, jusque là pas de problème.

—Choisissez chez le boucher deux beaux steaks. Étalez° du poivre en grains sur une planche et écrasez-le. Salez la viande, roulez-la dans le poivre et laissez-la reposer un quart d'heure. Faites fondre du beurre dans une poêle et mettez les steaks.

Spread out

—Attendez! Vous allez trop vite! Et combien de temps je les fais cuire?

---

*Paul Bocuse est un des grands chefs de la cuisine française actuelle.

—A peu près cinq minutes de chaque côté, puis vous les retirez du feu et les placez sur un plat chaud. Dans cette même poêle rajoutez une cuillerée de moutarde et un petit pot de crème fraîche. Remuez bien pendant quelques minutes et puis versez la sauce sur la viande. Et voilà, c'est simple, n'est-ce pas?

—Et le riz?

—Vous suivez les instructions sur le paquet, à peu près vingt minutes de cuisson et vous le servez sur le même plat que la viande. Quant au dessert, je m'en charge. Je vous ferai une mousse au chocolat. Venez la chercher quelques minutes avant l'arrivée de votre invitée. N'oubliez pas de prendre aussi du pain et des langues-de-chat° pour accompagner la mousse au chocolat. Et du vin, bien sûr.

lady fingers

—J'ai un excellent Bordeaux qui ira à merveille avec la viande. Merci infiniment, je vais vite faire les courses maintenant pour que tout soit prêt avant qu'Adrienne arrive.

—Si vous avez besoin de quoi que ce soit, appelez-moi. Et n'oubliez pas de venir chercher le dessert. Bonne chance!

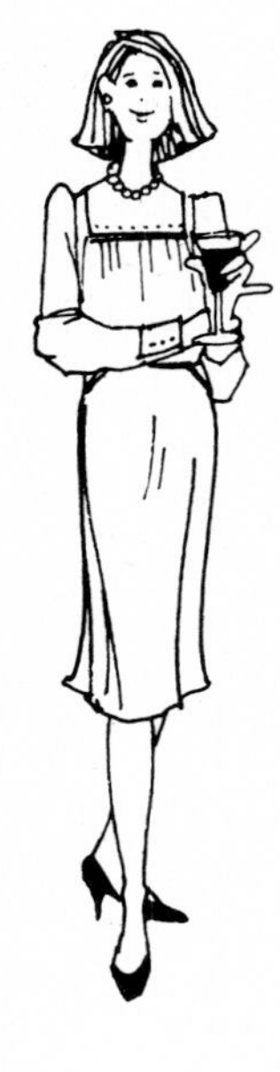

* * * * * *

Peu après huit heures, on sonne à la porte. Michel, qui était en train de finir de mettre la table, se précipite pour recevoir son invitée.

—Bonsoir, Adrienne. Entre, je t'en prie. Comme tu es ravissante!

—Merci, Michel. Bonsoir.

—Le dîner est presque prêt. Veux-tu boire quelque chose?

—Un peu de vin, s'il te plaît. J'espère que tu n'as pas trop travaillé.

—Pas du tout, c'est un repas très simple.

Adrienne remarque que la table est mise avec beaucoup de goût. Une jolie nappe, des fleurs...

—A table! Asseyons-nous.

—Comme ça sent bon!

—Merci. Bon appétit!

Tout se passe très bien. Michel, qui a suivi les conseils de Mme Tavernier à la lettre, est très fier du résultat. Adrienne le félicite à plusieurs reprises. Même le vin est excellent. Pendant tout le repas ils n'arrêtent pas de parler, de rire... Quelle bonne soirée! Mais arrivé au dessert Michel se rend compte qu'il a complètement oublié d'aller chercher la mousse au chocolat chez sa voisine. Mais que faire? Il ne peut pas s'absenter et laisser Adrienne toute seule. Il ne peut pas non plus ne pas lui servir de dessert... A ce moment-là la sonnette le fait sursauter.° Il se lève en se demandant qui ça peut bien être. Il ouvre la porte et voit Mme Tavernier avec un grand sourire aux lèvres.

jump

—Entrez, je vous prie. Adrienne, je te présente ma voisine, Madame Tavernier.

—Enchantée, Madame.

—Enchantée, Mademoiselle. Je suis désolée de vous interrompre, mais Michel m'avait demandé de mettre sa mousse au chocolat dans mon réfrigérateur, car il n'avait plus de place dans le sien. Et il a oublié de venir la récupérer.

—Merci beaucoup, c'est vrai, j'avais complètement oublié! Pourquoi ne restez-vous pas prendre le café avec nous?

—Vous êtes très gentil, mais je suis un peu fatiguée ce soir. La prochaine fois. Bonsoir.

Michel la raccompagne à la porte.

—Vous êtes vraiment adorable... Vous m'avez sauvé la vie! Ce à quoi Mme Tavernier a répondu en clignant° de l'œil: «Vous ne le croirez pas, mais moi aussi j'ai été jeune! Bonne soirée.» dit-elle en refermant la porte.

winking

Questions

1. Qui est Mme Tavernier? Comment est-elle?
2. Pourquoi Michel sonne-t-il chez sa voisine? Quels conseils lui demande-t-il?
3. Quel repas lui conseille-t-elle de préparer?
4. Qui va faire le dessert?
5. Que pense Adrienne du dîner?
6. Que se passe-t-il au moment du dessert?

12.1. *Using Pronouns with Commands*

A. One Object Pronoun
As you know, object pronouns follow and are attached to affirmative commands with a hyphen.

- Direct object:

  Les billets? Oui, bien sûr, achète-**les** demain.
  The tickets? Yes, of course, buy them tomorrow.

- Indirect object:

  Pauvre Marc! Donne-**lui** son stylo. Il en a besoin.
  Poor Marc! Give him his pencil. He needs it.

- Reflexive:

  M. Durand, levez-**vous,** s'il vous plaît. Il est déjà dix heures.
  Mr. Durand, get up, please. It's already ten o'clock.

On the other hand, object pronouns *precede* negative commands.

Jeannot, ne **l'**écoute pas. C'est une mauvaise histoire.
Jeannot, don't listen to it. It's a bad story.

Ne **m'**en parle plus.
Don't talk to me about it any more.

Remember that the object pronouns **me** and **te** become **moi** and **toi** at the end of affirmative commands.

Ne **me** parle pas. Écoute-**moi.**
Don't talk to me. Listen to me.

B. Two Object Pronouns: Affirmative Commands
When two object pronouns are used with an affirmative command all *direct object* pronouns precede the *indirect object* pronouns, followed by **y** and **en**, in that order.

	Direct	Indirect		Y / en
command +	**le** **la** **les**	**moi** (**m'**)* **toi** (**t'**)* **lui**	**nous** **vous** **leur**	**y** / **en**

*The stressed pronouns **moi** and **toi** become **m'** and **t'** before **y** and **en.**

Dis-**le-lui** aussitôt que possible; il sera très content!
Tell it to him as soon as possible; he will be very happy!

Voulez-vous encore de la glace? —Oui, donnez-**m'en** encore un peu, s'il vous plaît.
"Do you want some more ice cream?" "Yes, give me some more, please."

C'est la photo que M. et Mme Michaud préfèrent; envoie-**la-leur** si tu veux.
That's the photo Mr. and Mrs. Michaud prefer; send it to them if you like.

Je ne comprends pas ce problème. Explique-**le-moi,** s'il te plaît.
I do not understand this problem. Explain it to me, please.

Vous voulez vraiment que je vous conduise à l'aéroport maintenant? —Oui, conduis-**nous-y,** s'il te plaît, papa!
"Do you really want me to drive you to the airport now?" "Yes, Dad, take us there, please!"

C. Two Object Pronouns: Negative Commands
When two object pronouns are used with a negative command, all the pronouns precede the verb, in the same order as in declarative statements (Grammar Section 11.4., B–D).

Direct / Indirect	Direct	Indirect	
ne + **me** / **te** / **nous** / **vous**	**le** / **la** / **les**	**lui** / **leur**	**y** / **en** + command + pas

Je ne veux pas le journal. Ne **me l'**apportez pas.
I don't want the newspaper. Don't bring it to me.

L'examen? Ne **m'en** parle pas!
The exam? Don't talk to me about it!

Exercice 1

Les conseils. Aujourd'hui Chantal est dans la lune (*spaced out*).

A. Donnez-lui des conseils en remplaçant les mots indiqués par un pronom objet direct.

MODÈLE: Tu n'as pas encore mangé *ta viande?* → Mange-la!

1. Tu n'as pas encore acheté *la robe* pour ce soir?
2. Tu n'as pas encore rangé *tes affaires?*

3. Tu n'as pas bien écouté *ton père?*
4. Tu n'as pas encore arrosé *la plante?*
5. Tu n'as pas encore ramassé *tes magazines?*

B. Maintenant, remplacez les mots indiqués par un pronom objet indirect.

MODÈLE: Tu n'as pas encore dit la vérité *à ta mère?* →
Dis-lui la vérité!

1. Tu n'as pas encore répondu *à ta grand-mère?*
2. Tu n'as pas encore expliqué le problème *à tes camarades?*
3. Tu n'as pas encore dit *au professeur* que tu étais malade?
4. Tu n'as pas encore montré la photo *à tes parents?*
5. Tu n'as pas encore donné le nouveau disque *à ton cousin?*

Exercice 2

Remplacez les mots indiqués par un pronom objet direct (A) ou indirect (B).

A. MODÈLE: Quoi! Tu veux manger *l'orange?* →
Ne la mange pas!

1. Quoi! Tu veux acheter *les chaussures* aujourd'hui?
2. Quoi! Tu veux ranger *mon album de photos?*
3. Quoi! Tu veux replanter *cette fleur?*
4. Quoi! Tu veux écouter *ma cassette* maintenant?
5. Quoi! Tu veux jeter *mes lettres?*

B. MODÈLE: Quoi! Tu veux demander la montre *à ton père?* →
Ne lui demande pas la montre!

1. Quoi! Tu veux montrer mon dessin *à ta sœur?*
2. Quoi! Tu veux donner ma calculatrice *à Roger?*
3. Quoi! Tu veux raconter mes aventures *à tes camarades?*
4. Quoi! Tu veux envoyer mon album *à ta grand-mère?*
5. Quoi! Tu veux prêter mon robot *à Jeannot et à Gustave?*

Exercice 3

Remplacez les mots indiqués par un pronom objet direct et indirect. Attention à l'ordre des pronoms.

MODÈLE: Est-ce que je dois emprunter *le collier à Mireille?* →
Oui, emprunte-le-lui.

1. Est-ce que je dois expliquer *la théorie aux autres?*
2. Est-ce que je dois prêter *mes feutres à ma petite sœur?*
3. Est-ce que je dois écrire *une lettre à mes grands-parents?*

4. Est-ce que je dois envoyer *mon poème à un éditeur?*
5. Est-ce que je dois donner *la maquette de mon bateau à mon cousin?*
6. Est-ce que je dois apporter *les cadeaux à mes amis?*

Exercice 4

Répondez à la question selon le modèle.

MODÈLE: Faut-il que je t'apporte la machine à écrire? →
Non, ne me l'apporte pas. Je n'en ai pas besoin.

1. Faut-il que je te donne mon journal?
2. Faut-il que je prête mes billes (*marbles*) à mes camarades?
3. Faut-il que j'envoie ce dessin à mon professeur?
4. Faut-il que je dessine le plan à mes parents?
5. Faut-il que je t'explique le symbolisme du film?
6. Faut-il que je t'apporte le sirop pour la toux?

Exercice 5

Formez une question et une réponse à partir des phrases suivantes. Suivez les modèles.

MODÈLES: Voici de la confiture. →
Q: En veux-tu?
R: Oui, donne-m'en.

and

Voici ton goûter. →
Q: Le veux-tu?
R: Oui, donne-le-moi.

1. Il y a de la salade dans le réfrigérateur.
2. Je viens de préparer de la mousse au chocolat.
3. Il y a encore du jus d'orange.
4. Le pâté est sur la table.
5. J'ai mis les croissants sur la table de la cuisine.
6. J'ai pelé ta banane.

12.2. *Indirect Commands: Expressions Like* **dire** + **de** + Infinitive

A. One way to tell others to do something is to use the verb **dire** plus an indirect object (noun or pronoun) followed by **de** plus an *infinitive* phrase.

Jeannot, je t'**ai dit de ranger** tes affaires.
Jeannot, I told you to clean up your things.

J'**ai dit à Claire de** nous **attendre** devant le musée.
I told Claire to wait for us in front of the museum.

B. Other verbs that can be used with **de** in this way are **conseiller de** (*to advise someone to do something*), **demander de** (*to ask someone to do something*), **empêcher de** (*to prevent someone from doing something*), **interdire de** (*to forbid someone to do something*), **permettre de** (*to permit someone to do something*), **persuader de** (*to persuade someone to do something*), and **proposer de** (*to propose that someone do something*).

Jean-Luc **a demandé à sa famille d'être** prête à partir à sept heures.
Jean-Luc asked his family to be ready to leave at seven o'clock.

C. When a pronoun is used, it precedes the verb it is logically related to, either the form of **dire** or the infinitive.

Je **l**'ai empêchée **de sortir** avec Roger.
I prevented her from going out with Roger.

Mon père **m**'a interdit **de sortir** ce week-end.
My father has forbidden me to go out this weekend.

When there are two pronouns in the same sentence, each goes with the verb to which it is logically related.

Je **l**'ai persuadé **de** ne pas **lui parler.**
I persuaded him not to talk to her.

Le collègue de Jean-Luc **lui** a demandé **de le remplacer** jeudi.
Jean-Luc's colleague asked him to replace him on Thursday.

Exercice 6

Répondez aux questions en utilisant **de** + infinitif. Suivez le modèle.

MODÈLE: «Étienne, attends-moi devant le cinéma!»
Qu'est-ce que vous lui avez dit? →
Je lui ai dit de m'attendre devant le cinéma.

1. «Jeannot, tu peux prendre ta bicyclette si tu veux.»
   Qu'est-ce que vous lui avez permis?
2. «Et si (*What if*) tu demandais une augmentation de salaire, Sylvie?»
   Qu'est-ce que vous lui avez suggéré?
3. «Et si nous formions une association, Jean-Luc...?»
   Qu'est-ce que vous lui avez proposé?
4. «Paulette, ne prends pas ma voiture ce soir!»
   Qu'est-ce que vous lui avez interdit?
5. «Adrienne, va me chercher des blancs de poulet et des légumes au marché, s'il te plaît!»
   Qu'est-ce que vous lui avez demandé?
6. «Claire, sois gentille et reste là deux minutes!»
   Qu'est-ce que vous lui avez dit?

12.3. Possession: Possessive Pronouns

A. In English, the possessive pronouns are *mine, yours, his, hers, its, ours, theirs.*

The notebooks? Albert brought his, but I didn't bring mine.

B. In French, the possessive pronouns must agree with the noun they replace in gender and number. Thus each pronoun has three or four possible forms.

Les **cahiers**? Albert a apporté **les siens,** mais, moi, j'ai oublié **les miens.**

	singulier		pluriel	
mine	le mien	la mienne	les miens	les miennes
yours	le tien	la tienne	les tiens	les tiennes
his	le sien	la sienne	les siens	les siennes
hers	le sien	la sienne	les siens	les siennes
its	le sien	la sienne	les siens	les siennes
ours	le nôtre	la nôtre	les nôtres	
yours	le vôtre	la vôtre	les vôtres	
theirs	le leur	la leur	les leurs	

Peux-tu me prêter ton **livre?** J'ai oublié **le mien.**
Can you lend me your book? I've forgotten mine.

Et ces **gants,** ce sont **les vôtres?** —Oui, ce sont **les nôtres.**
"And those gloves, are they yours?" "Yes, they're ours."

Note in particular that the gender and number of the pronoun matches that of the noun it replaces, not that of the possessor. Thus, in the French equivalent of *John has his,* the gender of the pronoun corresponding to *his* does not depend on *John,* but rather on the noun that *his* refers to. If *his* refers to **un compact-disque,** the possessive pronoun is **le sien;** if *his* refers to **la télévision,** the possessive pronoun is **la sienne.**

Ces **bottes** ne sont pas à moi. Est-ce qu'elles sont à Roger? —Oui, ce sont **les siennes.**
"These boots are not mine. Are they Roger's?" "Yes, they're his."

C. The possessive pronoun **le sien** (and its forms **la sienne, les siens, les siennes**) can express *his, her,* or *its.* Meaning is generally clear from context.

Est-ce que ces livres sont à ta grand-mère? —Oui, ce sont **les siens.**
"Are these your grandmother's books?" "Yes, they're hers."

Est-ce que cette sorbetière est à Sylvie et à Charles? —Oui, c'est **la leur.**
"Is this ice cream maker Sylvie and Charles'?" "Yes, it's theirs."

Ex. 7. Assign as written homework.

Exercice 7

A. Jean-Luc et Martine rangent le grenier (*attic*). Ils y trouvent de nombreux objets et vêtements qu'ils ne reconnaissent plus. Inventez leur dialogue selon le modèle.

MODÈLE: album de photos / Marguerite →

M: Et cet album de photos, ce n'est pas le mien. Est-il à Marguerite?
J-L: Oui, je crois que c'est le sien.

1. vieux bijoux / ta grand-mère
2. chemise en polyester / ton frère
3. calculatrice / nous
4. grand fauteuil / nous
5. robes en dentelle (*lace*) / nos grands-mères

B. Jeannot et Gustave arrivent.

MODÈLE: microscope cassé / vous deux (Jeannot et Gustave)

M: Et ce microscope cassé, est-il à vous deux? Je pense que c'est le vôtre!
G: Oui, tu as raison. C'est le nôtre!

1. vieux moulin à café rouge / toi (Jean-Luc)
2. petites bottes en caoutchouc / vous deux (Jeannot et Gustave)
3. vieilles bouteilles / toi (Jean-Luc)
4. jouets en bois / vous deux (Jeannot et Gustave)
5. locomotive d'un train électrique / toi (Jeannot)

12.4. *Present Subjunctive Following Personal Expressions of Volition*

A. As you know (Grammar Section 10.6), the subjunctive mood follows the verb **vouloir** when you want to express the desire to influence the actions of another.

Je veux qu'Isabelle **sorte** avec moi ce soir.
I want Isabelle to go out with me this evening.

Remember too that impersonal expressions of necessity also require subjunctive forms in the following clause to express the desire to influence the actions of others. Some of these expressions are: **il faut que, il est essentiel que, il est important que, il est indispensable que, il est nécessaire que, il est temps que,** and **il vaut mieux que.**

B. There are many other verbs that must be followed by the subjunctive when they are used to influence the actions of others. Here are some very common ones that you will hear frequently and that you will probably want to use yourself: **demander que** (*to demand that [someone do something]*), **désirer que** (*to desire [someone to do something]*), **souhaiter que** (*to want or wish [someone to do something]*), **préférer que** (*to prefer that [someone do something]*), **suggérer que** (*to suggest that [someone do something]*), **exiger que** (*to demand or require that [someone do something]*), **avoir besoin que** (*to need [someone to do something]*).

Julien **désire que** son amie **vienne** le chercher, mais elle ne le veut pas.
Julien wants his girlfriend to pick him up, but she doesn't want to.

Nous **souhaitons que** vous **guérissiez** rapidement.
We hope that you get better soon.

Bernard **a suggéré que** leurs enfants **fassent** une promenade le long de la Seine.
Bernard suggested that their children take a walk along the River Seine.

C. The conditional forms of **aimer** and **vouloir** are also followed by the subjunctive to indicate that someone wishes to influence the actions of another. Remember the conditional forms of **vouloir** and **aimer: je voudrais, tu voudrais, il/elle/on voudrait, nous voudrions, vous voudriez, ils/elles voudraient; j'aimerais, tu aimerais, il/elle/on aimerait, nous aimerions, vous aimeriez, ils/elles aimeraient.**

Florence, je **voudrais** que vous **veniez** me voir plus souvent.
Florence, I would like for you to come to see me more often.

D. Here are additional impersonal expressions that also require the subjunctive in the following clause: **il est bon que** (*it's good that*), **il est préférable que** (*it's preferable that*).

Il est préférable que vous **terminiez** cet examen aussitôt que possible.
It's preferable that you finish the exam as soon as possible.

E. The negative form of these verbs and expressions of volition is still an implied desire to influence the actions of others; it is therefore followed by the subjunctive.

Gustave! Jeannot! **Je ne veux pas** que vous **rentriez** tard ce soir.
Gustave! Jeannot! I don't want you to come home late this evening.

Exercice 8

Albert est très paresseux en classe aujourd'hui. Il ne veut rien faire. Que demande-t-il aux autres? Utilisez des expressions comme **je préfère que, je voudrais que, j'exige que, je désire que, il vaut mieux que, j'ai besoin que,** etc.

MODÈLE: Il demande à Louis d'aller au tableau pour lui. →
Louis, je voudrais que tu ailles au tableau pour moi.

1. Il demande à Chantal de finir son examen pour lui.
2. Il demande à Hélène de prendre des notes pour lui.
3. Il demande à Étienne de répondre pour lui.
4. Il demande à Louis de faire cet exercice à sa place.
5. Il demande à Chantal de sortir son livre car il a oublié le sien.

Exercice 9

Ces personnes ont l'habitude d'influencer les autres. Complétez la phrase en suivant le modèle.

MODÈLE: Les deux amis d'Adrienne fument pendant le repas. →
Adrienne dit à ses deux amis: «Il vaut mieux que vous ne fumiez pas pendant le repas».

1. Le collègue de bureau de Jean-Luc ne finira pas le rapport aujourd'hui.
   Jean-Luc a besoin que son collègue...
2. L'ami de Bernard et Irène n'a jamais travaillé à l'étranger.
   Bernard et Irène suggèrent qu'il...
3. Les élèves de Mme Martin commencent à étudier pour l'examen.
   Mme Martin leur a dit: «Il serait bon que vous... »
4. Les employés de Mme Michaud ne sont pas à l'heure au travail.
   M. Durand va exiger qu'ils...
5. Le directeur de la société ne finit pas un projet important.
   Un gros client souhaite qu'il...

12.5. Future Activities and Possibilities: The Future, the Conditional, the Future Perfect

A. Remember (Grammar Section 9.2) that in addition to the frequently used **futur proche**, there is a formal future tense in French: **je partirai, tu arriveras, il/elle/on dormira, nous sortirons, vous regarderez, ils/elles resteront.**

   Richard Kambé **partira** pour la Côte-d'Ivoire demain soir.
   Richard Kambé will leave for the Ivory Coast tomorrow evening.

B. Remember (Grammar Section 11.5) that the conditional is used to describe present hypothetical conditions. The conditional is formed on the same stem as the future: **je partirais, tu arriverais, il/elle/on dormirait, nous sortirions, vous regarderiez, ils/elles resteraient.**

   J'**irais** avec lui si j'avais le temps.
   I would go with him if I had the time.

C. There is also a future perfect tense, the **futur antérieur,** used to express the idea that an event will have taken place at some point in the future before some other event.

J'**aurai fini** mon devoir avant d'arriver en classe.
I will have finished my homework before coming to class.

The **futur antérieur** is formed with the future of the auxiliary verbs **avoir** or **être** plus a past participle.

j'aurai fini	*I will have finished*	je serai arrivé(e)	*I will have arrived*
tu auras fini	*you will have finished*	tu seras arrivé(e)	*you will have arrived*
il/elle/on aura fini	*he/she/it/one will have finished*	il/elle/on sera arrivé(e)	*he/she/it/one will have arrived*
nous aurons fini	*we will have finished*	nous serons arrivé(e)s	*we will have arrived*
vous aurez fini	*you will have finished*	vous serez arrivé(e)(s)	*you will have arrived*
ils/elles auront fini	*they will have finished*	ils/elles seront arrivé(e)s	*they will have arrived*

The **futur antérieur** often occurs in clauses that begin with the conjunctions **quand** (*when*), **lorsque** (*when*), **dès que** (*as soon as*), and **aussitôt que** (*as soon as*).

Dès que tu **auras fini** tes devoirs, tu pourras aller jouer.
As soon as you have finished your homework, you can go play.

Envoie-moi une carte postale **quand** tu **seras arrivé** en Chine.
Send me a post card when you arrive in China.

Exercice 10

Mettez le verbe entre parenthèses à la forme correcte du futur antérieur.

MODÈLE: Quand les Européens *auront lancé* leur navette spatiale, ils l'utiliseront à des buts commerciaux.

1. Quand les hommes _____ (détruire) toutes les armes, la paix régnera enfin sur terre.
2. Quand j'_____ (réaliser) mon rêve, écrire un roman d'aventures dans un château écossais, je pourrai dire: «Voilà! J'ai réussi!»
3. Dès que nous _____ (remplacer) la nourriture par des pilules, je perdrai mon appétit.
4. Aussitôt que les gens _____ (comprendre) qu'il ne faut pas abuser des médicaments, il y aura moins de gaspillage.
5. Lorsque tu _____ (obtenir) tout ce que tu cherches, l'honneur, la gloire, l'argent, que te restera-t-il à conquérir?
6. Mireille ouvrira son cabinet à Toulouse lorsqu'elle _____ (finir) ses études de médecine.

In **Chapitre treize** you will learn to express emotional reactions and opinions in a number of ways. You will have the opportunity to discuss the family as well as a number of contemporary issues.

Des étudiants manifestent dans les rues de Paris contre la violence.

CHAPITRE TREIZE
La famille et les valeurs

THÈMES

- More About Family, Friends, and Marriage
- The Values of Modern Society
- Stereotypes of Many Kinds

LECTURES

- Les amis francophones: Le mariage de Mamie
- La fiction: Des vacances bien gagnées

LECTURE SUPPLÉMENTAIRE

- La fiction: Sophie à quarante ans

GRAMMAIRE

13.1. Reciprocal Pronouns: *Each Other*
13.2. Pseudo-reflexive **se**
13.3. Present Subjunctive: Expressing Emotional Reactions
13.4. Present Subjunctive: Expressing Opinions and Reactions

ACTIVITÉS ORALES

LA FAMILLE, L'AMITIÉ ET LE MARIAGE

ATTENTION! Voir Grammaire 13.1–13.2.

Activité 1. Définitions

1. le voyage de noces
2. les fiançailles
3. le témoin
4. l'amitié
5. le mariage religieux
6. l'alliance
7. le livret de famille
8. le divorce
9. la parenté
10. la marraine
11. le maire
12. la marche nuptiale

a. Femme qui tient l'enfant sur les fonts du baptême et qui s'engage à s'occuper de lui en cas de décès des parents.
b. Cérémonie qui a lieu après le mariage civil et selon les croyances religieuses des nouveaux époux.
c. Petit livre remis aux époux après la célébration du mariage.
d. Personne qui certifie l'identité des mariés et qui signe l'acte de mariage.
e. Voyage que font les jeunes mariés.
f. Lien qui unit les membres d'une famille.
g. Période qui s'écoule entre la demande en mariage et la célébration de celui-ci.
h. Bague que les mariés échangent pendant la cérémonie du mariage.
i. Sentiment réciproque entre deux personnes qui s'entendent bien.
j. Séparation légale des conjoints.
k. Autorité civile dont une des fonctions est celle d'unir légalement un homme et une femme.
l. Air que l'on joue en général au début et à la fin d'une cérémonie de mariage.

Activité 2. Comment cultiver une amitié

Est-il prudent de suivre ces conseils? Qu'en pensez-vous? Expliquez pourquoi.

1. Il est important de se voir assez souvent.
2. Se disputer de temps en temps stimule l'amitié.
3. Quand on est loin il faut s'écrire tous les jours.
4. Il faut toujours arriver en retard quand on se donne rendez-vous.
5. S'intéresser à ce que fait l'autre rend l'amitié plus durable.
6. Quand on se fâche il vaut mieux se réconcilier tout de suite.

Activité 3. Le coup de foudre

Voici l'histoire d'amour de Paulette et Joseph. Mettez en ordre chronologique.

_____ Le lendemain matin ils se sont téléphoné.
_____ Puis ils se sont parlé timidement.
_____ Ils se sont dit des mots d'amour.
_____ Ils se sont rencontrés chez des amis le mois dernier.
_____ Ils se sont promenés toute la journée.
_____ Au début ils se sont regardés du coin de l'œil.
_____ Aujourd'hui ils se marient.
_____ Ils ont dansé et en fin de soirée ils ont voulu se revoir.
_____ Et ils ne se sont plus quittés.
_____ Ils savaient déjà qu'ils s'aimaient.

Activité 4. Bavardons!

1. Que représente l'amitié pour vous? Qu'est-ce que vous attendez d'un ami (d'une amie)? Pourquoi?
2. Quelles sont les qualités de votre meilleur ami (meilleure amie)? Quels sont ses défauts?
3. Vous disputez-vous souvent? Pour quels motifs? Vous boudez-vous longtemps?
4. Qu'est-ce qui rend une amitié durable: la compréhension, la loyauté ou le soutien moral? Y a-t-il d'autres facteurs clés qui y contribuent? Lesquels?
5. Considérez-vous votre meilleur ami (meilleure amie) comme un membre de votre famille? Pouvez-vous compter sur lui (elle)?
6. Est-ce qu'il est important de partager les mêmes idées, ou d'avoir les mêmes goûts? Pourquoi (pas)?
7. Comment imaginez-vous la personne avec qui vous aimeriez partager votre vie? Si vous êtes déjà marié(e), comment est votre époux (épouse)?
8. Dans un couple pensez-vous qu'il vaille mieux se compléter ou être semblable pour s'entendre? Est-ce qu'une relation peut survivre si on est très différent(e)? Pourquoi (pas)?

Activité 5. Entrevue: L'amitié

1. Est-ce que tu as beaucoup d'amis? Sors-tu souvent avec eux? Où allez-vous généralement?
2. Que penses-tu de tes ami(e)s? Imagine ce qu'ils pensent de toi.
3. Est-ce que tu crois que l'amitié est quelque chose de très important? Pourquoi (pas)?
4. Est-ce que tu t'es déjà disputé(e) sérieusement avec un ami (une amie)? Pour quel motif?
5. Est-ce que tu espérais te faire de nouveaux amis à l'université?
6. Est-ce que tu sortirais avec une personne que tu ne connais pas? Pourquoi (pas)? Est-ce que c'est recommandé? Pourquoi (pas)?

LES AMIS FRANCOPHONES: Le mariage de Mamie

Antoinette admire avec sa grand-mère les photos du récent mariage de sa cousine, Caroline.

ANTOINETTE: C'était un beau mariage, tu ne trouves pas, Mamie?

MAMIE: Oui, la cérémonie était très belle, un peu simple, peut-être.

ANTOINETTE: Simple? Avec tous ces invités, l'orchestre, la réception?

MAMIE: Tu sais, de mon temps, les familles étaient plus grandes, les occasions de se réunir plus rares, et le mariage était une telle° fête! Les jeunes filles ne pensaient qu'à ça!

une... *quite a*

ANTOINETTE: Raconte-moi un peu comment c'était...

MAMIE: Eh bien, tu vois, même avant le mariage, il y avait des traditions très nombreuses, quand un jeune homme courtisait une jeune fille.

ANTOINETTE: Par exemple?

MAMIE: Eh bien, il y avait beaucoup d'occasions dans l'année où les jeunes gens offraient des petits cadeaux, des cœurs en pain d'épice, des bonbons, des friandises.° Lorsque les jeunes recevaient enfin la permission paternelle de se fiancer, on offrait non seulement une bague de fiançailles, mais beaucoup de cadeaux, des boucles d'oreilles, des épingles, des colliers.

delicacies

Un mariage civil à la mairie. En France, le mariage légal est le mariage civil qui a lieu à la mairie. A la fin de la courte cérémonie, les jeunes mariés et leurs témoins signent le registre. Puis le maire remet au jeune couple le livret de famille.

ANTOINETTE: Et le mariage, comment ça se passait?

MAMIE: Oh, c'était une très grande occasion que l'on préparait dans tous ses détails, pendant des mois. On y invitait beaucoup de monde, et toute la famille éloignée venait à la cérémonie. Les parents, les amis, les voisins, tout le monde aidait à préparer le festin énorme qui venait après la mariage. On faisait un cortège° jusqu'à la mairie et ensuite à l'église. On restait à manger et à danser, on chantait toute la nuit et la fête durait encore quelques jours

procession

après ça, le temps que tout le monde reparte.

ANTOINETTE: C'était vraiment un moment très important dans la vie d'une jeune fille.

MAMIE: Oui. Et c'était aussi tellement important pour les parents de marier leur fille. Passé l'âge de vingt-cinq ans, les filles avaient beaucoup moins de chances de trouver un mari. C'est pour elles qu'on donnait un grand bal, le jour de la Sainte-Catherine: les filles de vingt-cinq ans portaient un bonnet jaune et vert très voyant,° qui indiquait qu'elles cherchaient un mari.

gaudy

ANTOINETTE: Tu as été une catherinette?

MAMIE: Non, je me suis mariée très jeune. Je ne le regrette pas: ton grand-père est mort si jeune aussi... De cette façon nous avons quand même vécu de bonnes années ensemble. Je me rappelle, le jour de notre mariage, j'ai déchiré° mon voile comme le veut la tradition: on dit que c'est un porte-bonheur° qui aide à trouver un mari. J'ai distribué les morceaux à mes amies encore célibataires. Et ma meilleure amie s'est mariée dans l'année!

j'ai... *tore up*

good-luck charm

ANTOINETTE: Tu as eu un beau mariage, Mamie.

MAMIE: Oui, et il est encore si clair dans ma mémoire. Ma mère qui a tant pleuré, mon père qui nous a très solennellement donné sa bénédiction. C'était un si grand jour...

Questions

Quelles sont les différences entre votre époque et celle de Mamie en ce qui concerne...

1. les traditions de fiançailles?
2. le cortège de mariage?
3. la réception de mariage?
4. l'importance du mariage pour les jeunes filles?
5. la Sainte-Catherine?
6. le voile de la mariée?

LES VALEURS DE LA SOCIÉTÉ CONTEMPORAINE

ATTENTION! Voir Grammaire 13.3.

J'ai peur que nous n'ayons pas le temps de finir cette discussion aujourd'hui.

—Je crains que le temps se gâte.
—Oh, non! J'espère qu'il ne pleuvra pas. On est si bien ici!

—Je serais surpris qu'on puisse finir ce travail aujourd'hui.
—Si on se dépêche je pense qu'on peut le finir avant cinq heures.

Je suis heureuse que ce voyage soit si intéressant. J'espère que mes photos seront réussies.

—Je regrette qu'il ne fasse pas assez chaud pour se baigner.
—Moi aussi, mais j'imagine que l'eau doit être gelée.

—Je suis heureux qu'on ait une semaine pour préparer cet examen.
—Moi aussi, car j'ai peur qu'il ne soit très difficile.

—Je suis désolée que nous n'ayons pas le temps de visiter ce parc.
—Moi aussi, parce que je crois qu'il y a une très belle statue là.

Activité 6. Les opinions des autres

Parmi ces personnes, qui est susceptible d'avoir exprimé chacune des pensées suivantes? Expliquez dans quelles circonstances.

1. Je suis déçue que vous ayez une mauvaise note en grammaire.
2. Je suis content que votre fille se sente mieux aujourd'hui.
3. Je suis surpris que vous choisissiez cette excursion. Elle n'a pas l'air intéressante.
4. Ne quittez pas, mais je serais surprise qu'elle soit dans son bureau.
5. Je suis désolé que vous ne puissiez pas fumer ici, mais vous êtes dans la section non fumeurs.
6. Je suis très fière que tu réussisses à tous tes examens.

a. la secrétaire
b. la mère
c. le steward
d. la maîtresse
e. le médecin
f. l'agent de voyages

Activité 7. Les émotions

Quelle est votre réaction face aux nouvelles suivantes?

1. Votre meilleur ami (meilleure amie) est malade et doit rester au lit pendant une semaine. (Je suis désolé[e] que tu...)
2. Vous avez menti à un(e) de vos camarades de classe et il/elle vient de s'en rendre compte. (J'ai honte que tu...)
3. Votre camarade de chambre veut abandonner ses études. (Je suis déçu[e] que tu...)

4. Votre professeur de français vous annonce qu'il/elle va se marier le mois prochain. (Je suis heureux [-euse] que vous...)
5. Vous organisez une fête et votre petit ami (petite amie) ne peut pas s'y rendre. (Je regrette que tu...)
6. Vos parents viennent de gagner un voyage autour du monde. (Je suis content[e] que vous...)

Activité 8. Discussion: Les principes

Êtes-vous d'accord avec les déclarations suivantes? Expliquez brièvement vos raisons.

1. L'avortement est un acte criminel que l'on devrait interdire.
2. L'euthanasie n'est pas une solution acceptable pour les maladies incurables.
3. L'éducation sexuelle est la responsabilité des parents et non celle des écoles.
4. La violence devrait être bannie des émissions de télévision.
5. Le port d'armes devrait être totalement interdit.
6. La peine de mort est une nécessité pour protéger la société contre les criminels.

Activité 9. Les solutions

Quelles solutions proposeriez-vous aux problèmes suivants si vous étiez conseiller municipal?

MODÈLE: la sécurité des citoyens →
Il faudrait que les citoyens puissent se sentir en sécurité à n'importe quelle heure. Pour cela je suggère de renforcer les rondes de surveillance.

1. la conduite en état d'ivresse
2. la solitude des personnes âgées
3. la propreté des rues
4. l'entretien du réseau routier
5. la qualité de l'enseignement
6. la délinquance juvénile
7. le chômage

Activité 10. Discussion: Les mass media

1. A votre avis, est-ce qu'il y a des sujets qui devraient être censurés à la télévision? Peut-on traiter ouvertement les sujets suivants: l'adultère, le divorce, le suicide, les drogues, l'inceste, l'homosexualité, la violence, l'avortement, les enfants brutalisés, le viol, l'euthanasie? Expliquez vos opinions. Est-ce que les médias ont une obligation morale envers le public? Si on interdit ces sujets à la télévision, est-il possible de les aborder autrement?

2. Est-ce que vous regardez souvent la télévision? Combien d'heures par jour? Quelles sont vos émissions préférées? Croyez-vous que la télévision influence votre vie? Quels effets a-t-elle sur les enfants? Est-il bon qu'ils la regardent autant? Est-ce que le gouvernement a le droit, selon vous, d'influencer le choix des programmes ou les nouvelles présentées sur le petit écran? Est-ce que la télévision peut devenir dangereuse en manipulant l'opinion publique?

LA FICTION: Des vacances bien gagnées

Tout a commencé le jour où j'ai décidé de passer le mois d'août avec quelques copains dans les pays scandinaves. L'état de mes finances était plutôt médiocre. Il y avait eu d'abord l'achat de la moto, puis les week-ends de ski et enfin les sorties avec Christelle. Il est difficile de faire des économies quand on est étudiant dans une grande ville: il y a tellement de tentations! Mes amis et moi, nous avions soigneusement préparé notre budget. Nous pensions prendre le train et faire du camping. Mais malgré tout, même en étant économe, j'étais loin du compte.° Il ne me restait donc qu'à trouver du travail et vite fait. J'épluchais° avidement les petites annonces des journaux locaux jusqu'à ce que je tombe sur celle-ci: «Cherche serveur pour juin et juillet. Position idéale pour jeune étudiant dégourdi.° Bonne rémunération plus pourboire. Situé en plein cœur de Paris».

Je me sentais tout à fait capable d'assumer cette tâche qui, après tout, n'avait pas l'air si difficile que ça. J'étais jeune, malin,° athlétique et par dessus tout en grand besoin d'argent. Je me disais que prendre des commandes, servir les clients et empocher un bon pourboire, ce n'était pas la mer à boire!°

Je me présentai le lendemain matin—un samedi—à l'adresse indiquée. Le café, qui faisait aussi brasserie

loin... *far from having enough money* / *scrutinized*

smart, alert

bright

ce... *wouldn't be hard to take*

de quartier, était presque vide. Derrière le zinc° lustré se tenait un grand homme aux épaules larges et carrées. Je m'imaginais qu'il avait dû jouer au rugby dans sa jeunesse. Il m'accueillit chaleureusement, et après m'avoir posé quelques questions me dit qu'il m'embauchait° et que je commencerais lundi à six heures. J'étais si heureux que j'en perdis la parole.° En rentrant chez moi, je me suis dit «mon vieux, tu as trouvé la planque° parfaite... »

Lundi matin à six heures moins dix, j'entrai dans le café d'un pas° décidé. Le patron, c'est comme ça que tout le monde l'appelait, m'attendait le sourire aux lèvres. Curieusement, l'endroit me semblait plus petit que lors de ma première visite. Était-ce parce que les clients étaient beaucoup plus nombreux? D'ailleurs, cela m'étonnait. Que font tous ces gens si tôt? demandai-je au patron. Il me répondit qu'il s'agissait des premiers banlieusards° qui s'arrêtaient pour prendre leur petit déjeuner avant de continuer leur chemin. Il est vrai que la gare Saint-Lazare n'était qu'à quelques pas de là. Je me mis mon uniforme, jetai un coup d'œil dans la glace pour être sûr que tout était en place et me dirigeai vers mon premier client.

—Bonjour, Messieurs, vous désirez?

—Deux jus, dont un allongé!

—Euh... allongé?

—Eh bien oui, léger,° quoi!

—Ah, oui! Mais le jus... d'orange?

—D'orange? Ah, elle est bonne,° celle-là! Mais enfin petit, d'où sors-tu? Un jus, c'est un café, voyons!

Très vite je compris que j'avais pénétré dans un monde dont j'ignorais tout. Je balbutiai° quelque excuse banale avant de disparaître derrière le comptoir, des gouttes de sueur° dégoulinant° sur mon front. J'essayai de me convaincre que ce n'était pas si grave, que ce n'était qu'une gaffe tout à fait humaine. Mais quelque chose en moi me disait que ce ne serait pas la dernière. Peu à peu le petit café se remplit d'une foule bruyante constituée surtout d'habitués.° Le patron les servait sans même leur demander ce qu'ils voulaient. Certains se parlaient entre eux, d'autres lisaient le journal ou dormaient encore dans leur coin.

—Alors, on meurt de soif ici! Garçon, ce petit blanc, c'est pour aujourd'hui ou pour demain?

bar
would take me on
j'en... *I couldn't speak*
soft job
step, stride
suburbanites
light
elle... *that's a funny one*
stammered
gouttes... *drops of perspiration / dripping, running*
regulars

Non, vraiment ce ne serait pas un travail de tout repos. A midi, le rythme s'accéléra brusquement, jusqu'à friser° la folie. Je crus qu'il me serait impossible de le suivre. Je courais mon plateau toujours en déséquilibre. Et c'est en retournant dans la toute petite cuisine au fond de la salle que je m'emmêlai les pieds° et m'étalai de tout mon poids. Le bruit fut tel que le patron se précipita pour constater les dégâts.° Le nez sur le carrelage,° je devais avoir l'air fin, entouré de débris d'assiettes... Il me jeta un coup d'œil glacial qui pouvait se passer de tout commentaire: «Nous règlerons les comptes ce soir», me dit-il en fronçant les sourcils.

bordering on

je... *my feet got tangled up*

damage

tile floor

Après le déjeuner nous avons eu un moment de répit mais qui ne dura pas longtemps, malheureusement. Mes pauvres pieds... A mi-journée je ne les sentais plus tellement ils me faisaient mal. Je devais avoir au moins deux ou trois ampoules. Je m'appliquais de mon mieux, je voulais à tout prix revenir le lendemain. Les pourboires étaient maigres, à la mesure de mon service, qui, souvent, laissait à désirer... J'approchais la fin de la journée avec appréhension: et si j'étais renvoyé°... Être garçon de café dans un petit bistro parisien était loin d'être de la tarte.° J'avais sous-estimé l'énergie, l'agilité et la rapidité d'esprit qu'il fallait pour retenir les commandes par cœur et additionner à toute allure° les consommations. Ce n'était pas donné à tout le monde. Je finissais de ranger la minuscule cuisine quand le patron s'approcha de moi et me dit: «Ce n'était pas brillant, aujourd'hui. Mais si tu limites la casse° et tu apprends le jargon du métier, je ferai quelqu'un de toi... » et sur ces mots il repartit discuter avec les quelques clients assis au zinc. Je m'attendais à tout sauf à ça. Il ne m'avait même pas demandé de payer la casse...

fired

de... *a piece of cake*

à... *at top speed*

breakage

Je poussai un grand soupir de soulagement. Et dire que demain il faudrait tout recommencer... Je les aurais bien gagnées, mes vacances en Scandinavie!

Questions

1. Pourquoi cet étudiant a-t-il besoin d'argent?
2. Quel genre de travail a-t-il trouvé?
3. Comment se passe sa première journée de travail?
4. Quelle est l'attitude du patron?
5. Pourquoi ce travail lui semble-t-il si difficile?
6. Que pensait-il de ce travail avant?

LES STÉRÉOTYPES

ATTENTION! Voir Grammaire 13.4.

Je suis sûr que tous les Français n'aiment pas le fromage.

Il est évident que tous les Italiens ne mangent pas des spaghettis à chaque repas.

Croyez-vous que tous les Suisses aient des coucous chez eux?

Je doute que tous les Anglais ne boivent que du whisky.

Les Américains ont la réputation de travailler dur, mais il est évident que certains ne le font pas.

Activité 11. Discussion: Les stéréotypes

Nous avons tous des «idées toutes faites» sur beaucoup de choses. Combien d'hommes pensent que les femmes au volant sont un véritable danger public? En fait les statistiques montrent qu'elles n'ont pas plus d'accidents que les hommes. Voici une liste d'idées préconçues. Pensez-vous qu'elles soient totalement fausses ou qu'elles reflètent une certaine vérité?

1. Tous les touristes américains portent des pantalons à carreaux.
2. Les Japonais se promènent à travers le monde un appareil-photo en bandoulière.
3. Les Français sont tous des gourmets.
4. Les femmes sont plus sensibles que les hommes.
5. Toutes les Françaises sont des «cordons-bleus».
6. Les habitants des pays chauds sont paresseux.
7. Les hommes ne pleurent jamais.
8. Les Écossais sont avares.
9. _____

Activité 12.

Dans la vie il y a des choses qui nous plaisent et d'autres qui nous dérangent. Il y a ceux qui adorent la plage et la mer et ceux qui craignent le soleil. Beaucoup de personnes choisissent de vivre dans une grande ville à cause des activités culturelles qu'elle offre, tout en se plaignant du bruit et de la circulation. A votre avis, quels sont les aspects positifs et les aspects négatifs des choses suivantes?

1. la vie en banlieue 2. les transports en commun 3. les voyages organisés 4. le mariage 5. la publicité dans les medias 6. la télévision

Activité 13. Situations

Comment réagiriez-vous dans les situations suivantes?

1. Un ami (Une amie) veut vous raconter la fin du livre que vous êtes en train de lire. (Je lui dirais...)
2. Vous avez invité quelques amis à dîner et vous demandez conseil à votre mère pour préparer le repas.
3. Vous téléphonez à un ami à qui vous avez prêté un livre l'année dernière et qui ne vous l'a jamais rendu.
4. Vous avez emprunté la voiture d'un camarade et vous avez eu un accident.
5. Une amie vous téléphone pour vous dire qu'elle veut divorcer.
6. Un membre de votre famille vous demande un service que vous lui refusez.

Activité 14. Dialogues originaux

Quelle mauvaise idée!

Un de vos amis (Une de vos amies) décide d'abandonner ses études. Vous ne pensez pas que ce soit une bonne idée et vous essayez de l'en dissuader. Exprimez vos sentiments à l'égard d'une telle décision. Jouez les rôles avec un(e) camarade.

VOUS: Je crains que...
VOTRE AMI(E): Pas du tout. Je crois que...

Bon voyage!

Vous envisagez de passer un mois en Europe l'été prochain avec votre meilleur ami (meilleure amie). Vous vous réunissez tous (toutes) les deux pour organiser votre voyage. Mais vous n'êtes pas tout à fait d'accord sur l'itinéraire, les moyens de transport, le choix des hôtels... A vous de défendre vos opinions! Jouez les rôles avec un(e) camarade.

VOUS: Je pense qu'on devrait d'abord aller...
VOTRE AMI(E): Je ne suis pas du tout d'accord. Je suis surpris(e) que...

Vocabulaire

L'EXPRESSION DES OPINIONS Expressions of opinion

avoir honte que	to be ashamed that
craindre que	to be afraid that
douter que	to doubt that
espérer que	to hope that
être déçu(e) que	to be disappointed that
être fier (fière) que	to be proud that
être surpris(e) que	to be surprised that
il est clair que	it's clear that
il est évident que	it is obvious that
il est nécessaire que	it's necessary that
il est sûr que	it's sure that
imaginer que	to imagine that
regretter que	to regret, be sorry that

Révision: **avoir peur que, croire que, être content(e) que, être désolé(e) que, être heureux (-euse) que, être sûr(e) que, il est bon que, il est possible que, il faudrait que, penser que, suggérer de** (+ *infinitif*)

LES PERSONNES People

les arrière-grands-parents (*m.*)	great-grandparents
certain(e)s (*m., f.*)	certain ones; certain
le/la citoyen(ne)	citizen
les conjoints (*m.*)	husband and wife
le conseiller municipal	town councillor
le cordon-bleu	cordon-bleu cook
l'Écossais(e) (*m., f.*)	Scot, Scotswoman
le/la filleul(e)	godchild; godson, goddaughter
le maître (la maîtresse)	teacher
le/la marié(e)	groom, bride
les mariés (*m.*)	newlyweds
la marraine	godmother
les nouveaux époux (*m.*)	newlyweds
le parrain	godfather
le prêtre	priest

Mots similaires: **le/la criminel(le), le gourmet, le steward**

ASPECTS DE LA SOCIÉTÉ Aspects of society

l'acte de mariage (*m.*)	marriage certificate
l'adultère (*m.*)	adultery
l'alliance (*f.*)	union, marriage; wedding ring
l'avortement (*m.*)	abortion
le baptême	baptism
le chômage	unemployment
le coup de foudre	love at first sight (*literally, lightning*)
le danger public	public menace
le décès	death
la demande en mariage	marriage proposal
les fiançailles (*f.*)	engagement
les fonts du baptême (*m.*)	baptismal font
l'ivresse (*f.*)	drunkenness
le livret de famille	(official) family record book
la marche nuptiale	wedding march
le mariage civil	civil ceremony
le mariage religieux	religious ceremony
la parenté	relationship, kinship
la peine de mort	death penalty
le viol	rape
le voyage de noces	honeymoon

Mots similaires: **la délinquance, le divorce, les drogues** (*f.*)**, l'euthanasie** (*f.*)**, l'homosexualité** (*f.*)**, l'inceste** (*m.*)**, le mariage, le public, le suicide, la violence**

Révision: **la valeur**

VERBES Verbs

aborder	to broach, bring up
s'aimer	to love each other
attendre	to expect
se bouder	to refuse to talk to each other
se charger de	to be in charge of
se compléter	to complete one another
compter sur	to count on, rely on
se décider (à)	to decide to, to make up one's mind

se dépêcher	to hurry up
déranger	to disturb, bother
se disputer (**avec**)	to argue (with)
divorcer	to get a divorce
se donner rendez-vous	to arrange to see, meet each other
échanger	to exchange
s'écouler	to pass (by), go by (*time*)
s'écrire	to write each other
s'embrasser	to kiss (each other)
s'engager (**à**)	to commit oneself, promise (to)
s'entendre (**bien/mal**)	to get along (well / badly)
espérer	to hope
exprimer	to express
se fâcher (**avec**)	to get angry (with)
se gâter	to change (for the worse), take a turn for the worse (*weather*)
se mettre (**à**)	to begin to
s'occuper (**de**)	to take care of
se parler	to talk to each other
partager	to share
se passer de	to get along without
se quitter	to leave each other
se réconcilier	to be, become reconciled
refléter	to reflect
remettre	to hand over
se rencontrer	to meet (each other)
se rendre à	to go to
se rendre compte de/que	to realize
renforcer	to reinforce
se revoir	to see each other again
se serrer la main	to shake hands
se souvenir de/que	to remember
se téléphoner	to call each other
tenir	to hold
se tromper	to make a mistake
unir	to unite
se voir	to see each other

Mots similaires: **abandonner, annoncer, censurer certifier, contribuer, cultiver, dissuader, manipuler, recommander, refuser, stimuler, survivre**

Révision: **bavarder, se disputer, sortir, téléphoner à**

SUBSTANTIFS Nouns

l'air (*m.*)	tune, air (*melody*)
la banlieue	outskirts, suburbs
la compréhension	understanding
la conduite	behavior
le coucou	cuckoo clock
la croyance	belief
le début	beginning
le défaut	fault
le droit	right (*power*)
l'effet (*m.*)	effect
l'enseignement (*m.*)	teaching
l'entretien (*m.*)	maintenance, upkeep
l'histoire d'amour (*f.*)	love story
le lien	link, bond
la loyauté	loyalty
le motif	motive
les mots d'amour (*m.*)	words of love
les nouvelles (*f.*)	news
la pensée	thought
le petit écran	television screen
le port d'armes	bearing of arms (*weapons*)
le principe	principle
la propreté	cleanliness
le réseau	network
les rondes (*f.*)	rounds; (patrol) beat
le sentiment	feeling
le soutien	support
le sujet	subject
la surveillance	watch; supervision
le voyage organisé	package tour

Mots similaires: **l'acte** (*m.*), **l'autorité** (*f.*), **la célébration, la cérémonie, la culture, la décision, la déclaration, la discussion, l'éducation** (*f.*), **l'émotion** (*f.*), **le facteur, l'identité** (*f.*), **l'intérêt** (*m.*), **les mass media** (*m.*), **les medias** (*m.*), **la nécessité, l'obligation** (*f.*), **la période, la réaction, la relation, la réputation, la responsabilité, la sécurité, la séparation, la solitude, les statistiques** (*f.*), **la statue, le stéréotype, le whisky**

Révision: **l'amitié** (*f.*), **le couple**

LA DESCRIPTION Description

avare	miserly, tight-fisted
banni(e)	banished
brutalisé(e)	battered, abused
clé	key, main (*said of a word, idea*)
contemporain(e)	contemporary
durable	lasting
gelé(e)	freezing
marié(e)	married
paresseux (-euse)	lazy
polémique	controversial
préconçu(e)	preconceived
réciproque	reciprocal
remis(e)	given back, handed over
réussi(e)	successful
routier (-ière)	road
semblable	similar
sensible	sensitive
tel(le)	such (a)
véritable	real, true

Mots similaires: **acceptable, censuré(e), civil(e), essentiel(le), incurable, juvénile, légal(e), moral(e), négatif (-ive), organisé(e), positif (-ive), public (publique), recommandé(e), religieux (-ieuse), sexuel(le), susceptible**

ADVERBES Adverbs

autrement	otherwise
brièvement	briefly
légalement	legally
ouvertement	openly
timidement	timidly
totalement	totally

MOTS ET EXPRESSIONS UTILES Useful words and expressions

à cause de	because of
à l'égard de	with respect to
à n'importe quelle heure	at any hour, any time
au début	at the beginning
autour du monde	around the world
Bon voyage!	Have a good trip!
du coin de l'œil	out of the corner of one's eye
en bandoulière	slung across the shoulder
en fin de	at the end of
envers	toward
face à	facing
les idées toutes faites	fixed, rigid ideas
ne quittez pas	hold on a minute (*phone*)
tous (toutes) les deux	both
tout à fait	quite
tout en se plaignant	while complaining

Révision: **à mon avis**

LA FICTION: Sophie à quarante ans

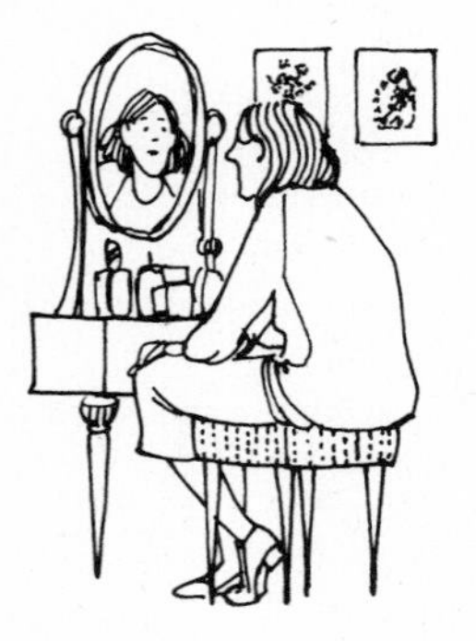

La sonnerie réveilla Sophie en sursaut.° Elle chercha le réveil à tâtons sur la table de nuit et eut beaucoup de mal à arrêter ce son aigu et déplaisant qui vibrait dans l'air. Quand son mari, Marcel, vivait avec elle, c'était lui qui appuyait sur le bouton chaque matin et la réveillait ensuite en douceur. Mais de penser à lui maintenant, dès le réveil, la déprimait profondément. Le souvenir de Marcel lui faisait mal, un peu comme une blessure qui n'arrive pas à cicatriser.° Pourtant c'était plus fort qu'elle: elle pensait à lui tous les matins, et cela depuis bientôt trois mois.

en... *with a jump, start*

heal over

Il faut dire que sa vie n'avait pratiquement pas changé. Elle travaillait toujours comme secrétaire de direction pour la même entreprise, elle vivait dans le même appartement et fréquentait les mêmes amies. La seule différence, c'est que maintenant sa vie évoluait autour de son travail. Le bureau lui procurait huit heures d'évasion et le sentiment d'être encore vivante. Sa routine était simple: coups de fil, bons decommande, rapports à taper, bavardages... et en fin de journée le métro qui la reconduisait à un appartement vide.

Elle se leva malgré elle et commença à choisir ses vêtements pour la journée. Même cela était devenu un vrai cauchemar.° Autrefois elle y prenait pourtant tant de plaisir. Elle était coquette, soignée et portait toujours l'accessoire ou le bijou qui la mettait le mieux en valeur. Son patron approuvait, lui qui aimait répéter: «Notre image est essentielle dans ce métier». Mais pour elle, ça n'était plus qu'une habitude et elle le faisait maintenant comme elle faisait tout: machinalement.

nightmare

Sophie se contempla longuement dans la glace, en pensant combien Marcel aimait l'observer du coin de l'œil quand elle s'habillait. Parfois même, il se moquait gentiment d'elle quand elle hésitait trop longtemps entre deux robes. Très souvent, c'était elle qui lui demandait conseil; il avait si bon goût, Marcel... C'est avec amertume° qu'elle se souvenait de ce matin où il lui demanda le divorce. Ils étaient en train de prendre le petit déjeuner quand il lui en parla. Ses mots réson-

bitterness

naient encore dans sa tête... «Une autre femme... un an, déjà... je te quitte...» Oui, il était tombé amoureux d'une autre femme. Il lui était difficile de comprendre pourquoi... après tant d'années de mariage, de bonheur, de... Mais peut-être «années» était le mot clé dans ce qui ressemblait à un feuilleton un peu cynique, presque comique mais qui pour une fois se terminerait mal. Elles passent si vite, les années...

* * * * * * *

Elle fixa des yeux l'image que lui reflétait l'immense miroir, sa propre image, celle d'une femme de quarante ans. Marcel l'avait quittée pour une femme plus jeune qu'elle, et elle avait du mal à l'accepter. Elle poussa alors un long soupir pour contenir les larmes qui avaient embué ses yeux. Elle se maquilla et se coiffa minutieusement. La pensée de refaire sa vie l'effrayait,° cependant elle ne pouvait pas continuer comme cela, voyant l'image de Marcel dans chaque objet, dans chaque détail autour d'elle.

frightened her

Elle alla dans la cuisine se préparer du café. Elle avait besoin de penser calmement à ce qu'allait devenir sa vie. Elle s'assit près de la fenêtre et se laissa emporter par le tourbillon° de la foule matinale. Pouvait-elle vraiment refaire sa vie à quarante ans? Aimer un autre homme? Jamais elle ne s'était sentie aussi seule depuis le départ de Marcel. «Comme j'étais bête!» pensa-t-elle, «Je ne me doutais de° rien... Comment ai-je pu être aussi aveugle°?»

whirlwind

Je... *I didn't suspect*

blind

Elle but son café et s'en reservit une autre tasse. Si seulement elle pouvait écarter ces pensées moroses qui ne la quittaient plus. Vingt ans de vie commune ne pouvaient s'oublier en si peu de temps. Tant de souvenirs, tant de bons et de mauvais moments passés ensemble... et surtout tant de projets pour un avenir qu'elle n'aurait plus. Et puis, il y avait aussi cette pitié, silencieuse, mais pesante, qui se manifestait dans le regard de tous ceux qui l'entouraient. Il fallait réagir, faire quelque chose, mais quoi?

Elle retourna dans sa chambre et se regarda à nouveau dans le miroir. Elle resta debout, immobile. Un léger sourire se dessina bientôt sur ses lèvres. Bien sûr qu'elle était capable d'affronter seule l'avenir et de refaire sa vie. Elle sentait une force nouvelle s'éveiller en elle.

Était-il possible que toutes ces années passées auprès de Marcel avaient fini par endormir sa joie de vivre, sa propre personnalité? Les rôles d'épouse et de secrétaire parfaite qu'elle avait joués pendant si longtemps soudain l'étouffaient.° Elle renouait enfin avec la vie. Pour la première fois depuis des semaines, elle se sentait enfin capable de faire des projets. Oui, l'avenir lui appartenait, il lui suffisait de faire le premier pas. Elle se sentit renaître rien qu'à y penser. Elle chercherait un autre travail plus intéressant, elle déménagerait... mais avant tout elle s'occuperait d'elle. Elle s'achèterait des vêtements plus modernes et elle irait chez le coiffeur, après tout, elle était encore jeune et dynamique. L'idée de recommencer une nouvelle vie l'enthousiasmait. «J'ai tant de choses à faire», dit-elle à haute voix, «je n'ai pas de temps à perdre!» Et elle quitta son appartement d'un pas décidé.

suffocated

Questions

1. Pourquoi Sophie se sent-elle seule maintenant?
2. Qu'est devenue sa vie?
3. A quoi pense-t-elle pendant qu'elle prend son café?
4. Que décide-t-elle de faire à la fin?

13.1. *Reciprocal Pronouns:* Each Other

Reciprocal actions (in English, expressed with *each other*) are expressed in French with reflexive pronouns.

> Martine et moi, nous **nous comprenons** très bien. C'est pour cela que nous aimons faire des courses ensemble.
> *Martine and I understand each other very well. That's why we like to go shopping together.*

Context usually indicates whether the pronoun is reflexive (*self*) or reciprocal (*each other*).

> Irène et Bernard **se lèvent** tous les jours de bonne heure.
> *Irène and Bernard get up early every day.* (*reflexive*)

The following verbs are commonly used with reciprocal meaning: **s'admirer, s'aider, s'aimer, se comprendre, se détester, se donner rendez-vous, s'écrire, se regarder, se rencontrer, se revoir, se voir.**

> Mon frère et sa belle-mère **se détestent** depuis longtemps.
> *My brother and his mother-in-law have hated each other for a long time.*

Exercice 1

Sylvie Legrand parle à son ami, Charles, qui répète tout ce qu'elle dit. Transformez les phrases selon le modèle.

MODÈLE: Ma mère me comprend bien et je comprends bien ma mère. →
Alors, vous vous comprenez bien!

1. Richard donne rendez-vous à Sylvie tous les jours, et Sylvie lui donne rendez-vous tous les jours aussi.
2. Ma cousine Marie m'écrit souvent et moi je lui écris souvent aussi.
3. Mon frère aime beaucoup sa femme et elle l'aime beaucoup aussi.
4. Ma belle-sœur me téléphone souvent et moi je lui téléphone souvent aussi.
5. Mon parrain parle souvent à mon père et mon père lui parle souvent.
6. Ma grand-mère déteste son voisin et il la déteste aussi.

13.2. *Pseudo-reflexive* **se**

Some verbs used with reflexive pronouns have no reflexive meaning; that is, the subject is not doing anything to him- or herself. We will call these constructions "pseudo-reflexive," since grammatically they function like reflexive constructions but do not have reflexive meaning.

The following verbs are used pseudo-reflexively: **s'en aller** (*to leave*), **se charger de** (*to take responsibility for*), **se décider** (**à**) (*to decide* [*to*]), **se dépêcher** (**de**) (*to hurry to* [*do something*]), **se disputer** (**avec**) (*to have an argument* [*with*]), **s'entendre bien** (**avec**) (*to get along* [*with*]), **se fâcher** (**avec/contre**) (*to get angry* [*with*]), **se marier** (**avec**) (*to marry* [*someone*]), **se mettre à** (*to begin to* [*do something*]), **s'occuper de** (*to take care of*), **se passer de** (*to go/do without*), **se rendre compte de/que** (*to realize*), **se souvenir de/que** (*to remember*), **se tromper** (*to make a mistake*).

Bernard **s'entend** bien **avec** ses beaux-parents.
Bernard gets along well with his in-laws.

L'ami du marié **s'est mis à** jouer la marche nuptiale.
The groom's friend began playing the wedding march.

Le ménage **se dispute** souvent. Le mari crie et la femme casse toujours quelque chose et puis elle **s'en va.**
The couple argues a lot. The husband shouts and his wife always breaks something and then leaves.

Exercice 2

Complétez les phrases suivantes avec la forme correcte d'un des verbes suivants: **s'occuper, se rendre compte, se passer, se mettre, se fâcher, s'en aller, se souvenir, se dépêcher, s'entendre, se décider.** N'oubliez pas le pronom réfléchi.

Hélène veut garder sa filleule Laure, un bébé de trois mois, pendant que ses parents vont dîner chez des amis. Elle leur dit: «N'ayez pas peur, je ____[1] de tout. Je lui donnerai son biberon, la baignerai, la changerai et la mettrai au lit. Partez tranquilles!» Les parents ____[2] et laissent Hélène seule avec le bébé, qui dort. Hélène s'assied dans le salon et commence à lire. Tout d'un coup, le bébé se réveille et ____[3] à crier. Laure a faim. En effet, elle a dormi très longtemps. Hélène la change mais Laure pleure et crie encore. Hélène ____[4] qu'un bébé n'est pas toujours facile. Elle court dans la cuisine avec le bébé à moitié habillé, fait chauffer le biberon et essaie de calmer sa filleule. Vite, elle ____[5] de prendre la bouteille, de vérifier la température du lait et de donner le biberon à la petite. Ouf! première urgence surmontée!

Après quelques bons moments passés à jouer avec Laure, Hélène pense: «Je ____[6] bien avec elle; je devrais peut-être tenter l'expérience du bain!» Elle ____[7] à la tenter et commence à préparer la petite baignoire. Elle la remplit d'eau et met autour le savon pour bébé et la lavette. Elle essaie de ____[8] des gestes de sa mère et tout va bien.

Un moment plus tard, sa filleule est au lit. Les parents reviennent. Hélène ____[9] de lecture, de télé: elle n'a pas eu le temps! Et elle a même oublié de manger! Mais elle est toute fière et très contente de sa soirée. Pas une seule fois n'a-t-elle perdu patience, ne ____-elle ____[10] contre la petite! Tout s'est merveilleusement bien passé!

13.3. *Present Subjunctive: Expressing Emotional Reactions*

A. Remember that subjunctive forms are used after personal and impersonal expressions of need or will when someone is trying to influence the actions of others (Grammar Sections 10.3, 10.6, and 12.4).

Il est nécessaire que vous **écoutiez** les nouvelles attentivement.
It is necessary that you listen to the news carefully.

B. Subjunctive forms are also used after expressions of emotion. In these cases, while speakers assume their listener already has a piece of information, they emphasize their own reaction to it.

Est-ce que tu sais qu'Hélène vient à la réunion ce soir? —Oui, et **je suis très content** qu'elle **vienne** parce qu'elle a toujours d'excellentes idées.
"Do you know that Hélène is coming to the meeting tonight?" "Yes, and I'm very happy that she's coming because she always has great ideas."

Other expressions of emotion followed by subjunctive forms are:

- expressions with **être,** such as **être content** (*to be glad*), **déçu** (*disappointed*), **désolé** (*sorry*), **fier** (*proud*), **furieux** (*furious*), **heureux** (*happy*), **surpris** (*surprised*), and **triste** (*sad*)

M. le Président, **je suis heureux** que vous **puissiez** aller aux États-Unis au printemps.
Mr. President, I'm happy that you'll be able to go to the United States in the spring.

- expressions like **avoir peur que** (*to be afraid that*), **avoir honte que** (*to be ashamed that*), and **regretter que** (*to regret that*)*

J'**ai peur** que nous ne **sachions** pas contrôler la puissance atomique.
I am afraid that we will not know how to control atomic power.

Exercice 3

Choisissez la forme correcte.

1. Je regrette que tu ne (*lises / lis*) pas les journaux.
2. Bernard Tour est surpris qu'aux États-Unis on (*peut / puisse*) acheter un revolver sans permis.
3. Mon père m'a dit que les employés des chemins de fer (*soient / sont*) en grève.
4. Les parents ont peur que l'éducation sexuelle ne (*détruit / détruise*) le sens moral des élèves.

---

*These expressions are sometimes used with the word **ne** before the verb even when the sentence is affirmative: J'ai peur qu'elle **ne** vienne. (*I'm afraid that she's coming.*)

5. Nous sommes désolés que vous, nos amis, (*pensiez / pensez*) au divorce.
6. Je regrette que le gouvernement ne (*veut / veuille*) pas changer cette loi.
7. Marie Durand est contente que l'inflation au Canada (*se maintienne / se maintient*) au-dessous de 6 pour cent.
8. Les Suisses sont fiers qu'il y (*a / ait*) si peu de chômage dans leur pays.
9. M. Duroc a dit que sa femme ne (*se rende / se rend*) pas compte des problèmes de son fils.
10. M. White est heureux que sa fille (*vient / vienne*) passer les vacances avec lui.

13.4. Present Subjunctive: Expressing Opinions and Reactions

A. We often convey opinions by stating an idea or opinion directly, as if it were a fact.

Les enfants ne doivent pas travailler.
Children should not work.

We may also modify our assertions, clearly labeling them as opinions.

Je crois que les Mexicains sont très religieux.
I believe that Mexicans are very religious.

As you can see in the preceding examples, the indicative mood is used to assert that something is—in our opinion or to the best of our knowledge—true, whether we assert the opinion directly or indirectly. Tenses of the indicative mood include not only the present indicative but also the **passé composé,** the **imparfait,** and the future.

B. To deny or cast doubt on a statement or idea in French, the subjunctive forms are used.

Je ne crois pas que tous les Chinois **soient** rusés.
I don't believe that all Chinese are sly.

There are many ways to cast doubt on an assertion. Here are some common French phrases used to express doubt or disbelief.

- Personal expressions of doubt: **douter que** (*to doubt that*), **ne pas être sûr que** (*not to be sure that*), **ne pas être certain que** (*to be uncertain that*), **ne pas penser que** (*not to think that*), **ne pas croire que** (*not to believe that*)

Je ne suis pas sûr que tous les Japonais **aient** le sens du commerce.
I am not sure that all Japanese have a business sense.

- Impersonal expressions of doubt: **il est possible/impossible que** (*it's possible / impossible that*), **il est douteux que** (*it's doubtful that*), **il est**

peu probable que (*it's not likely that*), **il se peut que** (*it might be that*), **il semble que** (*it appears that*)

Il est impossible qu'une personne **boive** cent bières en une heure.
It's impossible for somebody to drink a hundred beers in an hour.

Il est peu probable que les ministres **puissent** finir le projet ce soir.
It's not likely that the cabinet members will finish the project tonight.

C. Remember that a positive assertion is expressed by the indicative mood: **croire que** (*to believe that*), **il semble que** or **il paraît que** (*it seems that*), **penser que** (*to think that*), **il est certain que** (*it is certain that*), **il est clair que** (*it is clear that*), **il est évident que** (*it is evident that*), **il est sûr que** (*it is sure that*), **il est vrai que** (*it is true that*)

Il me semble que les Américains **idéalisent** l'Europe.
It seems to me that Americans idealize Europe.

Exercice 4

Choisissez la forme correcte.

1. Il est évident que toutes les Suédoises ne (*sont / soient*) pas blondes. Moi, j'ai une amie suédoise qui a les cheveux noirs.
2. Il est clair que nous nous (*considérons / considérions*) plus avantagés que les Éthiopiens.
3. Il nous semble que vous, les Russes, (*buvez / buviez*) tous de la vodka, mais je sais que ce n'est pas vrai.
4. Il est douteux que tous les Suisses (*savent / sachent*) yodler; ça ne se pratique qu'en monagne.
5. Il est impossible que les Gitans (*peuvent / puissent*) disparaître; ils ne sont plus persécutés.
6. Il n'est pas évident que tous les Mexicains (*font / fassent*) la sieste, parce que dans les grandes villes ils travaillent de neuf heures à dix-sept heures.
7. Il est vrai que presque tous les Français (*veulent / veuillent*) partir en vacances au mois d'août, mais beaucoup ne le font pas.

In **Chapitre quatorze** you will continue to talk about contemporary issues: urban problems, political and geographical concerns, and so on; and you will learn about the influence of the French language and people in North America.

Une vendeuse de fruits dans un marché à Dakar, Sénégal

CHAPITRE QUATORZE
Actualités

THÈMES

- Talking about Geography and History
- Political and Economic Systems
- The Problems of Contemporary Society
- Talking About French in North America

LECTURES

- Note culturelle: La jeunesse actuelle

LECTURE SUPPLÉMENTAIRE

- Note culturelle: La France aujourd'hui

GRAMMAIRE

14.1. De-emphasizing the Subject: The Passive Voice
14.2. Expressing Simultaneous Activities: **en** + *Present Participle*
14.3. Past Hypothetical Conditions with **si:** The Conditional Perfect
14.4. The Subjunctive with Adverbial Conjunctions
14.5. Relative Pronouns: **lequel; ce qui / que; ce dont**

ACTIVITÉS ORALES

L'HISTOIRE ET LA GÉOGRAPHIE

ATTENTION! Voir Grammaire 14.1–14.2.

—Étienne, parlez-nous de La Fayette.
—La Fayette est venu en Amérique pour aider les insurgés. A son retour en France, il a contribué à décider le gouvernement français à apporter son aide officielle à la guerre d'indépendance américaine.

«La liberté éclairant le monde», créée par Auguste Bartholdi, fut un cadeau du peuple français au peuple américain en commémoration de l'amitié franco-américaine.

Dans l'ensemble, la décolonisation ivoirienne s'est bien passée. Depuis notre indépendance, en 1958, nous avons gardé des liens économiques et culturels avec la France.

En 1967, le Général de Gaulle, alors en visite officielle au Canada, proclama dans un de ses discours: «Vive le Québec libre!» Sa déclaration renforça considérablement la crédibilité du Parti Québécois.

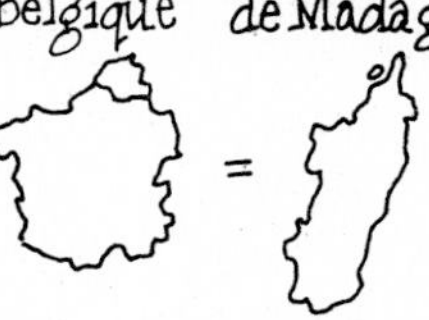

La République de Madagascar constitue l'île la plus étendue du monde francophone. Son étendue dépasse les superficies de la France et de la Belgique réunies.

La montagne la plus élevée du monde francophone s'élève à 4 807 mètres. Il s'agit du Mont Blanc, point culminant du massif des Alpes.

Activité 1. Le français dans le monde

La population francophone mondiale se compose d'environ cent quinze millions de personnes. Étudiez cette carte attentivement. Où parle-t-on français?

Avez-vous déjà visité un de ces pays? Lequel? Quand? Que savez-vous de ces différents pays ou régions? Avec quels pays associez-vous les concepts suivants?

1. la décolonisation
2. le Maghreb
3. les territoires d'outre-mer
4. l'agriculture
5. les ressources minérales
6. le tourisme

Activité 2. Personnes célèbres du monde francophone

Essayez de deviner qui sont les personnes suivantes.

1. Louis XIV
2. Léopold Sédar-Senghor
3. Claude Monet
4. Georges Pompidou
5. François Truffaut
6. Marguerite Yourcenar
7. Claude Debussy
8. Antonine Maillet
9. Antoine de Saint-Exupéry
10. George Sand
11. Catherine Deneuve

a. Romancière de langue française-acadienne et porte-parole de l'Acadie qui reçut le Prix Goncourt en 1979.
b. Ancien président français, grand amateur d'art moderne. Aujourd'hui, un musée parisien à l'architecture contestée porte son nom.
c. Femme de lettres française du XIXème siècle qui signait ses œuvres d'un pseudonyme masculin.
d. Roi de France, surnommé le «Roi Soleil», qui fit construire le château de Versailles.

e. Écrivain français qui fut l'un des pionniers de l'aviation française, auteur du *Petit Prince.*
f. Née à Bruxelles, cette romancière a été la première femme élue à l'Académie française, en 1980. Elle habite le nord-est des États-Unis depuis longtemps et ses œuvres ont été traduites en anglais.
g. Peintre impressionniste qui peignit la fameuse série des «Nymphéas» dans sa propriété de Giverny.
h. Réalisateur français de cinéma qui eut beaucoup de succès. Parmi ses films, on peut citer «Jules et Jim», «Le dernier métro» et «Fahrenheit 451».
i. Compositeur français souvent qualifié «d'impressionniste» de la musique, auteur de «La mer».
j. Actrice de cinéma et femme d'affaires reconnue pour sa beauté et son talent.
k. Homme d'État et poète sénégalais, membre de l'Académie française.

Activité 3. Quelques métropoles francophones

Voici quelques villes francophones. Savez-vous dans quels pays elles se trouvent?

1. Genève
2. Port-au-Prince
3. Paris
4. Abidjan
5. Tunis
6. Bruxelles
7. Antananarivo
8. Dakar
9. Alger
10. Kinshasa
11. Montréal
12. Rabat
13. Brazzaville

a. le Sénégal
b. l'Algérie
c. la Côte-d'Ivoire
d. le Congo
e. le Maroc
f. la Suisse
g. le Canada
h. le Zaïre
i. la France
j. la Tunisie
k. la Belgique
l. Haïti
m. la République de Madagascar

Activité 4. Quels pays?

Quels pays ou régions francophones associez-vous aux termes suivants?

1. le vin
2. les diamants
3. le bilinguisme
4. le siège du Marché commun
5. la vanille
6. le manioc
7. le cacao
8. les bananes
9. le café
10. le Parlement européen
11. les montres
12. la technologie

LES SYSTÈMES ÉCONOMIQUES ET POLITIQUES

ATTENTION! Voir Grammaire 14.3.

Si mon candidat avait fait une meilleure campagne, il aurait gagné les élections.

Il n'y aurait pas eu de coup militaire si le gouvernement avait pu améliorer la situation économique.

Je suis content que les terroristes aient libéré les otages sains et saufs.

Activité 5. Définitions: La politique

Cherchez la définition qui correspond à chacun de ces concepts. Commentez leur importance dans le monde actuel.

1. le capitalisme
2. la liberté de la presse
3. le socialisme
4. la démocratie
5. la liberté d'expression
6. le marxisme
7. le communisme
8. le totalitarisme
9. les medias
10. les syndicats
11. la grève
12. la dictature

a. Le peuple élit ses représentants au gouvernement.
b. Idéologie politique basée sur le concept de la propriété privée.
c. Idéologie inspirée des théories de Karl Marx.
d. Association à laquelle adhèrent les ouvriers et qui a pour but de défendre leurs intérêts professionnels.
e. Les salariés refusent de travailler afin d'obtenir des avantages matériels ou de meilleures conditions de travail.

f. Concentration de tous les pouvoirs entre les mains d'un individu.
g. La radio, la télévision, le cinéma, les revues, les journaux.
h. On peut exprimer ses opinions sans crainte de représailles.
i. Les journalistes peuvent critiquer librement les actions du gouvernement.
j. Régime à parti unique qui n'admet aucune opposition organisée et qui favorise la censure, la répression et la persécution.
k. Système politique inspiré du marxisme où tous les biens sont répartis et les classes sociales abolies.
l. Système de gouvernement qui entend faire prévaloir l'intérêt et le bien général en assistant les citoyens.

Activité 6. Les revendications politiques

Voici des sujets polémiques. A votre avis, est-ce que la majorité des Américains est pour ou contre ces affirmations? Expliquez votre réponse.

1. Notre budget militaire est largement suffisant pour couvrir nos besoins en armements.
2. Les minorités indiennes auraient pu participer plus activement dans la vie politique américaine.
3. L'avortement est un droit qui doit être à la portée de toutes les femmes.
4. La course aux armements est le résultat de la politique agressive menée par les forces armées américaines.
5. Sans l'appui des syndicats, les ouvriers et les paysans n'auraient jamais obtenu leurs revendications.
6. Le rôle le plus important d'une femme dans la vie reste celui de mère.
7. Par souci de protéger les droits des criminels, on en est arrivé à mieux protéger les leurs que ceux de leurs victimes.
8. Si le gouvernement mexicain avait résolu ses problèmes économiques, nous n'aurions pas autant d'immigration clandestine.
9. Il est peu probable que le déficit national soit comblé d'ici à la fin de l'année.
10. L'une des plus graves erreurs des États-Unis en matière de politique extérieure est d'avoir laissé Cuba aux communistes.

Activité 7. Pour qui allez-vous voter?

Le Dougan est une république imaginaire en Afrique occidentale. C'est un petit pays en voie de développement. Ses principales ressources sont le café et la vanille. Il est situé au bord de l'océan Atlantique. Le nord-est du pays est une région hostile et peu peuplée, recouverte d'une végétation équatoriale assez dense. Au centre s'élève un immense plateau fertile où sont concentrées la plupart des cultures. Au sud un arc montagneux très escarpé sert de frontière naturelle. Sa capitale, Grandeville, est une ville très pittoresque et un port commercial important.

Jouez avec des camarades de classe les rôles suivants: (1) un paysan pauvre, (2) un artisan, (3) un propriétaire agricole, (4) un commerçant. D'abord, vous devez vous présenter, puis dire pour lequel de ces candidats vous voterez lors des prochaines élections présidentielles. Expliquez pourquoi.

CANDIDAT A: Général Gérard Ngouandré. Soutient le régime militaire actuellement au pouvoir. Fervent anticommuniste et antimarxiste, il envisage même de fermer l'ambassade soviétique à Grandeville. Il est en faveur de conserver de bonnes relations avec les pays occidentaux, en particulier la France et les États-Unis. Il s'oppose à la réforme agraire; il considère qu'elle entraînerait une baisse de la production agricole et causerait la famine dans tout le pays. Il encouragera le libre échange mais s'opposera à la création de syndicats.

CANDIDAT B: Abel Kossou. Il s'oppose au régime militaire. Il est en faveur d'une réforme agraire modérée: «Nous devons répartir les terres d'une façon juste pour tous, mais sans affecter la production», a récemment déclaré le candidat. Il veut promouvoir l'artisanat et les industries locales, développer le commerce et augmenter les exportations à l'étranger. Il promet de renouer les liens avec les pays occidentaux, notamment la France, et d'obtenir de l'aide auprès des banques internationales. Il souhaiterait des sanctions capitales contre tous ceux qui s'opposeraient au retour à un système démocratique.

CANDIDAT C: Mamalou Bafoulabé. Chef des rebelles qui se sont soulevés contre le régime militaire. Il se proclame marxiste, mais assure qu'une fois au pouvoir il saura limiter l'influence russe. «Nous voulons enfin être libres, nous ne voulons appartenir à aucune puissance venue d'ailleurs, ni capitaliste, ni communiste», affirme-t-il. Il envisage de nationaliser les banques et de contrôler les exportations. Il assure que l'alphabétisation du pays sera l'une de ses priorités. Il refuse tout prêt des pays étrangers. «Nous ne voulons pas nous endetter encore plus avec les pays capitalistes», a-t-il déclaré dans son dernier discours.

NOTE CULTURELLE: La jeunesse actuelle

Bien que° les études supérieures soient gratuites en France, un quart seulement des jeunes Français de vingt à vingt-quatre ans entrent aujourd'hui dans l'enseignement supérieur. En comparaison, plus de la moitié des jeunes Américains du même âge y suivent leurs études.

Bien... *Although*

Les universités drainent la grande majorité des étudiants. *L'enseignement privé* supérieur ne représente qu'environ deux pour cent de l'effectif total. *Les Grandes Écoles*, quant à elles, sont très difficiles d'accès: il faut un bac avec mention, deux années de préparation et un concours° d'entrée national très compétitif. Parmi

competition

Une barricade dans les rues de Paris pendant les événements de mai 68. Les étudiants ont manifesté dans les rues pour demander des réformes dans l'enseignement universitaire. Il y a eu de violentes confrontations entre étudiants et forces de l'ordre.

tous ces étudiants, les fils d'ouvriers et d'agriculteurs continuent à n'être qu'une minorité.

Face à ces problèmes de sélection, économique ou académique, la politisation des jeunes Français est aujourd'hui très différente de celle de leurs aînés. Comme eux, ils croient toujours à l'efficacité des manifestations en tant° qu'instrument politique. Mais alors que la génération de 1968 s'attaquait directement au gouvernement et à la société, les jeunes d'aujourd'hui ont une action politique plus directement pratique. Ils défendent avant tout des valeurs morales, ils refusent des mesures injustes et inégalitaires, ils militent dans des organisations comme les associations de consommateurs, de défense des droits de l'homme, d'aide au tiers-monde.

en tant que *as*

Dans un pays où un chômeur° sur deux a moins de vingt-cinq ans, les jeunes ont tendance à s'éloigner de la politique de parti. Leur principale inquiétude est généralement la perspective d'une crise économique ou le manque de débouchés° professionnels. En conséquence, ils font plutôt confiance aux hommes de terrain qu'aux hommes politiques. La prolifération des écoles professionnelles en compétition avec l'enseignement supérieur témoigne de cet intérêt pour l'aspect pratique des problèmes qui les confrontent.

unemployed worker

openings

Selon les sondages, le sentiment de fidélité à la patrie est peu développé chez les jeunes d'aujourd'hui. Ils adhèrent par contre très fortement à l'idée de l'Europe, dans laquelle ils voient l'avenir. Cette génération a d'autres grandes causes: la majorité d'entre eux est prête à lutter° et à se sacrifier pour les droits de l'homme ou contre la faim dans le monde.

fight

Questions

1. Combien de jeunes Américains font des études supérieures? Combien de jeunes Français?
2. Dans quels types d'établissements peut-on faire des études supérieures en France? Lequel reçoit le plus d'étudiants?
3. Quelles sont les similarités et les différences essentielles qui existent entre la politisation des jeunes en 1968 et aujourd'hui?
4. Qu'est-ce qui inquiète les jeunes Français? Quelle est leur proportion parmi les chômeurs français?
5. Quels sont les trois grands idéaux de la jeunesse actuelle? Lequel ont-ils abandonné?

LES PROBLÈMES DE LA SOCIÉTÉ CONTEMPORAINE

ATTENTION! Voir Grammaire 14.4.

Quoiqu'en disent les politiciens, on est toujours à la merci d'une guerre nucléaire.

J'espère qu'on arrêtera la construction de réacteurs nucléaires avant qu'une catastrophe ne se produise.

On a interdit l'accès aux voitures au cœur de certaines villes afin que les piétons puissent mieux profiter des petites rues commerçantes.

Pourvu que le quartier où j'habite soit sûr, la ville m'importe peu.

La pollution de l'eau augmentera jusqu'à ce que le gouvernement prenne des sanctions contre les responsables.

La guerre est inévitable à moins que nous ne freinions la course aux armements.

Activité 8. Minidialogues

Complétez les dialogues suivants selon le modèle.

MODÈLE: É1: Jean, pourquoi portes-tu ces brassards phosphorescents?
É2: Pour que les voitures me voient. Ce soir je vais prendre mon vélo pour aller en ville.

1. É1: Il faut faire très attention car beaucoup de maisons ont été cambriolées dans le quartier récemment.
   É2: Tant que nous sommes à la maison, il n'y a pas de problème. Aucun voleur n'osera rentrer à condition que...
2. É1: Je suis sûr qu'ils vont augmenter le prix de l'essence.
   É2: Mais non. Ils ont dit aux informations qu'ils n'y toucheraient pas jusqu'à ce que...
3. É1: La pollution de l'environnement est chaque fois pire.
   É2: Oh, oui. Nous serons bientôt obligés de nous promener avec des masques à oxygène à moins que...
4. É1: Le candidat a promis l'impossible aux électeurs.
   É2: Oui, comme tout bon politicien. Ils promettent la lune afin de...

Activité 9. Les réactions

Voici quelques exclamations utiles.

Quelle horreur!	Quel malheur!	C'est vrai?
Il était temps!	C'est merveilleux!	C'est génial!
C'est la vie!	Formidable!	C'est inadmissible!
C'est super!	Chouette!	C'est révoltant!
C'est incroyable!	Pas possible!	Ça m'est égal!
Quel désastre!	Ça alors!	C'est pas vrai!

Vous écoutez les nouvelles à la radio. Vous entendez les informations suivantes. Comment réagissez-vous?

1. Les membres du Parlement européen ont déclaré que la création d'un État fédéral européen aurait lieu avant la fin de l'année.
2. Deux chercheurs américains viennent de découvrir un médicament qui permettrait de rajeunir.
3. Les Russes ont déclaré avoir reçu un message radio d'êtres extra-terrestres. Ils refusent de donner plus de détails pour le moment.
4. Il y a eu une fissure dans une centrale nucléaire au sud-ouest de la France. Bien que le niveau de radioactivité ne soit pas dangereux, les autorités locales ont entrepris l'évacuation du village voisin.
5. L'Assemblée nationale a voté une loi interdisant la circulation de voitures particulières dans plusieurs arrondissements parisiens. Ils espèrent ainsi lutter contre la pollution de l'air dans la capitale française.

Maintenant jouez le rôle du journaliste. Inventez une nouvelle extraordinaire pour faire réagir vos camarades de classe.

Activité 10. Débat: L'environnement

Avec vos camarades de classe discutez des problèmes qui menacent l'environnement. Décidez quelles sont les solutions possibles et quelles seraient les conséquences si aucune mesure n'est prise assez rapidement.

1. les déchets nucléaires
2. le gaspillage des sources d'énergie
3. la disparition d'espèces animales
4. la destruction des forêts
5. la surpopulation
6. la pollution des rivières

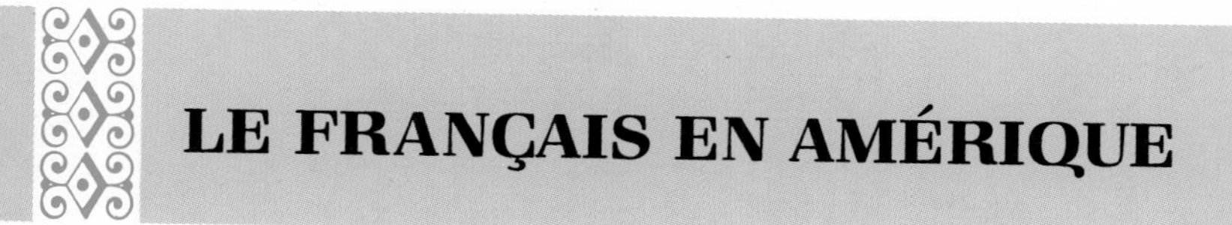

LE FRANÇAIS EN AMÉRIQUE

ATTENTION! Voir Grammaire 14.5.

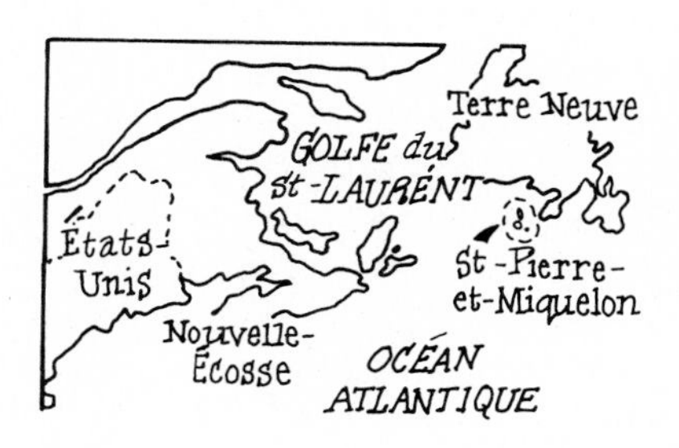

Saviez-vous que les îles de Saint-Pierre-et-Miquelon, découvertes par Jacques Cartier il y a plus de quatre cent cinquante ans, sont toujours territoire français?

—Où irez-vous pour Pâques cette année?
—A Tahiti. Nous irons découvrir les territoires français d'outre-mer.
—Tu en as de la chance! Il paraît que c'est si joli. Tu t'imagines, pouvoir contempler les paysages desquels Gauguin s'est inspiré!

—Regarde, Bernard! C'est merveilleux! On ne se croirait pas aux États-Unis. Partout en ville, on retrouve les traces de l'héritage français.
—Tu as raison. Mais ce que tu oublies c'est que La Nouvelle-Orléans et tout le territoire de Louisiane étaient français jusqu'au début du XIXème siècle.

Activité 11. La francophonie aux États-Unis

Jetez un coup d'œil sur cette carte des États-Unis.

1. Reconnaissez-vous certaines de ces villes? Qu'est-ce qu'elles ont de particulier?
2. Savez-vous ce que ces noms veulent dire? Connaissez-vous d'autres villes avec un nom français? Lesquelles? Pouvez-vous deviner leur origine?
3. Et vous, connaissez-vous les origines de vos ancêtres? Quand sont-ils venus aux États-Unis? Pourquoi? D'où venaient-ils?
4. A votre avis, qu'est-ce que vos ancêtres espéraient trouver en Amérique? Qu'est-ce qu'ils ont dû affronter à leur arrivée? Ont-ils laissé de la famille derrière eux? Ont-ils gardé des liens avec elle?
5. Parlez-vous la langue de vos ancêtres? Conservez-vous des traditions de leur pays d'origine? Lesquelles?
6. Aimeriez-vous faire un pèlerinage dans leur pays? Pourquoi?

Activité 12. L'influence française en Amérique

La présence française se fait encore sentir dans beaucoup de domaines. Associez les éléments pour retrouver l'information correcte.

1. La Louisiane et la Nouvelle-Angleterre sont deux régions...
2. Une grande variété d'épices c'est...
3. La Guadeloupe est l'île...
4. St-Pierre-et-Miquelon, c'est tout...
5. Mardi gras à La Nouvelle-Orléans est une fête...
6. CODOFIL et CODOFINE sont des organismes américains...
7. RSVP...
8. Montréal est une ville...

a. ce qui reste comme territoire français au Canada.
b. dans laquelle se trouve le volcan de la Soufrière.
c. pour laquelle on organise des bals masqués.
d. ce dont on a besoin pour préparer un bon gombo.
e. auxquels adhèrent beaucoup de descendants de Français.
f. dans lesquelles habitent beaucoup de descendants de Canadiens et de Français.
g. dont l'atmosphère reste très européenne.
h. c'est ce que l'on retrouve encore sur beaucoup d'invitations.

Vocabulaire

LA GÉOGRAPHIE ET L'HISTOIRE Geography and history

l'Acadie (*f.*)	Acadia
l'Afrique noire (*f.*)	Black Africa
l'Afrique occidentale (*f.*)	West Africa
la Nouvelle-Angleterre	New England
la Nouvelle-Calédonie	New Caledonia
le point culminant	peak, summit
la Polynésie française	French Polynesia
la terre	land
le volcan	volcano

Mots similaires: **les Antilles** (*f.*), **le bayou, le Congo, l'Indochine** (*f.*), **la Louisiane, le massif, le Mont-Blanc, l'océan Atlantique** (*m.*), **le plateau**

Révision: **la carte, l'étendue** (*f.*), **la forêt, l'île** (*f.*), **la mer, le monde, la montagne, le pays, la rivière**

LES SYSTÈMES POLITIQUES ET ÉCONOMIQUES Political and economic systems

l'ambassade (*f.*)	embassy
l'arrondissement (*m.*)	district, ward
l'Assemblée nationale (*f.*)	French National Assembly
le cabinet ministériel	advisory cabinet
la démocratie	democracy
la dictature	dictatorship
l'électeur (-trice) (*m., f.*)	voter
l'insurgé(e) (*m., f.*)	insurgent
le Marché commun	Common Market
le parlement	parliament
le parti	(political) party
la politique extérieure	foreign policy
le/la représentant(e)	representative
le syndicat	union

Mots similaires: **le/la candidat(e), le capitalisme, le communisme, le/la communiste, le coup (d'état), la décolonisation, les élections** (*f.*), **le général, le gouvernement, l'idéologie** (*f.*), **l'indépendance** (*f.*), **la libération, la liberté, la majorité, le marxisme, la minorité, le/la politicien(ne), le prince, le régime, la république, le socialisme, le totalitarisme**

Révision: **le droit, le gouvernement, la loi, le peuple, la politique**

QUESTIONS ET PROBLÈMES ACTUELS Current issues and problems

l'alphabétisation (*f.*)	literacy
la campagne	campaign
la censure	censorship
la centrale nucléaire	nuclear power station
les conditions de travail (*f.*)	work conditions
la course aux armements	arms race
le débat	debate

les déchets (nucléaires) (*m.*)	(nuclear) waste
le gaspillage	waste
la grève	strike
l'otage (*m.*)	hostage
les représailles (*f.*)	reprisal; retaliation
la revendication	claim, demand
la sécheresse	drought
la surpopulation	overpopulation

Mots similaires: **la catastrophe, le déficit, la destruction, l'environnement** (*m.*), **la famine, l'immigration** (*f.*), **la liberté d'expression, la liberté de la presse, la persécution, la radioactivité, le réacteur (nucléaire), la réforme, la répression, la sanction, le/la terroriste**

Révision: **l'avortement** (*m.*), **la conséquence, la drogue** (*f.*), **la guerre, l'opinion** (*f.*), **la solution**

LES PERSONNES ET LES PROFESSIONS People and professions

l'ancêtre (*m., f.*)	ancestor
l'artisan(e) (*m., f.*)	craftsman
l'auteur (*m.*)	author
le camionneur	truck driver
le/la commerçant(e)	shopkeeper
le/la compositeur (-trice)	composer
le/la drogué(e)	drug addict
l'être (*m.*)	being
l'homme (*m.*)/**la femme de lettres**	man/woman of letters, writer
l'individu (*m.*)	individual
le/la paysan(ne)	peasant
le peintre	painter
le/la pionnier (-iere)	pioneer
le/la propriétaire agricole	landowner
le/la responsable	the person responsible
le/la romancier (-ière)	novelist
le/la salarié(e)	salaried employee
le/la voleur (-euse)	thief

Mots similaires: **l'Acadien(ne)** (*m., f.*), **le/la Cajun, le/la descendant(e), le/la journaliste, le leader, le Maghreb, le/la rebelle, la victime**

Révision: **le/la criminel(le)**

CONJONCTIONS Conjunctions

à condition que	on the condition that
afin que	in order that, so that
à moins que	unless
après que	after
avant que	before
bien que	(al)though
jusqu'à ce que	until
pour que	so that
pourvu que	provided that
quoique	although, even though
sans que	without
tant que	as long as

VERBES Verbs

admettre	to admit, allow
affronter	to confront, face
améliorer	to improve
associer	to associate
en arriver à	to come to; to be reduced to
augmenter	to increase
citer	to quote
commenter	to comment (on)
se composer de	to be made up of
conserver	to keep
constituer	to constitute
contempler	to contemplate
couvrir	to cover
critiquer	to criticize
dépasser	to pass, go beyond
éclairer	to light (up)
s'élever	to rise (up)
s'endetter	to go into debt
entraîner	to bring about; to lead to
entreprendre	to undertake
exiger	to demand, require
se faire	to make oneself; to be(come)
se faire à	to become used to, get used to
faire du commerce	to trade, to do business
faire face à	to face
favoriser	to favor
freiner	to put a brake on; to check
il s'agit de	it's a question of

il est peu probable que	it's unlikely
s'imaginer	to imagine
importer	to be important
interdire	to forbid
jeter un coup d'œil (sur)	to glance (at), take a quick look (at)
libérer	to liberate
lutter	to fight
menacer	to threaten
nourrir	to feed
s'opposer à	to oppose
participer	to participate
pousser	to push
se présenter	to introduce oneself
prévaloir	to prevail
se proclamer	to proclaim (oneself)
se produire	to produce
promettre	to promise
promouvoir	to promote
rajeunir	to feel, look younger
réclamer	to demand, claim
renouer	to renew
rentrer	to go in; to come in
renverser	to overthrow
répartir	to divide (up)
résoudre	to resolve
retrouver	to discover; to find (again)
se soulever	to rise up (*in protest*)
soutenir	to support, back
se tirer de	to get oneself out (of)
voter	to vote (for)
vouloir dire	to mean, signify

Mots similaires: **adhérer, affecter, affirmer, assurer, causer, considérer, contrôler, définir, développer, encourager, limiter, nationaliser, paralyser, recommander**

Révision: **se droguer**

SUBSTANTIFS Nouns

l'aide (*f.*)	help, aid
l'amélioration (*f.*)	improvement
l'appui (*m.*)	support, backing
l'arrivée (*f.*)	arrival
l'artisanat (*m.*)	arts and crafts
l'assaut (*m.*)	assault
l'attentat (*m.*)	attack
l'augmentation (*f.*)	raise
les autorités (*f.*)	authorities
la baisse	lowering
le bal	ball (*dance*)
le bien général	general well-being
les biens (*m.*)	goods
le bilinguisme	bilingualism
le brassard	armband
le cacao	cocoa
les caisses (*f.*)	coffers
la capitale	capital (city)
le chef	leader
la crainte	fear
la crise	crisis
le dégât	damage
le discours	speech
la disparition	disappearance
les épices (*f.*)	spices
l'espèce (*f.*)	species
la fissure	crack
les forces armées (*f.*)	armed forces
la francophonie	French-speaking communities
la frontière	frontier, border
le libre échange	free trade
la lune	moon
le manioc	manioc, cassava
le message radio	radio signal
la mesure	measure, step
la métropole	metropolis
le nord-est	northeast
la nouvelle	piece of news
les nouvelles (*f.*)	news
le nymphéa	water lily
l'œuvre (*f.*)	work (*book, painting, etc.*)
le paysage	countryside
les pays occidentaux (*m.*)	western countries
le pèlerinage	pilgrimage
la plupart (de)	most; the majority
le port	harbor, port
le porte-parole	spokesperson
le pouvoir	power
le prêt	loan
le prix Goncourt	the Goncourt prize
la propriété	property
la puissance	power, strength
le retour	return
la revue	magazine; journal
le siècle	century

le sud-ouest southwest
la superficie surface
le territoire territory

Mots similaires: **l'académie** (*f.*), **l'accès** (*m.*), **l'agriculture** (*f.*), **l'amateur** (*m.*), **l'arc** (*m.*), **l'armée** (*f.*), **l'armement** (*m.*), **l'art** (*m.*), **l'association** (*f.*), **l'aviation** (*f.*), **la beauté, la classe sociale, la commémoration, la concentration, le concept, la construction, la création, la crédibilité, la culture, le danger, le domaine, l'élément** (*m.*), **l'énergie** (*f.*), **l'erreur** (*f.*), **l'évacuation** (*f.*), **l'exclamation** (*f.*), **l'exportation** (*f.*), **le gombo, l'héritage** (*m.*), **l'impossible** (*m.*), **l'industrie** (*f.*), **l'invitation** (*f.*), **le Mardi Gras, le masque, le mètre, le minidialogue, l'opposition** (*f.*), **l'organisme** (*m.*), **l'origine** (*f.*), **l'oxygène** (*m.*), **la population, la présence, la presse, la production, le pseudonyme, la réserve, la ressource, la rumeur, la série, la source, la stabilité, le succès, le talent, le terme, la théorie, la trace, la tradition, la vanille, la végétation**

LA DESCRIPTION Description

aboli(e) abolished
actuel(le) current, present
agraire agrarian
agricole agricultural
basé(e) based
cambriolé(e) broken into; burglarized
capital(e) major
clandestin(e) secret, clandestine
comblé(e) made good, made up
commerçant(e) shopping; with many shops
concentré(e) concentrated
contesté(e) controversial
créé(e) created
découvert(e) discovered
dépaysé(e) like a fish out of water; ill at ease
élevé(e) high
éloigné(e) distant
escarpé(e) steep
étendu(e) extensive, large
expulsé(e) deported
extérieur(e) external, foreign
fameux (-euse) famous
illicite illegal
infranchissable impassable
interdit(e) forbidden
juste just, fair
mené(e) led
militaire military
modéré(e) moderate
mondial(e) world; worldwide
montagneux (-euse) mountainous
né(e) born
occidental(e) western
d'outre-mer overseas
particulier (-ière) particular; private
pauvre poor
peuplé(e) populated
pire worse
privé(e) private
qualifié(e) (de) described (as)
reconnu(e) recognized
réparti(e) distributed
réuni(e) together
situé(e) situated
soviétique Soviet
suffisant(e) sufficient
sûr(e) safe
surnommé(e) surnamed
traduit(e) translated
vide empty
vive... hurrah for, long live . . .
voisin(e) neighboring

Mots similaires: **acadien(ne), agressif (-ive), animal(e), anticommuniste, antimarxiste, capitaliste, capturé(e), commercial(e), communiste, démocratique, dense, économique, équatorial(e), extraordinaire, extra-terrestre, Fahrenheit, fertile, fervent(e), franco-américain(e), général(e), hostile, imaginaire, immense, impressionniste, indien(ne), inévitable, inspiré(e), local(e), marxiste, masculin(e), masqué(e), minéral(e), national(e), obligé(e), officiel(le), organisé(e), phosphorescent(e), placé(e), présidentiel(le), terroriste, unique**

ADVERBES Adverbs

activement actively
actuellement nowadays; currently
ainsi in this way
certes certainly
considérablement considerably

environ	about, approximately
haut	highly
largement	plenty, more than enough
librement	freely
même	even
notamment	notably

MOTS ET EXPRESSIONS UTILES Useful words and expressions

à la merci de	at the mercy of
à la portée de	within reach
afin de (+ *infinitif*)	in order to (*do something*)
après tout	after all
au centre de	in the middle
au cœur de	in the heart, center of
au contraire	on the contrary
au pouvoir	in power
auprès de	with
Ça alors!	You don't say!
Ça m'est égal!	It doesn't matter (to me)!
C'est génial!	That's fantastic! That's great!
C'est inadmissible!	That's unthinkable!
C'est incroyable!	That's unbelievable!
C'est la vie!	That's life!
C'est merveilleux!	That's wonderful!
C'est révoltant!	How appalling!
C'est super!	That's terrific! That's great!
C'est vrai?	Really?
chaque fois pire	worse and worse
Chouette!	Great!
dans l'ensemble	on the whole; overall
de façon	in a way
de particulier	in particular
en matière de	as regards, regarding
en particulier	in particular
en visite	visiting
en voie de développement	developing
Formidable!	Fantastic! Great!
Il était temps!	It's about time!
jusqu'à présent	until now
on ne se croirait pas	you wouldn't believe (expect) it
or	now (*general sense*); *not translated* (*discourse marker*)
par souci de	out of concern for
Pas possible!	Well, I never! It's out of the question!
pour le moment	for the moment
Quel désastre!	What a disaster!
Quelle horreur!	How awful! How dreadful!
Quel malheur!	What a pain!
RSVP (***répondez s'il vous plaît***)	please reply
sain et sauf	safe and sound

NOTE CULTURELLE: La France aujourd'hui

La Statue de la Liberté a été la vedette d'immenses réjouissances° populaires à l'occasion de son centenaire, en juillet 1986. Des millions de personnes sont venues la voir et acclamer le plus grand feu d'artifice° jamais donné aux États-Unis. Lorsque Ronald Reagan a rallumé sa torche, éteinte durant sa restauration, le président français, François Mitterrand, était à ses côtés pour rappeler que la statue était un don° du peuple français, un symbole de la participation française à l'indépendance américaine. Mais combien de ceux qui ont vu ces célébrations savent-ils que la statue est née des bouleversements° d'une guerre?

festivities
feu... *fireworks display*
gift
upset, turmoil

Cette guerre, c'est la guerre franco-prussienne qui se termina en 1871 par une défaite française. L'une de ses graves conséquences fut l'annexion de l'Alsace à l'Allemagne. Cette expérience bouleversa° les Alsaciens et parmi eux, Frédéric-Auguste Bartholdi, un jeune artiste qui avait étudié l'architecture. Il s'embarqua pour les États-Unis. Là, il trouva un pays grandiose et un site qui lui sembla être le cadre° parfait pour l'un de ses rêves, une statue monumentale, à la manière antique. Le concept de cette statue prit forme au cours de son séjour: une femme calme et sereine représentant la liberté éclairant le monde.

upset
setting

De retour en France, il lança un appel° de fonds. La statue serait financée par une souscription publique française. Son armature fut construite par Alexandre Gustave Eiffel, l'ingénieur de la tour parisienne qui n'existait pas encore. La statue arriva enfin le 17 mai 1885. Son arrivée coïncida avec celle d'un nombre sans précédent d'immigrants, et elle devint° bientôt pour ces millions de réfugiés fuyant les persécutions, la personnification d'un lieu de refuge et de liberté.

call, plea
became

En France, la liberté n'était pas encore un fait acquis. Et 1914 annonça à nouveau la guerre. Avec l'aide de ses alliés anglais, belges, américains et italiens, la France vainquit l'Allemagne, et l'Alsace et la Lorraine redevinrent françaises. Mais à quel prix! Plus d'un million de Français furent tués. Le pays se releva, ainsi que les espoirs de paix. Pendant ces «Années folles», pleines d'euphorie, Paris redevint un foyer culturel, le rendez-vous des intellectuels et des artistes, parmi eux de nombreux américains, Hemingway, Fitzgerald et Miller.

Mais, en 1933, Hitler arriva au pouvoir en Allemagne. En 1938 et 1939, il annexa l'Autriche, envahit la Tchécoslovaquie, puis la Pologne. La Seconde Guerre mondiale éclata. Hitler attaqua les Pays-Bas, la Belgique. L'armée française fut détruite en six semaines. Les deux tiers du pays furent occupés. Peu à peu, la Résistance française s'organisa. Le débarquement des troupes anglo-américaines en 1944 força l'armée allemande à battre en retraite. Paris fut libéré. La guerre était finie mais la France était encore une fois terriblement affaiblie.° *weakened*

Cette époque de l'après-guerre fut marquée par les philosophes existentialistes, Jean-Paul Sartre et Marcel Camus, qui révélèrent dans leurs œuvres l'absurdité du monde. Le général Charles de Gaulle, l'un des chefs de la Résistance, créa un régime nouveau avec un pouvoir exécutif très fort. Il fut réélu en 1965. En 1969, Georges Pompidou lui succéda, puis Valéry Giscard d'Estaing en 1974, et François Mitterrand, un président socialiste, en 1981. Aujourd'hui, la France est à nouveau un pays dynamique, en bonne position parmi les grandes puissances° occidentales. *powers*

A l'heure où la Liberté fêtait son centième anniversaire, le rêve de paix de son créateur est enfin devenue une réalité. L'Europe est aujourd'hui une vaste communauté de plus de 200 millions de personnes qui ont un parlement, une monnaie, un passeport communs. L'Alsace est redevenue française voilà° soixante-dix ans. Et des répliques de la statue, maintenant légendaire, s'élèvent partout dans le monde de Bangkok à Rio de Janeiro, célébrant partout cette liberté qu'elle a si bien représentée. il y a

Questions

1. Quel anniversaire a-t-on fêté à New York, le 4 juillet 1986? Pourquoi était-il si important?
2. Qui était Bartholdi et pourquoi est-il parti pour les États-Unis?
3. Quel était le rêve de Bartholdi? Comment s'est-il réalisé?
4. Comment la France a-t-elle changé depuis l'époque de Bartholdi? et l'Europe? et l'Alsace?

14.1. *De-emphasizing the Subject: The Passive Voice*

A. As you know, the indefinite pronoun subject **on** is frequently used when the speaker does not want to name specific people (Grammar Section 1.2).*

On y va? Je suis fatiguée!
Shall we go? I'm tired!

B. The subject can also be "backgrounded" by using the passive voice construction, which is formed in French with the verb **être** plus a past participle.

Les discours du président **sont écoutés** tous les dimanches à huit heures du soir.
The president's speeches are heard every Sunday at eight in the evening.

In the spoken language, the passive voice is less often used than its English equivalent, but you will frequently see it used in written French. The verb **être** can be used in any tense.

L'indépendance de la République **sera déclarée** demain à dix-sept heures trente.
The independence of the republic will be declared tomorrow at five-thirty P.M.

Exercice 1

Changez les phrases de la voix passive à la voix active.

MODÈLE: La Résistance française a été organisée par le Général de Gaulle. → Le Général de Gaulle a organisé la Résistance française.

1. Ce refuge en montagne est entretenu par le gouvernement français et le Club Alpin.
2. Le gruyère est fait en Savoie et en Suisse.
3. La Gaule, ancien nom de la France, a été conquise par les Romains.
4. Versailles a été construit sous les ordres de Louis XIV par l'architecte Le Vaux.
5. L'université de Paris a été fondée au XIIIème siècle. (On...)

---

*The reflexive pronoun **se** can also be used with a verb to express an indefinite or impersonal meaning.

Ça ne **se fait** pas ici. *You don't do that here.*
Où **se vendent** ces nouveaux skis? *Where do they sell those new skis?*

14.2. *Expressing Simultaneous Activities:* ***en*** + Present Participle

A. To indicate that two activites are carried out simultaneously, French speakers often use the conjunctions **pendant que** (*while*) or **quand** (*when*).

Pendant que le roi parlait avec ses ministres, Napoléon préparait l'invasion.
While the king was speaking with his cabinet members, Napoleon was preparing the invasion.

B. It is also possible to use the preposition **en** plus a present participle. However, this construction is less common and leads to a "heavy" style.

C'est **en lisant** le journal que le président a découvert l'ampleur de la crise.
It was while reading the newspaper that the president discovered the magnitude of the crisis.

C. The present participle of most verbs is formed by using the stem of the **nous** form with the ending **-ant.**

parler: **parl**ons	parlant
attendre: **attend**ons	attendant
partir: **part**ons	partant
finir: **finiss**ons	finissant
boire: **buv**ons	buvant

Le roi a commencé son discours **en portant** un toast à son invité.
The king began his speech by proposing a toast to his guest.

Three verbs have irregular present participles.

avoir: **ayant** être: **étant** savoir: **sachant**

Exercice 2

En mai 68,* les étudiants et les ouvriers se sont alliés pour obtenir des changements. Comment ont-ils protesté contre le gouvernement? Suivez le modèle.

MODÈLE: Ont-ils manifesté contre le système d'enseignement? →
Oui, ils ont protesté en manifestant.

1. Ont-ils chanté des slogans?
2. Sont-ils descendus dans les rues?
3. Ont-ils fait la grève?
4. Ont-ils dressé (*erected*) des barricades?
5. Ont-ils lancé des pavés (*stones*)?

---

*In May of 1968, many French university students, joined later by workers from major labor unions, started a strike to protest the harsher aspects of the university curriculum. The strike brought the country to a standstill, nearly toppled the government, and became a social and political event whose implications reached beyond the university walls.

14.3. *Past Hypothetical Conditions with* **si:** *The Conditional Perfect*

A. Remember that hypothetical conditions in the present are expressed with **si** plus the **imparfait** and the conditional in the main clause (Grammar Section 11.5).

Si j'**avais** le temps, je **lirais** les nouvelles politiques plus souvent.
If I had the time, I would read political news more often.

B. Hypothetical conditions in the past are expressed with perfect forms: **si** plus the **plus-que-parfait** followed by the conditional perfect.

Je crois que le président **aurait gagné** les élections s'il **avait lancé** un appel à la télévision.
I believe that the president would have won the election if he had made a television appeal.

C. Here are the forms of the conditional perfect (**le conditionnel passé**), which consist of the conditional of the auxiliary verbs **avoir** or **être** plus the past participle.

j' **aurais** fini	je **serais** arrivé(e)
tu **aurais** fini	tu **serais** arrivé(e)
il/elle/on **aurait** fini	il/elle/on **serait** arrivé(e)
nous **aurions** fini	nous **serions** arrivé(e)s
vous **auriez** fini	vous **seriez** arrivé(e)(s)
ils/elles **auraient** fini	ils/elles **seraient** arrivé(e)s

Les terroristes n'**auraient** pas si bien **réussi** à frapper l'opinion publique, si les journaux ne leur **avaient** pas **donné** la publicité qu'ils cherchaient.
The terrorists would not have succeeded so well in shaking up public opinion if newspapers hadn't given them the publicity they wanted.

Exercice 3

Remplacez les tirets par la forme correcte du verbe au conditionnel passé.

MODÈLE: Si les Français n'avaient pas colonisé le Viêt-nam, les Vietnamiens n'**auraient** pas étudié le français.

1. Si le Premier ministre n'avait pas imposé cette loi, les étudiants _____ (*ne pas se révolter*).
2. Si Mitterrand avait été membre de l'Union pour la Démocratie Française, le parti socialiste et le parti communiste _____ (*former*) les partis d'opposition.
3. Si Paloma Picasso n'avait pas fondé le nouveau musée Picasso, les Parisiens _____ (*ne pas pouvoir*) admirer ses œuvres.
4. Si les terroristes n'avaient pas attaqué des innocents, les journaux leur _____ (*ne pas accorder*) autant de publicité.

5. Si les transports publics ne s'étaient pas mis en grève, les Parisiens (*arriver*) à l'heure au travail.
6. Si les femmes n'avaient pas obtenu le droit de vote il y a plus de quarante ans, elles (*ne pas pouvoir*) améliorer leur condition sociale.

14.4. *The Subjunctive with Adverbial Conjunctions*

A. Several French conjunctions require a subjunctive verb in the clause they introduce. The two clauses of the sentence generally have different subjects. These conjunctions fall into two categories: time conjunctions and purpose conjunctions.

- Time Conjunctions*

The subjunctive tenses (present or past) are always used with the conjunctions **avant que** (*before* someone does something or something happens) and **jusqu'à ce que** (*until* someone does something or something happens).

La guerre a éclaté **avant qu**'on ne **puisse** signer le traité.
The war broke out before they were able to sign the treaty.

Le Secrétaire de l'Industrie va continuer à réclamer une audience **jusqu'à ce que** le Ministre du Commerce **veuille** bien la lui accorder.
The Secretary of Industry will continue to request an audience until the Minister of Commerce agrees to grant it to him.

Note, as in the first example above, that the word **ne** is sometimes used in the clause following **avant que; ne** does not signal negation in this context.

- Purpose Conjunctions

The subjunctive (present or past) is required in clauses introduced by conjunctions of purpose, concession, and condition. The most common are **afin que/pour que** (*so that*), **bien que/quoique** (*even though, although*), **à moins que** (*unless*), **pourvu que/à condition que** (*provided that*), and **sans que** (*without*).

Je pense qu'une guerre nucléaire sera inévitable **à moins que** les Américains et les Russes ne **reconnaissent** le droit des autres nations à choisir leur propre système économique et leur forme de gouvernement.
I think nuclear war will be inevitable unless the American and Soviet people accept the right of other nations to choose their own economic system and form of government.

---

*Remember (Grammar Section 12.5) that the **futur antérieur** is often used in clauses that begin with the time conjunctions **quand, lorsque, dès que,** and **aussitôt.**

La Révolution a eu lieu **afin que** les pauvres **puissent** obtenir le droit à l'éducation et au travail.
The Revolution was fought so that the poor might have the opportunity for education and jobs.

Remember that **pourvu que, bien que, quoique,** and **jusqu'à ce que** are always followed by conjugated verb forms.

Exercice 4

Complétez les phrases de façon logique en choisissant une des conjonctions suivantes: **lorsque, avant que, jusqu'à ce que.**

MODÈLE: Les industries continueront à polluer jusqu'à ce que le gouvernement les oblige à payer de fortes amendes.

1. Il faut que les gouvernements des pays tropicaux arrêtent de développer certaines zones _____ ils ne détruisent toute la forêt tropicale et l'équilibre du climat.
2. La Suisse devra renoncer à sa neutralité économique _____ elle fera partie du Marché commun.
3. La terre s'échauffera progressivement _____ nous réduisions la pollution de l'atmosphère.
4. Des milliers d'insectes tropicaux disparaîtront _____ l'homme ne les connaisse.
5. Le paysage européen ressemblera à un désert _____ les déchets industriels tueront des forêts entières.

Exercice 5

Combinez les deux phrases en utilisant la conjonction de but ou de condition suggérée. Attention au temps du verbe dans la subordonnée.

MODÈLE: Je vais aller à la manifestation. Tu y vas aussi. (pourvu que) →
Je vais aller à la manifestation pourvu que tu y ailles aussi.

1. Le pape utilise des symboles. Le peuple chilien se rend compte du soutien de l'Église. (pour que)
2. Le mur de Berlin reste debout. Les habitants de Berlin-Est et ceux de Berlin-Ouest souffrent de la séparation. (quoique)
3. Le Tchad a vaincu les forces lybiennes. Celles-ci étaient bien supérieures en nombre. (bien que)
4. L'URSS a changé de stratégie dans ses rapports avec les États-Unis. Les deux pays ont obtenu des garanties de «sécurité commune». (sans que)
5. Les banques ont créé de nouveaux marchés. Les particuliers (*individual investors*) peuvent investir leur argent directement. (afin que)

6. Le ministre a voulu faire passer cette loi. Les journaux commentaient la résistance profonde des étudiants à cette loi. (quoique)
7. Le Minitel est apparu dans chaque famille. Les loisirs des Français ont changé. (sans que)

14.5. *Relative Pronouns:* ***lequel; ce qui/que; ce dont***

A. When a subordinate clause begins with a preposition, the relative pronouns **lequel, laquelle, lesquels,** and **lesquelles** are used to replace nouns that refer to things or ideas.

Voilà la solution **à laquelle** je pensais.
There's the solution I was thinking about.

Nouns that refer to people are usually replaced by **qui,** although a form of **lequel** can be used.

Tu sais que je connais très bien la jeune fille avec **qui** (**laquelle**) tu te promenais hier soir.
You realize that I know the young lady you were taking a walk with yesterday evening very well.

B. Here are the obligatory contractions of the forms of the relative pronoun **lequel** with **à** and **de.**

à	auquel	à laquelle	auxquels	auxquelles
de	duquel	de laquelle	desquels	desquelles

L'hôtel **auquel** j'ai écrit est à la Guadeloupe.
The hotel that I wrote to is in Guadeloupe.

C. The relative pronouns **ce qui** and **ce que** refer to ideas or subjects that are unspecified and have no gender or number. **Ce qui** is used as a subject, **ce que** as an object.

Il ne faut pas croire tout **ce que** dit le gouvernement.
One shouldn't believe everything that the government says.

Le déficit budgétaire, c'est **ce qui** préoccupe le plus le président.
The budgetary deficit—that's what's (*it's that which is*) *bothering the president the most.*

D. **Ce qui** and **ce que** also express English *what* (meaning *that which*).

Ce que vous venez de me dire est vraiment incroyable.
What (*That which*) *you have just told me is really unbelievable.*

E. Remember (Grammar Section 9.1) that **dont** is the relative pronoun used with specific nouns when the verbal expression that follows it includes **de.**

C'est celle-ci, la loi **dont** vous me parliez?
Is that the law that you were talking to me about?

The phrase **ce dont** refers to general (unspecified) ideas when the verbal expression includes **de.**

Ce dont vous me parliez tout à l'heure ne peut pas continuer.
What (The situation that) you were talking to me about a moment ago cannot continue.

Exercice 6

Remplacez les tirets par **qui, que, à qui, dont** ou une préposition (**à, de, dans, pour**) suivie d'une forme de **lequel.**

1. La Louisiane est un état ____ je ne connais pas et ____ m'intéresse beaucoup.
2. Lorsque tu dis qu'un grand homme de guerre a vendu la Louisiane aux États-Unis, ____ penses-tu?
3. Il existe des villes américaines ____ les pionniers ont donné un nom français. Connais-tu La Porte au Texas ou bien Lac qui Parle dans le Minnesota?
4. Les Anglais ont envahi la Nouvelle-France et expulsé les Acadiens du Canada; c'est la raison ____ on trouve de nos jours les descendants des Acadiens, les Cajuns, en Louisiane.
5. Saint-Pierre-et-Miquelon sont des îles au sud de Terre-Neuve ____ vivent plus de six mille Français.
6. Je voudrais tellement aller à La Nouvelle-Orléans pour voir le Carnaval ____ tu m'as tant parlé!

Exercice 7

Remplacez les tirets par **ce qui, ce que** ou **ce dont.**

1. ____ se porte à Dakar n'est pas très différent de ____ portent les Parisiennes.
2. ____ les Ivoiriens n'ont pas besoin, c'est de cultiver plus d'ananas.
3. ____ mangent les Algériens, le couscous, se compose de viande, de légumes, de semoule de blé et d'épices.
4. ____ les Zaïrois sont fiers, c'est de leur nationalité. En cela, ils ressemblent aux Français.
5. ____ se dit au Québec ne se dit pas nécessairement en France.
6. ____ offre Tahiti, la plage, les palmiers, la brise douce, fait rêver les Français.

APPENDIX A

THE PASSÉ SIMPLE

The **passé simple** is a past tense often used in printed narrative materials such as historical and literary works, and in newspapers and magazines. It is not a conversational tense. Verbs that would be used in the **passé composé** in informal writing, business, or personal mail are in the **passé simple** in the literary or very formal style. You may want to learn to recognize the forms of the **passé simple** for reading purposes. The **passé simple** of regular **-er** verbs is formed by adding the endings **-ai, -as, -a, -âmes, -âtes, -èrent** to the verb stem. The endings for **-ir** and **-re** verbs are **-is, -is, -it, -îmes, -îtes, -irent.**

	parler	**finir**	**perdre**
je	parlai	finis	perdis
tu	parlas	finis	perdis
il/elle/on	parla	finit	perdit
nous	parlâmes	finîmes	perdîmes
vous	parlâtes	finîtes	perdîtes
ils/elles	parlèrent	finirent	perdirent

Here is the **passé simple** of the verbs **avoir** and **être.**

	avoir	**être**
j', je	eus	fus
tu	eus	fus
il/elle/on	eut	fut
nous	eûmes	fûmes
vous	eûtes	fûtes
ils/elles	eurent	furent

Here is the third person singular form (**il/elle/on**) of some verbs that are irregular in the **passé simple.** The whole conjugation can be found in Appendice B.

infinitive	**passé simple**
boire	il but
connaître	il connut
courir	il courut
croire	il crut
devoir	il dut
dire	il dit
falloir	il fallut
lire	il lut
mettre	il mit
plaire	il plut
pleuvoir	il plut
pouvoir	il put
prendre	il prit
rire	il rit
savoir	il sut
suivre	il suivit
valoir	il valut
vouloir	il voulut

APPENDIX B

CONJUGATION OF VERBS

a. Auxiliary verbs

VERB	INDICATIVE				CONDITIONAL	SUBJUNCTIVE	IMPERATIVE
	PRESENT	IMPERFECT	PASSÉ SIMPLE	FUTURE	PRESENT	PRESENT	
avoir[1]	ai	avais	eus	aurai	aurais	aie	
(*to have*)	as	avais	eus	auras	aurais	aies	aie
ayant	a	avait	eut	aura	aurait	ait	
eu	avons	avions	eûmes	aurons	aurions	ayons	ayons
(avoir)	avez	aviez	eûtes	aurez	auriez	ayez	ayez
	ont	avaient	eurent	auront	auraient	aient	
	PASSÉ COMPOSÉ	PLUPERFECT	FUTURE PERFECT		PAST	PAST	
	ai eu	avais eu	aurai eu		aurais eu	aie eu	
	as eu	avais eu	auras eu		aurais eu	aies eu	
	a eu	avait eu	aura eu		aurait eu	ait eu	
	avons eu	avions eu	aurons eu		aurions eu	ayons eu	
	avez eu	aviez eu	aurez eu		auriez eu	ayez eu	
	ont eu	avaient eu	auront eu		auraient eu	aient eu	
	PRESENT	IMPERFECT	PASSÉ SIMPLE	FUTURE	PRESENT	PRESENT	
être	suis	étais	fus	serai	serais	sois	
(*to be*)	es	étais	fus	seras	serais	sois	sois
étant	est	était	fut	sera	serait	soit	
été	sommes	étions	fûmes	serons	serions	soyons	soyons
(avoir)	êtes	étiez	fûtes	serez	seriez	soyez	soyez
	sont	étaient	furent	seront	seraient	soient	
	PASSÉ COMPOSÉ	PLUPERFECT	FUTURE PERFECT		PAST	PAST	
	ai été	avais été	aurai été		aurais été	aie été	
	as été	avais été	auras été		aurais été	aies été	
	a été	avait été	aura été		aurait été	ait été	
	avons été	avions été	aurons été		aurions été	ayons été	
	avez été	aviez été	aurez été		auriez été	ayez été	
	ont été	avaient été	auront été		auraient été	aient été	

[1]The left-hand column of each chart contains the infinitive, the present participle, the past participle of the verb, and (in parentheses) the auxiliary necessary for the perfect tenses. Conjugated verbs are shown without subject pronouns.

b. Regular transitive verbs

VERB	INDICATIVE				CONDITIONAL	SUBJUNCTIVE	IMPERATIVE
-*er* VERBS	PRESENT	IMPERFECT	PASSÉ SIMPLE	FUTURE	PRESENT	PRESENT	
parler	parle	parlais	parlai	parlerai	parlerais	parle	
(*to speak*)	parles	parlais	parlas	parleras	parlerais	parles	parle
parlant	parle	parlait	parla	parlera	parlerait	parle	
parlé	parlons	parlions	parlâmes	parlerons	parlerions	parlions	parlons
(avoir)	parlez	parliez	parlâtes	parlerez	parleriez	parliez	parlez
	parlent	parlaient	parlèrent	parleront	parleraient	parlent	
-*ir* VERBS	PRESENT	IMPERFECT	PASSÉ SIMPLE	FUTURE	PRESENT	PRESENT	
finir	finis	finissais	finis	finirai	finirais	finisse	
(*to finish*)	finis	finissais	finis	finiras	finirais	finisses	finis
finissant	finit	finissait	finit	finira	finirait	finisse	
fini	finissons	finissions	finîmes	finirons	finirions	finissions	finissons
(avoir)	finissez	finissiez	finîtes	finirez	finiriez	finissiez	finissez
	finissent	finissaient	finirent	finiront	finiraient	finissent	
-*re* VERBS	PRESENT	IMPERFECT	PASSÉ SIMPLE	FUTURE	PRESENT	PRESENT	
perdre	perds	perdais	perdis	perdrai	perdrais	perde	
(*to lose*)	perds	perdais	perdis	perdras	perdrais	perdes	perds
perdant	perd	perdait	perdit	perdra	perdrait	perde	
perdu	perdons	perdions	perdîmes	perdrons	perdrions	perdions	perdons
(avoir)	perdez	perdiez	perdîtes	perdrez	perdriez	perdiez	perdez
	perdent	perdaient	perdirent	perdront	perdraient	perdent	

c. Regular transitive verbs: Perfect tenses

	INDICATIVE						CONDITIONAL		SUBJUNCTIVE	
	PASSÉ COMPOSÉ		PLUPERFECT		FUTURE PERFECT		PAST		PAST	
	ai		avais		aurai		aurais		aie	
	as	parlé	avais	parlé	auras	parlé	aurais	parlé	aies	parlé
	a	fini	avait	fini	aura	fini	aurait	fini	ait	fini
	avons	perdu	avions	perdu	aurons	perdu	aurions	perdu	ayons	perdu
	avez		aviez		aurez		auriez		ayez	
	ont		avaient		auront		auraient		aient	

d. Intransitive verbs (conjugated with *être*[1])

VERB	INDICATIVE				CONDITIONAL	SUBJUNCTIVE	IMPERATIVE
	PRESENT	IMPERFECT	PASSÉ SIMPLE	FUTURE	PRESENT	PRESENT	
entrer	entre	entrais	entrai	entrerai	entrerais	entre	
(*to enter*)	entres	entrais	entras	entreras	entrerais	entres	entre
entrant	entre	entrait	entra	entrera	entrerait	entre	
entré	entrons	entrions	entrâmes	entrerons	entrerions	entrions	entrons
(être)	entrez	entriez	entrâtes	entrerez	entreriez	entriez	entrez
	entrent	entraient	entrèrent	entreront	entreraient	entrent	
	PASSÉ COMPOSÉ	PLUPERFECT	FUTURE PERFECT		PAST	PAST	
	suis entré(e)	étais entré(e)	serai entré(e)		serais entré(e)	sois entré(e)	
	es entré(e)	étais entré(e)	seras entré(e)		serais entré(e)	sois entré(e)	
	est entré(e)	était entré(e)	sera entré(e)		serait entré(e)	soit entré(e)	
	sommes entré(e)s	étions entré(e)s	serons entré(e)s		serions entré(e)s	soyons entré(e)s	
	êtes entré(e)(s)	étiez entré(e)(s)	serez entré(e)(s)		seriez entré(e)(s)	soyez entré(e)(s)	
	sont entré(e)s	étaient entré(e)s	seront entré(e)		seraient entré(e)s	soient entré(e)s	

e. Pronominal verbs (conjugated with *être*)

VERB	INDICATIVE				CONDITIONAL	SUBJUNCTIVE	IMPERATIVE
	PRESENT	IMPERFECT	PASSÉ SIMPLE	FUTURE	PRESENT	PRESENT	
pronominal	me lave	me lavais	me lavai	me laverai	me laverais	me lave	
verb	te laves	te lavais	te lavas	te laveras	te laverais	te laves	lave-toi
	se lave	se lavait	se lava	se lavera	se laverait	se lave	
se laver	nous lavons	nous lavions	nous lavâmes	nous laverons	nouslaverions	nous lavions	lavons-nous
(*to wash*)	vous lavez	vous laviez	vous lavâtes	vous laverez	vous laveriez	vous laviez	lavez-vous
se lavant	se lavent	se lavaient	se lavèrent	se laveront	se laveraient	se lavent	
lavé	PASSÉ COMPOSÉ	PLUPERFECT	FUTURE PERFECT		PAST	PAST	
(être)	me suis lavé(e)	m'étais lavé(e)	me serai lavé(e)		me serais lavé(e)	me sois lavé(e)	
	t'es lavé(e)	t'étais lavé(e)	te seras lavé(e)		te serais lavé(e)	te sois lavé(e)	
	s'est lavé(e)	s'était lavé(e)	se sera lavé(e)		se serait lavé(e)	se soit lavé(e)	
	nous sommes lavé(e)s	nous étions lavé(e)s	nous serons lavé(e)s		nous serions lavé(e)s	nous soyons lavé(e)s	
	vous êtes lavé(e)(s)	vous étiez lavé(e)(s)	vous serez lavé(e)(s)		vous seriez lavé(e)(s)	vous soyez lavé(e)(s)	
	se sont lavé(e)s	s'étaient lavé(e)s	se seront lavé(e)s		se seraient lavé(e)s	se soient lavé(e)s	

[1]Other intransitive verbs conjugated with **être** in compound tenses are **aller, arriver, descendre, devenir, monter, mourir, naître, partir** (**repartir**), **passer, rentrer, rester, retourner, revenir, sortir, tomber,** and **venir.** Note that **descendre, monter, passer, retourner,** and **sortir** may sometimes be used as transitive verbs (i.e., with a direct object), in which case they are conjugated with **avoir** in compound tenses.

f. Stem-changing verbs

VERB	INDICATIVE					CONDITIONAL	SUBJUNCTIVE	IMPERATIVE
	PRESENT	IMPERFECT	PASSÉ COMPOSÉ	PASSÉ SIMPLE	FUTURE	PRESENT	PRESENT	
commencer[1]	commence	commençais	ai commencé	commençai	commencerai	commencerais	commence	
(*to begin*)	commences	commençais	as commencé	commenças	commenceras	commencerais	commences	commence
commençant	commence	commençait	a commencé	commença	commencera	commencerait	commence	
commencé	commençons	commencions	avons commencé	commençâmes	commencerons	commencerions	commencions	commençons
(avoir)	commencez	commenciez	avez commencé	commençâtes	commencerez	commencierez	commenciez	commencez
	commencent	commençaient	ont commencé	commencèrent	commenceront	commenceraient	commencent	
manger[2]	mange	mangeais	ai mangé	mangeai	mangerai	mangerais	mange	
(*to eat*)	manges	mangeais	as mangé	mangeas	mangeras	mangerais	manges	mange
mangeant	mange	mangeait	a mangé	mangea	mangera	mangerait	mange	
mangé	mangeons	mangions	avons mangé	mangeâmes	mangerons	mangerions	mangions	mangeons
(avoir)	mangez	mangiez	avez mangé	mangeâtes	mangerez	mangeriez	mangiez	mangez
	mangent	mangeaient	ont mangé	mangèrent	mangeront	mangeraient	mangent	
appeler[3]	appelle	appelais	ai appelé	appelai	appellerai	appellerais	appelle	
(*to call*)	appelles	appelais	as appelé	appelas	appelleras	appellerais	appelles	appelle
appelant	appelle	appelait	a appelé	appela	appellera	appellerait	appelle	
appelé	appelons	appelions	avons appelé	appelâmes	appellerons	appellerions	appelions	appelons
(avoir)	appelez	appeliez	avez appelé	appelâtes	appellerez	appelleriez	appeliez	appelez
	appellent	appelaient	ont appelé	appelèrent	appelleront	appelleraient	appellent	
essayer[4]	essaie	essayais	ai essayé	essayai	essaierai	essaierais	essaie	
(*to try*)	essaies	essayais	as essayé	essayas	essaieras	essaierais	essaies	essaie
essayant	essaie	essayait	a essayé	essaya	essaiera	essaierait	essaie	
essayé	essayons	essayions	avons essayé	essayâmes	essaierons	essaierions	essayions	essayons
(avoir)	essayez	essayiez	avez essayé	essayâtes	essaierez	essaieriez	essayiez	essayez
	essaient	essayaient	ont essayé	essayèrent	essaieront	essaieraient	essaient	
acheter[5]	achète	achetais	ai acheté	achetai	achèterai	achèterais	achète	
(*to buy*)	achètes	achetais	as acheté	achetas	achèteras	achèterais	achètes	achète
achetant	achète	achetait	a acheté	acheta	achètera	achèterait	achète	
acheté	achetons	achetions	avons acheté	achetâmes	achèterons	achèterions	achetions	achetons
(avoir)	achetez	achetiez	avez acheté	achetâtes	achèterez	achèteriez	achetiez	achetez
	achètent	achetaient	ont acheté	achetèrent	achèteront	achèteraient	achètent	
préférer[6]	préfère	préférais	ai préféré	préférai	préférerai	préférerais	préfère	
(*to prefer*)	préfères	préférais	as préféré	préféras	préféreras	préférerais	préfères	préfère
préférant	préfère	préférait	a préféré	préféra	préférera	préférerait	préfère	
préféré	préférons	préférions	avons préféré	préférâmes	préférerons	préférerions	préférions	préférons
(avoir)	préférez	préfériez	avez préféré	préférâtes	préférerez	préféreriez	préfériez	préférez
	préfèrent	préféraient	ont préféré	préférèrent	préféreront	préféreraient	préfèrent	

[1]Verbs like **commencer: placer, prononcer, remplacer, tracer**
[2]Verbs like **manger: changer, corriger, déménager, diriger, encourager, engager, exiger, juger, loger, mélanger, nager, partager, voyager**
[3]Verbs like **appeler: épeler, jeter, projeter, (se) rappeler.** Remember that the pronominal forms are conjugated with **être** in compound tenses.
[4]Verbs like **essayer: employer, (s')ennuyer, envoyer** (present tense), **nettoyer, payer**
[5]Verbs like **acheter: amener, emmener, (se) lever, (se) promener**
[6]Verbs like **préférer: célébrer, considérer, espérer, (s')inquiéter, pénétrer, posséder, répéter, révéler, suggérer**

g. Irregular indicative verbs

VERB	INDICATIVE					CONDITIONAL	SUBJUNCTIVE	IMPERATIVE
	PRESENT	IMPERFECT	PASSÉ COMPOSÉ	PASSÉ SIMPLE	FUTURE	PRESENT	PRESENT	
aller	vais	allais	suis allé(e)	allai	irai	irais	aille	
(*to go*)	vas	allais	es allé(e)	allas	iras	irais	ailles	va
allant	va	allait	est allé(e)	alla	ira	irait	aille	
allé	allons	allions	sommes allé(e)s	allâmes	irons	irions	allions	allons
(être)	allez	alliez	êtes allé(e)(s)	allâtes	irez	iriez	alliez	allez
	vont	allaient	sont allé(e)s	allèrent	iront	iraient	aillent	
boire	bois	buvais	ai bu	bus	boirai	boirais	boive	
(*to drink*)	bois	buvais	as bu	bus	boiras	boirais	boives	bois
buvant	boit	buvait	a bu	but	boira	boirait	boive	
bu	buvons	buvions	avons bu	bûmes	boirons	boirions	buvions	buvons
(avoir)	buvez	buviez	avez bu	bûtes	boirez	boiriez	buviez	buvez
	boivent	buvaient	ont bu	burent	boiront	boiraient	boivent	
conduire	conduis	conduisais	ai conduit	conduisis	conduirai	conduirais	conduise	
(*to lead;*	conduis	conduisais	as conduit	conduisis	conduiras	conduirais	conduises	conduis
to drive)	conduit	conduisait	a conduit	conduisit	conduira	conduirait	conduise	
conduisant	conduisons	conduisions	avons conduit	conduisîmes	conduirons	conduirions	conduisions	conduisons
conduit	conduisez	conduisiez	avez conduit	conduisîtes	conduirez	conduiriez	conduisiez	conduisez
(avoir)	conduisent	conduisaient	ont conduit	conduisirent	conduiront	conduiraient	conduisent	
connaître	connais	connaissais	ai connu	connus	connaîtrai	connaîtrais	connaisse	
(*to know*)	connais	connaissais	as connu	connus	connaîtras	connaîtrais	connaisses	connais
connaissant	connaît	connaissait	a connu	connut	connaîtra	connaîtrait	connaisse	
connu	connaissons	connaissions	avons connu	connûmes	connaîtrons	connaîtrions	connaissions	connaissons
(avoir)	connaissez	connaissiez	avez connu	connûtes	connaîtrez	connaîtriez	connaissiez	connaissez
	connaissent	connaissaient	ont connu	connurent	connaîtront	connaîtraient	connaissent	
courir	cours	courais	ai couru	courus	courrai	courrais	coure	
(*to run*)	cours	courais	as couru	courus	courras	courrais	coures	cours
courant	court	courait	a couru	courut	courra	courrait	coure	
couru	courons	courions	avons couru	courûmes	courrons	courrions	courions	courons
(avoir)	courez	couriez	avez couru	courûtes	courrez	courriez	couriez	courez
	courent	couraient	ont couru	coururent	courront	courraient	courent	
croire	crois	croyais	ai cru	crus	croirai	croirais	croie	
(*to believe*)	crois	croyais	as cru	crus	croiras	croirais	croies	crois
croyant	croit	croyait	a cru	crut	croira	croirait	croie	
cru	croyons	croyions	avons cru	crûmes	croirons	croirions	croyions	croyons
(avoir)	croyez	croyiez	avez cru	crûtes	croirez	croiriez	croyiez	croyez
	croient	croyaient	ont cru	crurent	croiront	croiraient	croient	

VERB	INDICATIVE					CONDITIONAL	SUBJUNCTIVE	IMPERATIVE
	PRESENT	IMPERFECT	PASSÉ COMPOSÉ	PASSÉ SIMPLE	FUTURE	PRESENT	PRESENT	
devoir	dois	devais	ai dû	dus	devrai	devrais	doive	
(*to have to;*	dois	devais	as dû	dus	devras	devrais	doives	dois
to owe)	doit	devait	a dû	dut	devra	devrait	doive	
devant	devons	devions	avons dû	dûmes	devrons	devrions	devions	devons
dû	devez	deviez	avez dû	dûtes	devrez	devriez	deviez	devez
(avoir)	doivent	devaient	ont dû	durent	devront	devraient	doivent	
dire[1]	dis	disais	ai dit	dis	dirai	dirais	dise	
(*to say,*	dis	disais	as dit	dis	diras	dirais	dises	dis
tell)	dit	disait	a dit	dit	dira	dirait	dise	
disant	disons	disions	avons dit	dîmes	dirons	dirions	disions	disons
dit	dites	disiez	avez dit	dîtes	direz	diriez	disiez	dites
(avoir)	disent	disaient	ont dit	dirent	diront	diraient	disent	
dormir[2]	dors	dormais	ai dormi	dormis	dormirai	dormirais	dorme	
(*to sleep*)	dors	dormais	as dormi	dormis	dormiras	dormirais	dormes	dors
dormant	dort	dormait	a dormi	dormit	dormira	dormirait	dorme	
dormi	dormons	dormions	avons dormi	dormîmes	dormirons	dormirions	dormions	dormons
(avoir)	dormez	dormiez	avez dormi	dormîtes	dormirez	dormiriez	dormiez	dormez
	dorment	dormaient	ont dormi	dormirent	dormiront	dormiraient	dorment	
écrire[3]	écris	écrivais	ai écrit	écrivis	écrirai	écrirais	écrive	
(*to write*)	écris	écrivais	as écrit	écrivis	écriras	écrirais	écrives	écris
écrivant	écrit	écrivait	a écrit	écrivit	écrira	écrirait	écrive	
écrit	écrivons	écrivions	avons écrit	écrivîmes	écrirons	écririons	écrivions	écrivons
(avoir)	écrivez	écriviez	avez écrit	écrivîtes	écrirez	écririez	écriviez	écrivez
	écrivent	écrivaient	ont écrit	écrivirent	écriront	écriraient	écrivent	
envoyer	envoie	envoyais	ai envoyé	envoyai	enverrai	enverrais	envoie	
(*to send*)	envoies	envoyais	as envoyé	envoyas	enverras	enverrais	envoies	envoie
envoyant	envoie	envoyait	a envoyé	envoya	enverra	enverrait	envoie	
envoyé	envoyons	envoyions	avons envoyé	envoyâmes	enverrons	enverrions	envoyions	envoyons
(avoir)	envoyez	envoyiez	avez envoyé	envoyâtes	enverrez	enverriez	envoyiez	envoyez
	envoient	envoyaient	ont envoyé	envoyèrent	enverront	enverraient	envoient	
faire	fais	faisais	ai fait	fis	ferai	ferais	fasse	
(*to do;*	fais	faisais	as fait	fis	feras	ferais	fasses	fais
to make)	fait	faisait	a fait	fit	fera	ferait	fasse	
faisant	faisons	faisions	avons fait	fîmes	ferons	ferions	fassions	faisons
fait	faites	faisiez	avez fait	fîtes	ferez	feriez	fassiez	faites
(avoir)	font	faisaient	ont fait	firent	feront	feraient	fassent	

[1]Verbs like **dire: contredire** (**vous contredisez**), **interdire** (**vous interdisez**), **prédire** (**vous prédisez**)
[2]Verbs like **dormir: mentir, partir, repartir, sentir, servir, sortir.** (**Partir, repartir,** and **sortir** are conjugated with **être**.)
[3]Verbs like **écrire: décrire**

VERB	INDICATIVE					CONDITIONAL	SUBJUNCTIVE	IMPERATIVE
	PRESENT	IMPERFECT	PASSÉ COMPOSÉ	PASSÉ SIMPLE	FUTURE	PRESENT	PRESENT	
falloir (*to be necessary*) fallu (avoir)	il faut	il fallait	il a fallu	il fallut	il faudra	il faudrait	il faille	
lire[4] (*to read*) lisant lu (avoir)	lis lis lit lisons lisez lisent	lisais lisais lisait lisions lisiez lisaient	ai lu as lu a lu avons lu avez lu ont lu	lus lus lut lûmes lûtes lurent	lirai liras lira lirons lirez liront	lirais lirais lirait lirions liriez liraient	lise lises lise lisions lisiez lisent	lis lisons lisez
mettre[5] (*to put*) mettant mis (avoir)	mets mets met mettons mettez mettent	mettais mettais mettait mettions mettiez mettaient	ai mis as mis a mis avons mis avez mis ont mis	mis mis mit mîmes mîtes mirent	mettrai mettras mettra mettrons mettrez mettront	mettrais mettrais mettrait mettrions mettriez mettraient	mette mettes mette mettions mettiez mettent	mets mettons mettez
mourir (*to die*) mourant mort (être)	meurs meurs meurt mourons mourez meurent	mourais mourais mourait mourions mouriez mouraient	suis mort(e) es mort(e) est mort(e) sommes mort(e)s êtes mort(e)(s) sont mort(e)s	mourus mourus mourut mourûmes mourûtes moururent	mourrai mourras mourra mourrons mourrez mourront	mourrais mourrais mourrait mourrions mourriez mourraient	meure meures meure mourions mouriez meurent	meurs mourons mourez
ouvrir[6] (*to open*) ouvrant ouvert (avoir)	ouvre ouvres ouvre ouvrons ouvrez ouvrent	ouvrais ouvrais ouvrait ouvrions ouvriez ouvraient	ai ouvert as ouvert a ouvert avons ouvert avez ouvert ont ouvert	ouvris ouvris ouvrit ouvrîmes ouvrîtes ouvrirent	ouvrirai ouvriras ouvrira ouvrirons ouvrirez ouvriront	ouvrirais ouvrirais ouvrirait ouvririons ouvririez ouvriraient	ouvre ouvres ouvre ouvrions ouvriez ouvrent	ouvre ouvrons ouvrez
pleuvoir (*to rain*) pleuvant plu (avoir)	il pleut	il pleuvait	il a plu	il plut	il pleuvra	il pleuvrait	il pleuve	
pouvoir (*to be able*) pouvant pu (avoir)	peux, puis peux peut pouvons pouvez peuvent	pouvais pouvais pouvait pouvions pouviez pouvaient	ai pu as pu a pu avons pu avez pu ont pu	pus pus put pûmes pûtes purent	pourrai pourras pourra pourrons pourrez pourront	pourrais pourrais pourrait pourrions pourriez pourraient	puisse puisses puisse puissions puissiez puissent	

[4]Verbs like **lire: élire, relire**
[5]Verbs like **mettre: permettre, promettre, remettre**
[6]Verbs like **ouvrir: couvrir, découvrir, offrir, souffrir**

VERB	INDICATIVE					CONDITIONAL	SUBJUNCTIVE	IMPERATIVE
	PRESENT	IMPERFECT	PASSÉ COMPOSÉ	PASSÉ SIMPLE	FUTURE	PRESENT	PRESENT	
prendre[7] (*to take*) prenant pris (avoir)	prends prends prend prenons prenez prennent	prenais prenais prenait prenions preniez prenaient	ai pris as pris a pris avons pris avez pris ont pris	pris pris prit prîmes prîtes prirent	prendrai prendras prendra prendrons prendrez prendront	prendrais prendrais prendrait prendrions prendriez prendraient	prenne prennes prenne prenions preniez prennent	prends prenons prenez
recevoir[8] (*to receive*) recevant reçu (avoir)	reçois reçois reçoit recevons recevez reçoivent	recevais recevais recevait recevions receviez recevaient	ai reçu as reçu a reçu avons reçu avez reçu ont reçu	reçus reçus reçut reçûmes reçûtes reçurent	recevrai recevras recevra recevrons recevrez recevront	recevrais recevrais recevrait recevrions recevriez recevraient	reçoive reçoives reçoive recevions receviez reçoivent	reçois recevons recevez
rire (*to laugh*) riant ri (avoir)	ris ris rit rions riez rient	riais riais riait riions riiez riaient	ai ri as ri a ri avons ri avez ri ont ri	ris ris rit rîmes rîtes rirent	rirai riras rira rirons rirez riront	rirais rirais rirait ririons ririez riraient	rie ries rie riions riiez rient	ris rions riez
savoir (*to know*) sachant su (avoir)	sais sais sait savons savez savent	savais savais savait savions saviez savaient	ai su as su a su avons su avez su ont su	sus sus sut sûmes sûtes surent	saurai sauras saura saurons saurez sauront	saurais saurais saurait saurions sauriez sauraient	sache saches sache sachions sachiez sachent	sache sachons sachez
suivre (*to follow*) suivant suivi (avoir)	suis suis suit suivons suivez suivent	suivais suivais suivait suivions suiviez suivaient	ai suivi as suivi a suivi avons suivi avez suivi ont suivi	suivis suivis suivit suivîmes suivîtes suivirent	suivrai suivras suivra suivrons suivrez suivront	suivrais suivrais suivrait suivrions suivriez suivraient	suive suives suive suivions suiviez suivent	suis suivons suivez
tenir (*to hold,* *to keep*) tenant tenu (avoir)	tiens tiens tient tenons tenez tiennent	tenais tenais tenait tenions teniez tenaient	ai tenu as tenu a tenu avons tenu avez tenu ont tenu	tins tins tint tînmes tîntes tinrent	tiendrai tiendras tiendra tiendrons tiendrez tiendront	tiendrais tiendrais tiendrait tiendrions tiendriez tiendraient	tienne tiennes tienne tenions teniez tiennent	tiens tenons tenez

[7]Verbs like **prendre: apprendre, comprendre, surprendre**
[8]Verbs like **recevoir: apercevoir, s'apercevoir de** (conjugated with **être**), **décevoir** (*to disappoint*)

VERB	INDICATIVE					CONDITIONAL	SUBJUNCTIVE	IMPERATIVE
	PRESENT	IMPERFECT	PASSÉ COMPOSÉ	PASSÉ SIMPLE	FUTURE	PRESENT	PRESENT	
valoir	il vaut	il valait	il a valu	il valut	il vaudra	il vaudrait	il vaille	
(*to be*								
worth)								
valant								
valu								
(avoir)								
venir[9]	viens	venais	suis venu(e)	vins	viendrai	viendrais	vienne	
(*to come*)	viens	venais	es venu(e)	vins	viendras	viendrais	viennes	viens
venant	vient	venait	est venu(e)	vint	viendra	viendrait	vienne	
venu	venons	venions	sommes venu(e)s	vînmes	viendrons	viendrions	venions	venons
(être)	venez	veniez	êtes venu(e)(s)	vîntes	viendrez	viendriez	veniez	venez
	viennent	venaient	sont venu(e)s	vinrent	viendront	viendraient	viennent	
vivre	vis	vivais	ai vécu	vécus	vivrai	vivrais	vive	
(*to live*)	vis	vivais	as vécu	vécus	vivras	vivrais	vives	vis
vivant	vit	vivait	a vécu	vécut	vivra	vivrait	vive	
vécu	vivons	vivions	avons vécu	vécûmes	vivrons	vivrions	vivions	vivons
(avoir)	vivez	viviez	avez vécu	vécûtes	vivrez	vivriez	viviez	vivez
	vivent	vivaient	ont vécu	vécurent	vivront	vivraient	vivent	
voir	vois	voyais	ai vu	vis	verrai	verrais	voie	
(*to see*)	vois	voyais	as vu	vis	verras	verrais	voies	vois
voyant	voit	voyait	a vu	vit	verra	verrait	voie	
vu	voyons	voyions	avons vu	vîmes	verrons	verrions	voyions	voyons
(avoir)	voyez	voyiez	avez vu	vîtes	verrez	verriez	voyiez	voyez
	voient	voyaient	ont vu	virent	verront	verraient	voient	
vouloir	veux	voulais	ai voulu	voulus	voudrai	voudrais	veuille	
(*to wish,*	veux	voulais	as voulu	voulus	voudras	voudrais	veuilles	veuille
want)	veut	voulait	a voulu	voulut	voudra	voudrait	veuille	
voulant	voulons	voulions	avons voulu	voulûmes	voudrons	voudrions	voulions	veuillons
voulu	voulez	vouliez	avez voulu	voulûtes	voudrez	voudriez	vouliez	veuillez
(avoir)	veulent	voulaient	ont voulu	voulurent	voudront	voudraient	veuillent	

[9]Verbs like **venir: devenir** (**elle est devenue**), **revenir** (**elle est revenue**), **maintenir** (**elle a maintenu**), **obtenir** (**elle a obtenu**), **se souvenir de** (**elle s'est souvenue de...**)

APPENDIX C

ANSWERS TO GRAMMAR EXERCISES

PREMIÈRE ÉTAPE

Ex. 1. 1. oui 2. non 3. non 4. oui 5. oui **Ex. 2.** 1. c 2. a 3. d 4. b **Ex. 3.** 1. suis 2. est 3. sommes 4. sont 5. êtes 6. est 7. sont **Ex. 4.** 1. Mais non, Étienne (il) n'est pas gros. 2. Mais non, Chantal et Monique (elles) ne sont pas brunes. 3. Mais non, Mme Saulnier (elle) n'est pas mince. 4. Mais non, Hélène (elle) n'est pas grande. 5. Mais non, Mme Martin et Raoul (ils) ne sont pas américains. **Ex. 5.** *Answers will vary; here are some possible responses*. 1. Mais non, elle n'est pas rose; elle est bleue. 2. Mais non, elle n'est pas jaune; elle est blanche. 3. Mais non, il n'est pas bleu; il est rouge. 4. Mais non, il n'est pas gris; il est noir. 5. Mais non, il n'est pas vert; il est blanc. **Ex. 6.** *Answers will vary; here are some possible responses*. 1. Quinze. (Il y a quinze garçons.) 2. Un. (Il y a un homme avec un moustache.) 3. Sept. (Il y a quatre étudiants et trois étudiantes aux cheveux blonds et aux yeux bleus.) 4. Six. (Il y a six femmes qui portent une jupe.) 5. Huit. (Il y a trois étudiants et cinq étudiantes qui ont les cheveux bouclés.) **Ex. 7.** 1. a 2. a 3. b 4. b 5. a

DEUXIÈME ÉTAPE

Ex. 1. 1. Non, ce n'est pas une porte. C'est une table. 2. Non, ce n'est pas un garçon. C'est un tableau noir. 3. Non, ce n'est pas une lampe. C'est un garçon. 4. Non, ce n'est pas une table. C'est une lampe. 5. Non, ce n'est pas un crayon. C'est une porte. 6. Non, ce n'est pas un tableau noir. C'est un stylo. **Ex. 2.** 1. une, une 2. un, un 3. une, un, un 4. un, un 5. un, une, une **Ex. 3.** 1. la, la 2. la 3. le 4. le 5. la 6. le 7. l' 8. le 9. la 10. l' **Ex. 4.** 1. un, la, un, un, le, la, une, la 2. le, le, la, le, le, le, la, la, les **Ex. 5.** 1. deux pantalons gris 2. deux crayons jaunes 3. deux vieilles bicyclettes 4. deux beaux albums de photo 5. deux professeurs américains 6. deux nouvelles robes 7. deux petits tableaux de Picasso **Ex. 6.** 1. Les jambes de Marie-France sont très courtes. 2. Les cheveux de Gérard sont très longs. 3. Les yeux de Francine sont bleus. 4. Les pieds de Victor sont petits et minces. 5. Les antennes du robot sont courtes. 6. Les mains de Madame Martin sont longues et fines. 7. Les bras de Victor ne sont pas musclés. 8. Les oreilles de Sévrine sont petites. **Ex. 7.** 1. Albert est étudiant. Il est sympathique et intelligent. 2. Monique est secrétaire. Elle est efficace et généreuse. 3. Louis et Hélène sont amis. Ils sont jeunes et timides. 4. Madame Martin est professeur. Elle est sociable et individualiste. 5. Nadine et Marie-France sont étudiantes. Elles sont brunes et minces. **Ex. 8.** 1. vous, Moi 2. lui, elle, Eux

TROISIÈME ÉTAPE

Ex. 1. 1. as, n'ai pas de 2. a, n'a pas de 3. avons, avez 4. ont, n'ont pas de 5. a, n'a pas de **Ex. 2.** 1. une, de 2. des, de 3. une, un 4. des, des, de 5. une, d' **Ex. 3.** 1. votre, mon, mon, mes 2. ma, Ta, tes, mes, mon 3. leur, leur 4. notre, notre, nos 5. sa, sa, son 6. leurs **Ex. 4.** 1. Il est quatre heures vingt. 2. Il est six heures et quart. 3. Il est huit heures treize. 4. Il est une heure dix. 5. Il est sept heures sept. 6. Il est cinq heures et demie. 7. Il est neuf heures cinquante trois. (Il est dix heures moins sept.) 8. Il est trois heures quarante. (Il est quatre heures moins vingt.) 9. Il est onze heures. 10. Il est dix heures quarante-cinq. (Il est onze heures moins le quart.) **Ex. 5.** 1. soixante-dix 2. quatre-vingt-cinq 3. quatre-vingt-quatorze 4. cent 5. soixante et onze 6. quatre-vingt-un 7. soixante-quinze 8. quatre-vingt-quinze 9. quatre-vingt-huit 10. quatre-vingt-onze **Ex. 6.** 1. Martine Leblanc a 33 ans. 2. Jeannot a 7 ans. 3. Gustave Valette a 15 ans. 4. Marie Durand a 78 ans. **Ex. 7.** 1. Il fait soleil. 2. Il pleut. 3. Il fait froid. 4. Il fait du brouillard. 5. Il fait chaud. 6. Il neige.

QUATRIÈME ÉTAPE

Ex. 1. 1. sénégalais 2. québécoise 3. marocains 4. canadiennes 5. russe 6. belge 7. zaïrois 8. malgache 9. américain 10. tahitiennes 11. algérien 12. anglaise **Ex. 2.** 1. vient de, vient d', vient de 2. viennent des, d' 3. venez-vous, venons de, viens-tu, viens de 4. venons de **Ex. 3.** *Answers will vary; here are some possible responses*. 1. Il en a une. 2. J'en ai trois. 3. J'en ai quatre. 4. Ils en ont huit. 5. Il y en a vingt. **Ex. 4.** 1. Jean-Luc. (Jean-Luc est la première personne.) 2. Martine. (Martine est la deuxième personne.) 3. Non, Antoinette est la cinquième. 4. Non, Gustave est la quatrième. 5. Oui, Jeannot est la troisième. 6. Guillaume. (Guillaume est la sixième personne.) 7. Non, Armand Olivier est la septième personne. **Ex. 5.** 1. Ce, ces 2. Ces, ces 3. Cet, cette 4. Ces, Cette, ces 5. Ces, ce 6. Cette 7. Cet **Ex. 6.** 1. Le bracelet coûte soixante quinze mille six cent quatre-vingt-quatre francs. 2. La montre coûte quarante trois mille huit cent quinze francs. 3. La voiture coûte cent quarante quatre mille trois cent quatre-vingt-quinze francs. 4. La table coûte deux mille cinq cent cinquante francs. 5. Les fauteuils coûtent treize mille huit cents francs. 6. La robe coûte mille deux cent soixante-quinze francs. **Ex. 7.** 1. le 5 mai 1982 2. le 16 août 1990 3. le 6 janvier 1987 4. le 28 février 1962 5. le 14 septembre 1975 6. le premier décembre 1934

CHAPITRE 1

Ex. 1. *Answers will vary; here are some possible responses*. 1. Mes grands-*parents (amis) n'aiment pas jouer au* golf, mais ils aiment jouer aux cartes. 2. Ma mère (Mon/Ma camarade de chambre) n'aime pas skier, mais elle (il/elle) aime faire du jogging. 3. Mon père (meilleur ami) n'aime pas danser le tango, mais il aime chanter. 4. Mon petit ami (Ma petite amie) n'aime pas jouer du piano, mais il (elle) aime jouer de la guitare. 5. Mon professeur de français n'aime pas aller au cinéma, mais il (elle) aime aller au théâtre. 6. On n'aime pas jouer au tennis, mais on aime nager. 7. On n'aime pas regarder le base-ball à la télé, mais on aime regarder le football. **Ex. 2.** 1. au, au, au 2. au, au, aux 3. du, du, du 4. du, des, du, des, de la 5. à la, à la, aux au **Ex. 3.** 1. veux 2. voulez 3. voulons 4. veut 5. veulent 6. veux 7. veux **Ex. 4.** 1. Ta soeur, joue-t-elle au tennis? Est-ce que ta soeur joue au tennis? 2. Aimes-tu faire du camping? Est-ce que tu aimes faire du camping? 3. Ta famille, vient-elle de Toulouse? Est-ce que ta famille vient de Toulouse? 4. Ton père, aime-t-il boire du vin? Est-ce que ton père aime boire du vin? 5. Veux-tu conduire ma voiture pour aller à l'université? Est-ce que tu veux conduire ma voiture pour aller à l'université? **Ex. 5.** 1. vas, Vais, vont, vont, va, va, va 2. allons, va, va, va 3. allez, allons, allons, allons **Ex. 6. A.** 1. Hélène et moi, nous faisons du jogging. 2. Étienne et Robert skient à Montana-Crans. 3. Cette jolie femme fait de la planche à voile. 4. Toi, tu chantes faux. 5. Louis et toi, vous cuisinez très bien. **B.** 1. Chantal et Adrienne ne travaillent pas beaucoup. 2. Cet étudiant va danser tous les soirs. 3. Vous, alors, vous exagérez! 4. Ma mère et moi achetons nos vêtements en ville. 5. Je répare ma voiture. 6. Et toi, tu fais de la moto.

CHAPITRE 2

Ex. 1. 1. déjeunons 2. parlons 3. joue 4. achète 5. rentre 6. donne 7. mangeons 8. écoutons 9. dansons 10. se promènent **Ex. 2.** 1. me lève 2. me douche 3. me lave 4. me sèche 5. m'habille 6. se lève 7. se brosse 8. se rase 9. se douche 10. nous reposons 11. se lèvent 12. se préparent **Ex. 3.** *Answers will vary. Here are some possible responses*. 1. Comment vous appelez-vous? (Comment t'appelles-tu? Comment est-ce que vous vous appelez? Comment est-ce que tu t'appelles?) 2. Quand est-ce que Jacques et toi partez en vacances? (Quand Jacques et toi partez-vous en vacances?) 3. Que regarde ton frère maintenant? (Ton frère, que regarde-t-il maintenant?) 4. A quelle heure vous allez au cinéma? 5. Quel film allez-vous voir? 6. Quelle note a Hélène à l'examen oral? (Hélène, quelle note a-t-elle a l'examen oral?) 7. Combien coûte cette robe? (Cette robe, combien coûte-t-elle?) 8. Pourquoi ton frère habite-t-il à Genève? (Pourquoi est-ce que ton frère habite à Genève?) 9. A quelle heure vas-tu te lever demain matin? (A quelle heure allez-vous vous lever demain matin?) 10. Où étudiez-vous d'habitude? (Où est-ce que vous étudiez d'habitude?) **Ex. 4.** 1. attends 2. prends 3. j'entends 4. prenons 5. attend 6. vendons 7. Vendez 8. prend 9. prends 10. met 11. entendons 12. Attendez **Ex. 5.** 1. sens 2. dormons 3. partez 4. sortent 5. sentons 6. pars 7. s'endort 8. sors 9. sors 10. offrons **Ex. 6.** 1. allons, va 2. vont 3. va 4. allons 5. vas, vais 6. allez, vais **Ex. 7.** *Answers will vary; here are some possible responses*. 1. va à l' 2. allons, est à la 3. suis à la 4. allons à la, allons, arrivons 5. allez au 6. sont au, vont à la 7. va au, est 8. est, arrive

CHAPITRE 3

Ex. 1. 1. un nouveau tapis 2. un vieil appartement 3. une autre veste 4. une nouvelle petite tortue 5. une petite nièce 6. mon jeune oncle 7. un joli pot 8. le même bus **Ex. 2.** 1. j'ai soif 2. j'ai chaud 3. suis 4. suis 5. j'ai besoin 6. J'ai envie 7. J'ai faim 8. j'ai si soif 9. J'ai sommeil 10. suis 11. J'ai peur 12. a l'air 13. j'ai trop soif 14. as de la chance **Ex. 3.** 1. sortir 2. d'étudier 3. jouer au bowling 4. skier 5. donner une soirée **Ex. 4.** 1. D'abord 2. puis 3. avant de 4. Ensuite 5. Enfin 6. Après **Ex. 5.** 1. leur 2. lui 3. lui, leur 4. me, me 5. nous, nous 6. te 7. vous, vous **Ex. 6.** 1. m'assieds 2. vois 3. écrivent 4. apprenons 5. dit 6. Asseyez 7. Écrivez 8. Lisez 9. Dites 10. Asseyez 11. disons 12. apprennent 13. lisent 14. écrivent 15. comprennent 16. Croyez **Ex. 7.** 1. peux 2. sait 3. pouvez 4. savent 5. sait 6. peux 7. pouvons 8. savons 9. peut 10. peuvent

CHAPITRE 4

Ex. 1. 1. Notre jardin est plus petit que votre jardin. 2. Votre femme de ménage est plus organisée que moi. 3. Votre cheminée est aussi ancienne que notre cheminée. 4. Votre fauteuil est plus confortable que notre fauteuil. 5. Notre cuisinière est moins moderne que votre cuisinière. 6. Nous sommes plus économes que vous. 7. Votre buffet est aussi beau que notre buffet. 8. Votre tapis est plus ancien que notre tapis. **Ex. 2.** 1. Édouard a moins de cours à l'université qu'Antoine (que lui). 2. Pierre a autant de cousins que Daniel (que lui). 3. Jean-Marie a plus de succès avec les filles que Julien (que lui). 4. Andrée a autant de talent que Paulette (qu'elle). 5. Jacques a moins de chance au jeu que Pierre (que lui). **Ex. 3.** 1. Jeannot est l'enfant le plus généreux du monde. 2. Chantal est la personne la moins sympathique de l'université. 3. Mme Martine est le professeur le plus respecté du campus. 4. Louis est l'étudiant le moins amusant de la classe. 5. Guillaume est le garçon le plus distrait de la famille. 6. Monique est la fille la plus sportive du groupe. **Ex. 4.** 1. Pierre comprend vite. Karen comprend plus vite que Pierre. C'est Hélène qui comprend le plus vite. 2. Christine tape rapidement. Andrée tape plus rapidement que Christine. C'est Julie qui tape le plus rapidement. 3. Karen arrive tôt. Christine arrive plus tôt que Karen. C'est Hélène qui arrive le plus tôt. 4. Pierre reste tard au bureau. Hélène reste plus tard que Pierre. C'est Stéphan qui reste le plus tard. 5. Christine voyage souvent. Hélène voyage plus souvent que Christine. C'est Pierre qui voyage le plus souvent. **Ex. 5.** 1. aimerait 2. ont envie de 3. pensons 4. pense 5. Avez-vous envie 6. penses 7. aimeriez 8. espérons 9. voudraient 10. espères **Ex. 6.** *Some answers will vary; here are some possible responses*. 1. dois 2. Il faut 3. Il est nécessaire d' 4. devons 5. Il est important de 6. doivent 7. Devez-vous **Ex. 7.** 1. Ernest Hemingway et Albert Camus sont écrivains. 2. Catherine Deneuve est actrice. 3. Gérard Depardieu est acteur. 4. Yannick Noah est joueur de tennis. 5. Dan Rather est journaliste. 6. Lionel Richie et Jacques Brel sont chanteurs. **Ex. 8.** 1. réussit 2. réfléchissent 3. Agissez-vous, réfléchissons 4. grandit 5. réagis 6. finis **Ex. 9.** 1. Connaissez 2. sais, Savez 3. connais, sais 4. Savez 5. connais, savoir, connaissent **Ex. 10.** 1. la 2. la 3. le 4. les 5. le 6. le 7. la 8. les **Ex. 11.** 1. vous 2. nous 3. le 4. m' 5. Le 6. t' 7. les 8. la 9. les 10 les **Ex. 12.** 1. Je vais l'emmener... 2. Je lui dis... 3. Elle ne m'écoute pas... 4. Elle me répond... 5. ...je ne veux pas les faire et je lui propose... 6. il accepte de nous accompagner... 7. Je lui demande de venir nous chercher. 8. Je lui explique... 9. ...l'embrasse et me fait... 10. Je leur dis... , ...avec lui. 11. ...me dit... , tu dois lui téléphoner pour lui dire...

CHAPITRE 5

Ex. 1. *Answers will vary; here are some possible responses*.

1. Hier j'ai acheté... (Hier je n'ai pas acheté...) 2. Hier j'ai visité... (Hier je n'ai pas visité de musée.) 3. Hier j'ai écouté du jazz. (Hier je n'ai pas écouté de jazz.) 4. Hier j'ai promené mon chien. (Hier je n'ai pas promené mon chien.) 5. Hier j'ai dîné dans un restaurant italien. (Hier je n'ai pas dîné dans un restaurant italien.) 6. Hier j'ai lavé ma voiture. (Hier je n'ai pas lavé ma voiture.) 7. Hier j'ai téléphoné à une amie. (Hier je n'ai pas téléphoné à une amie.) 8. Hier j'ai fait du sport; j'ai fait du/de la/(j'ai joué au/à la...) (Hier je n'ai pas fait de sport.) 9. Hier j'ai joué au/à la/à l'/aux... (Hier je n'ai pas joué.) 10. Hier j'ai assisté au(x) cours de... (Hier je n'ai pas assisté aux cours.) **Ex. 2.** 1. Ma sœur et moi, nous avons parlé (n'avons pas parlé) de mes cours. 2. Les étudiants de la classe de français ont révisé (n'ont pas révisé) leurs leçons. 3. Votre cousine a donné une (n'a pas donné de) soirée. 4. Mes grands-parents ont visité (n'ont pas visité) le campus avec moi. 5. Ma nièce et moi avons dessiné (n'avons pas dessiné) ensemble. 6. Mon père a bavardé (n'a pas bavardé) avec notre voisin. 7. Des étudiants ont manifesté (n'ont pas manifesté) pour une cause politique. 8. Les élèves ont récité une (n'ont pas récité de) fable en classe. 9. J'ai posé une (n'ai pas posé de) question difficile à un de mes professeurs. 10. Vous avez preparé un bon (n'avez pas préparé de) petit déjeuner pour vos camarades. **Ex. 3.** 1. Samedi dernier je suis (ne suis pas) allé(e) à la plage. 2. Je me suis (ne me suis pas) couché(e) sur ma serviette. 3. Je me suis (ne me suis pas) réveillé(e) une heure après. 4. Je me suis (ne me suis pas) précipité(e) dans l'eau. 5. J'ai (Je n'ai pas) crié:... 6. Je suis (ne suis pas) resté(e) dans l'eau une demi-heure. 7. Je me suis (ne me suis pas) séché(e) au soleil. 8. Je suis (ne suis pas) rentré(e) chez moi. **Ex. 4.** 1. Il a beaucoup plu. 2. Je suis resté à la maison toute la journée. 3. Je me suis réveillé tôt, mais j'ai fait la grasse matinée. 4. Je suis resté au lit et j'ai lu un bon roman policier. 5. A midi, je me suis levé. J'ai vite fait ma toilette et je me suis habillé. 6. Je me suis préparé un gros sandwich au jambon. 7. Ensuite, je me suis installé devant la télé pour voir les championnats d'Europe de ski. 8. Vers quatre heures, Paulette, Claire et un ami sont venus me voir. 9. Ils m'ont apporté une bonne tarte aux pommes. 10. Nous avons bu du café et nous avons mangé la tarte. 11. Comme toujours, nous avons parlé de nos activités de la semaine. 12. Nous avons aussi beaucoup ri. 13. En fin de journée, nous avons décidé d'aller au cinéma. 14. Nous avons regardé le journal, mais nous avons mis trop de temps à choisir le film. Nous avons décidé plutôt d'aller au restaurant manger une bonne choucroute. **Ex. 5.** 1. Adrienne est montée à Paris pour travailler. 2. Elle n'a pas pris l'avion comme d'habitude; elle a voulu essayer le TGV. 3. Ses parents l'ont conduite à la gare. 4. Ils l'ont accompagnée jusqu'au quai pour voir, eux aussi, le train de près. 5. Quelques minutes avant le départ elle est montée dans le train et a cherché se place. 6. Elle a pensé: "Comme le train est confortable!" 7. A midi, on lui a présenté un menu. Elle a choisi le rôti de bœuf aux haricots verts et elle a commandé du vin rouge. 8. On l'a servie comme dans un avion. 9. Elle a vu le paysage défiler à toute vitesse. 10. Bientôt le train est entré en gare à Lyon. Il s'est arrêté peu de temps. 11. Après l'arrêt à Lyon, elle s'est endormie. 12. Quand elle s'est réveillée, elle a aperçu la banlieue parisienne. 13. Quelques minutes plus tard, elle est arrivée à la gare de Lyon, à Paris. 14. Elle a beaucoup aimé son voyage: pas d'attentes inutiles, ni d'embouteillages! **Ex. 6. A.** Elle s'appelle Charlotte Mercier. Ce matin elle est allée à l'université avec Roger. Ils se sont arrêtés à la cafétéria et ils ont pris un café. Ils sont arrivés en retard au cours de maths. Après le cours, ils ont retrouvé leur amie Mireille devant l'université. Elle l'a invitée à venir chez elle samedi soir. ¶ Après, Roger et elle, (ils) se sont quittés. Il est monté à la bibliothèque et elle, elle est allée chez sa cousine. Elles, elles se sont promenées en ville et elles ont déjeuné dans un petit restaurant près de la mairie. Elles ont beaucoup parlé et puis Mireille (elle) est rentrée chez elle écrire une dissertation. Charlotte a bu un café toute seule, elle a lu le journal et elle a discuté avec le patron. ¶ Puis elle est sortie, elle a pris le bus et elle est retournée à l'université. Elle est montée au laboratoire de chimie. Elle a bien écouté les explications du professeur. Elle a compris l'expérience et elle a offert à Denise de l'aider. Après le cours, elle est rentrée chez elle, elle a jeté ses livres par terre et elle s'est couchée sur le canapé pour écouter du Duke Ellington. **B.** Elle s'appelle Mireille Monet. La semaine dernière, elle a reçu une lettre de son amie Josette et elle a décidé de lui faire une surprise. Elle a fait sa valise, elle est partie sans lui répondre et elle a pris le train pour Strasbourg. ¶ Quand elle est arrivée à Strasbourg, elle a pris un taxi pour aller chez elle. Arrivée chez elle, elle a eu un peu peur. Et si Josette n'est pas là, adieu surprise! Elle est montée au deuxième étage et elle a sonné. Josette a ouvert la porte et elle l'a embrassée. Elle lui a montré son appartement et l'a conduite dans sa chambre. Là, elles ont défait sa valise ensemble. Puis elle s'est changée. ¶ Pendant la semaine Josette l'a présentée à toute sa famille. Elle a appris à les connaître et elle s'est tellement amusée! Josette et elle, (elles) sont allées au musée; elles ont dansé; elles ont rencontré deux jeunes médecins très beaux, romantiques, intelligents et drôles! Elle est tombée amoureuse. Elle n'a pas voulu repartir mais elle a dû rentrer car son travail l'attendait... **Ex. 7.** *Answers will vary.* 1. Je les ai mises... 2. Je l'ai donné à... 3. Je l'ai mis... 4. Je l'ai rangée... 5. Je les ai mises... 6. Je l'ai mise... 7. Je les ai cachés... 8. Je les ai prêtées... 9. Je l'ai mise... 10. Je les ai rangées... **Ex. 8.** 1. Mais si, je l'ai promené il y a une demi-heure. 2. Mais si, je l'ai rangée il y a une demi-heure. 3. Mais si, je les ai faites il y a une demi-heure. 4. Mais si, je l'ai nettoyée il y a une demi-heure. 5. Mais si, je l'ai préparé il y a une demi-heure. **Ex. 9.** *Answers will vary; here are some possible responses.* 1. Depuis le mois de septembre 2. Depuis cinq mois 3. Depuis 1976 4. Depuis que j'ai 12 ans 5. Depuis la rentrée des classes. 6. Depuis deux ans **Ex. 10.** 1. viens 2. viens, viens 3. vient 4. venons 5. venez 6. viennent

CHAPITRE 6

Ex. 1. 1. Je me retrouvais au café avec des amis. 2. Je prenais le tram pour aller en ville. 3. Je visitais les différents musées. 4. Je me promenais dans la vieille ville. 5. Je déjeunais au restaurant Les Armures. 6. J'achetais des cartes postales et des souvenirs. 7. J'admirais le jet d'eau. 8. Je mangeais des glaces dans le parc au bord du lac. 9. Je marchais au bord du lac. 10. J'allais souvent au cinéma. **Ex. 2.** 1. Le matin M. et Mme Dufour se levaient toujours à cinq heures. 2. Mme Dufour prenait le bus pour aller au travail. 3. Elle devait attendre l'autobus une demi-heure. 4. M. Dufour allait au travail en voiture, une vieille deux chevaux. 5. Il mettait toujours quarante-cinq minutes pour aller au bureau à cause de la circulation dans le centre-ville. 6. Il arrivait au bureau furieux. 7. Il était obligé de déjeuner en ville. 8. Ça lui coûtait cher. 9. Leurs enfants allaient à l'école en bus. 10. Ils finissaient les cours à seize heures et demie. 11. Ils rentraient à la maison et restaient seuls jusqu'à dix-neuf heures. 12. Le soir, M. Dufour était fatigué et mécontent de la fumée des embouteillages et de ne même pas pouvoir déjeuner en famille! 13. Et Mme Dufour en avait assez de s'occuper toute seule des enfants. 14. Ah non! C'était trop! **Ex. 3.** 1. voulions, avions 2. pouvais, avais 3. savaient 4. Savais, avais 5. étiez, étiez 6. voulait 7. étions 8. pouvais, avais 9. savait, était 10. avais **Ex. 4.** 1. qui 2. que 3. qui 4. que 5. qui 6. qui 7. qu' 8. que 9. que **Ex. 5.** 1. toi 2. Lui 3. elle 4. eux 5. lui 6. elles 7. vous 8. elle 9. moi 10. Nous **Ex. 6.** 1. A quelle heure t'es-tu levée ce matin? (A quelle heure est-ce que tu t'es levée ce matin?) 2. De quel instrument jouais-tu autrefois? (De quel instrument est-ce que tu jouais autrefois?) 3. A quoi penses-tu encore? (A quoi est-ce que tu penses encore?) 4. De quoi avez-vous parlé? (De quoi est-ce que vous avez parlé?) 5. Dans quelle ville la Tour Eiffel se trouve-t-elle? (Dans quelle ville se trouve la Tour Eiffel?) 6. A qui téléphoniez-vous? (A qui est-ce que vous téléphoniez?) 7. De qui aviez-vous peur? (De qui est-ce que vous aviez peur?) 8. De quelle nationalité est-elle? 9. A qui pensiez-vous? (A qui est-ce que vous pensiez?)

CHAPITRE 7

Ex. 1. 1. prend, prendre 2. pris 3. avez bu 4. prend 5. prends 6. buvez, bois 7. bu 8. pris **Ex. 2.** 1. Je mange de la salade, de la soupe et du poisson. 2. Je prends du pain et du beurre. 3. Je préfère manger du poulet ou de la viande. 4. Je bois du vin blanc. 5. Je mets de la mayonnaise, du fromage et du jambon. 6. Je prends du café, du jus d'orange, du pain et de la confiture. 7. Je mets de l'oignon, de la laitue, du thon, de l'huile, du vinaigre, du sel et du poivre. 8. J'achète du lait, du café, des céréales et des légumes. **Ex. 3.** 1. Je vais acheter de la laitue mais pas de champignons. 2. Je vais acheter du thon mais pas de tomates. 3. Je vais acheter des olives mais pas de fromage. 4. Je vais acheter des pommes de terre mais pas de poulet. 5. Je vais acheter de la crème mais pas d'épinards. 6. Je vais acheter du vin blanc mais pas d'oignons. 7. Je vais acheter des tranches de jambon mais pas de gâteau. 8. Je vais acheter de l'eau minérale mais pas d'huile de tournesol. **Ex. 4.** 1. assez de 2. Peu de 3. beaucoup de 4. tant de, que 5. trop de 6. beaucoup d', assez de, trop de 7. peu de, tant de, que 8. trop de **Ex. 5. A.** 1. Oui, j'en prends. (Non, je n'en prends pas.) 2. Oui, j'en mange. (Non, je n'en mange pas.) 3. Oui, j'en ai horreur. (Non, je n'en ai pas horreur.) 4. Oui, j'en veux. (Non, je n'en veux pas.) 5. Oui, j'en prends. (Non, je n'en prends pas.) 6. Oui, j'en ai envie. (Non, je n'en ai pas envie.) 7. Oui, j'en mets. (Non, je n'en mets pas.) 8. Oui, j'en bois. (Non, je n'en bois pas.) 9. Oui, j'en rajoute. (Non, je n'en rajoute pas.) 10. Oui, j'en ai envie. (Non, je n'en ai pas envie.) **B.** 1. Oui, il y en a assez! (Non, il n'y en a pas assez!) 2. Oui, nous en avons beaucoup! (Non, nous n'en avons pas beaucoup!) 3. J'en mets deux! 4. Oui, il en reste un peu! 5. Non, il y en a très peu! 6. Oui, j'en vois un pot! 7. Oui, j'en veux 250 grammes! 8. Il en faut trois! 9. Non, nous n'en avons pas du tout! 10. Nous en avons quatre bouteilles! (Il y en a quatre bouteilles!) **Ex. 6.** 1. Je les ai achetés au supermarché. 2. Je vais la commencer au dernier moment. 3. Oui, tu peux le couper maintenant. 4. Je l'ai mis sur le buffet. 5. Oui, je l'ai préparée il y a dix minutes. 6. Non, je ne l'ai pas encore ouverte. 7. Non, tu peux l'ouvrir (ouvre-la) dans un moment. 8. Je les ai posés sur le frigo. 9. Toi, tu vas la couper! **Ex. 7.** l'attends, la cherche, la, l'a vue, parle, l'écoute, me parle, cherche, la vois, l', la cherche, la vois, me regarde **Ex. 8.** 1. l' 2. en (n'en) 3. l' 4. l', en (J'en) 5. en, l' 6. l', le, en **Ex. 9. A.** 1. Mais si! Tu as quelqu'un à qui parler. 2. Mais si! Tu as déjà une carte de crédit. 3. Mais si! Tu as trouvé quelque chose sur cet écrivain. 4. Mais si! Tu as toujours de la chance. 5. Mais si! Moi aussi je suis gentil. 6. Mais si! Tu as encore besoin de mes conseils. **B.** 1. Monique n'a rien d'intéressant à dire. 2. Monique n'a plus de courses à faire. 3. Monique n'a pas encore de problèmes amoureux. 4. Monique n'a personne avec qui étudier. 5. Monique n'a jamais de bonnes idées. 6. Monique n'est pas très dynamique non plus. **Ex. 10.** 1. Mon frère ne mange que des légumes et des céréales. 2. Ma mère n'achète que du lait pasteurisé. 3. Mon père ne choisit que les meilleurs morceaux de viandes. 4. Je ne cuisine que le poulet aux herbes: c'est ma spécialité. 5. Mon amie n'aime que les potages et les fromages. 6. Je n'achète les fruits qu'au marché en plein air.

CHAPITRE 8

Ex. 1. 1. Allez-vous en Europe? Oui, je vais au Portugal et en Espagne. 2. Allez-vous en Asie? Oui, je vais en Chine et en Inde. 3. Allez-vous en Afrique? Oui, je vais en Tunisie et au Zaïre. 4. Allez-vous en Amérique du Nord? Oui, je vais aux États-Unis, en Californie et au Texas. 5. Allez-vous en Amérique du Sud? Oui, je vais au Brésil et en Argentine. **Ex. 2.** 1. Cette carte, vient-elle d'Amérique centrale? Oui, elle vient du Mexique. Charles doit être au Mexique. 2. Cette carte, vient-elle d'Afrique du Nord? Oui, elle vient d'Algérie. Charles doit être en Algérie. 3. Cette carte, vient-elle d'Amérique du Nord? Oui, elle vient du Canada. Charles doit être au Canada. 4. Cette carte, vient-elle d'Europe? Oui, elle vient de France. Charles doit être en France. 5. Cette carte, vient-elle d'Asie? Oui, elle vient des Philippines. Charles doit être aux Philippines. **Ex. 3.** 1. Le détective y entre aussi. (Le détective n'y entre pas.) 2. Le détective y monte aussi. (Le détective n'y monte pas.) 3. Le détective s'arrête et y entre aussi. (Le détective s'arrête et n'y entre pas.) 4. Le détective y descend aussi. (Le détective n'y descend pas.) 5. La police y emmène le détective aussi. (La police n'y emmène pas le détective.) **Ex. 4.** 1. (Moi aussi,) j'y pense. 2. (Oui,) j'y ai répondu. 3. (Bien sûr,) j'y ai bien réfléchi. 4. (Non,) je n'y suis pas resté! (Oui,) j'y suis allé. **Ex. 5.** 1. Oui, j'en ai. (Non, je n'en ai pas.) 2. Oui, j'en suis heureux. (Non, je n'en suis pas heureux.) 3. Oui, j'en suis content. (Non, je n'en suis pas content.) 4. Oui, j'en fais beaucoup. (Non, je n'en fais pas beaucoup.) 5. Oui, j'en mange. (Non, je n'en mange pas.) 6. Oui, j'en ai envie. (Non, je n'en ai pas envie.) **Ex. 6.** 1. évidemment 2. longuement 3. péniblement 4. impatiemment 5. vraiment 6. intelligemment 7. facilement 8. certainement 9. fréquemment 10. raisonnablement 11. particulièrement 12. malheureusement **Ex. 7.** 1. Albert prononce mal, Monique prononce plus mal et c'est Étienne qui prononce le plus mal de toute la classe. 2. Étienne a un bon vocabulaire, Chantal a un meilleur vocabulaire et c'est Hélène qui a le meilleur vocabulaire de toute la classe. 3. Albert a une mauvaise attitude, Monique a une plus mauvaise (pire) attitude et c'est Hélène qui a la plus mauvaise (la pire) attitude de toute la classe. 4. Étienne écoute bien, Louis écoute mieux et c'est Chantal qui écoute le mieux de toute la classe. 5. Chantal écrit mal, Albert écrit plus mal et c'est Louis qui écrit le plus mal de toute la classe. **Ex. 8.** 1. Elle lisait un roman quand les lumières se sont éteintes subitement. 2. Elle écoutait de la musique classique quand un sac est tombé sur elle. 3. Elle dormait paisiblement quand l'hôtesse de l'air l'a secouée brutalement. 4. Elle mangeait son repas quand l'avion a traversé une zone de turbulences. 5. Elle parlait à son voisin quand un réacteur s'est arrêté de fonctionner. **Ex. 9.** 1. as fait 2. suis allé(e) 3. voulions 4. pensions 5. as vu 6. avons visité 7. avons fait 8. nous sommes promené(e)s 9. avons découvert 10. étions 11. n'avions 12. coûtait 13. avons acheté **Ex. 10.** 1. étais 2. allions 3. louions 4. conduisait 5. lisait 6. arrivions 7. restions 8. nous baignions 9. prenions 10. jouions 11. passions 12. ai suivi 13. voulait 14. savais 15. ai dit 16. n'avais 17. sommes partis 18. sommes arrivés 19. avais 20. étions 21. s'est levé 22. a commencé 23. nageait 24. avais 25. sautais 26. buvais 27. ai eu 28. pensais 29. ai continué 30. demandais 31. ne sommes pas allés 32. sommes arrivés 33. me suis couchée 34. ai pleuré 35. suis juré

CHAPITRE 9

Ex. 1. 1. où 2. dont 3. où 4. dont 5. où 6. dont 7. où 8. où, dont **Ex. 2. A.** 1. passerai (irai), demanderai, partira, durera (mettra), aura, attendra 2. achèterai, irai, rentrerai 3. commencerai, mettrai, vérifierai, oublierai, retournerai, paierai (payerai) 4. reviendrai, montrerai **B.** 1. fera, Sauras, Viendras, Enverras 2. répondrai, écrirai, pourrai, devras **Ex. 3.** 1. Ne marche pas si vite! 2. Manges-en un peu plus. Ce gâteau est délicieux! 3. Ne t'impatiente pas, j'arrive! 4. Ne le prends pas! Ce bus va dans la mauvaise direction. 5. Achète-les! Elles sont vraiment très jolies, ces cartes postales. 6. Parle plus fort, je ne t'entends pas! 7. Sois gentil, prends-moi en photo devant cette fontaine! Vas-y, je t'attends ici! 9. Prête-moi ton plan, si'l te plaît. Je crois que nous nous sommes perdus! 10. Reviens nous voir bientôt! **Ex. 4.** 1. Tous 2. Tous 3. Tout 4. Tous 5. Toutes 6. tout 7. Tous 8. tout, tout 9. Tous 10. Toutes

CHAPITRE 10

Ex. 1. 1. vous sentirez 2. vous impatienter 3. te fâches 4. Calme 5. met de mauvaise humeur 6. me réjouis **Ex. 2.** 1. a fait entrer 2. fait ouvrir 3. fait tousser 4. fait respirer 5. Faites-lui prendre 6. Faites-lui boire 7. faire parler 8. faire venir **Ex. 3.** 1. Il faut que tu conduises (vous conduisiez) prudemment. 2. Il faut que tu manges (vous mangiez) une nourriture saine, en petites quantités. 3. Il faut que tu fasses (vous fassiez) de l'aérobique. 4. Il faut que tu mettes (vous mettiez) de la crème solaire à indice de protection élevé. 5. Il faut que tu te brosses (vous vous brossiez) les dents trois fois par jour. 6. Il faut que tu ailles (vous alliez) au gymnase régulièrement. **Ex. 4.** 1. «Il faut que tu boives ce sirop.» 2. «Il faut qu'elles aillent à l'hôpital.» 3. «Il faut que vous vouliez guérir.» 4. «Il faut que nous ayons tous de l'énergie pour bien travailler.» 5. «Il faut que je revienne demain.» 6. «Il faut que vos soyez content: l'opération a très bien réussi.» **Ex. 5.** 1. avait pris 2. avait pris, l'avait envoyé 3. avait pesé, avait ausculté 4. avait prêté, avait laissée 5. avait endormie 6. avait enlevé **Ex. 6.** 1. avait déjà mis 2. étaient déjà arrivés 3. avaient déjà eus 4. avaient déjà pris 5. était déjà cassé **Ex. 7.** 1. a quitté 2. est sorti 3. laisser 4. partira 5. ai laissé 6. est sortie 7. sortirez (partirez) 8. quitter 9. sors **Ex. 8.** 1. Oui, je sais, mais il est quand même important que tu les prennes (que tu prennes tes pastilles pour la gorge)! 2. Oui, je sais, mais il est quand même important que tu en fasses (que tu fasses des gargarismes)! 3. Oui, je sais, mais il est quand même important que tu t'en fasses faire une (que tu te fasses faire une radio)! 4. Oui, je sais, mais il est quand même important que tu le prennes (que tu prennes ce sirop)! 5. Oui, je sais, mais il est quand même important que tu en suives un (que tu suives un régime)! 6. Oui, je sais, mais il est quand même important que tu ailles en voir un (que tu ailles voir un psychiatre)! 7. Oui, je sais, mais il est quand même important que tu les finisses (que tu finisses tes antibiotiques)! 8. Oui, je sais, mais il est quand même important que tu t'en mettes (que tu te mettes de la cortisone)!

CHAPITRE 11

Ex. 1. 1. De quoi se sert-il? (De qui est-ce qu'il se sert?) 2. Pour qui travaille-t-il? (Pour qui est-ce qu'il travaille?) 3. Qu'utilise-t-elle? (Qu'est-ce qu'elle utilise?) 4. Avec qui discute-t-il? (Avec qui est-ce qu'il discute?) 5. A quoi pense-t-il? (A quoi est-ce qu'il pense?) **Ex. 2.** 1. Mais que répare-t-il maintenant? 2. Mais que vérifie-t-il avec sa calculatrice? 3. Qu'est-ce qui est tombé? 4. Qu'observe Charlotte au microscope? 5. Qu'est-ce qui brille à son doigt? **Ex. 3.** 1. Martine, je te conseille d'acheter l'allemand (le français). 2. Marguerite, je te conseille d'acheter l'électrique (le manuel). 3. Martine, je te conseille d'acheter la solaire (celle à piles). 4. Marguerite, je te conseille d'acheter l'argentée (la dorée). 5. Martine, je te conseille d'acheter le grand (le moyen). **Ex. 4.** *Answers will vary; here are some possible responses*. 1. A: Cette sorbetière coûte 1 200F. Elle est électrique. M: Oui, et celle-là coûte 300F mais elle est manuelle. 2. A: Ce magnétoscope coûte 3 600F. Il est japonais. M: Oui, mais celui-là coûte 2 400F et il est américain. 3. A: Ce gaufrier électrique coûte 180F. Il est très grand. M: Oui, celui-là coûte seulement 120F mais il est trop petit. 4. A: Cette théière coûte 420F. Elle est en porcelaine. M: Oui, et celle-là coûte 600F mais elle est en cuivre. 5. A: Ces coupes coûtent 540F et elles sont en cristal. M: Oui, et celles-là coûtent 120F mais elles sont en verre. 6. A: Ces couteaux coûtent 240F et ils sont en acier de bonne qualité. M: Oui, et ceux-là coûtent 48F mais ils sont en acier bon marché. **Ex. 5.** 1. le lui 2. l'y 3. les leur 4. le lui 5. en 6. les lui 7. la, les lui, Qu'en, me l' 8. vous y **Ex. 6.** 1. Oui, elle l'y a laissée. 2. Oui, elle les lui a prêtés. 3. Oui, elle l'y a rencontrée. 4. Oui, elle leur en a apporté. 5. Oui, elle lui en a donné. 6. Oui, elle les y a achetées. 7. Oui, elle lui en a offert. **Ex. 7.** 1. prendrait 2. perdrais 3. faudrait 4. devrions 5. ferais 6. mettriez, économiseriez 7. choisirais

CHAPITRE 12

Ex. 1. A. 1. Achète-la! 2. Range-les! 3. Écoute-le! 4. Arrose-la! 5. Ramasse-les! **B.** 1. Réponds-lui! 2. Explique-leur le problème! 3. Dis-lui que tu étais malade! 4. Montre-leur la photo! 5. Donne-lui le nouveau disque! **Ex. 2. A.** 1. Ne les achète pas! 2. Ne le range pas! 3. Ne la replante pas! 4. Ne l'écoute pas! 5. Ne les jette pas! **B.** 1. Ne lui montre pas mon dessin! 2. Ne lui donne pas ma calculatrice! 3. Ne leur raconte pas mes aventures! 4. Ne lui envoie pas mon album! 5. Ne leur prête pas mon robot! **Ex. 3.** 1. Oui, explique-la-leur. 2. Oui, prête-les-lui. 3. Oui, écris-la-leur. 4. Oui, envoie-le-lui. 5. Oui, donne-la-lui. 6. Oui, apporte-les-leur. **Ex. 4.** 1. Non, ne me le donne pas. Je n'en ai pas besoin. 2. Non, ne les leur prête pas. Ils n'en ont pas besoin. 3. Non, ne le lui envoie pas. Il n'en a pas besoin. 4. Non, ne le leur dessine pas. Ils n'en ont pas besoin. 5. Non, ne me l'explique pas. Je n'en ai pas besoin. 6. Non, ne me l'apporte pas. Je n'en ai pas besoin. **Ex. 5.** 1. En veux-tu? Oui, donne-m'en. 2. En veux-tu? Oui, donne-m'en. 3. En veux-tu? Oui, donne-m'en. 4. Le veux-tu? Oui, donne-le-moi. 5. Les veux-tu? Oui, donne-les-moi. 6. La veux-tu? Oui, donne-la-moi. **Ex. 6.** 1. Je lui ai permis de prendre sa bicyclette. 2. Je lui ai suggéré de demander une augmentation de salaire. 3. Je lui ai proposé de former une association. 4. Je lui ai interdit de prendre ma voiture ce soir. 5. Je lui ai demandé d'aller me chercher des blancs de poulet et des légumes au marché. 6. Je lui ai dit d'être gentille et de rester-là deux minutes. **Ex. 7. A.** 1. Et ces vieux bijoux, ce ne sont pas les miens. Est-ce qu'ils sont à ta grand-mère? —Oui, je crois que ce sont les siens. 2. Et cette chemise en polyester, ce n'est pas la mienne. Est-ce qu'elle est à ton frère? —Oui, je crois que c'est la sienne. 3. Et cette calculatrice, ce n'est pas la mienne. Est-ce qu'elle est à nous? —Oui, je crois que c'est la nôtre. 4. Et ce grand fauteuil, ce n'est pas le mien. Est-ce qu'il est à nous? —Oui, je crois que c'est le nôtre. 5. Et ces robes en dentelles, ce ne sont pas les miennes. Est-ce qu'elles sont à nos grands-mères? —Oui, je crois que ce sont les leurs. **B.** 1. Et ce vieux moulin à café rouge, est-il à toi? Je pense que c'est le tien! —Oui, tu as raison. C'est le mien. 2. Et ces petites bottes en caoutchouc, sont-elles à vous deux? Je pense que ce sont les vôtres! —Oui, tu as raison. Ce sont les nôtres. 3. Et ces vieilles bouteilles, sont-elles à toi? Je pense que ce sont les tiennes! —Oui, tu as raison. Ce sont les miennes. 4. Et ces jouets en bois, sont-ils à vous deux? Je pense que ce sont les vôtres! —Oui, tu as raison. Ce sont les nôtres. 5. Et cette locomotive d'un train électrique, est-elle à toi? Je pense que c'est la tienne! —Oui, tu as raison. C'est la mienne. **Ex. 8.** *Answers will vary; here are some possible responses.* 1. Chantal, je voudrais que tu finisses mon examen pour moi. 2. Hélène, je désire que tu prennes des notes pour moi. 3. Étienne, il vaut mieux que tu répondes pour moi. 4. Louis, je préfère que tu fasses cet exercice à ma place. 5. Chantal, j'ai besoin que tu sortes ton livre car j'ai oublié le mien. **Ex. 9.** *Answers will vary; here are some possible responses.* 1. Jean-Luc a besoin que son collègue finisse le rapport aujourd'hui. 2. Bernard et Irène suggèrent qu'il travaille à l'étranger. 3. Mme Martin leur a dit: «Il serait bon que vous commenciez à étudier pour l'examen.» 4. Mme Michaud va exiger qu'ils arrivent à l'heure. 5. Un gros client souhaite qu'il finisse le projet. **Ex. 10.** 1. auront détruit 2. aurai réalisé 3. aurons remplacé 4. auront compris 5. auras obtenu 6. aura fini

CHAPITRE 13

Ex. 1. 1. Alors, ils se donnent rendez-vous tous les jours! 2. Alors, vous vous écrivez souvent! 3. Alors, ils s'aiment beaucoup! 4. Alors, vous vous téléphonez souvent! 5. Alors, ils se parlent souvent! 6. Alors, ils se détestent! **Ex. 2.** 1. m'occuperai 2. s'en vont 3. se met 4. se rend compte 5. se dépêche 6. m'entends 7. se décide 8. se souvenir 9. s'est passée 10. s'est-elle fâchée **Ex. 3.** 1. lises 2. puisse 3. sont 4. détruise 5. pensiez 6. veuille 7. se maintienne 8. ait 9. se rend 10. vienne **Ex. 4.** 1. sont 2. considérons 3. buvez 4. sachent 5. puissent 6. fassent 7. veulent

CHAPITRE 14

Ex. 1. 1. Le gouvernement français et le Club Alpin entretiennent ce refuge en montagne. 2. On fait le gruyère en Savoie et en Suisse. 3. Les Romains ont conquis la Gaulle, ancien nom de la France. 4. L'architecte Le Vau a construit Versailles sous les ordres de Louis XIV. 5. On a fondé l'université de Paris au XIIIème siècle. **Ex. 2.** 1. Oui, ils ont protesté en chantant des slogans. 2. Oui, ils ont protesté en descendant dans les rues. 3. Oui, ils ont protesté en faisant la grève. 4. Oui, ils ont protesté en dressant des barricades. 5. Oui, ils ont protesté en lançant des pavés. **Ex. 3.** 1. ne se seraient pas révoltés 2. auraient formé 3. n'auraient pas pu 4. ne leur auraient pas accordé 5. seraient arrivés 6. n'auraient pas pu **Ex. 4.** 1. avant qu' 2. lorsqu' 3. jusqu'à ce que 4. avant que 5. lorsque **Ex. 5.1** Le pape utilise des symboles pour que le peuple chilien se rende compte du soutien de l'Église. 2. Le mur de Berlin reste debout quoique les habitants de Berlin-Est et ceux de Berlin-Ouest souffrent de la séparation. 3. Le Tchad a vaincu les forces Lybiennes bien que celles-ci aient été supérieures en nombre. 4. L'URSS a changé de stratégie dans ses rapports avec les États-Unis sans que les deux pays aient obtenu des garanties de «sécurité commune». 5. Les banques ont créé de nouveaux marchés afin que les particuliers puissent investir leur argent directement. 6. Le ministre a voulu faire passer cette loi quoique les journaux aient commenté la resistance profonde des étudiants à cette loi. 7. Le Minitel est apparu dans chaque famille sans que les loisirs des Français aient changé. **Ex. 6.** 1. que, qui 2. à qui 3. auxquelles 4. pour laquelle 5. dans lesquelles 6. dont **Ex. 7.** 1. Ce qui, ce que 2. Ce dont 3. Ce que 4. Ce dont 5. Ce qui 6. Ce qu'

Lexique français-anglais

This end vocabulary provides contextual meanings of French words used in the text. Regular adverbs (in **-ment**) do not appear here when the adjectives on which they are based are included, and we do not include *regular* past participles of verbs whose infinitive is listed. However, regular past participles that are also used as adjectives are included. Adjectives are listed in the masculine singular form, with irregular feminine endings or forms included in parentheses. An asterisk (*) indicates words beginning with an aspirate *h*.

Abréviations:

adj.	adjective	*inv.*	invariable
adv.	adverb	*m.*	masculine (noun)
art.	article	*p.p.*	past participle
conj.	conjunction	*pl.*	plural
contr.	contraction	*prep.*	preposition
f.	feminine (noun)	*pron.*	pronoun
fam.	familiar, colloquial	*sing.*	singular
inf.	infinitive	*subj.*	subjunctive
int.	interjection	*v.*	verb

A

à *prep.* to; at; in; with
abandonner to leave; to abandon, give up
aboli *adj.* abolished
abondance *f.* abundance, a great deal
abondant *adj.* abundant, plentiful
abonnement *m.* subscription
abord: d'abord *adv.* first, first of all
aborder to approach; to start, undertake
abri-bus *m.* bus(stop) shelter
abricot *m.* apricot
abriter to shelter; to contain
abrupte *adj.* abrupt; sheer
abruti(e) *m., f.* stupid, dull person
absent *adj.* absent
absolu *adj.* absolute
absurdité *f.* absurdity
acacia *m.* acacia
académie *f.* academy
académique *adj.* academic
Acadie *f.* Acadia (Nova Scotia)
Acadien(ne) *m., f.* Acadian (*person*); **acadien(ne)** *adj.* Acadian
s'accélérer to accelerate, speed up
accent *m.* accent; accent mark; emphasis
acceptable *adj.* acceptable
accepter (de) to accept; to agree to
accès *m.* access
accessoire *m.* accessory
accident *m.* accident
acclamer to acclaim, applaud
accompagner to accompany
accord: d'accord *int.* O.K., all right; **être d'accord** to agree, be in agreement; **se mettre d'accord** to come to an agreement
accorder to grant, give
accoudé *adj.* leaning on one's elbows
accueil *m.* welcome; **famille** (*f.*) **d'accueil** host family
accueillant *adj.* welcoming, hospitable
accueillir to welcome, receive
accuser to accuse
achat *m.* purchase
acheter to buy
acheteur (-euse) *m., f.* buyer
acier *m.* steel
acquis *adj.* acquired
acrobatie *f.* acrobatics; **tour** (*m.*) **d'acrobatie** acrobatic trick
acte *m.* act; action; **acte de mariage** marriage certificate
acteur (-trice) *m., f.* actor (actress)
actif (-ive) *adj.* active, energetic
action *f.* action, act; **jour** (*m.*) **d'Action de Grâce** Thanksgiving Day (U.S.)
activité *f.* activity
actualité *f.* current event, news; reality
actuel(le) *adj.* current, present, present-day
acupuncture *f.* acupuncture
adapté *adj.* adapted, adjusted

additif *m.* additive
addition *f.* bill, check; addition
additionner to add up
adieu *int.* good-bye
adjectif *m.* adjective
admettre to admit; to accept; *p.p.* **admis**
administration *f.* government; management, administration
administré *adj.* administered, governed
admirable *adj.* admirable
admirateur (-trice) *m., f.* admirer
admirer to admire; to wonder at
adolescent(e) *m., f.* teenager, adolescent; *adj.* adolescent
adopté *adj.* adopted
adorable *adj.* adorable
adorer to adore; to love
adresse *f.* address
adulte *m., f.* adult; *adj.* adult
adultère *m.* adultery
adverbe *m.* adverb
aérien(ne) *adj.* aerial, above ground
aérobique *f.* aerobics; **faire de l'aérobique** to do aerobics
aéroport *m.* airport
affaibli *adj.* weakened
affaire *f.* business; affair; bargain; *pl.* personal effects; **homme** (*m.*) (**femme** [*f.*]) **d'affaires** businessman (-woman)
affecter to affect
affectueux (-euse) *adj.* affectionate
affiche *f.* poster, placard; cast list
affiché *adj.* displayed, announced
afficher to display; to hang up; to make a show of
affichette *f.* small placard, tag
affilée: d'affilée *adv.* in a row
affirmatif (-ive) *adj.* affirmative, positive
affirmation *f.* affirmation, statement
affirmer to affirm
affreux (-euse) *adj.* awful, horrible
affronter to face, confront
afin de (+ *inf.*) in order to (*do something*); **afin que** (+ *subj.*) so that (*something be done*)
Africain(e) *m., f.* African (*person*); **africain** *adj.* African
Afrique *f.* Africa; **Afrique de l'Ouest** West Africa; **Afrique du Nord** North Africa; **Afrique occidentale** West Africa
âge *m.* age; **quel âge avez-vous (as-tu)?** how old are you?
âgé *adj.* old
agence *f.* agency, bureau; **agence de voyages** travel agency
agent *m.* agent; **agent de voyages** travel agent
agilité *f.* agility
agir to act; **il s'agit de** it's a question of
agité *adj.* agitated, excited
s'agiter to move about; to become agitated
agneau *m.* lamb; **gigot** (*m.*) **d'agneau** leg of lamb
agraire *adj.* agrarian, agricultural
agréable *adj.* agreeable, pleasant
agréé *adj.* licensed, authorized
agressif (-ive) *adj.* aggressive
agricole *adj.* agricultural
agriculteur (-trice) *m., f.* farmer, farm worker
agriculture *f.* agriculture
agronomie *f.* agricultural science
aide *f.* help; support; **à l'aide de** with the help of, by means of
aider to help
aigu *adj.* high (*sound*); sharp; acute
ail *m.* garlic
ailleurs *adv.* elsewhere; **d'ailleurs** besides, moreover
ailloli *m.* garlic mayonnaise (*Provençal sauce*)
aimer to love; **aimer bien** to like; **aimer mieux** to prefer
aîné(e) *m., f.* older brother or sister; *adj.* older (*sibling*)
ainsi *adv.* thus; so; **ainsi que** *conj.* as well as
air *m.* air, atmosphere; tune, melody; **air conditionné** *adj.* air conditioned; **avoir l'air** to look, seem; **en plein air** in the open air, outdoors, outdoor; **faites le plein d'air** pump up the tires; **hôtesse** (*f.*) **de l'air** flight attendant, stewardess
aisément *adv.* easily, with ease
ajouter to add
alarme *f.* alarm
alcool *m.* alcohol
alcoolique *adj.* alcoholic
Algérie *f.* Algeria
Algérien(ne) *m., f.* Algerian (*person*); **algérien(ne)** *adj.* Algerian
aliment *m.* food, foodstuff
alimentaire *adj.* eating, alimentary
alimentation *f.* food, nourishment; **alimentation solaire** solar (energy source)
Allemagne *f.* Germany
Allemand(e) *m., f.* German (*person*); **allemand** *m.* German (*language*); **allemand** *adj.* German
aller to go; *p.p.* **allé**; **aller** (+ *inf.*) to be going (*to do something*); **aller (bien, mieux, mal)** to go (well, better, badly); to be in (good, better, poor) health; **aller-retour** *adj. inv.* round-trip; **allons-y (allez-y, vas-y)** *fam.* (let's) go to it, go for it; **comment allez-vous?** how are you?; **s'en aller** to go away
allergie *f.* allergy
allergique *adj.* allergic
alliance *f.* union; wedding ring
s'allier to ally, join together
Alliés *m. pl.* Allies, *Allied countries of World War II*
allocation *f.* (government) allowance
allongé *adj.* elongated; diluted
s'allonger to lie down; to stretch out
allumer to light; to turn on (*radio, TV*)
allure *f.* bearing, gait; **à toute allure** *adv.* at full speed
alors *adv.* then; in that case; at that time; **alors que** *conj.* while, whereas; **ça alors!** *int.* no kidding! wow!
Alpes *f. pl.* the Alps
alphabétisation *f.* literacy
alpin *adj.* alpine; **ski** (*m.*) **alpin** mountain skiing
Alsace *f.* Alsace (*eastern French province*)
Alsacien(ne) *m., f.* Alsatian (*person*); **alsacien(ne)** *adj.* Alsatian, *from Alsace*
altitude *f.* altitude
aluminium *m.* aluminum
amant(e) *m., f.* lover
amasser to collect, gather
amateur *m.* amateur; connoisseur; **amateur d'art** art lover
Amazone *f.* Amazon River
ambassade *f.* embassy
ambition *f.* ambition
ambulance *f.* ambulance
âme *f.* soul, spirit; **état** (*m.*) **d'âme** state of mind, mood
amélioration *f.* improvement
améliorer to improve, ameliorate
aménagé *adj.* set up, arranged
amende *f.* fine, penalty
Américain(e) *m., f.* American (*person*); **américain(e)** *adj.* American; **football** (*m.*) **américain** football
Amérique *f.* America; **Amérique du Nord** North America; **Amérique du Sud** South America
amertume *f.* bitterness
ami(e) *m., f.* friend; **petit(e) ami(e)** boyfriend, girlfriend
amical *adj.* friendly
amitié *f.* friendship; affection
amour *m.* love
amoureux (-euse) *m., f.* person in love; *adj.* in love; **tomber (être) amoureux**

(**-euse**) (**de**) to fall (to be) in love (with)
ampleur *f.* breadth, fullness
amplificateur *m.* amplifier
ampoule *f.* (light)bulb; blister; **ampoule de rechange** spare bulb
amusant *adj.* funny, amusing
s'amuser to have a good time
an *m.* year; **jour** (*m.*) **de l'An** New Year's Day; **avoir** (**vingt**) **ans** to be (twenty) years old
analyse *f.* analysis
ananas *m.* pineapple
ancêtre *m., f.* ancestor
anchois *m.* anchovy
ancien(**ne**) *adj.* former; old; ancient
âne *m.* donkey, ass; **dos** (*m.*) **d'âne** speed bump, ridge (*in road*)
anesthésiste *m., f.* anesthetist, anesthesiologist
angine *f.* sore throat; tonsillitis
Anglais(**e**) *m., f.* English (*person*); **anglais** *m.* English (*language*); **anglais**(**e**) *adj.* English
angle *m.* corner; angle; **à l'angle de** at the corner, intersection of
Angleterre *f.* England; **Nouvelle-Angleterre** *f.* New England
anglo-américain(**e**) *adj.* Anglo-American
Anglo-Saxon(**ne**) *m., f.* Anglo-Saxon (*person*); **anglo-saxon**(**ne**) *adj.* Anglo-Saxon
anglophone *adj.* anglophone, English-speaking
angoisser to distress, worry
angora *m.* Angora (wool)
animal *m.* (**animaux** *pl.*) animal, beast
animé *adj.* animated; lively; **dessin** (*m.*) **animé** cartoon (*film*)
année *f.* year
annexer to annex, attach
anniversaire *m.* birthday; anniversary; **anniversaire de mariage** wedding anniversary; **bon anniversaire** happy birthday
annonce *f.* announcement; advertisement, sign; **petites annonces** want ads
annoncer to announce
annuel(**le**) *adj.* annual, yearly
anorak *m.* windbreaker, ski jacket
antenne *f.* antenna, aerial
antibiotique *m.* antibiotic
anticommuniste *adj.* anticommunist
antimarxiste *adj.* antimarxist
antipathique *adj.* antipathetic, distasteful
antique *adj.* ancient, classical
anxieux (**-euse**) *adj.* anxious
août August
apercevoir to perceive; *p.p.* **aperçu; s'apercevoir de** to become aware of
aperçu *m.* glimpse, view; *p.p. of* **apercevoir**
apéritif *m.* before-dinner drink, aperitif
apparaître to appear; *p.p.* **apparu**
appareil *m.* machine, equipment; telephone; **appareil-photo** *m.* camera
apparemment *adv.* apparently
apparence *f.* appearance
appartement *m.* apartment
appartenir (**à**) to belong (to)
apparu *p.p. of* **apparaître**
appel *m.* call; appeal; **borne** (*f.*) **d'appel d'urgence** emergency calling station; **faire appel à** to appeal to, call upon
appeler to call; to name; **s'appeler** to be called; **comment vous appelez-vous?** what's your name?; **je m'appelle...** my name is . . .
appétissant *adj.* appetizing
appétit *m.* appetite; **bon appétit** *int.* enjoy your meal
application *f.* application
appliquer to apply, put to use; to impose; **s'appliquer** (**à**) to apply oneself; to be applicable to
apporter to bring; to supply (things)
apprécier to appreciate, enjoy; to understand
appréhension *f.* apprehension, fear
apprendre to learn; to teach; *p.p.* **appris**
apprentissage *m.* apprenticeship; learning
appris *p.p. of* **apprendre**
approbation *f.* approval, approbation
approcher to bring closer; **s'approcher de** to approach, come closer
approprié *adj.* suitable, appropriate
appui *m.* support
appuyer to support; to press; **s'appuyer sur** to press; to lean against
après *prep.* after; **d'après** according to
après-demain *adv.* the day after tomorrow
après-guerre *m.* postwar period
après-midi *m.* afternoon
aptitude *f.* aptitude, capacity
aquarium *m.* aquarium
Arabe *m., f.* Arab (*person*); **arabe** *m.* Arabic (*language*); **arabe** *adj.* Arab
arbre *m.* tree
arc *m.* arch
archéologie *f.* archeology
archeologue *m., f.* archeologist
archévêque *m.* archbishop
archipel *m.* archipelago
architecte *m., f.* architect
architecture *f.* architecture
argent *m.* money; silver
argenté *adj.* silver-plated
aride *adj.* dry, arid
armature *f.* framework, armature
arme *f.* weapon
armé *adj.* armed; **forces** (*f. pl.*) **armées** armed forces
armée *f.* army
armement *m.* armaments, arms; war buildup
armistice *m.* armistice, termination of war
armoire *f.* closet, cupboard
arrêt *m.* stop; bus stop; **bande** (*f.*) **d'arrêt d'urgence** emergency parking strip
arrêter to stop (*someone, something*); **s'arrêter** (**de**) to stop (oneself)
arrière *m.* rear, back (end)
arrière-grands-parents *m. pl.* great-grandparents
arrivée *f.* arrival; landing
arriver to arrive, reach; **arriver à** to manage to
arrondi *adj.* rounded
arrondissement *m.* district, ward (*of Paris*)
arrosé *adj.* watered, dampened
arroser to water, irrigate
art *m.* art; **beaux-arts** *m. pl.* fine arts
artère *f.* artery
artichaut *m.* artichoke; **fond** (*m.*) **d'artichaut** artichoke heart
article *m.* article; object, item
articulé *adj.* jointed, articulated
artifice *m.* artifice, scheme, strategy; **feux** (*m. pl.*) **d'artifice** fireworks
artificiel(**le**) *adj.* artificial
artisan(**e**) *m., f.* craftsperson; skilled worker
artisanat *m. sing.* trades; handicrafts
artiste *m., f.* artist
artistique *adj.* artistic
ascenseur *m.* elevator
ascension *f.* ascent; climb; rising; **Fête** (*f.*) **de l'Ascension** Ascension Day
Asie *f.* Asia
aspect *m.* aspect; appearance; sight
asperge *f.* asparagus
s'asphyxier to suffocate
aspirateur *m.* vacuum cleaner; **passer l'aspirateur** to vacuum
aspirine *f.* aspirin
assaut *m.* assault, attack; **prendre d'assaut** to take by force

assemblée *f.* assembly, meeting; **Assemblée nationale** *one of the two houses of the French parliament*
s'assembler to gather (together)
s'asseoir to sit down; *p.p.* **assis**
assez *adv.* enough; rather; **assez de** (+ *n.*) enough of; **en avoir assez** to be bored with, sick of
assidu *adj.* assiduous, diligent
assiette *f.* plate; soup bowl
assis *adj.* seated, sitting; *p.p. of* **(s')asseoir**
assistant(e) *m., f.* assistant; instructor
assister to help, assist; **assister à** to attend, look on
association *f.* association, organization
associer to associate; **s'associer** to associate, join together
l'assomption *f.* Feast of the Assumption
assorti *adj.* assorted, mixed
assumer to assume, take on
assurance *f.* insurance; assurance; **assurance-maladie** *f.* health insurance
assurer to assure; to guarantee
atelier *m.* studio, workshop
athlétique *adj.* athletic
Atlantique *m.* Atlantic Ocean; **côte** (*f.*) **atlantique** Atlantic coast
atmosphère *f.* atmosphere, air
atomique *adj.* atomic
atout *m.* trump; winning card
attachant *adj.* engaging, appealing
attaché(e) *m., f.* attaché, liaison, representative
attaquer to attack; **s'attaquer à** to tackle, attack
atteindre to reach, attain
attendre to wait (for); **s'attendre à** to expect
attentat *m.* (criminal) attempt; crime
attente *f.* waiting; **salle** (*f.*) **d'attente** waiting room
attention *f.* attention; *int.* look out!; **faire attention à** to pay attention to
attentivement *adv.* attentively, carefully
atterrir to land (*airplane*)
attirant *adj.* attractive, enticing
attirer to attract, draw
attitude *f.* attitude; posture
attraction *f.* attraction; ride; event; **parc** (*m.*) **d'attractions** amusement park
attraper to catch
attrayant *adj.* attractive, appealing
au *contr. of* **à** + **le**
auberge *f.* inn; **auberge de jeunesse** youth hostel
aubergine *f.* eggplant
aucun *adj.* no, none; **ne... aucun(e)** *adj., pron.* no; no one; not any
audience *f.* public, audience
audiovisuel(le) *adj.* audiovisual
auditeur (-trice) *m., f.* listener, auditor
audition *f.* audition; recital; hearing
auditionner to audition
augmentation *f.* expansion; raise (*salary*); rise
augmenter to raise, augment
aujourd'hui *adv.* today
auparavant *adv.* earlier, before, in the past
auprès de *prep.* close to; with (*people*)
auquel *contr. of* **à** + **lequel**
ausculter to examine with a stethoscope
aussi *adv.* also; **aussi... que** as . . . as
aussitôt *adv.* immediately; **aussitôt que** as soon as
Australie *f.* Australia
autant *adv.* much, many; **autant de... que** as much (many) . . . as; **autant que** as much (many) as; **d'autant plus que** especially as
auteur *m.* author; creator
auto *f.* car, automobile
autobus *m.* bus
auto-couchette: train (*m.*) **auto-couchette** *train carrying sleeper cars*
automatique *adj.* automatic; **distributeur** (*m.*) **automatique** automatic vending machine
automobile *adj.* automobile; *f.* automobile, car
automobiliste *m., f.* motorist, driver
autoriser to authorize
autorité *f.* authority
autoroute *f.* highway, freeway
auto-stop *m.*: **faire de l'auto-stop** to hitchhike
auto-stoppeur (-euse) *m., f.* hitchhiker
autour (de) *prep.* around
autre *adj.* other, another
autrefois *adv.* formerly, in other times
autrement *adv.* otherwise
Autriche *f.* Austria
aux *pl. of* **au**, *contr. of* **à** + **les**
auxquel(le)s *contr. of* **à** + **lesquel(le)s**
avaler to swallow
avance: à l'avance *adv.* in advance; **en avance** early, beforehand; **par avance** in advance
avancé *adj.* advanced
avancer to advance, move forward
avant *prep.* before; **avant de** (+ *inf.*) before; **avant que** *conj.* (+ *subj.*) before
avantage *m.* advantage
avant-garde: d'avant-garde *adj.* advanced, ahead of its time
avare *adj.* miserly
avec *prep.* with; by means of
avenir *m.* future
aventure *f.* adventure; **à l'aventure** *adv.* at random
aventureux (-euse) *adj.* adventurous
avenue *f.* avenue, broad street
s'avérer to prove to be
aveugle *adj.* blind
aviation *f.* aviation
avidement *adv.* avidly, eagerly
avion *m.* airplane; **par avion** air mail
avis *m.* opinion; advice; **à mon (votre) avis** in my (your) opinion; **changer d'avis** to change one's mind
avocat *m.* avocado
avocat(e) *m., f.* lawyer, counsel
avoir to have; **avoir besoin de** to need; **avoir chaud** to be hot; **avoir de la chance** to be lucky; **avoir du mal à** to have trouble, difficulty (*doing something*); **avoir envie de** to feel like, want (to); **avoir faim** to be hungry; **avoir froid** to be cold; **avoir honte** to be embarrassed, ashamed; **avoir l'air (de)** to look (like), appear; **avoir le cafard** to be fed up, depressed; **avoir le droit de** to have the right to; **avoir lieu** to take place; **avoir l'occasion de** to have a chance, occasion to; **avoir mal (à)** to have a pain; to hurt; **avoir peur** to be afraid; **avoir raison** to be right; **avoir soif** to be thirsty; **avoir sommeil** to be sleepy; **avoir tort** to be wrong; **avoir (vingt) ans** to be (twenty) years old; **en avoir assez** to be bored with, sick of
avortement *m.* abortion
avouer to confess, admit
avril April
azur: côte (*f.*) **d'Azur** French Riviera

B

babouches *f. pl.* slippers (*in Moslem countries*)
babouchier *m.* slipper maker
Bac *m. fam.* **Baccalauréat**
Baccalauréat *m. French secondary school diploma*
bacon *m.* bacon
bagages *m. pl.* baggage
bague *f.* ring (*jewelry*)
baguette *f. thin loaf of French bread*
baie *f.* bay
baigner to bathe; **se baigner** to go swimming

baignoire *f.* bathtub
bail *m.* lease; **crédit-bail** *m.* lend-lease
bain *m.* bath; **salle** (*f.*) **de bains** bathroom; **slip** (*m.*) **de bain** swimming trunks
baisse *f.* reduction, lowering
baisser to lower, diminish
bal *m.* ball, dance; **salle** (*f.*) **de bal** ballroom
Balance *f.* Libra
balayer to sweep
balbutier to stammer, stutter
balcon *m.* balcony
balle *f.* ball; bullet
ballet *m.* ballet, classical dance
ballon *m.* balloon; football; soccer ball
bambou *m.* bamboo
banal *adj.* banal, ordinary
banane *f.* banana
banc *m.* bench
bandage *m.* bandage; bandaging
bande *f.* band; group of friends; **bande dessinée, «B.D.»** *f.* comics, comic strip; **bande d'arrêt d'urgence** emergency parking strip; **bande-vidéo** *f.* videotape
bandoulière: en bandoulière slung across one's back, shoulder
banlieue *f.* suburb(s); **en banlieue** in the suburbs
banni *adj.* banished
banque *f.* bank
banquet *m.* banquet, grand dinner
baptême *m.* baptism
baptisé *adj.* baptized; named
bar *m.* bar, café
baragouiner *fam.* to jabber, speak gibberish
barque *f.* boat, canoe
barricade *f.* barricade
barrière *f.* barrier; fence
bas *adj.* low; **là-bas** *adv.* over there
base *f.* base, basis, foundation; **à base de** made up of, based on; **de base** basic, fundamental
basé (*adj.*) **sur** based on
base-ball *m.* baseball
basilique *f.* basilica
basket-ball *m.* basketball (*game*)
bassin *m.* basin; pond
bataille *f.* battle
bateau *m.* boat
bâti *adj.* built
bâtiment *m.* building
batterie *f.* (*car*) battery
battre to beat, hit; to win; *p.p.* **battu; battre retraite** to beat a retreat
battu *adj.* beaten; vanquished; *p.p. of* **battre**
bavardage *m.* chatter, talk
bavarder to gossip, chat
bayou *m.* bayou (*slow-moving tributary*)
bazar *m.* bazaar
béarnaise: sauce (*f.*) **béarnaise** *sauce made of butter and egg yolks*
beau (**bel, belle, beaux, belles**) *adj.* beautiful; good; **beaux-arts** *m. pl.* fine arts; **faire beau** to be good weather
beaucoup *adv.* many; much; **beaucoup de** a lot of
beau-frère *m.* brother-in-law; stepbrother
beau-père *m.* father-in-law; stepfather
beauté *f.* beauty
beaux-parents *m. pl.* in-laws; stepparents
bébé *m.* baby, infant
bée: bouche bée *adj.* dumbfounded, open-mouthed
beige *n. m., adj.* beige
Belge *m., f.* Belgian (*person*); **belge** *adj.* Belgian
Belgique *f.* Belgium
Bélier *m.* Aries
belle-fille *f.* daughter-in-law; stepdaughter
belle-mère *f.* mother-in-law; stepmother
belle-sœur *f.* sister-in-law; stepsister
bénédiction *f.* benediction, blessing
bénéfice *m.* benefit; profit
béquille *f.* crutch
berceau *m.* cradle
béret *m.* (*soft woolen*) cap, beret
besoin *m.* need; **avoir besoin de** to need, want
bétail *m.* livestock
bête *f.* animal, beast; *adj.* stupid
bêtise *f.* stupidity, silliness
beurre *m.* butter
beurré *adj.* buttered
biberon *m.* (*baby's*) bottle
bibliothèque *f.* library
bicyclette *f.* bicycle; **faire de la bicyclette** to cycle
bien *m.* property; *m. pl.* good(s); *adv.* well; very; completely; comfortable; **aimer bien** to like; **aussi bien que** as well as; **bien cuit** well done (*steak*); **bien des** (**autres**) many (others); **bien que** (+ *subj.*) *conj.* although; **bien sûr** *int.* of course; **eh bien!** *int.* well!; **être bien** to be comfortable; **faire du bien** to do some good; **ou bien** or else; **vouloir bien** to be willing
bientôt *adv.* soon; **à bientôt!** *int.* see you soon!
bienvenu *adj.* welcome; **souhaiter la bienvenue** to welcome
bière *f.* beer
bifteck *m.* steak
bijou *m.* jewel, gem
bijouterie *f.* jewelry store
bijoutier(**-ère**) *m., f.* jeweler
bilingue *adj.* bilingual
bilinguisme *m.* bilingualism
billard *m. s.* billiards
billet *m.* ticket; bank bill, paper money; **billet aller-retour** round-trip ticket
biologie *f.* biology
biorythme *m.* biorhythm
biscuit *m.* cookie, cracker
bise *f. fam.* kiss
bistro *m.* bistro, bar
bizarre *adj.* bizarre
blague *f.* joke
blanc *n. m.* white; **blancs** (*m. pl.*) **d'œufs** egg whites; **blanc**(**he**) *adj.* white
blanchisserie-teinturerie *f.* laundry and dry cleaners
blé *m.* wheat; **semoule** (*f.*) **de blé** hard wheat flour, semolina
blême *adj.* pale
blessé(**e**) *m., f.* wounded person; *adj.* wounded
blessure *f.* wound
bleu *m.* blue; blue cheese; *adj.* blue; **bleu marine** navy blue
blond *adj.* blond
blouson *m.* short jacket, windbreaker
bœuf *m.* beef; **rôti** (*m.*) **de bœuf** roast beef
boire to drink; *p.p.* **bu; ce n'est pas la mer à boire** it's not so very difficult
bois *m.* forest; wood; **gueule** (*f.*) **de bois** *fam.* hangover
boiserie *f.* woodwork
boisson *f.* drink, beverage
boîte *f.* box; package; can; *fam.* workplace; **boîte à gants** glove compartment; **boîte** (**de nuit**) nightclub; **boîte postale** post office box; **ouvre-boîte** *m. inv.* can opener
bol *m.* bowl; (wide) coffee cup; **en avoir ras le bol** *fam.* to be fed up
bombe *f.* bomb
bon *m.* coupon; **bon de commande** order form
bon(**ne**) *adj.* good; **bon anniversaire** happy birthday; **bon appétit** have a good meal; **Bon Chic, Bon Genre** "preppy"; **bon voyage** have a good trip; **bonne chance** good luck; **bonne fête** happy birthday; **de bonne heure** *adv.* early
bonbon *m.* piece of candy
bonheur *m.* happiness; prosperity; **porte-bonheur** *m. inv.* amulet, lucky charm
bonhomme: bonhomme (*m.*) **de**

neige snowman
bonjour *int.* hello, good day
bonnet *m.* bonnet
bonsoir *int.* good evening; good night
bord *m.* edge; sill; shore; board; **à bord** on board; **au bord de la mer** at the seashore
bordé de *adj.* lined with, edged with
borne *f.* milestone; **borne d'appel d'urgence** emergency calling station
botte *f.* boot
bouche *f.* mouth; **bouche bée** dumbfounded, open-mouthed
bouché *adj.* plugged up
boucher (**-ère**) *m., f.* butcher
boucherie *f.* butcher's shop
bouchon *m.* cork, stopper; **tire-bouchon** *m.* corkscrew
boucle *f.* curl; **boucle d'oreille** earring
se bouder to be sulky; to be angry with (each other)
bouée *f.* buoy
bouger to stir, move, budge
bougie *f.* candle
bouillabaisse *f. southern French fish stew*
bouillon *m.* broth, bouillon
boulanger (**-ère**) *m., f.* baker
boulangerie *f.* bakery; **boulangerie-pâtisserie** *f.* bakery-pastry shop
boule *f.* ball; **boule de collier** bead
boulevard *m.* boulevard, wide street
bouleversement *m.* upheaval, disorder
bouleverser to upset, overwhelm
boulot *m. fam.* job, work; **métro, boulot, dodo** *fam.* "daily grind"
boum *f. fam.* party, gathering
bouquiniste *m., f.* outdoor secondhand book dealer
bourg *m.* small city, town
Bourguignon(**ne**) *m., f. person from Burgundy;* **bourguignon**(**ne**) *adj.* Burgundian, *from Burgundy;* **fondue** (*f.*) **bourguignonne** meat fondue
bourse *f.* scholarship; stock exchange; purse (*budget*)
boussole *f.* compass
bout *m.* end, tip; **au bout de** *prep.* at the end of, the limit of
bouteille *f.* bottle
boutique *f.* shop, store
bouton *m.* button
boutonné *adj.* buttoned
bowling *m.* bowling
braises *f. pl.* embers, charcoal
branche *f.* branch; division
bras *m. sing.* arm
brassard *m.* armband
brasserie *f.* brasserie, bar-restaurant
bref (**brève**) *adj.* brief, short; *adv.* in a word
Brésil *m.* Brazil
Bretagne *f.* Brittany (*northwestern French province*)
breton(**ne**) *adj.* Breton, *from Brittany*
bricolage *m.* do-it-yourself work, puttering around
bricoler to putter around
brie *m.* Brie (*cheese*)
brièvement *adv.* briefly
brillant *adj.* brilliant, bright
briller to shine, glow
brioche *f.* brioche (*sweet breakfast bread*)
brique *f.* brick
brise *f.* breeze
broche *f.* skewer; **en broche** skewered, on a skewer
brocoli *m.* broccoli
bronzage *m.* tanning; **huile** (*f.*) **de bronzage** suntan oil
se brosser (**les cheveux, les dents**) to brush (one's hair, teeth)
brouillard *m.* fog
brouillé *adj.* scrambled; **œufs** (*m. pl.*) **brouillés** scrambled eggs
brouillon *m.* (*written*) draft
bruit *m.* noise
brûlot *m. utensil for preparing brandied coffee*
brume *f.* mist, fog
brumeux (**-euse**) *adj.* misty, foggy
brun *n. m., adj.* brown; **faire brun** (*Quebec*) to get dark
brusquement *adv.* abruptly, suddenly
brutalement *adv.* brutally, cruelly
brutalisé *adj.* brutalized
Bruxelles Brussels
bruyant *adj.* noisy
bu *p.p. of* **boire**
bûche *f.* log; **bûche de Noël** Yule log (*pastry*)
budget *m.* budget
budgétaire *adj.* budgetary
buffet *m.* buffet
bureau *m.* desk; office; **bureau de change** foreign exchange office; **bureau de poste** post office
bureautique *f.* office equipment
bus *m.* bus; **abri-bus** *m.* bus(stop) shelter
but *m.* goal, objective

C

ça (**= cela**) *pron.* it; that; **ça marche** it's going O.K.; **ça m'est égal** it's all the same to me; **ça suffit** that's enough; **ça va?** how's it going?
cabaret *m.* cabaret, nightclub
cabine *f.* cabin; **cabine téléphonique** telephone booth
cabinet *m.* small room; study; professional office; cabinet (*government*)
câble *m.* cable, rope; **télévision** (*f.*) **par câble** cable TV
cacahouète *f.* peanut
cacao *m.* cocoa
cache-nez *m.* muffler (*clothing*)
cacher to hide; **se cacher** to hide (oneself)
cachet *m.* capsule, tablet
cactus *m.* cactus
cadeau *m.* gift
cadet(**te**) *m., f.* youngest brother or sister
cadre *m.* manager, executive; frame, setting; *pl.* management
cafard: avoir le cafard to be down in the dumps, blue
café *m.* coffee; café; **café au lait** coffee with (steamed) milk; **café-concert** *m.* bar with music; **café-tabac** *m.* bar-tobacconist; **moulin** (*m.*) **à café** coffee grinder
cafétéria *f.* cafeteria
cahier *m.* notebook
caille *f.* quail
caisse *f.* cash register; crate; fund
caissier (**-ère**) *m., f.* cashier
cajun *adj.* Cajun (*Acadian from Louisiana*)
calcium *m.* calcium
calcul *m.* calculation, arithmetic
calculatrice *f.* calculator
calculer to calculate, do sums
calèche *f.* horse-drawn carriage
calendrier *m.* calendar
Californie *f.* California
californien(**ne**) *adj. from California*
calme *m.* calm, tranquility; *adj.* calm, quiet
calmer to calm; **se calmer** to calm down
camarade *m., f.* friend, companion; **camarade de chambre** roommate; **camarade de classe** classmate
Cambodge *m.* Cambodia (Kampuchea)
cambriolé *adj.* burglarized
camembert *m.* Camembert (*cheese*)
caméra *f.* movie camera
Cameroun *m.* Cameroon
camion *m.* truck
camionneur *m.* truck driver
campagne *f.* countryside, country; (*political*) campaign; **à la campagne** in the country; **pâté** (*m.*) **de campagne** country-style pâté
camper to camp
camping *m.* camping; campground; **faire du camping** to go camping; **terrain** (*m.*) **de camping**

campground
campus *m.* campus
Canada *m.* Canada
Canadien(ne) *m., f.* Canadian (*person*); **canadien(ne)** *adj.* Canadian; **Français(e)-Canadien(ne)** *m., f.* French-Canadian (*person*); **français(e)-canadien(ne)** *adj.* French-Canadian
canal *m.* canal
canapé *m.* sofa, couch
canard *m.* duck
cancer *m.* cancer
candidat(e) *m., f.* candidate; applicant
cannelle *f.* cinnamon
canoë *m.* canoe
cañon *m.* canyon
caoutchouc *m.* rubber
capable *adj.* capable
capitaine *m.* captain
capital *adj.* capital
capitale *f.* capital (*city*)
capitalisme *m.* capitalism
capitaliste *m., f.* capitalist; *adj.* capitalist(ic)
capot *m.* hood (*of car*)
capricieux (-euse) *adj.* capricious, willful
Capricorne *m.* Capricorn
capturé *adj.* captured
car *conj.* for, because
caractériser to characterize
caramel *m.* caramel; **crème** (*f.*) **caramel** caramel custard
caravane *f.* caravan; trailer
carburateur *m.* carburetor
cardigan *m.* cardigan, sweater
Carême *m.* Lent
carie *f.* cavity; tooth decay
Carnaval *m.* Carnival, Mardi Gras
carotte *f.* carrot
carré *adj.* square
carreau *m.* small square; **à carreaux** checkered
carrefour *m.* crossroads, intersection
carrelage *m.* tile floor
carrière *f.* career; **faire carrière dans** to make one's career in
carte *f.* map; card; menu; **carte de crédit** credit card; **carte de vœux** greeting card; **carte postale** postcard; **carte routière** road map; **jouer aux cartes** to play cards
cas *m.* case, instance; **en cas de** in case of; **en tout cas** in any case; however
casque *m.* helmet; **casque d'écoute** headphone
cassation: cour (*f.*) **de cassation** Supreme Court of Appeal
casse *f. fam.* trouble; breakage
cassé *adj.* broken
casser to break; **se casser (le bras)** to break (one's arm)
casserole *f.* saucepan
cassette *f.* cassette (tape); **radio-cassette** *f.* radio/tape player
cassoulet *m. regional stew with beans and duck* (Toulouse)
castagnettes *f. pl.* castanets
catalogue *m.* catalog
catastrophe *f.* catastrophe
cathédrale *f.* cathedral
catherinette *f. unmarried woman of 25 who celebrates the festival of Saint Catherine*
catholique *m., f.* Catholic (*person*); *adj.* Catholic
cauchemar *m.* nightmare
cause *f.* cause; **à cause de** *prep.* because of
causer to cause; to chat
cavalier (-ère) *m., f.* horseback rider
cave *f.* cellar; wine cellar
ce *pron.* it
ce (cet, cette, ces) *adj.* this; that; these; those
ceci *pron.* this
céder to cede, give over; **céder le passage** to yield the right of way
ceinture *f.* belt; **ceinture de sécurité** safety belt
cela *pron.* it; that
célébration *f.* celebration
célèbre *adj.* famous
célébrer to celebrate
célébrité *f.* celebrity; famous person
céleri *m.* celery
célibataire *adj.* unmarried, single
celte *adj.* Celtic
celui (celle, ceux, celles) *pron.* the one(s); **celui-ci** this one; **celui-là** that one
censure *f.* censorship
censuré *adj.* censored
cent *m.* hundred
centaine *f.* (*amount equal to*) about a hundred
centenaire *m., f.* centenarian, hundred-year-old
centième *adj.* hundredth
centigrade *adj.* centigrade
centilitre *m.* centiliter
central *adj.* central, principal
centrale *f.* power plant; **centrale nucléaire** nuclear power plant
centre *m.* center; **centre-ville** *m.* downtown
cependant *adv.* meanwhile; *conj.* yet, nevertheless, still
cercle *m.* circle
céréales *f. pl.* cereal
cérémonie *f.* ceremony, ritual
cérémonieux (-euse) *adj.* ceremonious, formal
cerise *f.* cherry
certain *adj.* positive; certain; *pron. pl.* certain persons
certifié *adj.* certified, authenticated; **chèque** (*m.*) **certifié** certified check
certifier to certify, authenticate
cerveau *m.* brain
ces *adj.* these; those
cesse: sans cesse *adv.* ceaselessly, without stopping
cesser (de) to cease, stop
c'est-à-dire (que) that is to say, in other words
ceux (celles) *pron.* those; these; **ceux (celles)-ci** the latter; **ceux (celles)-là** the former
chacun(e) *pron.* each; each one
chaîne *f.* channel; chain; **chaîne par câble** cable TV network; **chaîne stéréo** stereo system
chair *f.* flesh; **chair de poule** gooseflesh, goosebumps
chaise *f.* chair
chaleur *f.* heat, warmth; **vague** (*f.*) **de chaleur** heat wave
chaleureux (-euse) *adj.* warm, friendly
chambre *f.* bedroom, (private) room; **camarade** (*m., f.*) **de chambre** roommate; **femme** (*f.*) **de chambre** chambermaid, hotel maid; **robe** (*f.*) **de chambre** robe, dressing gown
champ *m.* field
champagne *m.* champagne, sparkling wine
champignon *m.* mushroom
champion(ne) *m., f.* champion
championnat *m.* championship (games)
chance *f.* luck, fortune; opportunity; **avoir de la chance** to be lucky; **bonne chance** good luck
change *m.* foreign exchange; **bureau** (*m.*) **de change** exchange office
changeant *adj.* changing, changeable
changement *m.* variation; change
changer (de) to change; to change (*trains*); **changer d'avis** to change one's mind; **changer de l'argent** to exchange currency; **se changer** to change one's clothes
chanson *f.* song; **chanson de variété** popular song
chanté *adj.* sung
chanter to sing; **chanter faux** to sing off key

chanteur (**-euse**) *m., f.* singer
chapeau *m.* hat
chapitre *m.* chapter
chaque *adj.* each, every
char *m.* parade float; cart
charbon *m.* coal, charcoal
charcuterie *f.* pork butcher's shop; cold meats, cold cuts
chargé (**de**) *adj.* full, filled (with); charged (with), burdened (with)
se charger de to take on (*responsibility*)
charmant *adj.* charming; delightful
charme *m.* charm, appeal
charpentier *m.* carpenter
chasser to chase; to drive out
chasseur (**-euse**) *m., f.* hunter
chat(**te**) *m., f.* cat
châtain *adj.* chestnut-colored, brown (*hair*)
château *m.* castle, mansion, palace
chateaubriand *m.* (*fine cut of*) steak
châtelain(**e**) *m., f.* owner of a **château**
châtier to punish
chaud *m.* heat; *adj.* hot; warm; **avoir chaud** to be hot; **faire chaud** to be hot (*weather*); **tenir au chaud** to keep warm
chauffer to heat
chauffeur *m.* driver
chaussée *f.* roadway, pavement
chaussette *f.* sock
chaussure *f.* shoe
chef *m.* leader, head; **chef de cuisine** chef
chemin *m.* road; way, path; **chemin de fer** railroad
cheminée *f.* fireplace; chimney
chemise *f.* shirt; **chemise de nuit** nightshirt
chemisier *m.* blouse, (woman's) shirt
chèque *m.* check; **chèque certifié** certified check; **chèque de voyage** traveler's check; **toucher un chèque** to cash a check
cher (**chère**) *adj.* dear; expensive; **coûter cher** to be expensive, cost a lot
chercher to look for; **aller chercher** to go get; **chercher à** (+ *inf.*) to try (*to do something*)
chercheur *m.* researcher
chéri(**e**) *m., f.* darling; *adj.* cherished, dear
cheval *m.* (**chevaux** *pl.*) horse; **faire du** (**monter à**) **cheval** to go horseback riding
chevet *m.* head of the bed
cheveux *m. pl.* hair
cheville *f.* ankle
chez *prep.* at the house of; with; about; **chez vous** your place
chic *adj. inv.* smart, stylish; fine; **Bon Chic, Bon Genre** (**B.C.B.G.**) "preppy"
chiche: pois (*m. pl.*) **chiches** chickpeas
chien(**ne**) *m., f.* dog
Chili *m.* Chile
chilien(**ne**) *adj.* Chilean
chimie *f.* chemistry
chimique *adj.* chemical
chimiste *m., f.* chemist
Chine *f.* China
Chinois(**e**) *m., f.* Chinese (*person*); **chinois** *m.* Chinese (*language*); **chinois**(**e**) *adj.* Chinese
chips *f. pl.* (potato) chips
chirurgien(**ne**) *m., f.* surgeon
chocolat *m.* chocolate
chœur: en chœur *adv.* in chorus
choisir (**de**) to choose (to)
choix *m.* choice; **au choix** all one price; your choice of
chômage *m.* unemployment
chômeur (**-euse**) *m., f.* unemployed person
chose *f.* thing; **pas grand-chose** not much; **quelque chose** *pron. indef.* something
chou *m.* (**choux** *pl.*) cabbage
choucroute *f.* sauerkraut (*with meats; Alsatian dish*)
chouette *adj. inv. fam.* super, terrific
chou-fleur *m.* cauliflower
chrétien(**ne**) *m., f.* Christian (*person*); *adj.* Christian
le Christ Christ
chromothérapie *f.* chromotherapy, color therapy
chronobiologie *f.* chronobiology, study of body cycles
chronologique *adj.* chronological
chute *f.* fall; **chute de neige** snowfall
cicatrice *f.* scar
cicatriser to heal (over); to scar
ci-dessous *adv.* below
ci-dessus *adv.* above
cidre *m.* cider
ciel *m.* sky; heaven
cigarette *f.* cigarette
cil *m.* eyelash
ciment *m.* cement
cinéma *m.* cinema, movies; movie theater
cinquante *adj.* fifty
circonstance *f.* circumstance
circuit *m.* (organized) tour; lap; circuit
circulation *f.* traffic
circuler to get around; to ride
ciseaux *m. pl.* scissors
citadin(**e**) *m., f.* city person, city dweller
cité *f.* city; **la Cité, l'île de la Cité** *historical center of Paris*
citer to cite; to quote
citoyen(**ne**) *m., f.* citizen
citron *m.* lemon
civière *f.* stretcher
civil *adj.* civil, civilian
civilisation *f.* civilization
clair *adj.* clear; light
clairière *f.* clearing
clam *m.* clam
clandestin *adj.* secret, clandestine
claquer to hit; to slam
classe *f.* class; **camarade** (*m., f.*) **de classe** classmate; **salle** (*f.*) **de classe** classroom
classer to classify; to sort
classique *adj.* classic; classical
clavier *m.* keyboard
clé *f.* key; clue; *adj.* key; **mot-clé** *m.* key word
client(**e**) *m., f.* customer; guest; client
clientèle *f.* clientele
clignotant *m.* turning signal
climat *m.* climate
clinique *f.* clinic, hospital
cloche *f.* bell
clos *m.* enclosure
clou *m.* nail; **clous** (*pl.*) **de girofle** cloves
clownerie *f.* clown trick *or* sketch
club *m.* club; athletic association
cochon *m.* pig
cochonnaille *f. sing.* cold cuts
cochonnet *m.* jack (*in game of* **boules**)
cocktail *m.* cocktail
cœur *m.* heart; **avoir mal au cœur** to be nauseated; have heartburn
coffre *m.* (*automobile*) trunk
cognac *m.* cognac, brandy
cohabitation *f.* cohabitation, living together
se coiffer to do (comb) one's hair
coiffeur (**-euse**) *m., f.* hairdresser
coiffure *f.* hairstyle; hairdressing
coin *m.* corner
coincé *adj.* stymied, cornered
coïncidence *f.* coincidence
coïncider to coincide
col *m.* collar
colère *f.* anger; **se mettre en colère** to get angry
collaboration *f.* collaboration, working together
collant *m. sing.* stockings, pantyhose
collé *adj.* glued; attached, stuck
collection *f.* collection

collège *m.* secondary school (*first cycle*)
collègue *m., f.* colleague
coller to stick, glue
collier *m.* necklace
colline *f.* hill
Cologne: eau (*f.*) **de Cologne** toilet water, cologne
colon *m.* colonist, settler
colonie *f.* colony
colonisateur (**-trice**) *m., f.* colonist
coloniser to colonize
colonne *f.* column; row
coloris *m. inv.* color, tint, hue
combattre to fight, battle; *p.p.* **combattu**
combien (**de**) *adv.* how much; how many
combinaison *f.* combination; slip (*underwear*)
combiner to combine
comblé *adj.* fulfilled; full
comédie *f.* comedy; (work of) theater
comique *adj.* comical
commande *f.* order; **bon** (*m.*) **de commande** order form
commandement *m.* order, command; commandment
commander to order (*restaurant*); to command
comme *adv.* as; like; how; *conj.* because; **comme d'habitude** as usual
commémoration *f.* commemoration
commémorer to commemorate, mark
commencer to begin
comment *adv.* how; **comment?** what?; **comment allez-vous?** how are you?; **comment est** (**Richard**)**?** what's (Richard) like?; **comment vous appelez-vous?** what's your name?
commentaire *m.* commentary, remark
commenter to comment, remark upon
commerçant(**e**) *m., f.* merchant, storekeeper; *adj.* commercial
commerce *m.* store; business
commercial *adj.* commercial
commissariat *m.* police station, headquarters
commission *f.* errand
commode *f.* chest of drawers
commun *adj.* common; **Marché** (*m.*) **Commun Common Market; transports** (*m. pl.*) **en commun** public transportation
communauté *f.* community
communication *f.* communication; phone call
communion *f.* communion
communiqué *m.* communiqué, message
communiquer (**avec**) to communicate (with)
communisme *m.* communism
communiste *n. m., f., adj.* communist
compact *adj.* compact
compagnie *f.* company; **en compagnie de** in the company of
comparaison *f.* comparison
comparer to compare
compétent *adj.* competent, qualified
compétitif (**-ive**) *adj.* competitive
compétition *f.* competition
se complaire to take pleasure
complémentaire *adj.* complementary, additional
complet (**-ète**) *m.* suit (*clothing*); *adj.* full; complete
compléter to complete, finish; **se compléter** to complement, complete one another
complexe *m.* complex
compliqué *adj.* complicated
composé *adj.* compound; **composé de** made up of; **passé** (*m.*) **composé** present perfect tense
se composer de to be made up of, composed of
compositeur (**-trice**) *m., f.* composer
composition *f.* composition
compréhension *f.* comprehension, understanding
comprendre to understand; *p.p.* **compris**
compris *adj.* included; **service** (*m.*) (**non**) **compris** tip (not) included
compromis *m.* compromise
comptable *m., f.* accountant
compte *m.* account; **compte en banque** bank account; **être loin du compte** to be wide of the mark, way off; **se rendre compte de** to realize
compter to count; **compter sur** to count on
compteur *m.* counter, meter
comptoir *m.* counter
concentration *f.* concentration
concentré *adj.* concentrated
se concentrer to concentrate
concept *m.* concept
concerner to concern, regard, interest; **en ce qui concerne** concerning, with regard to
concert *m.* concert
concierge *m., f.* caretaker, concierge
Concorde *m. supersonic plane*
concours *m.* contest, competitive examination
conçu *adj.* designed, created
concurrence *f.* competition; **faire concurrence à** to be in competition with
condiment *m.* condiment; spice
condition *f.* condition; **à condition de/que** on condition of/that
conditionné: air conditionné *adj.* air conditioned
conditionnel conditional (tense)
conducteur (**-trice**) *m., f.* conductor, driver
conduire to drive; to lead
conduite *f.* driving; conduct, behavior
conférence *f.* conference; lecture
confettis *m. pl.* confetti
confiance *f.* confidence, trust; **faire confiance** (**à**) to trust
confier to confide
confirmé *adj.* confirmed
confirmer to confirm, corroborate
confiserie *f.* candy shop; candy maker
confiture *f.* preserve(s), jam
conflit *m.* conflict
confondre to confuse, puzzle
confort *m.* comfort
confortable *adj.* comfortable
confrère *m.* colleague, fellow member
confrontation *f.* confrontation
confronter to confront
confus *adj.* confused; troubled
congé *m.* leave, vacation; **prendre un congé** to take a vacation, leave (of absence)
Congo *m.* People's Republic of the Congo
congrès *m.* conference, meeting
conjoint(**e**) *m., f.* spouse
conjonction *f.* conjunction
conjugal *adj.* conjugal, marital
connaissance *f.* acquaintance; knowledge; **faire la connaissance de** to make the acquaintance of; **perdre connaissance** to lose consciousness
connaître to know, understand, be familiar with; *p.p.* **connu**
connu *adj.* known; *p.p. of* **connaître**
conquête *f.* conquest
conquis *adj.* conquered
se consacrer à to devote oneself to
conscience *f.* consciousness, awareness; **prendre conscience de** to become aware of
conseil *m.* advice, counsel; council; **demander conseil à** to ask advice of
conseiller *v.* to advise
conseiller (**-ère**) *m., f.* counselor; council member
conséquence *f.* consequence, result; **en conséquence** *adv.* consequently
conséquent: par conséquent *adv.* consequently
conservé *adj.* conserved, preserved
conserver to preserve, conserve,

retain
considérable *adj.* considerable, large
considéré *adj.* considered
considérer to consider
consoler to console
consommateur (-trice) *m., f.* consumer
consommation *f.* consumption; drink (*in café*)
consommé *m.* consommé, clear soup; *adj.* consumed
consommer to consume; to eat, drink
constant *adj.* constant, steady
constater to establish; to state; to find out
constitué *adj.* made up of
constituer to constitute, make up
constitutionnel(le) *adj.* constitutional
constructeur (-trice) *m., f.* builder; manufacturer
construction *f.* building, construction
construire to construct, build; *p.p.* **construit**
construit *adj.* constructed, built
consulat *m.* consulate
consultation *f.* consultation; session; consulting
consulter to consult
contact *m.* contact
contacter to contact
contagieux (-euse) *adj.* contagious
contempler to contemplate, observe; **se contempler** to look at, to contemplate oneself
contemporain *adj.* contemporary
contenir to contain, hold (back)
content *adj.* content, pleased
se contenter de to be satisfied with
contenu *m.* content(s)
contesté *adj.* contested, disputed
continent *m.* continent
continental *adj.* continental
continuer (à, de) to continue (to)
contraction *f.* contraction
contraire *m.* opposite; **au contraire** *adv., int.* on the contrary
contravention *f.* (minor) traffic violation, ticket
contre *prep.* against; **par contre** *adv.* on the other hand; **pour ou contre** for or against
contrebande *f.* contraband; smuggling
contribuer to contribute
contribution *f.* contribution
contrôle *m.* control; inspection, checking; **tour** (*f.*) **de contrôle** control tower
contrôler to inspect; to check; to control, regulate
convaincre to convince; *p.p.* **convaincu**
convenablement *adj.* properly, correctly
convenir to suit; be suitable, fitting
conversation *f.* conversation
converser to converse, speak
convoité *adj.* coveted, desired
coopération *f.* cooperation
copain (copine) *m., f.* pal, buddy
copieur *m.* photocopy machine
copieux (-euse) *adj.* copious, generous
coq *m.* cock, rooster; **coq au vin** chicken dish with wine
coque *f.* eggshell; **œuf** (*m.*) **à la coque** soft-boiled egg
Coran *m.* Koran
corde *f.* rope; **sauter à la corde** to jump rope
cordialement *adv.* cordially
cordon-bleu *m.* cordon bleu, expert cook
cornichon *m.* pickle
corporation *f.* corporation, public body
corps *m.* body
correct *adj.* correct
correspondance *f.* correspondence; change (*of trains*)
correspondant(e) *m., f.* correspondent; *adj.* corresponding
correspondre to correspond
corriger to correct
cortège *m.* procession
costume *m.* suit; outfit; costume
côte *f.* coast; rib
côté *m.* side; **à côté de** *prep.* next to; near; **à ses côtés** at his/her side; **de son côté** for his/her part
Côte-d'Ivoire *f.* Ivory Coast
côtelé: velours (*m.*) **côtelé** corduroy
coton *m.* cotton; **en coton** (made of) cotton
cou *m.* neck
coucher to put to bed; **se coucher** to go to bed; **chambre** (*f.*) **à coucher** bedroom
couchette *f.* sleeping berth (*train*); **train** (*m.*) **auto-couchette** *sleeper train that carries cars*
coucou *m.* cuckoo clock
coude *m.* elbow
coudre to sew
couffin *m.* bassinet, cradle
couler to sink
couleur *f.* color
country *f.* country music
coup *m.* blow; stroke; **à coup sûr** certainly, without fail; **coup de fil** phone call; **coup de foudre** thunderbolt; love at first sight; **coup de frein** putting on the brake; **coup de soleil** sunburn; **coup d'état** government overthrow, coup; **coup d'œil** glance; **donner un coup de main** to lend a hand; **sur le coup** *adv.* immediately; outright; **tout à coup** *adv.* suddenly, all at once; **tout d'un coup** *adv.* suddenly
coupable *adj.* guilty
coupe *f.* cup, bowl, glass
coupé *adj.* cut (up)
couper to cut, cut off
couple *m.* couple
cour *f.* yard, courtyard; court
couramment *adv.* fluently; easily; commonly
courant *adj.* current; common, usual
courbe *adj.* curved
courgette *f.* zucchini squash
courir to run; *p.p.* **couru**
couronné (de) *adj.* crowned, surmounted (with)
couronnement *m.* coronation
courrier *m.* mail; flight service
cours *m.* course (*school*); rate; **au cours de** *prep.* during; **cours du change** rate of exchange; **en cours** in class; **suivre un cours** to take a course
course *f.* race; **course aux armements** arms race; **faire des/les courses** to go shopping, do errands
court *m.* (tennis) court; *adj.* short
courtisan(e) *m., f.* courtier; courtesan
courtiser to court
courtoisement *adv.* courteously
courtoisie *f.* courtesy
couscous *m.* cracked wheat, couscous (*North African dish*)
cousin(e) *m., f.* cousin
couteau *m.* knife
coûter to cost; **coûter cher** to be expensive
coûteux (-euse) *adj.* costly
coutume *f.* custom; habit
couture *f.* sewing; fashion; **haute couture** high fashion
couturier (-ère) *m., f.* clothing designer
couvert *adj.* covered
couverture *f.* cover; blanket
couvrir to cover; *p.p.* **couvert**
crabe *m.* crab
craie *f.* chalk
craindre (de) to fear; *p.p.* **craint**
craint *p.p. of* **craindre**
crainte *f.* fear
crâne *m.* skull
craquement *m.* crackling sound
cravate *f.* tie (*clothing*)
créateur (-trice) *m., f.* creator; *adj.* creative
création *f.* creation; establishment

créativité *f.* creativity
crèche *f.* infant day-care center; nativity scene
crédibilité *f.* credibility
crédit *m.* credit; **carte** (*f.*) **de crédit** credit card; **crédit-bail** *m.* lend-lease
créé *adj.* created
créer to create
crème *f.* cream; custard; **crème caramel** caramel custard; **crème d'asperges** cream of asparagus soup; **crème fraîche** clotted cream, crème fraîche; **crème solaire** sunscreen, sun lotion
crénelé *adj.* notched, crenelated (*wall*)
créole *adj.* Creole
crêpe *f.* pancake; crêpe
creuser to dig
crever to burst; to flatten; *fam.* to die
crevette *f.* shrimp
cri *m.* cry, shout
cricket *m.* cricket (*game*)
crier to cry out, shout
criminel(le) *n. m., f., adj.* criminal
crise *f.* crisis; (*economic*) depression, recession
crispant *adj.* irritating, aggravating
cristal *m.* crystal
critique *m.* critic; *f.* evaluation; *adj.* critical
critiquer to criticize, make a critique
crocodile *m.* crocodile
croire to believe; *p.p.* **cru**
croisière *f.* cruise; **vitesse** (*f.*) **de croisière** cruising speed
croissant *m.* croissant, crescent roll
croix *f.* cross
croûte *f.* crust, pastry crust
croûton *m.* crouton
croyance *f.* belief
cru *adj.* raw, uncooked; *p.p. of* **croire**
crudité *f.* raw vegetable
crustacé *m.* crustacea, shellfish
cuillère *f.* spoon
cuillerée *f.* spoonful
cuir *m.* leather; **en cuir** (*made of*) leather
cuire to cook; **faire cuire** to cook (*something*)
cuisine *f.* kitchen; cooking, cuisine; **faire la cuisine** to do the cooking; **haute cuisine** gourmet cooking; **livre** (*m.*) **de cuisine** cookbook
cuisiner to cook
cuisinier (**-ère**) cook; *f.* stove
cuisse *f.* thigh
cuit *adj.* cooked; *p.p. of* **cuire; bien cuit** well-done (*steak*)
cuivre *m.* copper
culinaire *adj.* culinary
culminant *adj.* highest; **point** (*m.*) **culminant** highest point
culotte *f.* (*women's*) briefs
cultivé *adj.* cultivated, refined
cultiver to cultivate, grow
culture *f.* culture; cultivation
culturel(le) *adj.* cultural
cumin *m.* cumin
curaçao *m.* curaçao, orange brandy
curé *m.* parish priest
curieux (**-euse**) *adj.* curious
curiosité *f.* curiosity; sight
cycle *m.* cycle; *stage of secondary studies*
cycliste *m., f.* cyclist; **course** (*f.*) **cycliste** bicycle race
cyclomoteur *m.* moped
cyclone *m.* cyclone
cymbale *f.* cymbal
cynique *adj.* cynical
cyprès *m.* cypress

D

d'abord *adv.* first, first of all
d'accord *int.* O.K.; **être d'accord** to agree
dame *f.* lady
danger *m.* danger
dangereux (**-euse**) *adj.* dangerous
dans *prep.* in, inside
danse *f.* dance
danser to dance
d'après *prep.* according to
date *f.* date
dater (**de**) to date (from)
de *prep.* from; of; about
débarquement *m.* landing
débarquer to disembark, get off
débat *m.* debate
débouché *m.* career opportunity, job possibility
debout: être debout *inv.* to be standing, stand (up); **rester debout** to remain standing
débris *m.* debris, refuse
début *m.* beginning
débutant(e) *m., f.* beginner
décaféiné *adj.* decaffeinated
décapotable *adj.* convertible
décembre December
décès *m.* demise, decease
déchets *m. pl.* (industrial) waste, debris
déchirer to tear (up)
décidé *adj.* decided, firm
décider to decide; to determine; to persuade; **se décider** (**à**) to decide (on)
décision *f.* decision
déclaration *f.* declaration
déclarer to declare; to proclaim
décoller to take off (*airplane*)
décolonisation *f.* decolonization
décontracté *adj.* relaxed
décor *m.* decoration, decor
décoration *f.* decoration; ornamentation
décorer to decorate
découper to cut up
découverte *f.* discovery
découvreur *m.* discoverer
découvrir to uncover; to discover; to find out; *p.p.* **découvert**
décrire to describe; *p.p.* **décrit**
décrit *adj.* described; *p.p. of* **décrire**
décrocher to unhook; to pick up the phone
déçu *adj.* disappointed
dedans *adv.* within; **là-dedans** inside (it)
déduction *f.* deduction
défaire to undo, unpack
défaite *f.* defeat
défaut *m.* fault; lack
défendre to defend, protect; to forbid
défense *f.* defense; prohibition; **défense de stationner** no parking
déficit *m.* deficit
défilé *m.* parade; showing
défiler to march (*in a parade or procession*)
définir to define
définition *f.* definition
défunt(e) *m., f.* deceased
dégat *m.* damage
dégouliner to trickle, drip
dégourdi *adj.* alive, sharp
degré *m.* degree; **au degré près** to the nearest degree
déguster to taste; to sample
dehors *adv.* outside
déjà *adv.* already; previously
déjeuner *v.* to (have) lunch; *m.* lunch; **petit déjeuner** breakfast
délégation *f.* delegation
délicieux (**-euse**) *adj.* delicious
délinquance *f.* delinquency
délirer to be delirious; to rave
délivrer to liberate, deliver
demain *adv.* tomorrow; **à demain** until tomorrow
demande *f.* request; demand; **demande en mariage** marriage proposal
demander to ask, demand; to call for; **se demander** to wonder
démarche *f.* step; transaction
déménager to move (*residence*)
demeure *f.* dwelling, home

demi *adj.* half; **demi-finale** *f.* semifinals (*game*); **demi-heure** *f.* half hour; **demi-tour** *m.* U-turn; **il est (deux) heures et demie** it's half past (two)
démocratie *f.* democracy
démocratique *adj.* democratic
démoniaque *adj.* demoniacal, mad
démontrer to demonstrate, show
démuni(e) *m., f.* poor, disadvantaged person
dénigrer to mock, disparage
dénoncer to denounce; to betray
dénouement *m.* unraveling, outcome
dense *adj.* complex; dense
dent *f.* tooth
dentelle *f.* lace
dentellier (-ère) *m., f.* lacemaker
dentiste *m., f.* dentist
dépanneur (-euse) *m., f.* tow truck mechanic
départ *m.* departure
dépasser to pass, go around; to go, be beyond
dépaysant *adj.* exotic; bewildering
dépaysé *adj.* lost, out of one's element
dépaysement *m.* culture shock; uprooting
se dépêcher (de) to hurry (up)
dépendance *f.* dependency
dépendre de to depend on
dépenser to spend
dépit: en dépit de *prep.* in spite of
déplacement *m.* moving, change of place; travel
déplacer to move, displace; **se déplacer** to change one's place
déposer to deposit; to put, place
déprimé *adj.* depressed, unhappy
déprimer to depress
depuis *prep.* since; for; **depuis longtemps** for a long time; **depuis quand** since when; **depuis que** *conj.* since
déranger to disturb, bother
dernier (-ère) *adj.* last; past
se dérouler to unfold, play out
derrière *prep.* behind
des *art. pl.* some; *contr. of* **de** + **les**
dès *prep.* from (then on); **dès que** *conj.* as soon as
désagréable *adj.* disagreeable, offensive
désastre *m.* disaster
descendant(e) *m., f.* descendant
descendre to descend; to get off (*bus, train*); *p.p.* **descendu**
description *f.* description
déséquilibre *m.* lack of balance, imbalance; **en déséquilibre** unbalanced, confused
désert *m.* desert; *adj.* deserted
désespéré *adj.* desperate
se déshabiller to get undressed
désigner to designate, indicate
désinfecter to disinfect
désir *m.* desire, wish
désirer to want, wish, desire; **laisser à désirer** to leave (much) to be desired
désolé *adj.* sorry; grieved
désormais *adv.* from now on
desquel(le)s *contr. of* **de** + **lesquel(le)s**
dessert *m.* dessert
desservir to clear (*the table*)
dessin *m.* drawing; **dessin animé** (*animated*) cartoon
dessiner to sketch, draw; **se dessiner** to be sketched out; to appear; **bande** (*f.*) **dessinée, «B.D.»** (*f.*) comic strip, comics
dessous *adv.* under; **ci-dessous** below (*in book*); **en dessous** underneath
dessus *adv.* upon; **au-dessus de** *prep.* above, over; **ci-dessus** *adv.* above (*in book*); **là-dessus** on top (of); **par-dessus tout** *adv.* above all else
destination *f.* destination
destruction *f.* destruction
détail *m.* detail
détective *m.* detective
se détendre to relax
détendu *adj.* relaxed; *p.p. of* **détendre**
détente *f.* relaxation; détente
déterminé *adj.* determined
déterminer to determine
détester to detest, hate; **se détester** to hate one another
détour *m.* detour, bypass
détresse *f.* distress
détruire to destroy; *p.p.* **détruit**
dette *f.* debt
deux *adj.* two; **tous (toutes) les deux** both
deuxième *adj.* second
devant *prep.* in front of, before
développé *adj.* developed
développement *m.* development; growth; **en voie de développement** emerging, developing (*countries*)
développer to develop
devenir to become; *p.p.* **devenu**
deviner to guess
devise *f.* slogan, motto
devoir *v.* to have to; to be obliged to; *m.* duty; homework; *p.p.* **dû**
dévorer to devour
dévoué *adj.* devoted
diable *m.* devil
diagnostic *m.* diagnostic
dialecte *m.* dialect, regional language
dialogue *m.* dialogue
diamant *m.* diamond
diapositive *f.* slide (*photo*)
dictature *f.* dictatorship
dictée *f.* dictation
dicter to dictate
dictionnaire *m.* dictionary
dieu *m.* god
différence *f.* difference
différent *adj.* different
difficile *adj.* difficult, hard
digital *adj.* digital
digne (de) *adj.* worthy (of)
dignitaire *m.* dignitary
dimanche *m.* Sunday
diminuer to diminish
dîner *v.* to dine, have dinner; *m.* dinner; **après dîner** after dinner
diplomate *m.* diplomat
diplôme *m.* diploma
diplômé(e) *m., f.* graduate; qualified person
dire to say, tell; *p.p.* **dit; à vrai dire** *adv.* truthfully, seriously; **c'est-à-dire** that is to say; **vouloir dire** to mean
direct *adj.* direct
directeur (-trice) *m., f.* director, manager
direction *f.* address; direction; administration; **en direction de** in the direction of
diriger to direct; to govern, control; **se diriger vers** to go toward, make one's way toward
disciple *m.* disciple
discipline *f.* subject; discipline
discipliné *adj.* disciplined, orderly
discothèque *f.* discotheque
discours *m.* speech, discourse
discret (-ète) *adj.* discreet
discussion *f.* discussion, conversation
discuter (de) to discuss
disparaître to disappear; *p.p.* **disparu**
disparition *f.* disappearance, extinction
se disperser to disperse, scatter
disposer to set out, arrange
disposition *f.* disposition, determination; **à votre disposition** at your disposal
se disputer (avec) to quarrel (with)
disque *m.* record; **disque-jockey** *m.* disk jockey
disquette *f.* diskette
dissertation *f.* term paper
dissuader (de) to dissuade (from)
distance *f.* distance
distinction *f.* distinction
distraction *f.* recreation, diversion,

amusement
distraire to distract, amuse; *p.p.* **distrait; se distraire** to amuse oneself
distrait *adj.* distracted, inattentive; *p.p. of* **distraire**
distribuer to distribute
distributeur *m.* automatic bank teller; vending machine
dit *p.p. of* **dire**
divers *adj.* diverse, miscellaneous
diversion *f.* diversion
diversité *f.* diversity
divorce *m.* divorce
divorcer (**avec**) to divorce
dix *adj.* ten
dizaine *f.* about ten
docteur *m.* doctor
document *m.* document
documentation *f.* documentation
dodo *m. fam.* sleep, bed; **fais-dodo** *m.* lullaby
doigt *m.* finger
dollar *m.* dollar
dolmen *m.* dolmen, *prehistoric stone structure*
domaine *m.* area (of interest), domain; estate
domicile *m.* domicile, home
dominant *adj.* dominant, prevailing
dominer to dominate, rule
don *m.* gift, grant
donc *conj.* therefore; then
donjon *m.* keep (*of castle*)
donnée(s) *f.* (*pl.*) data, information
donner to give; to show; to produce; **donner un coup de main** to lend a hand; **se donner rendez-vous** to make a date
dont *pron.* whose; of which; of whom
doré *adj.* gold-plated, golden
dorénavant *adv.* from now on
dorer to brown (*in cooking*)
dormir to sleep
dos *m.* back; **dos** (*m.*) **d'âne** speed bump, ridge (*in road*); **sac** (*m.*) **à dos** backpack
dossier *m.* record, dossier
douane *f.* customs: **droits** (*m. pl.*) **de douane** customs tax; **passer la douane** to pass through customs
douanier (**-ère**) *m., f.* customs officer
double *adj.* double; **à double sens** two-way
doublé *adj.* dubbed
doubler to pass (around, up)
doucement *adv.* sweetly, softly, gently
douceur *f.* gentleness; sweetness; **en douceur** *adv.* gently
douche *f.* shower; **prendre une douche** to take a shower
se doucher to take a shower
doué *adj.* gifted, talented
douleur *f.* pain, ache
douleureux (**-euse**) *adj.* painful
doute *m.* doubt; **sans doute** doubtless
douter to doubt, question; **se douter de** to suspect
douteux (**-euse**) *adj.* doubtful
doux (**douce**) *adj.* sweet; gentle; soft
douze *adj.* twelve
dragon *m.* dragon
drainer to drain
Dramamine *m.* Dramamine
dramatique *adj.* dramatic; **art** (*m.*) **dramatique** theater arts
drame *m.* drama
dresser to set up
drogue *f.* drug(s)
drogué(e) *m., f.* drug addict
se droguer to take drugs
droguerie *f.* paint store, cleaning materials store
droit *m.* (*legal*) right; (*study of*) law; tax; **le droit de** the right to; **tout droit** *adv.* straight ahead
droite *f.* right; **à droite** *adv.* to the right; **de droite** on the right (*politically*)
drôle *adj.* funny, comical; **un(e) drôle de...** a funny (sort of) . . .
du *contr. of* **de + le**
dû *p.p. of* **devoir**
duquel *contr. of* **de + lequel**
dur *adj.* hard; difficult
durable *adj.* durable, long-lasting
durant *prep.* during
durer to last
dynamique *adj.* dynamic

E

eau *f.* water; **eau de toilette, eau de Cologne** toilet water, cologne; **eau-de-vie** brandy, liqueur; **eau minérale** mineral water; **jet** (*m.*) **d'eau** fountain
ébloui *adj.* dazzled, amazed
ébouriffé *adj.* tousled, windblown
échalotte *f.* shallot
échange *m.* exchange
échanger to exchange
s'échauffer to warm up, heat up
éclair *m.* chocolate pastry, eclair; lightning bolt
éclairer to light (up)
éclat: rire aux éclats to roar with laughter
éclater to burst (out), explode
école *f.* school; **Grandes Écoles** *French professional schools;* **sortie** (*f.*) **d'école** school exit
écolier (**-ère**) *m., f.* schoolchild, pupil
économe *adj.* economical, thrifty (*person*)
économie *f.* economy, economics; **faire des économies** to save (*money*)
économique *adj.* economic, economical
économiser to economize, save
Écossais(e) *m., f.* Scot; **écossais(e)** *adj.* Scottish
s'écouler to pass, elapse (*time*)
écoute: casque (*m.*) **d'écoute** headphone(s)
écouter to listen to
écouteur *m.* receiver, earphone
écran *m.* screen
écraser to crush; to run over; to flatten out; **s'écraser** to crash; to collapse
écrevisse *f.* crayfish
écrire to write; *p.p.* **écrit; machine** (*f.*) **à écrire** typewriter
écrit *p.p. of* **écrire**
écrivain *m.* writer, author
écu *m.* crown (*money*)
édifier to build, edify
éditorial *m.* editorial
éducation *f.* education; upbringing
effectif *m.* total number
effet *m.* effect; **en effet** indeed
efficace *adj.* efficient
efficacité *f.* efficiency
s'efforcer to make an effort
effort *m.* effort, attempt
effrayer to frighten
égal *adj.* equal; **cela m'est égal** it's all the same to me
également *adv.* equally, also
égalité *f.* equality
égard: à l'égard de with regard to
égayer to cheer up, liven up
église *f.* church
Égypte *f.* Egypt
Égyptien(ne) *m., f.* Egyptian (*person*); *adj.* Egyptian
eh bien *int.* well
élaboré *adj.* elaborate
s'élargir to widen out, broaden out
électeur (**-trice**) *m., f.* voter, elector
élection *f.* election
électrique *adj.* electric
électronique *f.* (*study of*) electronics; *adj.* electronic
élégant *adj.* elegant
élément *m.* element, factor
élémentaire *adj.* elementary
élévation *f.* elevation, rise; altitude
élève *m., f.* student, pupil
élevé *adj.* high, elevated; raised, brought up
élever to elevate; to raise (*a child*); **s'élever** to be high; to rise up

élire to elect; *p.p.* **élu**
elle *f. pron.* she; her; **elle-même** herself
elles *f. pron.* they; them
éloigné *adj.* distant, removed
s'éloigner to move off, withdraw; to distance oneself
élu(e) *m., f.* elected person
émaillé *adj.* enameled
emballage *m.* wrapping, packaging
emballé *adj. fam.* carried away, excited
embarquement *m.* embarkation
s'embarquer (pour) to get aboard; to leave for
embarras *m.* obstacle, impediment; superfluity
embaucher to hire
embêter *fam.* to bother, annoy, pester
embouteillage *m.* traffic jam, bottleneck
embrassade *f.* embrace, kissing
embrasser to embrace, kiss
embuer to cloud, dim
émincé *adj.* sliced (up)
émission *f.* broadcast, emission (*radio, TV*)
emmêler to tangle, mix up
emmener to take along (*person*)
émotion *f.* emotion
empêcher (de) to prevent (from)
empereur *m.* (**impératrice** *f.*) emperor, empress
emploi *m.* employment; use, usage; **emploi du temps** schedule, weekly calendar
employé(e) *m., f.* employee
employer to use, utilize, employ
empocher to pocket
emporter to take along or away (*thing*)
emprunter (à) to borrow
ému *adj.* moved, touched
en *prep.* in; to; on; of; *pron.* of him; of her; of it; some; **de temps en temps** from time to time; **en avance** early; **en avoir assez** *fam.* to be bored with, sick of; **en dessous** underneath; **en retard** late; **s'en aller** to go away, depart
enchanté *adj.* enchanted, delighted
encore *adv.* still, yet; again; more; **encore une fois** once again, once more; **ne... pas encore** not yet
encourager to encourage
s'endetter to go into debt
endive *f.* endive
endormi *adj.* asleep, sleeping
endormir to put to sleep; **s'endormir** to fall asleep
endroit *m.* place, spot
énergie *f.* energy; strength
énervé *adj.* irritable; excited
s'énerver to get nervous, irritated
enfance *f.* childhood
enfant *m., f.* child; **petits-enfants** *m. pl.* grandchildren
enfer *m.* hell
enfermé *adj.* shut in, closed in
enfin *adv.* finally; at last; *int.* still, well
enflé *adj.* swollen
s'enfuir to flee, run away
s'engager to get involved; to promise; to join
enlever to take off; to take away
ennui *m.* boredom, lassitude
ennuyer to bore; **s'ennuyer (de)** to be (get) bored; to have a bad time; to miss
ennuyeux (-euse) *adj.* boring
énorme *adj.* enormous
enregistrer to register; to record
enrhumé: être enrhumé to have a cold
enrichir to enrich
enrichissant *adj.* enriching
enseigné *adj.* taught
enseignement *m.* teaching, education
enseigner to teach
ensemble *m.* whole; *adv.* together
ensoleillé *adj.* sunny
ensuite *adv.* after; then; next
entendre to hear; **entendre parler de** to hear about; **s'entendre (bien/mal) (avec)** to get along (well/badly) (with)
enthousiasme *m.* enthusiasm
enthousiasmer to enthuse, make enthusiastic
enthousiaste *adj.* enthusiastic
entier (-ère) *adj.* entire
entouré (de) *adj.* surrounded (by)
entourer to surround
entre *prep.* between; among
entrecôte *f.* rib steak
entrée *f.* entry; entryway; entrance; first course (*meal*)
entreprendre to undertake
entreprise *f.* enterprise; business
entrer (dans) to enter, step in
entretenir to maintain, keep up; to converse with
entretien *m.* conversation, discussion; maintenance
entrevue *f.* interview
envahir to invade, take over
enveloppé *adj.* wrapped
s'envelopper to wrap (oneself)
envie *f.* desire; **avoir envie de** to feel like, want (to)
envier to envy, be jealous of
environ *prep., adv.* about, approximately, around
environnement *m.* environment
environs *m. pl.* vicinity
envisager to consider, envisage
envoyer to send
épais(se) *adj.* thick; dense
épatant *adj. fam.* amazing, astounding
épaule *f.* shoulder
épaulette *f.* shoulder strap; epaulette
épi *m.* ear (*of corn*)
épice *f.* spice; **pain** (*m.*) **d'épice** gingerbread
épicé *adj.* spiced; spicy
épicerie *f.* grocery store
épinards *m. pl.* spinach
épingle *f.* pin
éplucher to peel, clean; to examine, sift
époque *f.* epoch, era; **à cette époque-là** at that time, in that era
épouser to marry
époux (épouse) *m., f.* husband, wife; spouse; *pl.* married couple
épreuve *f.* test; proof
éprouver to feel; to meet with; to test
épuisé *adj.* tired (out), exhausted; used up
équatorial (-aux) *adj.* equatorial
équilibre *m.* equilibrium, balance
équilibré *adj.* balanced, well-balanced
équipage *m.* crew (*of a boat*)
équipe *f.* team
équipé *adj.* outfitted; manned
équipement *m.* equipment; gear
équiper to equip
équipier (-ère) *m., f.* team member, co-worker
équivalence *f.* equivalency (*credit*)
erreur *f.* error, mistake
escalader to scale, climb
escalator *m.* escalator
escale *f.* stop(over); **sans escale** nonstop
escalier *m.* stairs, staircase
escalope *f.* scallop (*veal*)
escargot *m.* snail
escarpé *adj.* steep, sheer
espace *m.* space
Espagne *f.* Spain
Espagnol(e) *m., f.* Spaniard; **espagnol** *m.* Spanish (*language*); **espagnol** *adj.* Spanish
espèce *f.* species, kind
espérer to hope, expect
espiègle *adj.* mischievous
espoir *m.* hope
esprit *m.* spirit; mind
essai *m.* attempt, trial; essay
essayer (de) to try; to try out
essence *f.* gasoline; essence
essentiel(le) *adj.* essential
essuie-glace *m. inv.* windshield wiper
est *m.* east; **nord-est** *m.* northeast
estimer to think, have an opinion

estomac *m.* stomach
et *conj.* and; **et vous?** and you? how are you?
établissement *m.* establishment, setting up
étage *m.* story (*of a building*)
s'étaler to sprawl out, lie down
étang *m.* pond, pool
état *m.* state, government; condition, situation; **coup** (*m.*) **d'état** overthrow of a government; **état d'âme** state of mind; **homme** (*m.*) **d'état** statesman
États-Unis *m. pl.* United States
été *m.* summer; *p.p. of* **être**
s'éteindre to go out (*light*)
éteint *adj.* extinguished, put out
étendu *adj.* extended, stretched; large (in width)
étendue *f.* expanse, surface
éternellement *adv.* eternally
éternité *f.* eternity
éternuer to sneeze
Éthiopien(ne) *m., f.* Ethiopian (*person*); **éthiopien(ne)** *adj.* Ethiopian
ethnique *adj.* ethnic
étoile *f.* star; **à la belle étoile** outdoors, under the stars
étonnant *adj.* surprising
étonner to surprise, astonish
étouffer to stifle; to suffocate
étrange *adj.* strange, odd
étranger (**-ère**) *m., f.* foreigner, newcomer; *adj.* foreign; **à l'étranger** abroad, in a foreign country
être *v.* to be; *m.* being; **être assis** to be seated; **être d'accord** to agree, be in agreement; **être en train de** (+ *inf.*) to be in the middle of (*doing something*)
étroit *adj.* narrow, small
étude *f.* study; **faire des études** (**de**) to study
étudiant(e) *m., f., adj.* student
étudier to study
eu *p.p. of* **avoir**
euh *int.* uh, um
eucalyptus *m.* eucalyptus (tree)
euphorie *f.* euphoria, complete happiness
Europe *f.* Europe
Européen(ne) *m., f.* European (*person*); **européen(ne)** *adj.* European
euthanasie *f.* euthanasia
eux *pron.* they; them; **eux-mêmes** themselves
évacuation *f.* evacuation
évangéliser to evangelize
s'évanouir to faint
évasion *f.* escape
s'éveiller to awaken
événement *m.* event; occurrence
éventail *m.* fan; range
évidemment *adv.* evidently, obviously
évident *adj.* obvious
évier *m.* (*kitchen*) sink
éviter to avoid
évoluer to evolve, develop
évoquer to evoke, call forth
exact *adj.* correct
exagérer to exaggerate
examen *m.* examination; test
excellent *adj.* fine, excellent; *int.* great! excellent!
excentrique *adj.* eccentric
excepté *prep.* except
exceptionel(le) *adj.* exceptional
excès *m.* excess; **excès de vitesse** speeding
exclamation *f.* exclamation
s'exclamer to exclaim, cry out
exclure to exclude
exclusif (**-ive**) *adj.* exclusive
excursion *f.* excursion, outing; **faire une excursion** to go on an outing
excuse *f.* excuse
excuser to excuse; **s'excuser de** to apologize for; **excusez-moi** excuse me, pardon me
s'exécuter to comply; to oblige
exécutif (**-ive**) *adj.* executive
exemple *m.* example; **par exemple** for example; *int.* my word!
exercice *m.* exercise; **faire de l'exercice** to get (some) exercise
exigeant *adj.* demanding
exiger to require, demand
existence *f.* existence
existentialiste *n. m., f., adj.* existentialist
exister to exist
exotique *adj.* exotic
exotisme *m.* exoticism
expérience *f.* experience; experiment
expert(e) *m., f.* expert
explication *f.* explanation
expliquer to explain
exploration *f.* exploration
explosion *f.* explosion
export *m.* export trade
exportation *f.* export
exporter to export
exposer to expose, show, set forth
exposition *f.* exhibition, show
expression *f.* expression; word, phrase
exprimer to express
expulsé *adj.* expelled
expulser to expel
extérieur *m.* outside, exterior; *adj.* outside
extra *m. fam.* extra (*luxury items*)
extra-fin *adj.* superfine
extraordinaire *adj.* extraordinary, unusual
extraterrestre *m., f.* extraterrestrial (*being*); *adj.* extraterrestrial
extravagant *adj.* extravagant, outrageous
extroverti *adj.* extroverted

F

fable *f.* fable
fabriqué *adj.* made, produced
fabriquer to make, manufacture
façade *f.* façade, front
face *f.* front; face; **en face de** *prep.* facing, across from; **face à** *prep.* in the face of; **faire face à** to face, confront
fâché *adj.* angry, annoyed; *p.p. of* **se fâcher**
fâcher: se fâcher (**avec, contre**) to be angry (with)
facile *adj.* easy
facilité *f.* ease, facility; **facilités** (*pl.*) **de paiement** terms of payment
faciliter to facilitate
façon *f.* manner, way; **de** (**cette**) **façon** in (this, that) way; **de toute façon** anyway, in any event
facteur *m.* mailman; agent, factor
faculté *f.* department (*university*); college
faible *adj.* weak
faim *f.* hunger; **avoir faim** to be hungry; **avoir une faim de loup** to be ravenous
faire to make; to do; to act as; *p.p.* **fait; comment faites-vous pour... ?** how do you manage to . . .?; **se faire à** to get used to; **faire allusion à** to allude to; **faire attention** (**à**) to watch out; **faire beau** to be good weather; **faire carrière** to make one's career; **faire chaud** to be hot (*weather*); **faire concurrence** to compete; **faire confiance à** to trust; **faire de la bicyclette** to go biking; **faire de l'aérobique** to do aerobics; **faire de l'auto-stop** to hitchhike; **faire de la médecine** to study medicine; **faire de la moto** to go motorcycling; **faire de la planche à voile** to go windsurfing; **faire de la plongée sous-marine** to go scuba diving; **faire de la voile** to go sailing; **faire de l'exercice** to get (some) exercise; **faire demi-tour** to make a U-turn; **faire de son mieux** to do one's best; **faire des blagues** (**à**) to

play practical jokes (on); **faire des/les courses** to do errands; **faire des économies** to save (*money*); **faire des études** to study, do one's studies; **faire des excursions** to go on outings, excursions; **faire des gargarismes** (*m. pl.*) to gargle; **faire des haltères** (*m. pl.*) to lift weights, do bodybuilding; **faire des radios** to take X-rays; **faire du camping** to go camping; **faire du cheval** to go horseback riding; **faire du jogging** to go jogging; **se faire du mauvais sang** to fret, worry; **faire du lèche-vitrines** to go window-shopping; **faire du shopping** to go shopping; **faire du ski** to go skiing; **faire du ski nautique** to go waterskiing; **faire du sport** to participate in sports; **faire du vélo** to go bicycle riding; **faire face à** to face, confront; **faire froid** to be cold (*weather*); **faire la connaissance de** to meet; to make the acquaintance of; **faire la cuisine** to cook; **faire la grasse matinée** to stay in bed late; **faire la grève** to go on strike; **faire la queue** to wait, stand in line; **faire la sieste** to take a nap; **faire la tête** to look glum; to sulk; **faire la vaisselle** to do the dishes; **faire le linge** to do the laundry; **faire le lit** to make the bed; **faire le marché** to go to the market; **faire le ménage** to clean house; **faire le plein** to fill it up; **faire le tour du monde** to go around the world; **faire les magasins** to shop around; **faire les valises** to pack (*one's bags*); (**se**) **faire mal** (**à**) to hurt (oneself); **faire nuit** to get dark; **faire partie** (**de**) to belong (to); **faire peur** (**à**) to frighten; **faire sa toilette** to wash up, get ready; **faire ses devoirs** to do one's homework; **faire soleil** to be sunny; **faire une promenade** to take a walk; **faire une surprise à** to surprise; **faire un pique-nique** to go on a picnic; **faire un reportage** to do a report; **faire un voyage** to take a trip; **quelle taille faites-vous?** what size are you?
fais-dodo *m.* lullaby
fait *p.p. of* **faire;** *m.* fact; **ça fait** (**deux ans**) **que je...** I've been . . . for (two years); **en fait** *adv.* indeed, in fact; **tout à fait** entirely, absolutely
falaise *f.* cliff
falloir to be necessary; *p.p.* **fallu; il faut** (**que**) it is necessary (that)
fallu *p.p. of* **falloir**
fameux (**-euse**) *adj.* famous
familial *adj.* of the family, familial
familier (**-ère**) *adj.* familiar; domestic
famille *f.* family; **en famille** with one's family
famine *f.* famine
fanatique *adj.* fanatic
fané *adj.* wilted, withered; faded
se faner to wilt, wither; to fade
fantaisiste *m., f.* whimsical, freakish person; *adj.* whimsical
farci *adj.* stuffed, filled
fard *m.* make-up
farine *f.* flour
fasciné *adj.* fascinated
fatigant *adj.* tiring, wearisome
fatigue *f.* fatigue
fatigué *adj.* tired, fatigued
se faufiler to sneak in; to thread one's way
faute *f.* error, mistake; fault
fauteuil *m.* armchair
faux (**fausse**) *adj.* false
faveur *f.* favor; **en faveur de** on behalf of
favori (**-ite**) *adj.* favorite
favoriser to favor; to promote
fédéral *adj.* federal
félicitations *int.* congratulations
féminin *adj.* feminine
femme *f.* woman; wife; **femme d'affaires** businesswoman; **femme de chambre** chambermaid; hotel maid; **femme de ménage** (house)maid
fenêtre *f.* window
fer *m.* iron; **avoir une santé de fer** to be healthy as a horse; **chemin** (*m.*) **de fer** railroad
férié: jour (*m.*) **férié** (national) holiday
ferme *f.* farm; *adj.* firm, solid
fermé *adj.* closed, shut
fermer to shut, close
fertile *adj.* fertile
fervent *adj.* enthusiastic, fervent
fesse *f.* buttock
festin *m.* feast, banquet
festival *m.* (**festivals** *pl.*) (music) festival
festivité *f.* festivity
fête *f.* holiday, festival; **donner une fête** to give a party; **fête des Mères** Mother's Day; **fête des Pères** Father's Day; **fête nationale** national holiday (July 14); **jour de fête** holiday
fêter to celebrate
feu *m.* fire; traffic light; **feux** (*pl.*) **d'artifice** fireworks
feuilleton *m.* serial; soap opera
février February
fiançailles *f. pl.* engagement
fiancé(e) *m., f.* fiancé, fiancée; *adj.* engaged
se fiancer to become engaged
fiche *f.* form; index card
fiction *f.* fiction; **science-fiction** *f.* science fiction
fidèle *adj.* faithful
fidélité *f.* fidelity, loyalty
fier (**fière**) *adj.* proud
fièvre *f.* fever
fiévreux (**-euse**) *adj.* feverish
figé *adj.* fixed, set; completely still
figuier *m.* fig tree
fil *m.* thread, line; **coup** (*m.*) **de fil** *fam.* phone call
filet *m.* net; net bag
fille *f.* daughter; girl; **belle-fille** *f.* daughter-in-law; stepdaughter; **jeune fille** girl; **petite-fille** granddaughter
filleul(e) *m., f.* godchild
film *m.* film, movie; (*camera*) film
fils *m.* son; **beau-fils** son-in-law; stepson; **petit-fils** grandson
filtre *m.* filter
fin *f.* end; *adj.* acute, sharp; fine; **en fin de** *prep.* late in; **extra-fin** *adj.* superfine; **fines herbes** *f. pl.* culinary herbs (*parsley, chervil, etc.*)
finale *f.* finals (*sports*); **demi-finale** *f.* semifinals
finalement *adv.* finally
finance *f.* finance
financé *adj.* financed
finir (**de, par**) to finish, end
fissure *f.* break, fissure
fixer to fix, fasten; to settle on; **fixer des yeux** to stare
flageolet *m.* kidney bean
Flamand(e) *m., f.* Flemish (*person*); **flamand** *m.* Flemish (*language*); *adj.* **flamand** *from Flanders,* Flemish
flambé *adj.* flambé, flamed (*with brandy*)
flamber to set ablaze
flâner to stroll
fleur *f.* flower
fleuriste *m., f.* florist
fleuve *m.* river
flic *m. fam.* police officer, cop
Floride *f.* Florida
flottant: île (*f.*) **flottante** floating island (*dessert*)
flotter to float
foie *m.* liver; **foie gras** prepared goose liver
fois *f.* time; times (*in multiplication*); **à la fois** at the same time
folie *f.* madness
folklore *m.* folklore

foncé *adj.* dark
fonction *f.* function
fonctionner to function, work (*machine*)
fond *m.* botton; **au fond** ultimately, deep down; in the background, at the back
fondamental *adj.* fundamental, essential
fondation *f.* foundation
fonder to found, establish
fondre to melt
fondu *adj.* melted
fondue *f.* fondue (*melted cheese dish*)
font (*m.*) **du baptême** baptismal font
fontaine *f.* fountain; spring
fonte *f.* cast iron
football *m.* soccer
force *f.* force, strength; **forces armées** armed forces
forcer to force
forêt *f.* forest
forfait *m.* organized tour
format *m.* format, size
formation *f.* education, training
forme *f.* form; shape, physical condition; **en** (**pleine**) **forme** in good shape, fit; **garder la forme** to stay in shape; **mise** (*f.*) **en forme** workout; **sous la forme de** in the form of
formellement *adv.* formally; absolutely
former to form, shape
formidable *adj.* terrific, great
formulaire *m.* form (*to fill out*)
formule *f.* formula; formality
fort *m.* fort; *adj.* strong; energetic; loud; *adv.* very
fou (**fol, folle, fous, folles**) *m., f.* crazy person; *adj.* mad, crazy; **fou rire** uncontrollable laughter
foudre *f.* lightning; **coup** (*m.*) **de foudre** thunderbolt; love at first sight
fougueux (**-euse**) *adj.* spirited, impetuous
fouiller to excavate; to search
foule *f.* crowd
se fouler la cheville to sprain one's ankle
foulure *f.* sprain, wrench
four *m.* oven; **petits fours** petits fours, fancy cookies
fournir to furnish, supply
fournisseur *m.* supplier
fourrer to stuff, fill
foyer *m.* hearth; home; dormitory; center
fraîcheur *f.* coolness
frais (**fraîche**) *m. pl.* expenses, costs; *adj.* fresh; cool; **crème** (*f.*) **fraîche** clotted cream, crème fraîche
fraise *f.* strawberry
framboise *f.* raspberry
franc *m.* franc (*monetary unit*); **franc**(**he**) *adj.* frank, honest
Français(**e**) *m., f.* French (*person*); **français** *m.* French (*language*); **français** *adj.* French
France *f.* France
franchir to cross; to jump, get over; to exceed
Franco-Américain(**e**) *m., f.* French-American (*person*); **franco-américain** *adj.* French-American
francophone *adj.* French-speaking
francophonie *f.* French-speaking regions
franco-prussien(**ne**)**: guerre** (*f.*) **franco-prussienne** Franco-Prussian War
franglais *m. French marked by borrowings from English*
frapper to strike; to hit; to knock
fraternité *f.* fraternity, brotherhood
frein *m.* brake; **coup** (*m.*) **de frein** putting on the brakes
freiner to brake
frénétique *adj.* frenetic, agitated
fréquence *f.* frequency
fréquent *adj.* frequent
fréquenter to frequent, attend
frère *m.* brother; **beau-frère** brother-in-law
friandise *f.* gourmet treat, tidbit
frigo *m. fam.* refrigerator, fridge
frisbee *m.* Frisbee
friser to touch, graze
frit *adj.* fried; **pommes** (*f. pl.*) **frites** French fries
froid *adj.* cold; **avoir froid** to be cold (*person*); **faire froid** to be cold (*weather*); **prendre froid** to catch cold
frôler to touch lightly, brush
fromage *m.* cheese
froncer to frown, knit (*one's brows*)
front *m.* forehead
frontière *f.* border, frontier
fruit *m.* fruit; **fruits** (*pl.*) **de mer** shellfish; **jus** (*m.*) **de fruit**(**s**) fruit juice
fugitif (**-ive**) *m., f.* fugitive
fuir to flee, escape; *p.p.* **fui**
fumé *adj.* smoked
fumée *f.* smoke
fumer to smoke
fumeur (**-euse**) *m., f.* smoker; **section** (*f.*) **non fumeurs** nonsmoking section
furieux (**-euse**) *adj.* furious
fusée *f.* rocket
futile *adj.* futile, frivolous
futilité *f.* futility, frivolousness
futur *n. m., adj.* future; future (tense); **futur proche** *m.* near, immediate future; (near) future (tense)

G

gadget *m.* gadget
gaffe *f.* blunder, gaffe
gagner to earn; to gain; to win
gai *adj.* cheerful, happy
gaieté *f.* cheerfulness, gaiety
galerie *f.* gallery
galette *f.* cake; pancake
gamme *f.* range; scale
gant *m.* glove; **boîte** (*f.*) **à gants** glove compartment
ganté *adj.* gloved
garage *m.* garage
garagiste *m., f.* garage owner
garantie *f.* guarantee; assurance
garçon *m.* boy; **garçon de café** café waiter
garder to keep; to look after; **garder la forme** to stay in shape; **garder la ligne** to keep one's figure; **garder le lit** to stay in bed
gare *f.* (train) station
garer la voiture to park the car; **se garer** to park
gargarisme: **faire des gargarismes** to gargle
garni *adj.* garnished; decorated
gaspillage *m.* waste, squandering
gastronomique *adj.* gastronomical
gâteau *m.* cake
gâter to spoil, coddle; **se gâter** to deteriorate, go wrong
gauche *n. m., adj.* left; **à gauche** *adv.* to the left
gaufre *f.* waffle
gaufrier *m.* waffle iron
gaz *m.* (natural) gas
géant *adj.* giant
gelé *adj.* frozen
gelée *f.* aspic; **œufs** (*m. pl.*) **en gelée** eggs in aspic
gelure *f.* frostbite
Gémeaux *m. pl.* Gemini
gencives *f. pl.* gums
gendarmerie *f.* gendarmes' headquarters
gêné *adj.* embarrassed; inconvenienced
général *m.* general; *adj.* general, universal; **en général** *adv.* generally
généraliser to generalize
génération *f.* generation
Genève Geneva
génial *adj.* inspired, brilliant
genou *m.* knee

genre *m.* kind, sort; gender; **Bon Chic, Bon Genre** (**B.C.B.G.**) "preppy"
gens *m. pl.* people; **jeunes gens** young people, young men and women
gentil(le) *adj.* nice, pleasant
gentillesse *f.* kindness, kind attention
gentiment *adv.* nicely, kindly
géographie *f.* geography
géographique *adj.* geographic
gérant(e) *m., f.* manager
gérer to manage, administer
geste *m.* gesture
gesticuler to gesture, gesticulate
girofle: clous (*m.*) **de girofle** cloves
givre *m.* frost, sleet
givré *adj.* frosted, iced
glace *f.* ice; ice cream; mirror; (car) window; **essuie-glace** *m. inv.* windshield wiper
glacé *adj.* iced; freezing
glacial *adj.* freezing, glacial
glacier *m.* ice-cream parlor
glissant *adj.* slippery
gloire *f.* glory, triumph
golf *m.* golf
golfe *m.* gulf, bay
gombo *m.* gumbo (*Cajun stew*)
gonflage *m.* inflation; pressure
gonflé *adj.* swollen; inflated; **sous-gonflé** underinflated
gonfler to swell; to inflate
gorge *f.* throat, neck; gorge; **soutien-gorge** *m.* bra
gourmand *adj.* gluttonous, greedy
gourmet *m.* gourmet, epicure
goût *m.* taste; flavor; **au goût du jour** in today's fashion
goûter *v.* to taste; *m.* afternoon snack
goutte *f.* drop
gouvernement *m.* government
grâce *f.* grace; **grâce à** thanks to; **le jour** (*m.*) **d'Action de Grâce** (*U.S.*) Thanksgiving Day
grade *m.* rank; degree
graine *f.* seed, grain
grammaire *f.* grammar
gramme *m.* gram
grand *adj.* great; tall; large; **grande personne** *f.* grown-up; **Grandes Écoles** *f. pl. French professional schools;* **grand magasin** *m.* department store; **grand-mère** *f.* grandmother; **grand-père** *m.* grandfather; **grands-parents** *m. pl.* grandparents; **pas grand-chose** not much; **Train** (*m.*) **à Grande Vitesse** (**TGV**) *French high-speed train*
grandiose *adj.* grand, imposing
grandir to grow (up)
graphique *adj.* graphic
gras(se) *adj.* fat; greasy; **faire la grasse matinée** to sleep late; **foie** (*m.*) **gras** prepared goose or duck liver; **Mardi** (*m.*) **Gras** Shrove Tuesday; **matière** (*f.*) **grasse** fat (*in foods*)
gratin *m.* dish cooked with breadcrumbs, cream, and cheese
gratte-ciel *m. inv.* skyscraper
gratuit *adj.* free (*of cost*)
grave *adj.* serious, grave
Grec *m.* (**Grecque** *f.*) Greek (*person*); **grec** *m.* Greek (*language*)
Grèce *f.* Greece
gréco-romain *adj.* greco-roman; classical
grève *f.* strike; **faire la grève, se mettre en grève** to go on strike
grignoter to nibble, snack on
grillé *adj.* grilled
grimper to climb
grippe *f.* flu
gris *n. m., adj.* grey
gros(se) *adj.* big; fat; great
grossir to gain weight
groupe *m.* group
gruyère *m.* Gruyere (*cheese*)
Guadeloupe *f.* Guadeloupe
guérir to cure
guerre *f.* war; **après-guerre** *m.* postwar period; **seconde Guerre mondiale** Second World War
guetter to look out for, lie in wait for
gueule *f. fam.* mug, face; **avoir la gueule de bois** to have a hangover
gui *m.* mistletoe
guide *m.* guide; guidebook
guider to guide
guitare *f.* guitar
gym *f. fam.* gymnastics
gymnase *m.* gymnasium
gymnastique *f.* gymnastics, aerobics; **faire de la gymnastique** to do gymnastics

H

habillé *adj.* dressed
habillement *m.* clothing
s'habiller to dress, get dressed
habit *m.* dress, costume
habitant(e) *m., f.* inhabitant; occupant
habitation *f.* housing; **Habitations** (*pl.*) **à Loyer Modéré** (**H.L.M.**) *subsidized housing in France*
habité *adj.* inhabited
habiter to live in, inhabit
habitude *f.* habit, custom; **d'habitude** usually; **comme d'habitude** as usual
habitué(e) *m., f.* regular customer
habituel(le) *adj.* usual, ordinary
habituer to accustom, get into the habit; **s'habituer à** to get used to
***haché** *adj.* chopped
Haïti Haiti
haleine *f.* breath, wind
haltères: **faire des haltères** to do bodybuilding, weightlifting
hamburger *m.* hamburger
***hanche** *f.* hip; haunch
***hanter** to haunt; to obsess
***haricot** *m.* bean
***harissa** *f.* North African hot sauce
harmonica *m.* harmonica; mouth organ
***hasard** *m.* chance; **par hasard** *adv.* by chance, accidentally
***haut** *m.* height, high point; *adj.* high; superior; **à haute voix** out loud, aloud; **haute cuisine** *f.* elegant, refined cooking
***hauteur** *f.* height, altitude
Hawaï Hawaii
hébergement *m.* shelter, lodging
***hélas** *int.* alas!
hélice *f.* propeller
hélicoptère *m.* helicopter
herbe *f.* grass; herb; **fines herbes** *f. pl.* culinary herbs (*parsley, chervil, etc.*)
héritage *m.* heritage; inheritance
héroïne *f.* heroine
***héros** *m.* hero
hésitation *f.* hesitation
hésiter to hesitate
***heu** *int.* uh, um
heure *f.* hour; o'clock; **à l'heure** *adv.* on time; **à quelle heure** when, at what time; **à tout à l'heure** so long, see you later; **de bonne heure** early; **demi-heure** *f.* half hour; **il est** (**deux**) **heures** it's (two) o'clock; **n'importe quelle heure** at any time; **quelle heure est-il?** what time is it?
heureux (**-euse**) *adj.* happy; fortunate
hier *adv.* yesterday; **hier soir** last night
hiéroglyphes *m. pl.* hieroglyphics
histoire *f.* story; history
historique *adj.* historic
hiver *m.* winter
***hollandaise** *f.* Hollandaise sauce (*made of eggs and cream*)
***homard** *m.* lobster
homéopathie *f.* homeopathy
hommage *m.* homage, tribute
homme *m.* man; **homme d'affaires** businessman; **homme d'état** statesman; **homme politique** political figure; **jeune homme** young man
homosexualité *f.* homosexuality
honnête *adj.* honest
honneur *m.* honor; **en l'honneur de** in honor of
***honte** *f.* shame; **avoir honte** to be

ashamed, embarrassed
hôpital *m.* hospital
horaire *m.* schedule
horoscope *m.* horoscope
horreur *f.* horror; **avoir horreur de** to detest, abhor; **quelle horreur!** *int.* that's atrocious, horrid!
horrible *adj.* horrible, terrible
***hors-d'œuvre** *m. pl.* appetizers, hors d'oeuvres
hospitaliser to hospitalize
hostile *adj.* hostile, dangerous
hôte(sse) *m., f.* host, hostess; **hôtesse** (*f.*) **de l'air** airline stewardess
hôtel *m.* hotel
huile *f.* oil; motor oil; **huile d'olive, de tournesol** olive, sunflower seed oil; **huile de bronzage** suntan lotion
huître *f.* oyster
humain *adj.* human; humane; **être** (*m.*) **humain** human being
humanité *f.* humanity
humeur *f.* mood, temperament; **de bonne** (**mauvaise**) **humeur** in a good (bad) mood
humide *adj.* wet, damp
humoristique *adj.* humorous, funny
humour *m.* humor; **sens** (*m.*) **de l'humour** sense of humor

I

ici *adv.* here; now
idéal *m.* (**idéaux, idéals** *pl.*) ideal; *adj.* ideal
idéaliser to idealize
idéaliste *m., f.* idealist; *adj.* idealistic
idée *f.* idea
identifier to identify
identité *f.* identity; **pièce** (*f.*) **d'identité** identification
idéologie *f.* ideology
idiot(e) *m., f.* idiot
ignorant(e) *m., f.* ignorant person
ignorer to be unaware of, not to know
il *pron.* he; it; there; **il y a** there is, there are; ago; **il y a... que** for (+ *period of time*); it's been . . . since
île *f.* island; **île flottante** *f.* floating island (dessert)
Île Maurice *f.* Mauritius
illicite *adj.* illicit, illegal
illimité *adj.* unlimited
illuminé *adj.* illuminated
illustrer to illustrate
ils *pron.* they
image *f.* picture; image
imagé *adj.* vivid; full of imagery
imaginaire *adj.* imaginary
imagination *f.* imagination
imaginer to imagine, suppose
imitateur (**-trice**) *m., f.* imitator
imité *adj.* imitated
immatriculation: plaque (*f.*) **d'immatriculation** license plate
immédiatement *adv.* immediately
immense *adj.* immense, enormous
immeuble *m.* office or apartment building; real estate
immigrant(e) *m., f.* immigrant
immigration *f.* immigration
imminent *adj.* imminent, impending
immobile *adj.* immobile
impact *m.* impact
imparfait *m.* imperfect (*past*) tense
impatience *f.* impatience
impatient *adj.* impatient
s'impatienter to get impatient
impeccable *adj.* impeccable, perfect
imperméable *m.* raincoat
importance *f.* importance
important *adj.* important; large, big; **il est important de/que** it's important to/that
importer to import; to be important; **n'importe quelle heure** at any time; **peu importe** it matters little
imposant *adj.* imposing
imposer to impose
impossible *adj.* impossible; **il est impossible de/que** it's impossible to/that
impôt *m.* tax, duty
impression *f.* impression
impressionnant *adj.* impressive
impressionner to impress
impressionniste *m., f.* impressionist (painter); *adj.* impressionist
imprimante *f.* (computer) printer
impulsif (**-ive**) *adj.* impulsive
inadmissible *adj.* unacceptable
inattendu *adj.* unexpected
inaugurer to inaugurate
inceste *m.* incest
incident *m.* incident
s'incliner to bow, bend over; to recline
inconnu(e) *m., f.* stranger; *adj.* unknown, strange
inconscient *adj.* unconscious
inconvénient *m.* drawback, disadvantage
incorrect *adj.* incorrect
incrédule *adj.* incredulous, skeptical
incroyable *adj.* incredible
incurable *adj.* uncurable
Inde *f.* India
indemne *adj.* unhurt, unharmed
indépendance *f.* independence
indépendant *adj.* independent
index *m.* index; index finger
indice *m.* index; indication, sign
indien(ne) *adj.* Indian
indiquer to indicate, show
indirect *adj.* indirect
indiscret (**-ète**) *adj.* indiscreet
indispensable *adj.* indispensable; **il est indispensable de/que** it's necessary to/required that
individu *m.* individual
s'individualiser to become individualized
individualisme *m.* individualism
individualiste *adj.* individualistic
individuel(le) *adj.* individual, personal
industrialisé *adj.* industrialized
industrie *f.* industry
industriel(le) *adj.* industrial
inégalitaire *adj.* unequal, unfair
inévitable *adj.* inevitable
infaillible *adj.* infallible
infantile *adj.* infantile; childhood
infection *f.* infection
infiniment *adv.* infinitely, much more
infinitif *m.* infinitive
infirmier (**-ère**) *m., f.* nurse
inflation *f.* inflation
influence *f.* influence
influencer to influence
information(s) *f.* (*pl.*) news; information, data
informatique *f.* data processing; computer science; **micro-informatique** *f.* minicomputer science
informer to inform; **s'informer** to learn, educate oneself
infranchissable *adj.* impassable, insuperable
ingénieur (**-euse**) *m., f.* engineer
ingénieux (**-euse**) *adj.* ingenious
ingrédient *m.* ingredient
inhabité *adj.* uninhabited
injection *f.* injection motor
injuste *adj.* unfair
innocent(e) *m., f.* innocent person; *adj.* innocent
inoffensif (**-ive**) *adj.* harmless, inoffensive
inondation *f.* flood
inoubliable *adj.* unforgettable
inquiet (**-ète**) *adj.* uneasy, worried
s'inquiéter (**de**) to worry, be anxious (about)
inquiétude *f.* worry, unease
inscription *f.* registration, matriculation; inscription
inscrit *adj.* registered; inscribed
insecte *m.* insect
inspiré *adj.* inspired
s'inspirer to get inspired

installé *adj.* settled
installer to install; **s'installer** to settle down; to move in
instituteur (**-trice**) *m., f.* teacher (*elementary school*)
institution *f.* institution, organization
instruction *f.* instruction
s'instruire to educate oneself
instrument *m.* instrument, tool
insupportable *adj.* unbearable
insurgé(**e**) *m., f.* insurgent
intellectuel(**le**) *m., f.* intellectual person, thinker; *adj.* intellectual
intelligence *f.* intelligence
intelligent *adj.* intelligent
intention: avoir l'intention de to have the intention of
interaction *f.* interaction
interdiction *f.* prohibition
interdire (**de**) to forbid (to)
interdit *adj.* forbidden; **sens** (*m.*) **interdit** wrong way
intéressant *adj.* interesting; attractive
intéresser to interest; **s'intéresser à** to take an interest in
intérêt *m.* interest
intérieur *m.* interior; *adj.* inside, interior; **à l'intérieur** inside
intermédiaire *m.* intermediary; **par l'intermédiaire de** through
international *adj.* international
interne *m., f.* (*medical, student*) intern; *adj.* internal
interprétation *f.* interpretation
interprète *m., f.* interpreter
interrogatif (**-ive**) *adj.* interrogative
interrompre to interrupt; *p.p.* **interrompu**
interview *f.* interview
interviewer to interview
intoxiqué *adj.* intoxicated, drunk
introduire to introduce; *p.p.* **introduit**
intrus(**e**) *m., f.* intruder
intuitif (**-ive**) *adj.* intuitive
inutile *adj.* useless
invasion *f.* invasion
inventer to invent, create
inventeur (**-trice**) *m., f.* inventor
invention *f.* invention
inversion *f.* inversion, transposition
investir to invest
investissement *m.* investment
invitation *f.* invitation
invité(**e**) *m., f.* guest
inviter to invite
Irlande *f.* Ireland
irréparable *adj.* irreparable, irretrievable
irrésistible *adj.* irresistible
irritable *adj.* irritable, touchy
irrité *adj.* angry, irritated
isolé *adj.* isolated, solitary
Israël *m.* Israel
Italie *f.* Italy
Italien(**ne**) *m., f.* Italian (*person*); **italien** *m.* Italian (*language*); **italien**(**ne**) *adj.* Italian
itinéraire *m.* itinerary
ivoire *m.* ivory; **Côte-d'Ivoire** *f.* Ivory Coast
ivoirien(**ne**) *adj. from the Ivory Coast*
ivre *adj.* drunk, intoxicated
ivresse *f.* intoxication, drunkenness; **en état d'ivresse** drunk and disorderly

J

jaloux (**-ouse**) *adj.* jealous
jamais *adv.* ever; never; **ne... jamais** never, not ever
jambe *f.* leg
jambon *m.* ham
janvier January
Japon *m.* Japan
Japonais(**e**) *m., f.* **Japanese** (*person*); **japonais** (*language*); *adj.* Japanese
jardin *m.* garden
jardinage *m.* gardening
jardiner to garden
jardinier (**-ère**) *m., f.* gardener
jargon *m.* jargon; slang
jaune *n. adj.* yellow
jazz *m.* jazz
je *pron.* I
jean *m.* (pair of) blue jeans
jersey *m.* jersey (*cloth*)
jeter to throw
jeu *m.* game; play; **jeu de société** parlor game, group game; **Jeux** (*pl.*) **olympiques** Olympics, Olympic Games; **jeu-vidéo** (*m.*) video game
jeudi *m.* Thursday
jeune *adj.* young; **jeune cadre** *m.* young executive; **jeune fille** (*f.*) girl; **jeunes** (**gens**) *m. pl.* young people; young men and women; **jeune homme** (*m.*) young man; **jeunes mariés** *m. pl.* newlyweds
jeunesse *f.* youth; **auberge** (*f.*) **de jeunesse** youth hostel
jockey: disque-jockey *m.* disk jockey
la Joconde *f.* Mona Lisa
jogging *m.* jogging
joie *f.* joy
joli *adj.* pretty
jouer to play; to perform; **jouer un rôle** to play a role; **jouer aux cartes** to play cards; **jouer de la guitare** to play the guitar
jouet *m.* toy
joueur (**-euse**) *m., f.* player
jour *m.* day; **au goût du jour** in today's fashion; **de nos jours** these days; **jour de fête** holiday; **jour de l'Action de Grâce** Thanksgiving Day (*U.S.*); **jour de l'An** New Year's Day; **jour de pluie** rainy day; **jour férié** (national) holiday; **par jour** each day, per day; **plat** (*m.*) **du jour** special of the day; **tous les jours** every day
journal *m.* (**journaux** *pl.*) newspaper; diary
journaliste *m., f.* journalist
journée *f.* day; daytime; **à mi-journée** halfway through the day; **en fin de journée** at the end of the day
juge *m.* judge
juillet July
juin June
jungle *f.* jungle
jupe *f.* skirt
jurer to swear
jus *m.* juice; **jus de fruit**(**s**) fruit juice
jusque *prep.* until; as far as; up to; **jusqu'à ce que** (+ *subj.*) until
juste *adj.* just; rightful; *adv.* exactly, just, right
justifier to justify
juteux (**-euse**) *adj.* juicy
juvénile *adj.* juvenile; youthful

K

kèskès *m.* steamer (*for couscous pot*)
ketchup *m.* ketchup
kilo(**gramme**) *m.* kilogram
kilométrage *m.* mileage (*distance traveled*)
kilomètre *m.* kilometer
kiosque *m.* kiosk; newsstand
klaxon *m.* horn (*car*)
klaxonner to sound one's horn

L

la *art. f.* the; *pron. f.* it, her
là *adv.* there; **là-bas** over there
laboratoire *m.* laboratory
labyrinthe *m.* labyrinth, maze
lac *m.* lake
laine *f.* wool; **en laine** woolen
laisser to leave; (**se**) **laisser** (+ *inf.*) to let, allow; **laisser à désirer** to leave (much) to be desired; **laisser tomber** to drop
lait *m.* milk; **café** (*m.*) **au lait** coffee with (steamed) milk
laitue *f.* lettuce
lambswool *m.* lambswool

lampe *f.* lamp
lancer to throw; to project; to launch; to undertake
langouste *f.* sea-crayfish, spiny lobster
langoustines *f. pl.* scampi
langue *f.* language; tongue
lard *m.* bacon
large *adj.* wide; **au large de** off of (*in sea*); **de large** wide (*with measurements*)
largement *adv.* broadly, wiidely, amply
larme *f.* tear
laser *m.* laser
latin *m.* Latin (*language*); *adj.* Latin; **Quartier** (*m.*) **Latin** Latin Quarter (*of Paris*)
latitude *f.* latitude
laurier *m.* bay, laurel
lavabo *m.* bathroom sink, wash basin; *pl.* (public) toilet
laver to wash; **se laver** to wash oneself
lavette *f.* dishcloth; washcloth
le *art. m.* the; *pron. m.* it, him
leader *m.* (political) leader
lèche-vitrines (*m. pl.*)**: faire du lèche-vitrines** to go window-shopping
leçon *f.* lesson
lecteur (**-trice**) *m., f.* reader
lecture *f.* reading
légal *adj.* legal
légendaire *adj.* legendary
légende *f.* legend; caption
léger (**légère**) *adj.* light
légion *f.* legion; crowd, swarm
légume *m.* vegetable
lendemain *m.* the next day, the following day
lent *adj.* slow; sluggish
lequel (**laquelle, lesquels, lesquelles**) *pron.* which; who; whom; that
les *art. pl.* the; *pron. pl.* them
lettre *f.* letter; *pl.* liberal arts; humanities; **femme** (*f.*) **de lettres** woman of letters; writer
leur *pron.* theirs; to them (*ind. obj.*); *adj.* their
lever: se lever to get up
levier (*m.*) **de vitesse** gear shift
lèvre *f.* lip
libéral *adj.* liberal
libération *f.* liberation; freedom
libéré *adj.* free, unleashed, liberated
libérer to liberate, free
liberté *f.* liberty
librairie *f.* bookstore
libre *adj.* free, unencumbered
Libye *f.* Libya
libyen(**ne**) *adj.* Libyan
lié *adj.* attached, linked
lien *m.* tie, bond
lier to link, tie; **se lier d'amitié** to become friends
lieu *m.* place, location; **au lieu de** instead of; **avoir lieu** to take place
lieue *f.* league (*distance*)
ligne *f.* line; form, figure; **garder la ligne** to keep one's figure
lilas *m. sing.* lilac
limité *adj.* limited
limiter to limit
limonade *f.* soda (pop)
linge *m.* linen; laundry; **laver le linge** to do the laundry
linguistique *f.* linguistics; *adj.* linguistic
Lion *m.* Leo
liqueur *f.* liqueur, brandy
liquide *n. m., adj.* liquid
lire to read; *p.p.* **lu**
liste *f.* list
lit *m.* bed; **faire le lit** to make the bed
litre *m.* liter
littérature *f.* literature
livre *m.* book
livrer to deliver
livret *m.* booklet; **livret de famille** birth and death registry
local (**-aux**) *adj.* local
location *f.* rental
locomotion *f.* locomotion; movement
locomotive *f.* locomotive
logé *adj.* lodged, located; quartered
logement *m.* housing; dwelling
loger to live (*somewhere*); to lodge, give a room (*to someone*); **se loger** to take lodgings, live
logiciel *m.* software
logique *adj.* logical
loi *f.* law
loin (**de**) *adv., prep.* far (from)
lointain *adj.* distant
loisir *m.* leisure; *pl.* spare-time activities
Londres London
long(**ue**) *adj.* long; drawn out; **de long** long, in length; **le long de** *prep.* along, alongside
longtemps *adv.* long; a long while
longuement *adv.* at length, for a long time
look *m.* "look," style
Lorraine *f.* Lorraine (*eastern French province*); **quiche** (*f.*) **lorraine** *onion, ham, and cheese custard pie*
lors de *prep.* at the time of
lorsque *conj.* when
loterie *f.* lottery
louer to rent; to rent out; to praise
Louisianais(**e**) *m., f. person from Louisiana;* **louisianais**(**e**) *adj. from Louisiana*
Louisiane *f.* Louisiana
loup *m.* wolf; **avoir une faim de loup** to be ravenous
lourd *adj.* heavy
loyauté *f.* loyalty, faithfulness
loyer *m.* rent
lu *p.p. of* **lire**
lui *pron.* he; it; to him; to her; to it; **lui-même** himself
lumière *f.* light; lamp
lumineux (**-euse**) *adj.* luminous; bright
lundi *m.* Monday
lune *f.* moon
lunettes *f. pl.* glasses, spectacles; **lunettes de soleil** sunglasses
lustré *adj.* shiny, lustrous
lutter to struggle, fight, strive for
luxe *m.* luxury, luxury item; **de luxe** *adj. inv.* deluxe, luxurious
Luxembourg *m.* Luxembourg
luxueux (**-euse**) *adj.* luxurious
luxuriant *adj.* luxuriant
lycée *m. French high school, secondary school* (*second cycle*)
lycéen(**ne**) *m., f. French secondary school student*

M

M. Mr.
ma *adj. f.* my
macérer to marinate, macerate
mâcher to chew
machinalement *adv.* mechanically, automatically
machine *f.* machine; **machine à écrire** typewriter
Madame *f.* (**Mme**) (**Mesdames** *pl.*) Madam; Mrs.
Mademoiselle *f.* (**Mlle**) (**Mesdemoiselles** *pl.*) Miss
magasin *m.* store; **faire les magasins** to shop around, "do" the stores; **grand magasin** department store
magazine *m.* magazine
mage *m. one of the Magi*
Maghreb *m. French-speaking North Africa*
magie *f.* magic
magique *adj.* magic
magnétophone *m.* tape recorder
magnétoscope *m.* video recorder
magnifique *adj.* magnificent
mai May
maigre *adj.* thin, skinny
maigrir to grow thin, lose weight
main *f.* hand; **donner un coup de main** to lend a hand; (**se**) **serrer la main** (**à**) to shake hands (with)

maint *adj. literary* many
maintenant *adv.* now, at present
maintenir to maintain, uphold; *p.p.* **maintenu**
maire *m.* mayor
mairie *f.* town hall
mais *conj.* but
maison *f.* house; firm, company; **à la maison** at home; **tarte** (*f.*) **maison** homemade pie
maître *m.* (**maîtresse** *f.*) master, mistress; **maîtresse** (*f.*) **de maison** homemaker
majeur *adj.* of full age, adult
majorité *f.* majority; adulthood
mal *m.* (**maux** *pl.*) hurt; evil; *adv.* poorly; badly; **avoir du mal à** (+ *inf.*) to have trouble (*doing something*); **avoir mal** (**à**) to have a pain, hurt; **avoir mal au cœur** to be nauseated; (**se**) **faire mal** (**à**) to hurt, injure (oneself); **mal de gorge** sore throat; **mal de tête** headache
malade *adj.* sick
maladie *f.* illness; **assurance-maladie** *f.* health insurance
malaise *m.* uneasy feeling; faintness
malentendu *m.* misunderstanding
malgré *prep.* in spite of
malheur *m.* misfortune, unhappiness
malheureux (**-euse**) *adj.* unfortunate, unhappy
malin (**maligne**) *adj.* wicked; malicious
maman *f. fam.* Mama, Mom
mamie *f. fam.* Grandmother
manche *f.* sleeve
mandarine *f.* tangerine
manger to eat; **salle** (*f.*) **à manger** dining room
mangue *f.* mango
manière *f.* manner; way
manifestant(**e**) *m., f.* demonstrator
manifestation *f.* (political) demonstration
manifester to demonstrate (*politically*); **se manifester** to show, display
manioc *m.* tapioca
manipuler to manipulate
manque *m.* lack
manquer (**à**) to miss; to lack
manteau *m.* overcoat
manuel(**le**) *m.* manual, textbook; *adj.* manual
maquette *f.* scale model
se maquiller to put on make-up
marathon *m.* marathon
marchand(**e**) *m., f.* merchant; trader
marchandage *m.* bargaining
marchander to bargain
marche (**à pied**) *f.* walk(ing); **marche nuptiale** wedding march
marché *m.* market; **bon marché** *adj. inv.* inexpensive, cheap; **faire le marché** to go shopping; **Marché Commun** Common Market; (**le**) **meilleur marché** the better (best) buy
marcher to walk; to go (well)
mardi *m.* Tuesday; **Mardi Gras** Shrove Tuesday (*day before Lent*); pre-Lenten carnival
margarine *f.* margarine
mari *m.* husband
mariage *m.* marriage; **acte** (*m.*) **de mariage** marriage certificate; **demande** (*f.*) **en mariage** marriage proposal
marié(**e**) *m., f.* married person; bridegroom; bride; *adj.* married; **jeunes mariés** *m. pl.* newlyweds
marier to marry (off); **se marier** (**avec**) to marry
marine *adj. inv.* navy blue
marinière: moules (*f. pl.*) **marinières** *mussels with parsley in white wine sauce*
marmite *f.* kettle, soup pot
Maroc *m.* Morocco
Marocain(**e**) *m., f.* Moroccan (*person*); **marocain**(**e**) *adj.* Moroccan
marque *f.* mark; brand, make
marquer to mark
marraine *f.* godmother
marre: en avoir marre *fam.* to be fed up with, sick of
marron *m.* chestnut; *n. m., adj. inv.* (chestnut) brown
mars March
marseillais *adj.* from Marseille
marteau *m.* hammer
marxisme *m.* Marxism
marxiste *n. m., f., adj.* Marxist
masculin *adj.* masculine
masque *m.* mask
masqué *adj.* masked; hidden; **bal** (*m.*) **masqué** costume ball
masse *f.* mass, body
masser to massage
massif *m.* massif, group of mountains
mass-media *m. pl.* mass media
match *m.* (*sports*) match, game
matériaux *m. pl.* materials
matériel *m.* equipment, materials; hardware; **matériel**(**le**) *adj.* material, physical
maternité *f.* maternity
maths *f. pl. fam.* **mathématiques**
matière *f.* matter; **matière grasse** fat; **en matière de** in, concerning
matin *m.* morning; **du matin** A.M.
matinal *adj.* (*early*) morning
matinée *f.* morning; matinée
maudire to curse, speak ill of
maudit *adj.* cursed, darn
Maurice: Île (*f.*) **Maurice** Mauritius
mauvais *adj.* bad, poor; **faire mauvais** to be bad weather; **se faire du mauvais sang** to fret, worry
maximal *adj.* maximal
maximum *m.* maximum; *adj. inv.* maximum
mayonnaise *f.* mayonnaise
me *pron.* me; to me
mécanicien(**ne**) *m., f.* mechanic; engineer (*train*)
méchoui *m. North African roast lamb*
mécontent *adj.* unhappy, displeased
médecin *m.* doctor
médecine *f.* (*study of*) medicine; **faire de la médecine** (**des études de médecine**) to study medicine
médias *m. pl.* media
médical *adj.* medical; **urgence** (*f.*) **médicale** medical emergency
médicament *m.* medicine, medication
médicinal *adj.* medicinal
médiéval *adj.* medieval, *from the Middle Ages*
médiocre *adj.* mediocre, indifferent; poor
Mediterranée *f.* Mediterranean (Sea)
méditerranéen(**ne**) *adj.* Mediterranean
se méfier de to distrust, suspect
meilleur *adj.* better; **le** (**la, les**) **meilleur**(**e**)(**s**) the best (one[s])
mélange *m.* mixture
mélanger to mix; to stir in
mélodie *f.* melody
melon *m.* melon
membre *m.* member
même *adj., pron.* same; *adv.* even; **lui-même** himself; **moi-même** myself; **quand même** even though; nevertheless; **vous-même** yourself
mémoire *f.* memory (*mental capacity*); *f. pl.* memoirs; journal
mémorable *adj.* memorable
menacer to threaten
ménage *m.* household; married couple; housekeeping; **faire le ménage** to clean house; **femme** (*f.*) **de ménage** housekeeper, maid
ménager *v.* to take care of, be sparing of
ménager (**-ère**) *adj.* pertaining to the house; **appareil** (*m.*) **ménager** household appliance; **tâches** (*f. pl.*)**ménagères** household duties; **travaux** (*m. pl.*) **ménagers** housework

mené *adj.* conducted; led
mener to lead
menhir *m.* menhir, standing stone
mental *adj.* mental
menthe *f.* mint
mention *f.* (honorable) mention
mentionner to mention, comment
mentir to lie
menu *m.* menu (of the day)
mer *f.* sea; **au bord de la mer** at the seashore; **d'outre-mer** overseas; **fruits** (*m. pl.*) **de mer** shellfish
merci *f.* mercy; *int.* thanks, thank you
mercredi *m.* Wednesday
mère *f.* mother; **belle-mère** mother-in-law; stepmother; **fête** (*f.*) **des Mères** Mother's Day; **grand-mère** grandmother
mériter to deserve
merveilleux (**-euse**) *adj.* wonderful
mes *adj. pl.* my
mesdames: **mesdames, mesdemoiselles et messieurs** ladies and gentlemen
message *m.* message
messe *f.* (*Catholic*) mass
messieurs *m. pl.* men; gentlemen; **messieurs**: **mesdames, mesdemoiselles et messieurs** ladies and gentlemen
mesure *f.* measure; measuring tool, utensil; **à la mesure de** in keeping with, directly proportional to; **dans une certaine mesure** to some degree, to a certain extent
métal *m.* metal
métallisé *adj.* plated; metallic
météo *f. fam.* (**bulletin** [*m.*]) **météorologique**) weather report
méthode *f.* method, means
métier *m.* trade; profession; job
mètre *m.* meter (*length*)
métro *m. fam.* (**métropolitan**) underground; subway
métropole *f.* metropolis, city; *continental France*
mettre to put (on); to apply; to place; *p.p.* **mis; se mettre à** to begin to; **se mettre au régime** to go on a diet; **se mettre d'accord** to agree, be in agreement; **se mettre de mauvaise humeur** to get into a bad mood; **se mettre en colère** to get angry; **se mettre en grève** to go on strike
meuble *m.* piece of furniture
meunière: sole (*f.*) **meunière** *breaded and sautéed sole*
mexicain(**e**) *n. m., f., adj.* Mexican
Mexique *m.* Mexico
mi: à mi-journée halfway through the day; **à mi-temps** part-time
micro-informatique *f.* data processing (*with minicomputers*)
micro-onde: four (*m.*) **à micro-ondes** microwave oven
micro-ordinateur *m.* minicomputer
microscope *m.* microscope
midi *m.* noon; **après-midi** *m.* afternoon; **le Midi** South of France
miel *m.* honey
(**le/la/les**) **mien**(**ne**)(**s**) *pron.* mine
mieux *adv.* better; **aimer mieux** to prefer; **faire de son mieux** to do one's best; **il vaut mieux** (**que**) it's better to/that; **le mieux** the best
mijoter to simmer, cook
milieu *m.* middle; environment, community; **au milieu** (**de**) in the midst, middle (of)
militaire *m.* military man, soldier; *adj.* military
militer to militate
mille *m.* mile; *adj.* thousand
millier *m.* thousand
million *m.* million
mince *adj.* thin, slender
minci *p.p.* of **maincir** thinner, gaunt
minéral *m., adj.* (**minéraux** *pl.*) mineral; **eau** (*f.*) **minérale** mineral water
mineur *adj.* minor (*under 21*)
minimal *adj.* minimal
ministère *m.* ministry, government agency
ministériel(**le**) *adj.* ministerial, pertaining to the cabinet
ministre *m.* (*government*) minister, cabinet member; **Premier ministre** Prime Minister
minorité *f.* minority
minuit *m.* midnight
minuscule *adj.* tiny, small; lower case (*letter*)
minute *f.* minute
minutieusement *adv.* carefully, painstakingly
mirage *m.* mirage
miroir *m.* mirror
mis *p.p. of* mettre
mise (*f.*) **en forme** exercise
missile *m.* missile
mission *f.* mission
mobilier *m.* furnishings
mode *m.* mood; mode, manner; *f.* fashion, style, "look"; **à la mode** fashionable
modèle *m.* model, pattern
modelé *adj.* modeled, patterned
modeler to mold
modéré *adj.* moderate
moderne *adj.* modern
modeste *adj.* modest; simple
mohair *m.* mohair
moi *m.* ego; *pron.* I; me; **à moi** to me; **moi-même** myself
moine *m.* monk
moins *adv.* less, minus; fewer; **à moins de/que** unless; **au moins** at least; **le/la/les moins** the least; **moins** (**de**)**... que** less . . . than; **plus ou moins** more or less
mois *m.* month
moitié *f.* half
mollet *m.* calf (*of leg*)
moment *m.* moment; instant; **à ce moment-là** at that time; **en ce moment** at the present time, now
momentanément *adv.* for a moment, briefly
momie *f.* mummy
mon *adj. m.* my
monastère *m.* monastery
monde *m.* world; people; **le tiers monde** the Third World; **tour** (*m.*) **du monde** trip around the world; **tout le monde** everyone
mondial *adj.* worldwide; **seconde Guerre** (*f.*) **mondiale** World War II
moniteur (**-trice**) *m., f.* (*sports*) coach; monitor
monnaie *f.* change; coin; currency
Monsieur (**M.**) *m.* sir; Mister; **monsieur** man
monstre *m.* monster
mont *m.* hill; mountain
montagnard *adj.* mountain, highland
montagne *f.* mountain; **à la montagne** in the mountains
montagneux (**-euse**) *adj.* mountainous
montée *f.* ascent, going up
monter to climb (up, in); to get in; to assemble; **monter à cheval** to go horseback riding
montre *f.* watch
montrer to show
monture *f.* mount (*horse*)
monument *m.* monument, historical site
monumental *adj.* monumental; large
moquer: **se moquer de** to make fun of
moquette *f.* carpet
moral *m.* (state of) mind; *adj.* moral
morceau *m.* morsel, piece
morille *f.* morel (*mushroom*)
mort *f.* death; *p.p. of* **mourir;** *adj.* dead; **peine** (*f.*) **de mort** death penalty
mortel(**le**) *adj.* mortal
Moscou Moscow
mot *m.* word
moteur *m.* motor
motif *m.* motive, purpose
moto *f. fam.* (**motocyclette**) motorcycle; **faire de la moto** to go

motorcycling
motocycliste *m., f.* motorcylist
mouche *f.* (house)fly; **bateau-mouche** *m.* tourist boat (*on the Seine*)
se moucher to blow one's nose
mouillé *adj.* wet, soaked
moule *f.* mussel
moulin *m.* mill; **moulin à café** coffee grinder
mourir to die; *p.p.* **mort**
mousse *f.* foam, suds; moss; **mousse à raser** shaving cream; **mousse au chocolat** *rich chocolate pudding*
mousseux (**-euse**) *adj.* frothy; sparkling
moutarde *f.* mustard
mouton *m.* sheep
mouvement *m.* movement; political movement
mouvementé *adj.* animated, eventful
moyen(**ne**) *f.* average; *m.* means; way; *adj.* middle; average; **en moyenne** on the average; **moyen** (*m.*) **de transport** means of transportation
muet(**te**) *adj.* mute, silent
muguet *m.* lily of the valley
multicolore *adj.* multicolored
multitude *f.* multitude, a great many
municipal *adj.* municipal; **municipales** *f. pl.* municipal elections
mur *m.* wall
mûr *adj.* ripe
muscle *m.* muscle
musculaire *adj.* muscular
musculation *f.* body building
musée *m.* museum
musical *adj.* musical
musique *f.* music
Musulman(**e**) *m., f.* Moslem (*person*); **musulman**(**e**) *adj.* Islamic, Moslem
mystère *m.* mystery
mystérieux (**-euse**) *adj.* mysterious

N

nager to swim
naïf (**naïve**) *adj.* naive, simple
naissance *f.* birth; **donner naissance à** to give birth to; to generate
naître to be born; *p.p.* **né**
napper to cover, pour sauce over
natation *f.* swimming
nation *f.* nation, country
national *adj.* national; **Assemblée** (*f.*) **nationale** *one of the two houses of the French parliament;* **fête** (*f.*) **nationale** (*French*) national holiday (*July 14*)
nationale *f.* (*French*) *national highway*
nationaliser to nationalize
nationalité *f.* nationality
nature *f.* nature; temperament
naturel(**le**) *adj.* natural
nauséabond *adj.* nauseating
nausée *f.* nausea
nautique *adj.* nautical; **ski** (*m.*) **nautique** waterskiing
navet *m.* turnip
navette *f.* shuttle; space shuttle
naviguer to navigate
ne *adv.* no; not; **ne... aucun**(**e**) none, not one; **ne... jamais** never, not ever; **ne... ni... ni** neither . . . nor; **ne... pas** no; not; **ne... pas du tout** not at all; **ne... pas encore** not yet; **ne... personne** no one; **ne... plus** no longer, any longer; **ne... que** only; **ne... rien** nothing; **n'est-ce pas?** isn't it (so)? isn't that right?
né *adj.* born; *p.p. of* **naître**
néanmoins *adv.* nevertheless
nécessaire *adj.* necessary
nécessité *f.* necessity
négatif (**-ive**) *adj.* negative
neige *f.* snow; **chute** (*f.*) **de neige** snowfall; **battus en neige** beaten (*egg whites*)
neiger to snow; **il neige** it is snowing
nénuphar *m.* water-lily, nenuphar
nerf *m.* nerve
nerveux (**-euse**) *adj.* nervous; energetic
netteté *f.* clearness, sharpness
nettoyer to clean
neuf *adj.* nine; **neuf** (**neuve**) *adj.* new
neutralité *f.* neutrality
neveu *m.* nephew
nez *m.* nose; **cache-nez** *m.* muffler
ni *conj.* nor; **ne... ni... ni** neither . . . nor
Niçois(**e**) *m., f. person from Nice;* **niçois**(**e**) *adj.* from Nice; **salade** (*f.*) **niçoise** *cold vegetable and tuna salad*
nièce *f.* niece
niveau *m.* level
noce *f.* wedding; **voyage** (*m.*) **de noces** honeymoon, wedding trip
Noël *m.* Christmas; **Réveillon** (*m.*) **de Noël** *midnight Christmas dinner*
noir *m.* darkness; black; *adj.* black; **tableau noir** *m.* blackboard
noix *f.* walnut
nom *m.* name; noun
nombre *m.* number
nombreux (**-euse**) *adj.* numerous
nommer to name; to name (*to a post*)
non *adv.* no; not; non-; **non plus** neither, not either
nord *m.* north; **Afrique** (*f.*) **du Nord** North Africa
normal (**-aux**) *adj.* normal, expected
Normandie *f.* Normandy
Norvège *f.* Norway
nos *adj. pl.* our; **de nos jours** these days
nostalgie *f.* nostalgia
notamment *adv.* namely, in particular
note *f.* grade; mark; bill
noter to note; to notice
notre *adj.* our
(**le/la/les**) **nôtre**(**s**) *pron.* ours
nourrir to feed; **se nourrir** to eat, nourish oneself
nourriture *f.* food
nous *pron.* us; to us; ourselves; **chez nous** at our place, our house
nouveau (**nouvel, nouvelle, nouveaux, nouvelles**) *adj.* new; **de/à nouveau** *adv.* again
nouvelle *f.* (*often pl.*) news
Nouvelle-Angleterre *f.* New England
La Nouvelle-Orléans *f.* New Orleans
novembre November
se noyer to drown
nuage *m.* cloud
nuageux (**-euse**) *adj.* cloudy; **il fait nuageux** it's cloudy
nucléaire *adj.* nuclear; **centrale** (*f.*) **nucléaire** nuclear power plant
nuit *f.* night; **boîte** (*f.*) **de nuit** nightclub; **chemise** (*f.*) **de nuit** nightgown; **faire nuit** to get dark
numéro *m.* number; song
nuptial *adj.* nuptial; **marche** (*f.*) **nuptiale** wedding march
nymphéa *m.* white water-lily

O

obéir (**à**) to obey
obéissance *f.* obedience
obéissant *adj.* obedient
obélisque *m.* obelisk
objectif *m.* objective, aim; camera lens
objet *m.* object; thing; **pronom** (*m.*) **objet direct** direct object pronoun
obligation *f.* obligation, duty
obligatoire *adj.* obligatory; **arrêt** (*m.*) **obligatoire** (bus)stop
obligé: être obligé de to be obliged to
observer to observe
obstacle *m.* obstacle
obtenir to obtain; to get; *p.p.* **obtenu**
occasion *f.* opportunity; occasion; bargain; **avoir l'occasion de** to have the chance, opportunity to; **d'occasion** secondhand
Occident *m.* the West
occidental *adj.* western, occidental; **Afrique** (*f.*) **occidentale** West Africa
Occupation *f.* occupation (*of France by Germany in World War II*)

occupé *adj.* busy; occupied, taken
occuper to occupy; **s'occuper de** to look after; to occupy oneself with
océan *m.* ocean
océanique *adj.* oceanic
octobre October
odeur *f.* odor, scent
œil *m.* (**yeux** *pl.*) eye; **coup** (*m.*) **d'œil** glance
œuf *m.* egg; **jaune, blanc** (*m.*) **d'œuf** egg yolk, egg white
œuvre *f.* work; creation; ***hors-d'œuvre** *m. pl.* appetizers, hors-d'oeuvres
offenser to offend, insult
offert *p.p. of* **offrir**
officiel(le) *adj.* official
offrir to offer; *p.p.* **offert**
oie *f.* goose
oignon *m.* onion
oiseau *m.* bird
oligothérapie *f. medical treatment based on trace minerals*
olive *f.* olive; **huile** (*f.*) **d'olive** olive oil
olympique *adj.* Olympic; **Jeux** (*m. pl.*) **olympiques** Olympics, Olympic Games
omelette *f.* omelet
oncle *m.* uncle
onde *f.* wave; **four** (*m.*) **à micro-ondes** microwave oven
ongle *m.* fingernail
onze *adj.* eleven
opéra *m.* opera
opération *f.* operation
opérer to operate
opinion *f.* opinion
opposé *adj.* opposite
opposer to oppose; **s'opposer à** to be opposed to
opposition *f.* opposition
opprimé *adj.* oppressed
optimiste *adj.* optimistic
or *conj.* but; well; *m.* gold
orage *m.* storm
oral (**-aux**) *adj.* oral
orange *n. m., adj. inv.* orange (*color*); *f.* orange (*fruit*)
orchestre *m.* orchestra; band
ordinateur *m.* computer; **micro-ordinateur, ordinateur personnel** personal computer
ordonnance *f.* prescription
ordre *m.* order; command; **être en ordre** to be in order
oreille *f.* ear
oreillons *m. pl.* mumps
orfèvre *m.* goldsmith
organe *m.* organ (*body*)
organisation *f.* organization
organisé *adj.* organized
organiser to organize
organisme *m.* organization, body
Orient *m.* the East
original (**-aux**) *adj.* original
originalité *f.* originality
origine *f.* origin; **à l'origine** originally; **être d'origine** (**française**) to be of (French) nationality
orthographe *f.* spelling
os *m.* bone
oseille *f.* sorrel, sour grass
oser to dare
otage *m.* hostage
ou *conj.* or; either; **ou bien** or else
où *adv.* where; *pron.* where, in which
oubli *m.* forgetfulness; oversight
oublier (**de**) to forget (to)
ouest *m.* west; **Afrique** (*f.*) **de l'Ouest** West Africa
oui *adv.* yes
ouïe *f.* (*sense of*) hearing
ouragan *m.* hurricane
oursin *m.* sea urchin
outil *m.* tool
outrance: à outrance to the limit, the hilt
outre-mer: d'outre-mer *adv.* overseas
ouvert *adj.* open; *p.p. of* **ouvrir**
ouverture *f.* opening
ouvre-boîte *m.* can opener
ouvrier (**-ère**) (unskilled) worker, laborer
ouvrir to open; to expand; *p.p.* **ouvert**
oxygène *m.* oxygen; **masque** (*m.*) **à oxygène** oxygen mask
oxygéner to oxygenate

P

pacte *m.* pact, contract
paiement *m.* payment
pain *m.* bread; **petit pain** (*bread*) roll
paire *f.* pair; couple
paisiblement *adv.* peacefully
paix *f.* peace
palais *m.* palace
palier *m.* landing (*stairs*)
palmier *m.* palm tree
pamplemousse *m.* grapefruit
panier *m.* basket; picnic basket
paniquer *fam.* to panic
panne *f.* breakdown; **tomber en panne** to break down (*car, machine*)
panneau *m.* sign
pantalon *m.* trousers, pants
pantouflard(e) *m., f. fam.* stay-at-home (type)
pantoufle *f.* slipper
papa *m.* Papa, Daddy
papaye *f.* papaya
pape *m.* pope
papeterie *f.* stationery store
papier *m.* paper
Pâques *f. pl.* Easter
paquet *m.* package; bundle
par *prep.* by; through; out of; from; for; **par conséquent** *adv.* consequently; **par contre** on the other hand; **par-dessus tout** above all else; **par exemple** for example; *int.* well really! my word!; **par hasard** by chance; **par ici** around here; **par terre** on the ground, on the floor
parade *f.* parade, ostentation
paraître to appear, seem; *p.p.* **paru**
paralyser to paralyze
parapluie *m.* umbrella
parc *m.* park; **parc d'attractions** amusement park
parce que *conj.* because; as
parcourir to traverse, travel through
pardessus *m.* overcoat
pardon *int.* pardon me, excuse me; *m.* forgiveness, pardon
se pardonner to forgive, pardon, excuse oneself
pare-brise *m. inv.* windshield
pare-chocs *m. inv.* fender
pareil(le) *adj.* like, similar
parent(e) *m., f.* relative; *m.* parent; **arrière-grands-parents** *m. pl.* great-grandparents; **beaux-parents** *m. pl.* in-laws; **grands-parents** *m. pl.* grandparents
parenté *f.* (*family*) relationship
parenthèse(s) *f.* parenthesis, parentheses
paresseux (**-euse**) *m., f.* lazy person; *adj.* lazy; idle
parfait *m.* perfect tense; *adj.* perfect; **plus-que-parfait** *m.* pluperfect
parfois *adv.* sometimes, occasionally
parfum *m.* perfume
parfumé *adj.* perfumed, scented; well-seasoned
parfumerie *f.* perfume factory; cosmetics shop
parier to bet, wager
Parisien(ne) *m., f. resident of Paris;* **parisien(ne)** *adj.* Parisian
parking *m.* parking place; parking lot
Parlement *m.* Parliament
parler (**à**) to speak (to); **entendre parler de** to hear (talk) of; **parler de** to speak of
parmi *prep.* among
paroisse *f.* parish; Catholic church district
parole *f.* (*spoken*) word; *pl.* words of a song; **porte-parole** *m. inv.* spokesperson
parrain *m.* godfather

part *f.* part; portion; **d'une part... d'autre part** on the one hand . . . on the other hand; **quelque part** somewhere
partager to share; to divide
parti *m.* (*political*) party
participation *f.* participation
participer (à) to participate (in)
particulier (-ère) *m., f.* private party, person; *adj.* personal, private; particular, specific; **en particulier** particularly
partie *f.* part; party; game, match; **faire partie (de)** to belong (to); **surprise-partie** *f.* informal get-together, party
partiel(le) *adj.* partial; part; **à temps partiel** part-time
partir to leave, set out; **à partir de** *prep.* from (then on); out of
partisan(e) *m., f.* partisan, supporter
partitif (-ive) *adj.* partitive
partout *adv.* everywhere
paru *p.p. of* **paraître**
pas *adv.* no; not; not any; *m.* step; **pas du tout** not at all; **pas grand-chose** not much, nothing much
passage *m.* passage; passing; **cédez le passage** yield the right of way; **de passage** passing through; **passage pour piétons** pedestrian walkway
passager (-ère) *m., f.* passenger; *adj.* passing, short-lived
passant(e) *m., f.* passerby
passé *m.* past; *adj.* last; past; past tense; **passé composé** present perfect tense
passeport *m.* passport
passer to spend (*time*); to play (*a record, etc.*); to take (*a test*); to pass, drop in; **se passer** to happen; to go (*well, badly*); **se passer de** to do, live without; **passer la douane** to go through customs; **passer l'aspirateur** to vacuum; **passer pour** to pass for, seem; **passer un examen** to take a test
passe-temps *m. inv.* pastime
passif (-ive) *adj.* passive; **voix** (*f.*) **passive** passive voice
passion *f.* passion
passionnant *adj.* exciting; fascinating
passionné (de) *adj.* passionate (about)
passionner to fascinate, excite; **se passionner pour** to be very interested in
pastèque *f.* watermelon
pasteurisé *adj.* pasteurized
pastille *f.* lozenge, drop; tablet
pastis *m.* pastis, aniseed aperitif
pâté *m.* pâté; **pâté de campagne** *country-style pâté*
patelin *m. fam.* village
paternel(e) *adj.* paternal
patience *f.* patience; **perdre patience** to lose patience, get irritated
patient(e) *m., f.* (*medical*) patient; *adj.* patient
patienter to be patient, bide one's time
patiner to skate
patinoire *f.* skating rink
pâtisserie *f.* cakes, pastry; pastry shop
patrie *f.* homeland
patrimoine *m.* patrimony, cultural heritage
patron(ne) *m., f.* boss; patron; owner
pauvre *adj.* poor; unfortunate
pavé *m.* paving stone
pavillon *m.* suburban house
payé *adj.* paid
payer to pay (for)
pays *m.* country; native region
Pays-Bas *m. pl.* Holland; the Low Countries
paysage *m.* countryside; landscape
paysan(ne) *m., f.* farmer; peasant; *adj.* peasant-like, country
peau *f.* skin
pêche *f.* fishing; peach
pêcher to fish, go fishing
pêcheur (-euse) *m., f.* fisherman, fisherwoman
pédalo *m.* pedal boat
peindre to paint; *p.p.* **peint**
peine *f.* trouble, worry; **peine de mort** death penalty; **valoir la peine** to be worth the trouble
peint *adj.* painted
peintre *m.* painter; artist
peinture *f.* painting; paint
Pékin Peking (Beijing)
pèlerin(e) *m., f.* pilgrim
pèlerinage *m.* pilgrimage
pelle *f.* shovel, spade
pellicule *f.* (roll of) film
se pencher (vers) to lean (toward)
pendant *prep.* during; for; **pendant que** *conj.* while, during the time that
penderie *f.* closet
pénétrer to penetrate
pénible *adj.* painful
péniche *f.* barge
péninsule *f.* peninsula
pensée *f.* thought
penser to think; to expect to
pépite *f.* (gold) nugget
percevoir to see, perceive
perdre to lose; **se perdre** to get lost; **perdre connaissance** to lose consciousness; **perdre la raison** to lose one's senses, one's mind; **perdre patience** to get impatient; **perdre pied** to lose one's footing
père *m.* father; **beau-père** *m.* father-in-law; stepfather; **fête** (*f.*) **des Pères** Father's Day; **grand-père** *m.* grandfather
perfection *f.* perfection
perfectionner to perfect
performant *adj.* (best) performing
période *f.* (*time*) period
périphérique *adj.* peripheral, outlying
perle *f.* pearl; bead
perler to bead up, stand out in beads
permettre (de) to permit, allow
permis *m.* license; *adj.* permitted
permission *f.* permission
perroquet *m.* parrot
perruque *f.* wig
persécuté *adj.* persecuted
persécution *f.* persecution
persistant *adj.* persistent
personnage *m.* character; person
personnalité *f.* personality
personne *f.* person; **grande personne** grown-up; **(ne)... personne** *pron.* no one, not anyone
personnel *m.* personnel, staff; **personnel(le)** *adj.* personal
personnification *f.* personification
perspective *f.* perspective; outlook
persuadé *adj.* convinced
persuader to convince
pesant *adj.* heavy, weighty
peser to weigh
pessimiste *adj.* pessimistic
pétanque *f. European lawn bowling*
petit(e) *m., f. fam.* baby, young child; *adj.* small; little; light; **petit(e) ami(e)** *m., f.* boyfriend, girlfriend; **petit déjeuner** *m.* breakfast; **petit écran** *m.* television; **petit-fils** *m.* grandson; **petit matin** *m.* dawn; **petit pain** *m.* (*bread*) roll; **petites annonces** *f. pl.* classified ads, want ads; **petits-enfants** *m. pl.* grandchildren; **petits fours** *m. pl.* fancy cookies, pastry; **petits pois** *m. pl.* green peas
pétrole *m.* petroleum, oil
peu *adv.* a little; few; not very (many); **à peu près** almost, nearly; **peu à peu** little by little; **peu importe** it's not important; **un peu de** a (little) bit of
peuple *m.* people, population; nation
peuplé *adj.* peopled; populated
peur *f.* fear; **avoir peur (de)** to be afraid (of); **de peur de** for fear of; **faire peur (à)** to frighten
peut-être *adv.* perhaps
phare *m.* lighthouse; (*car*) headlight
pharmaceutique *adj.* pharmaceutical
pharmacie *f.* pharmacy, drugstore; pharmacology
pharmacien(ne) *m., f.* pharmacist

phénomène *m.* phenomenon
philosophe *m., f.* philosopher, thinker
phosphorescent *adj.* phosphorescent
photo *f.* photo, photograph; **appareil-photo** *m.* (*still*) camera
photocopieur *m.* photocopier
photographe *m., f.* photographer
photographie *f.* photography; photograph
phrase *f.* sentence
physicien(ne) *m., f.* physicist
physique *m.* physical appearance; *f.* (*study of*) physics; *adj.* physical; **éducation** (*f.*) **physique** physical education
phytothérapie *f.* phytotheraphy, medical treatment with plants
piano *m.* piano; **jouer du piano** to play the piano
pièce *f.* room (*in house*); (*theatrical*) play; piece; coin; **pièce d'identité** identification
pied *m.* foot; **à pied** on foot; **au pied de** at the foot of; **perdre pied** to lose one's footing; **pieds** (*pl.*) **de cochon** pigs' feet
piège *m.* trap
pierre *f.* stone
piéton(ne) *n. m., f., adj.* pedestrian; **passage** (*m.*) **pour piétons** pedestrian walkway
piétonnier (**-ère**) *adj.* pedestrian
pile: à huit heures pile *fam.* at exactly eight o'clock
pilote *m.* pilot; guide
piloter to pilot, fly a plane
pin *m.* pine (*tree*)
pince *f.* pleat (*in garment*)
ping-pong *m.* ping-pong
pionnier *m.* pioneer
pique-nique *m.* picnic; **faire un pique-nique** to go on a picnic
pique-niquer to picnic
pirate *m.* pirate
pire *m.* the worst; *adj.* worse
pis *adv.* worse; **tant pis** too bad (*ironic*)
piscine *f.* swimming pool
pitié *f.* pity
pittoresque *adj.* picturesque
pizza *f.* pizza
pizzeria *f.* pizzeria
placard *m.* cupboard, cabinet
place *f.* place; (parking) place; position; seat; (town) square; **à sa place** in his/her place, stead; **lit** (*m.*) **à deux places** double bed
placé *adj.* placed; in place
placer to place, put
plafond *m.* ceiling
plage *f.* beach
se plaindre (**de**) to complain (of)
plaine *f.* plain(s)
plaintif (**-ive**) *adj.* plaintive
plaire to please; *p.p.* **plu; s'il vous plaît** please
plaisanter to joke
plaisir *m.* pleasure; **avec plaisir** with pleasure, gladly; **faire plaisir à** to give pleasure to; **par plaisir** for the pleasure of it; **prendre plaisir à** to take pleasure in
plan *m.* map; plan
planche *f.* board; surfboard; **planche à voile** windsurfing; (wind) surfboard
planète *f.* planet
planque *f. fam.* hideout; soft job
plante *f.* plant
planter to plant
plaque (*f.*) **d'immatriculation** (*car*) license plate
plaquette *f.* "blister" packaging; booklet
plastique *m.* plastic; *adj.* of plastic
plat *m.* dish; *adj.* flat; **à plat** flat (*tire*); **plat de service** serving plate; **plat du jour** special of the day; **plat principal** main course
plateau *m.* tray; plate; plateau
plâtre *m.* plaster; cast
plein *adj.* full; complete; **en/de plein air** in the open air, outdoors, outdoor; **en plein cœur** in the (very) heart of; **en pleine forme** in good shape, fit; **faites le plein de** fill it up with; **plein de choses** *fam.* lots of things
pleurer to cry, weep
pleuvoir to rain; *p.p.* **plu; il pleut** it is raining
pliant *adj.* folding
plomber to fill (*a tooth*)
plongée (**sous-marine**) *f.* diving; deep-sea diving
plonger to dive in
plu *p.p. of* **plaire, pleuvoir**
pluie *f.* rain; **jour** (*m.*) **de pluie** rainy day; **sous la pluie** in the rain
plupart: la plupart (**de**) *f.* most; the majority (of)
plus *m.* the most; *adv.* plus, more, most; **de plus** besides; moreover; **de plus en plus** more and more; **en plus** in addition; **ne... plus** no longer; **non plus** either; **plus** (**de**)**... que** more . . . than
plus-que-parfait *m.* pluperfect
plusieurs *adj.* several; some
plutôt *adv.* rather; instead; **plutôt que** rather than instead of;
pneu *m.* tire; **pneu à plat** flat tire
pneumonie *f.* pneumonia
poche *f.* pocket; **argent** (*m.*) **de poche** pocket money, allowance; **calculatrice** (*f.*) **de poche** pocket calculator
poêle *m.* stove; *f.* frying pan
poème *m.* poem
poésie *f.* poetry
poète (**poétesse**) *m., f.* poet, poetess
poétique *f.* poetics; *adj.* poetic
poids *m.* weight
poignée *f.* handful
poignet *m.* wrist
poil *f.* (*animal*) hair, fur; **à poil** furry, shaggy
point *m.* point; **à point** medium (*steak*); **point culminant** highest point
pointe *f.* point; **de pointe** the most advanced; **heure** (*f.*) **de pointe** rush hour
pointu *adj.* pointed; sharp
poire *f.* pear
pois *m. pl.* peas; **petits pois** green peas; **pois chiches** garbanzos, chickpeas
poisson *m.* fish
poitrine *f.* chest, breast
poivre *m.* pepper
poivrer to pepper
poivron *m.* green pepper
polémique *adj.* polemical
police *f.* police
policier (**-ère**) *m.* police officer; *adj.* pertaining to the police; detective; **roman** (*m.*) **policier** detective novel
politicien(ne) *m., f.* politician
politique *f.* politics; policy; *adj.* political; **homme** (*m.*) (**femme** [*f*].) **politique** politician
politisation *f. giving a political aspect*
polluer to pollute
pollution *f.* pollution
Pologne *f.* Poland
polyester *m.* polyester (*fabric*)
polytechnique *adj.* polytechnic; engineering school **École polytechnique**
pommade *f.* ointment
pomme *f.* apple; **pomme de terre** potato; **pommes** (*pl.*) **frites** French fries; **pommes vapeur** (*pl.*) steamed *or* boiled potatoes
pompeux (**-euse**) *adj.* pompous, high-flown
se pomponner to smarten oneself up, get dressed up
ponctualité *f.* punctuality
ponctuer to punctuate, accentuate
pont *m.* bridge; (*boat*) deck
popcorn *m.* popcorn
populaire *adj.* popular; of the people
population *f.* population
porc *m.* pork

porcelaine *f.* porcelain
port *m.* port; harbor; (*act of*) carrying *or* wearing
portail *m.* gate; (*church*) portal
portant: bien portant *adj.* well, in good health
porte *f.* door
porte-bonheur *m. inv.* good-luck charm, amulet
portée: à la portée (de) within the reach (of)
portefeuille *m.* wallet
porte-monnaie *m. inv.* change purse, billfold
porte-parole *m. inv.* spokesperson
porter to wear; to carry, bear; **porter un toast** to make a toast; **prêt-à-porter** *m.* ready-to-wear (*clothing*)
portière *f.* car door
portion *f.* portion; serving
Portugal *m.* Portugal
poser to place, put down; to pose; **poser une question (à)** to ask a question (of)
positif (-ive) *adj.* positive
position *f.* position; rank; job
posséder to possess, own
possibilité *f.* possibility
possible *adj.* possible; **il est possible de/que** it is possible to/that
postal *adj.* postal; **boîte** (*f.*) **postale** post office box (number); **carte** (*f.*) **postale** postcard
poste *m.* position; station; television set; **bureau** (*m.*) **de poste** post office
pot *m.* jar; flowerpot; mug
potage *m.* soup
pouce *m.* thumb; **sur le pouce** quick (*meal*)
poudre *f.* powder
poule *f.* hen; **avoir la chair de poule** to have goosebumps, gooseflesh
poulet *m.* chicken
poulpe *m.* octopus
pouls *m. sing.* pulse
poumon *m.* lung
poupée *f.* doll; **jouer à la poupée** to play with dolls
pour *prep.* for; in order; on account of; **pour cent** percent; **pour ou contre** for or against; **pour que** (+ *subj.*) in order that; **pour une fois** for (just) once
pourboire *m.* tip
pourpre *n. m., adj.* purple
pourquoi *adv., conj.* why
pourtant *adv.* however
pourvu que (+ *subj.*) *conj.* provided that
pousser (à) to push; to urge, compel; to grow; **pousser un soupir** to sigh
poussière *f.* dust
pouvoir *v.* to be able to; to be allowed to; *p.p.* **pu;** *m.* power; authority
prairie *f.* prairie
pratique *f.* practice; *adj.* practical; pragmatic; **mettre en pratique** to put into practice
pratiquement *adv.* practically; almost
pratiquer to practice (*sport*)
précédent *m.* precedent; *adj.* former, preceding; **sans précédent** unprecedented
précéder to precede
précieux (-euse) *adj.* precious
se précipiter to rush (in, headlong); to jump
précis *adj.* precise
préciser to specify, make precise
préconçu *adj.* preconceived
prédire to predict; *p.p.* **prédit**
préféré *adj.* favorite, preferred
préférence *f.* preference
préférer to prefer
préjugé *m.* prejudice
préliminaire *adj.* preliminary
premier (-ère) *adj.* first; **pour la première fois** for the first time; **Premier ministre** *m.* Prime Minister
prendre to take; to choose; to eat, drink; *p.p.* **pris; prendre au sérieux** to take seriously; **prendre conscience de** to become aware, realize; **prendre froid** to catch cold; **prendre le petit déjeuner** to have breakfast; **prendre le soleil** to sunbathe; **prendre rendez-vous (avec)** to make an appointment (with); **prendre soin de** to take care of
prénom *m.* first name, given name
préoccupé *adj.* preoccupied, distracted
préoccuper to preoccupy; to concern
préparer to prepare (for); **se préparer (à)** to get ready
près *adv., prep.* near; by; **à peu près** nearly, almost; **au degré près** to the nearest degree; **de près** (from) close up; **près de** near; about, around
prescription *f.* rule; instruction
prescrire to prescribe
prescrit *adj.* prescribed
présence *f.* presence
présent *m.* present (tense); *adj.* present, in attendance; **à présent** presently, currently
présentateur (-trice) *m., f.* announcer (*radio, TV*)
présentation *f.* presentation; introduction
présenter to present, introduce; **se présenter** to introduce oneself; to appear, present oneself
préservatif *m.* preservative
préserver to preserve; to defend
président(e) *m., f.* president
présidentiel(le) *adj.* presidential
pré-signalisation *f.* warning
presque *adv.* almost; nearly; hardly
presse *f.* press (*newspapers*)
pressé *adj.* pressed; hurried
presser to hasten, urge
prestige *m.* prestige, status
prestigieux (-euse) *adj.* prestigious
prêt *m.* loan; *adj.* ready; **prêt-à-porter** *m.* ready-to-wear (*clothing*)
prétendre to claim
prêter (à) to lend
prêtre *m.* priest
preuve *f.* proof
prévaloir to prevail, have the advantage
prévenir to warn
prévision *f.* forecast, prediction
prévoir to foresee, predict
prévu *adj.* foreseen, predicted
prier to pray; to beg, ask; **je vous en (t'en) prie** please
primaire *adj.* primary; **école** (*f.*) **primaire** elementary school
prime: en prime as a bonus
principal *adj.* main, principal; **plat** (*m.*) **principal** main course (*meal*)
principe *m.* principle; **en principe** as a rule
printemps *m.* spring (*season*); **au printemps** in the spring
priorité *f.* priority; **en priorité** especially, above all
pris *p.p. of* **prendre**
prise *f.* taking (hold)
prisonnier (-ère) *m., f.* prisoner
privé *adj.* private; deprived
prix *m.* price; prize
probable *adj.* probable; **il est peu probable que** (+ *subj.*) it's unlikely that
problème *m.* problem
prochain *adj.* next
prochainement *adv.* soon
proche *adj., adv.* near; close
proclamer to proclaim; **se proclamer** to proclaim oneself
procurer to get, obtain
producteur (-trice) *m., f.* producer; *adj.* producing
production *f.* production
produire to produce; *p.p.* **produit**
produit *m.* product
prof *m. fam.* **professeur**
professeur *m.* professor; instructor
profession *f.* profession
professionnel(le) *adj.* professional

profiter (**de**) to profit (from); to take advantage (of)
profond *adj.* deep, profound
profondément *adv.* profoundly
programme *m.* program
programmer to program
progrès *m.* progress
progressivement *adv.* progressively
projet *m.* project; plan
prolifération *f.* proliferation
se prolonger to continue, be prolonged
promenade *f.* walk; excursion; **faire une promenade** to take a walk
promener to take out walking; **se promener** to (take a) walk
promettre (**de**) to promise (to); *p.p.* **promis**
promis *adj.* promised
promotion *f.* promotion, advancement
promouvoir to promote
pronom *m.* pronoun
prononcer to pronounce, enunciate
prononciation *f.* pronunciation
proportion *f.* proportion
proposer to propose; to suggest
proposition *f.* proposition; clause
propre *adj.* clean; own
propreté *f.* cleanliness, cleanness
propriétaire *m., f.* owner; proprietor
propriété *f.* property
protection *f.* protection
protégé *adj.* protected
protéger to protect
protéine *f.* protein
protester to protest; to declare
prouesse *f.* prowess, achievement
prouver to prove
Provençal(**e**) *m., f. person from Provence;* **provençal** *adj.* Provençal, *of Provence*
Provence *f.* Provence (*southern French province*)
proverbe *m.* proverb
province *f.* province, region
prudent *adj.* prudent, careful
prussien *adj.* Prussian; **Guerre** (*f.*) **franco-prussienne** Franco-Prussian War
pseudonyme *m.* pseudonym
psychiatre *m., f.* psychiatrist
psychique *adj.* psychic, mental
psychologie *f.* psychology
psychologique *adj.* psychological
psychologue *m., f.* psychologist
pu *p.p. of* **pouvoir**
pub *f. fam.* **publicité**
public (**publique**) *n. m.* public; *adj.* public; **transports** (*m. pl.*) **publics** public transportation
publicitaire *adj. pertaining to advertising*
publicité *f.* advertising
publier to publish
puis *adv.* then; next; besides
puissance *f.* power
puissant *adj.* powerful
pull *m. fam.* **pull-over**
pull-over *m.* pullover, sweater
punaise *f.* (thumb)tack
punir to punish
punition *f.* punishment
purifier to purify
pyjama *m.* pajamas
pyramide *f.* pyramid
Pyrénées *f. pl.* Pyrenees (*mountains*)

Q

quai *m.* quay; embankment; platform
qualifié *adj.* qualified; modified; called, known as
qualité *f.* quality
quand *adv.* when; since when; **quand même** nevertheless
quant à *prep.* as for
quantité *f.* quantity
quarante *adj.* forty
quart *m.* quarter; quarter hour
quartier *m.* quarter; neighborhood; district; **Quartier Latin** Latin Quarter (*of Paris*)
quatre-vingt-dix *adj.* ninety
quatre-vingts *adj.* eighty
quatrième *adj.* fourth
que *adv.* how; why; how much; *conj.* that; than; *pron.* whom; that; which; what; **ne... que** only; **qu'est-ce que c'est?** what is it?
Québec *m.* (*province of*) Quebec; Quebec City
Québécois(**e**) Quebecer, *person from Quebec;* **québécois**(**e**) *adj.* Quebecois, *of Quebec*
quel(**le**)(**s**) *adj.* what; which; **quel désastre!** *int.* what a disaster!
quelconque *adj.* any (*whatever*), some . . . or other
quelque(**s**) *adj.* some; a few; **en quelque sorte** in a way, as it were; **quelque chose** something; **quelque part** somewhere
quelquefois *adv.* sometimes, once in a while
quelqu'un *pron. inv.* someone
question *f.* question; **remettre en question** to question (*established truth*)
questionnaire *m.* questionnaire
queue *f.* tail; line, queue; **faire la queue** to wait in line
qui *pron.* who; whom
quiche *f.* quiche, *cheese and vegetable custard pie*
quincaillerie *f.* hardware store
quinze *adj.* fifteen
quitter to leave; **se quitter** to separate; **ne quittez pas** don't hang up (*the phone*)
quoi *pron.* (*after prep.*) which; what; **quoi que** whatever, no matter
quoique (al)though
quotidien(**ne**) *m.* daily newspaper; *adj.* daily

R

raccompagner to accompany (*back or home*)
racket-ball *m.* racketball
raclette *f.* raclette (*Swiss melted cheese dish*)
raconter to tell, relate
radiateur *m.* radiator
radio *f.* radio; X-ray; *adj.* radio; **émission** (*f.*) **de radio** radio program; **prendre une radio** to take an X-ray; **radio-cassettes** *f.* radio cassette player; **réveil-radio** *m.* clock radio
radioactivité *f.* radioactivity
radiophonique *adj.* radio
raffiné *adj.* refined; elegant
raffinement *m.* refinement, elegance
rafraîchir to refresh; to cool
raglan: manche (*f.*) **raglan** raglan sleeve
ragoût *m.* stew
raisin *m.* grape
raison *f.* reason; **avoir raison** to be right
raisonnable *adj.* reasonable
rajeunir to rejuvenate, make young
rajouter to add (more)
ralentir to slow down
râler (**de colère**) to fume
rallumer to relight
ramasser to pick up
ramener to bring, take back
rang *m.* rank; row
ranger to arrange, straighten up; **se ranger** to put oneself, station oneself
rapide *adj.* fast, rapid
rapidité *f.* rapidity, speed
rappeler to remind, recall; **se rappeler** to remember, recall
rapport *m.* report; relationship
rapporter to report; to bring in (*profit*)

rapprocher to approach
raquette *f.* (tennis) racket
rare *adj.* rare, infrequent
ras *adj.* close-cropped; level (with); **ras du cou** crew neck; **en avoir ras le bol** *fam.* to be fed up, sick of
rasé *adj.* shaven
raser to shave; **se raser** to shave (*oneself*); **mousse** (*f.*) **à raser** shaving cream
rasoir *m.* razor
se rassurer to be reassured
ratatouille *f. Provençal vegetable stew*
ravissant *adj.* ravishing, beautiful
rayé *adj.* striped
rayon *m.* (*store*) department
réacteur *m.* reactor
réaction *f.* reaction
réagir to react
réalisateur (**-trice**) *m., f.* producer
réaliser to realize; to produce
réaliste *adj.* realistic
réalité *f.* reality
réanimer to reanimate, bring back to life
réapparaître to reappear
rebaptiser to name again; to baptize again
rebelle *m., f.* rebel
recensement *m.* census
récent *adj.* recent; new
récepteur *m.* receiver
réception *f.* reception; registration desk
réceptionniste *m., f.* receptionist
recette *f.* receipt; recipe
recevoir to receive; to have guests; *p.p.* **reçu**
rechange *m.* replacement; **ampoule** (*f.*) **de rechange** spare light bulb
rechargeable *adj.* rechargeable
se réchauffer to warm oneself
recherche *f.* research; search
récipient *m.* container, receptacle
réciproque *adj.* reciprocal, mutual
récit *m.* story, narrative
réciter to recite
réclamer to demand
récolte *f.* harvest
recommandation *f.* recommendation
recommandé *adj.* recommended; registered (*letter*)
recommander to recommend
recommencer to start over
se réconcilier to reconcile; to get back together
reconnaissant *adj.* grateful
reconnaître to recognize; *p.p.* **reconnu**
reconnu *adj.* recognized; *p.p. of* **reconnaître**
recopier to recopy
record *m.* record (*peak performance*)
se recoucher to go back to bed
recouvert (**de**) *adj.* covered (with); *p.p. of* **recouvrir**
recouvrir to recover; to cover; *p.p.* **recouvert**
récréation *f.* recreation; recess
récriminateur (**-trice**) *adj.* recriminative
recruter to recruit
rectangulaire *adj.* rectangular
recteur *m.* university president
reçu *adj., p.p of* **recevoir**; **être reçu** to pass an exam
rédaction *f.* composition, written homework; editing
redécorer to redecorate
redevenir to become again
réduire to reduce, lower; *p.p.* **réduit**
réduit *adj.* reduced; *p.p. of* **réduire**
réédition *f.* reissue, republication
réel(le) *adj.* real
réélire to re-elect
refaire to remake, redo; to remodel
réfléchir (**à**) to reflect (upon), consider
reflet *m.* reflection, play of light
refléter to reflect
réforme *f.* reform
réfrigérateur *m.* refrigerator
refuge *m.* refuge
réfugié(e) *m., f.* refugee
refuser (**de**) to refuse (to); to deny
regard *m.* look, glance
regardé *adj.* watched
regarder to look at, watch
régime *m.* diet; (*political*) regime; **se mettre au régime** to go on a diet
région *f.* region, territory
règle *f.* rule
régler to regulate; to settle; to adjust
règne *m.* reign
régner to reign; to prevail
regretter to regret; to miss
régulièrement *adv.* regularly
reine *f.* queen
reins *m. pl.* kidneys
rejeter to reject
rejoindre to join, meet
rejouer to play again
se réjouir to rejoice
réjouissance *f.* (*public*) rejoicing
relativement *adv.* relatively
relation *f.* relation; relationship
relever to raise; **se relever** to get, rise up again
relier to connect, link
religieux (**-euse**) *adj.* religious
religion *f.* religion
relire to reread
remarquable *adj.* remarkable
remarquer to notice
rembourser to repay, reimburse
remède *m.* remedy, cure
remercier to thank
remettre to put back; to postpone; *p.p.* **remis; remettre en question** to question (*established practice*)
remis *adj.* given; brought (up)
remonter to climb (up again); to go back
remorque *f.* towing; **camion** (*m.*) **à remorque** tow truck
rempart *m.* rampart
remplacer to replace, substitute
remplir to fill; to fill out
remuer to stir
rémunération *f.* remuneration
renaître to be reborn
rencontrer to meet, get to know; **se rencontrer** to meet one another
rendez-vous *m.* rendezvous; appointment; meeting place; **se donner rendez-vous** to make a date (with one another); **prendre rendez-vous** to make an appointment
se rendormir to fall asleep again
rendre to give back; to make (+ *adj.*); **rendre service à** to do a favor for; **rendre visite à** to visit, pay a visit (*to someone*); **se rendre** (**à**) to go (to); **se rendre compte de/que** to realize, be aware of/that
rendu *adj.* rendered, given
renforcer to reinforce, strengthen
renoncer to give up, forgo
renouer to renew, resume; to link again
renouveler to renew, renovate
renseignement *m.* (piece of) information
rentrer to return (home)
renverser to upset; to turn over; to spill
renvoyer to fire (*employee*); to send away
réparer to repair
repartir to leave, set out again
répartir to divide up, share out
repas *m.* meal; **prendre un repas** to have a meal
repasser (**à fer**) to iron (*clothing*)
se repérer to find one's way, take one's bearings
répéter to repeat
répit *m.* respite, break
replacer to put back
réplique *f.* replica
répliquer to reply, answer

répondeur (*m.*) **téléphonique** answering machine
répondre to reply, answer; *p.p.* **répondu**
réponse *f.* reply
reportage *m.* reporting; **faire un reportage** to do a report
repos *m.* rest
reposant *adj.* restful
reposé *adj.* rested
se reposer to rest
reprendre to continue, take up again; *p.p.* **repris**
représailles *f. pl.* reprisals, retaliation
représentant(e) *m., f.* representative
représentation *f.* performance
représenter to represent
répression *f.* repression
reprise *f.* continuation; reprise; recovery; **à** (**deux**) **reprises** (two) times
réprobateur (**-trice**) *adj.* reproachful, reproving
reproduire to reproduce; *p.p.* **reproduit**
république *f.* republic
réputation *f.* reputation
réseau *m.* network; system; **réseau routier** highway system
réservation *f.* reservation
réserve *f.* reserve
réservé *adj.* reserved, shy
réserver to reserve; to conserve; to make a reservation
résidence *f.* residence
résidentiel(le) *adj.* residential
résider to reside, dwell
résistance *f.* resistance; French Resistance movement (*World War II*)
résonner to ring, resound
résoudre to resolve; to solve; *p.p.* **résolu**
respect *m.* respect
respectivement *adv.* respectively
respirer to breathe
responsabilité *f.* responsibility
responsable *adj.* responsible; accountable; *m., f.* responsible person, person in charge
ressembler (**à**) to be like, resemble
ressentir to feel
se resservir to serve oneself again
ressortir to come out again
ressource *f.* resource
restaurant *m.* restaurant
restauration *f.* restoration
restaurer to restore
reste *m.* rest; remainder; *m. pl.* leftovers
rester to remain, stay (behind); **il reste...** there remain(s) . . . ; **rester debout** to remain standing
résultat *m.* result
résumé *m.* summary, résumé
résurrection *f.* resurrection
rétablir to reestablish
retard *m.* delay; **en retard** late
retenir to retain
réticence *f.* reticence, reserve
retirer to take out; to withdraw
retombée *f.* fallout
retour *m.* return; **à mon retour** upon my return, when I return; **au retour** on the way back; **billet** (*m.*) **aller-retour** round-trip ticket; **chemin** (*m.*) **du retour** the way back; **de retour** (once) back; **en retour** in return
retourner to return, go back; to turn around
retraite *f.* pension; retirement; **battre retraite** to retreat, beat a retreat
retransmettre to retransmit, rebroadcast
retrouver to recover, find again; to recognize; **se retrouver** to meet; to find one's way again
rétroviseur *m.* rear view mirror
réunion *f.* meeting; reunion
réussir (**à**) to succeed in; (to) pass (*a test*)
réussite *f.* success
rêve *m.* dream
réveil *m.* alarm clock; **réveil-radio** *m.* clock radio
réveiller to awaken; **se réveiller** to wake up
Réveillon *m. midnight Christmas or New Year's dinner*
revendication *f.* demand; claim
revenir to return, come back; *p.p.* **revenu**
rêver (**de**) to dream (of)
rêveur (**-euse**) *adj.* dreamy, dreaming
réviser to review
révision *f.* revision; review
revivre to relive; *p.p.* **revécul**
revoir to see again; *p.p.* **revu; au revoir** *int.* good-bye
révoltant *adj.* revolting, disgusting
se révolter to revolt, rebel
révolution *f.* revolution
revolver *m.* revolver
revue *f.* review; magazine
rhume *m.* (head) cold
ri *p.p. of* **rire**
riche *adj.* rich
richesse *f.* wealth
rideau *m.* curtain
ridicule *adj.* ridiculous
rien *pron.* nothing; **ne... rien** nothing; **rien que** only, merely
rire (**de**) to laugh (at); *p.p.* **ri; rire** *m.* laughter
risquer to risk
rite *m.* ritual, rite
rival(e) *n. m., f., adj.* rival
rive *f.* bank, shore; **rive gauche** (**droite**) left (right) bank
rivière *f.* river (*tributary*)
riz *m.* rice
robe *f.* dress; **robe de chambre** bathrobe, dressing gown
robot *m.* robot
rocher *m.* rock; crag
rock *n. m., adj. inv.* rock (*music*)
roi *m.* king
rôle *m.* role, part; **jouer un rôle** to play a part
romain *adj.* Roman; **gréco-romain** *adj.* Greco-Roman
roman *m.* novel; *adj.* Romanesque
romancier (**-ère**) *m., f.* novelist
romantique *adj.* romantic
rond *adj.* round
rouge *n. m., adj.* red
roulé *adj.* rolled up
rouleau *m.* roll; **rouleau de pellicule** roll of film
rouler to roll (along); to drive
rouspéter to protest; to grouse
route *f.* road; route
routier (**-ère**) *m., f.* truck driver; *adj.* pertaining to the road
routine *f.* routine; daily grind
routinier (**-ère**) *adj.* routine
ruban *m.* ribbon
rude *adj.* rough, harsh
rue *f.* street
rugby *m.* rugby
ruine *f.* ruin
rumeur *f.* rumor; hum; din
rusé *adj.* clever, sly
Russe *m., f.* Russian (*person*); **russe** *m.* Russian (*language*); **russe** *adj.* Russian
Russie *f.* Russia
rythme *m.* rhythm
rythmique *adj.* rhythmic

S

sa *adj. f.* his; her; its; one's
sable *m.* sand
sac *m.* bag; handbag; **sac à dos** backpack
sacrifice *m.* sacrifice
sacrifier to sacrifice
safari *m.* safari

sage *adj.* wise; well behaved (*child*)
sagesse *f.* wisdom; good behavior
saignant *adj.* bloody; rare (*meat*)
sain *adj.* healthy; **sain et sauf** safe and sound
sainement *adv. in a healthy, healthful fashion*
saint(e) *m., f.* saint; *adj.* holy; **la Saint-Valentin** Saint Valentine's Day
saison *f.* season
salade *f.* salad, lettuce
salaire *m.* salary, wages
salami *m.* salami
salarié *m., f.* salaried employee; *adj.* salaried
sale *adj.* dirty
salé *adj.* salted; salty
saler to salt
salle *f.* room; theater; **salle à manger** dining room; **salle d'attente** waiting room; **salle de bains** bathroom; **salle de classe** classroom; **salle de conseil** meeting room; **salle de jeux** game room; **salle des urgences** emergency room; **salle d'opérations** operating room
salon *m.* salon; living room
saluer to greet, salute
salut *int. fam.* hello, hi
salutation *f.* salutation
samba *f.* samba (*dance*)
samedi *m.* Saturday
sanction *f.* penalty, punishment
sandwich *m.* sandwich
sang *m.* blood; **se faire du mauvais sang** to worry, fret
sans *prep.* without; but for
santé *f.* health; **santé de fer** iron constitution
sapin *m.* pine (*tree*)
sarcastique *adj.* sarcastic
sardine *f.* sardine
satellite *m.* satellite; *adj.* pertaining to satellite(s)
satisfaction *f.* satisfaction
satisfaire (**à**) to satisfy
satisfaisant *adj.* satisfying
satisfait *adj.* content; pleased
sauce *f.* sauce; dressing
saucisse *f.* sausage
sauf *prep.* except for, save
saumon *m.* salmon
sauter to jump; to skip; **sauter à la corde** to jump rope
sauvage *adj.* wild, untamed
sauver to save (a life); **se sauver** to save oneself; to run away
savoir to know (how); *p.p.* **su**
savon *m.* soap
savourer to taste, savor
saxon(ne) *n. m., f., adj.* Saxon; **anglo-saxon(ne)** *n. m., f., adj.* Anglo-Saxon
saxophone *m.* saxophone
scalpel *m.* scalpel
scandinave *adj.* Scandinavian
Scandinavie *f.* Scandinavia
scène *f.* scene; stage
science *f.* science; **science-fiction** *f.* science fiction
scientifique *m., f.* scientist; *adj.* scientific
scintiller to sparkle, shimmer
scolaire *adj. pertaining to school(s)*
scolarité *f.* school attendance
Scorpion *m.* Scorpio
Scrabble *m.* Scrabble
scrupuleusement *adv.* scrupulously
sculpté *adj.* sculpted, carved
se *pron.* oneself; himself; herself; itself; themselves; to oneself, *etc.*; each other
séance *f.* session; showing; seance
sec (**sèche**) *adj.* dry
sécher to dry
sécheresse *f.* dryness; drought
séchoir *m.* dryer; hair dryer
second(e) *adj.* second; **seconde Guerre** (*f.*) **mondiale** World War II
secondaire *adj.* secondary
secouer to shake
secours *m.* help; **au secours!** *int.* help!; **sortie** (*f.*) **de secours** emergency exit
secret *n. m.* secret; **secret** (**-ète**) *adj.* secret
secrétaire *m., f.* secretary; *m.* writing desk
secteur *m.* (*economic*) sector; district
section *f.* section; department
sécurité *f.* security; confidence; safety; **ceinture** (*f.*) **de sécurité** safety belt; **Securité sociale** Social Security
séduire to seduce; to attract; *p.p.* **séduit**
seigneur *m.* nobleman
Seine *f.* Seine (*river*)
séjour *m.* stay
séjourner to stay, reside; to linger
sel *m.* salt
sélectif (**-ive**) *adj.* selective
sélection *f.* selection, choice
self-service *m.* self-service restaurant, cafeteria
selon *prep.* according to; depending on
semaine *f.* week
semblable *adj.* similar
sembler to seem, appear; **il semble que** (+ *subj.*) it seems that
semelle *f.* sole (*of shoe*)
semestre *m.* semester
semi-privé *adj.* semiprivate
semoule *f.* semolina, hard wheat flour
sénat *m.* senate
Sénégal *m.* Senegal
Sénégalais(e) *n. m., f.* Senegalese (*person*); **sénégalais(e)** *adj.* senegalese
sens *m.* meaning; direction; sense; **à double sens** two-way; **bon sens** good sense, reason; **sens de l'humour** sense of humor; **sens interdit** wrong way
sensible *adj.* sensitive
sensuel(le) *adj.* sensual
sentiment *m.* feeling; sentiment
sentimental *adj.* sentimental
sentir to sense; to smell; **se sentir** to feel
séparation *f.* separation
séparé *adj.* separate
séparer to separate; **se séparer** to separate (from one another)
sept *adj.* seven
septembre September
serein *adj.* serene
série *f.* series
sérieux (**-euse**) *adj.* serious; sincere
serpent *m.* snake; serpent
serpentin *m.* paper streamer
serrer to tighten; to be tight; to clutch; (**se**) **serrer la main** (**à**) to shake hands with
serveur (**-euse**) *m., f.* waiter; waitress
servi *adj.* served
service *m.* favor; service; serving set; **plat** (*m.*) **de service** serving plate; **rendre service à** to do a favor; **self-service** *m.* self-service restaurant, cafeteria; **service compris** tip included; **station-service** *f.* service station
serviette *f.* towel; napkin; briefcase
servir to serve; to help; **servir à** to be of use; to serve to; **servir de** to serve as, be used as; **se servir** to help oneself; **se servir de** to use, utilize
serviteur *m.* servant (*at court*)
ses *adj. pl.* his; her; its; one's
seuil *m.* threshold; **au seuil de** on the threshold of
seul *adj.* alone; sole; only
sexe *m.* sex; **le sexe opposé** the opposite sex
sexuel(le) *adj.* sexual; **éducation** (*f.*) **sexuelle** sex education
shampooing *m.* shampoo
shopping: faire du shopping to go shopping
si *adv.* so; so much; yes (*response to*

negative); *conj.* if; whether
SIDA AIDS (*acquired immune deficiency syndrome*)
siècle *m.* century
siège *m.* seat; headquarters
(**le/la/les**) **sien**(**ne**)(**s**) *pron.* his; hers; its
sieste *f.* siesta, nap; **faire la sieste** to take a nap
signal (**signaux** *pl.*) *m.* signal; traffic sign
signalisation *f.* signaling; set of signals; **signalisation routière** system of road signs
signature *f.* signature; signing
signer to sign
signifier to mean, signify
silence *m.* silence
silencieux (**-euse**) *adj.* silent
similaire *adj.* similar
similarité *f.* similarity
similitude *f.* similitude; resemblance
simple *adj.* simple
simpliste *adj.* simplistic
sincère *adj.* sincere; frank
sinon *conj.* otherwise, if not
sirop *m.* syrup
site *m.* site; location
situation *f.* situation
situé *adj.* situated, located
six *adj.* six
ski *m.* skiing; **faire du ski** to go skiing; **ski nautique** waterskiing; **station** (*f.*) **de ski** ski resort
skier to ski
slip *m.* briefs, shorts; panties; **slip de bain** bathing trunks
slogan *m.* slogan, motto
S.N.C.F. *f.* (**Société Nationale des Chemins de Fer**) French National Railroad
sociable *adj.* sociable, gregarious
sociabilité *f.* sociability
social *adj.* social; **Sécurité** (*f.*) **sociale** Social Security
socialisme *m.* socialism
socialiste *n. m., f., adj.* socialist
société *f.* society; association; corporation; **jeu** (*m.*) **de société** parlor game
sociologie *f.* sociology
sœur *f.* sister; **belle-sœur** *f.* sister-in-law; stepsister
soi *pron.* oneself
soie *f.* silk
soif *f.* thirst; **avoir soif** to be thirsty
soigner to care for, treat (*medically*)
soigneusement *adv.* carefully
soin *m.* care; **prendre soin de** to take care of
soir *m.* evening; night; **hier soir** last night
soirée *f.* evening (*duration*); party; **en fin de soirée** at the end of the evening
soixantaine *f.* around sixty
soixante *adj.* sixty
soixante-dix *adj.* seventy
sol *m.* ground; ground level
solaire *adj.* solar; **alimentation** (*f.*) **solaire** solar energy source; **crème** (*f.*) **solaire** suntan lotion
soldat *m.* soldier
solde *m.* balance; (discount) sale; *f.* soldier's pay
sole *f.* sole (*fish*); **sole meunière** *breaded and sautéed sole*
soleil *m.* sun; **coup** (*m.*) **de soleil** sunburn; **faire soleil** to be sunny; **lunettes** (*f. pl.*) **de soleil** sunglasses; **prendre le soleil** to sunbathe
solennellement *adv.* solemnly
solidarité *f.* solidarity
solide *adj.* solid; strong
solidité *f.* solidity
solitude *f.* solitude
solution *f.* solution
sommeil *m.* sleep; **avoir sommeil** to be sleepy
somnolence *f.* sleepiness, drowsiness
somptueux (**-euse**) *adj.* sumptuous, luxurious
son *m.* sound; *adj.* his; her; its; one's
sondage *m.* survey, questionnaire
sonner to ring
sophistiqué *adj.* sophisticated
sorbet *m.* sherbet
sorbetière *f.* ice-cream freezer, maker
sorcier (**-ère**) *m., f.* sorcerer; warlock, witch
sorte *f.* sort, kind; **quelle sorte de... ?** what type of . . . ?
sortie *f.* exit; going out; outing; **sortie de secours** emergency exit
sortir to get out, leave
sou *m.* penny
souci *m.* care; worry; **par souci de** out of concern for
soucieux (**-euse**) *adj.* concerned; anxious, worried
soudain *adj.* sudden; *adv.* suddenly
soufflé *m.* soufflé, puffed omelet
souffler to blow out
souffrir to suffer; *p.p.* **souffert**
souhaiter to wish, desire
souk *m.* souk (*Arab market*)
soûl *adj.* drunk(en)
soulagé *adj.* relieved
soulagement *m.* relief
soulager to relieve
se soulever (**contre**) to rise up (against)
souligné *adj.* underlined
soupe *f.* soup
souper *m.* supper (*late, light dinner*)
soupir *m.* sigh; **pousser un soupir** to sigh
source *f.* source; origin; spring
sourcil *m.* eyebrow
sourd *adj.* deaf
sourire *v.* to smile; *p.p.* **souri;** *m.* smile
sous *prep.* under; below; **sous la pluie** in the rain; **sous terre** *adv.* underground
souscription *f.* fund; contribution
sous-estimer to underestimate
sous-gonflé *adj.* underinflated
sous-marin *m.* submarine; *adj.* underwater
sous-vêtements *m. pl.* underwear
soutenir to sustain, support
souterrain *adj.* underground
soutien *m.* support; **soutien-gorge** *m. inv.* bra
souvenir *m.* memory, reminiscence; **se souvenir de/que** to remember
souvent *adv.* often, frequently
soviétique *adj.* Soviet
spaghetti *m. pl.* spaghetti
sparadrap *m.* adhesive plaster, band-aid
spatial *adj.* space; outer space
speaker(**ine**) *m., f.* announcer (*radio, TV*)
spécial *adj.* special
spécialisé *adj.* specialized
se spécialiser (**dans**) to specialize (in)
spécialiste *m., f.* specialist
spécialité *f.* (*food*) specialty
spécimen *m.* specimen
spectacle *m.* show, performance
spectaculaire *adj.* spectacular
splendide *adj.* splendid
spontané *adj.* spontaneous
sport *m.* sports; **faire du sport** to participate in sports; **pratiquer un sport** to practice a sport
sportif (**-ive**) *adj.* athletic; sportsminded
squelette *m.* skeleton
stabilité *f.* stability
stable *adj.* stable, consistent
stage *m.* workshop; internship
stand *m.* stand, booth
standardiste *m., f.* (*telephone*) operator
standing *m.* standing, prestige
station *f.* station; (*vacation*) resort; **station de métro** subway station; **station-service** *f.* service station
stationner to park
statistique *f.* statistic(s)
statue *f.* statue
statut *m.* status; statute, law
steak *m.* steak

stéréo *adj.*: **chaîne** (*f.*) **stéréo** stereo (system); **radio-stéréo** *f.* stereo radio
stéréotype *m.* stereotype
steward *m.* steward, airline attendant
stimuler to stimulate
stratégie *f.* strategy, tactic
strict *adj.* strict
structure *f.* structure
studio *m.* studio; studio apartment
stylo *m.* pen
su *p.p. of* **savoir**
subitement *adv.* suddenly
subordonné *adj.* subordinate; **proposition** (*f.*) **subordonnée** subordinate clause
substance *f.* substance
substantif *m.* noun, substantive
subvenir to supply, provide for
succéder to succeed, follow after
succès *m.* success
successif (**-ive**) *adj.* successive
sucre *m.* sugar
sucré *adj.* sugary; sugared; **non sucré** *adj.* unsugared
sucreries *f. pl.* candy, sweets
sud *m.* south; **sud-ouest** southwest
Suédois(**e**) *m., f.* Swede; *m.* Swedish (*language*); **suédois** *adj.* Swedish
sueur *f.* sweat
suffire to suffice; **ça suffit** that's enough; **il suffit de** it suffices to
suffisamment (**de**) *adv.* enough; sufficiently
suffisant *adj.* sufficient, enough
suggéré *adj.* suggested
suggérer to suggest
suggestion *f.* suggestion
suicide *m.* suicide
Suisse *m., f.* Swiss (*person*); *f.* Switzerland; **suisse** *adj.* Swiss
suite *f.* rest; sequel; continuation; **tout de suite** immediately, right away
suivant *adj.* following; subsequent
suivi *p.p. of* **suivre**
suivre to follow; to take (*course*); *p.p.* **suivi**
sujet *m.* subject; **à ce sujet** about this
super *adj. inv. fam.* super, great
superficie *f.* surface area
superficiel(**le**) *adj.* superficial
superflu *adj.* superfluous
supérieur *adj.* superior; upper; **études** (*f. pl.*) **supérieures** post-secondary studies
supermagasin *m.* "super"-store
supermarché *m.* supermarket
supplémentaire *adj.* supplementary
supporter to support, sustain; to bear
supposer to suppose
supposition *f.* supposition
sur *prep.* on; upon; out of; **sur ce** thereupon, whereupon; **sur le coup** immediately; **sur le pouce** quick, carry-out (*meal*)
sûr *adj.* certain; sure; safe; **à coup sûr** with certainty; **bien sûr** *int.* of course
surface *f.* surface
surlendemain *m.* the day after tomorrow
surmonté *adj.* overcome, mastered
surnommé *adj.* nicknamed
surpopulation *f.* overpopulation
surprendre to surprise
surpris *adj.* surprised
surprise *f.* surprise; **faire une surprise** (**à**) to surprise (*someone*); **surprise-partie** *f.* informal get-together, party
sursauter to start, jump, leap up
surtout *adv.* above all, especially
survécu *p.p. of* **survivre**
surveillance *f.* surveillance, supervision
surveiller to supervise, watch (over)
survivant(**e**) *m., f.* survivor
survivre to survive; *p.p.* **survécu**
susceptible *adj.* susceptible; likely
suspect(**e**) *m., f.* suspect; *adj.* suspicious, suspect
symbole *m.* symbol
sympa *adj. inv. fam.* **sympathique**
sympathique *adj.* congenial, likeable, nice
sympathiser to sympathize
symphonie *f.* symphony
symphonique *adj.* symphony, symphonic
symptôme *m.* symptom; sign
syndicat *m.* (trade) union
système *m.* system; plan

T

T-shirt *m.* T-shirt
ta *adj. f.* your
tabac *m.* tobacco; tobacco counter; **café-tabac** *m.* café-tobacconist
table *f.* table
tableau *m.* picture; painting; **tableau noir** blackboard
tablette *f.* (chocolate) bar
tabouret *m.* footstool
tâche *f.* task, chore, job; **tâche ménagère** household task
tact *m.* tact
taille *f.* height; size; waist; **quelle taille faites-vous?** what size are you?
se taire to be quiet, silent
tajines *m. pl. North African meat stew*
talent *m.* talent
talisman *m.* talisman
tamis *m.* sieve, strainer
tango *m.* tango
tant *adv.* so much; **en tant que** as, in the position of; **tant de** so much, so many; **tant que** since, as long as; **tant pis** too bad (*ironic*)
tante *f.* aunt
taper to hit, strike; **taper à la machine** to type
tapis *m.* carpet; rug
tapisserie *f.* tapestry
tapissé *adj.* upholstered
taquiner to tease
tard *adv.* late; **plus tard** later; **tôt ou tard** sooner or later
tarif *m.* price; tariff
tarte *f.* pie, tart; **tarte maison** homemade pie
tartine *f. slice of bread and butter*
tas *m.* pile; **un tas de** (+ *n. pl.*) *fam.* a pile of, a lot of
tasse *f.* cup
tâtons: chercher à tâtons to grope about (*in the dark*)
taureau *m.* bull; **Taureau** *m.* Taurus
taxe *f.* tax
taxi *m.* taxi
Tchad *m.* Chad (*African republic*)
Tchécoslovaquie *f.* Czechoslovakia
te *pron.* yourself; you; to you
technique *f.* technique; *adj.* technical
technologie *f.* technology
technologique *adj.* technological
teinté *adj.* tinted
teinturerie *f.* dry cleaner
tel(**le**) *adj.* such; like; **tel**(**le**)(**s**) **que** such as
télé *f. fam.* **télévision**
télécopieur *m.* facsimile machine, telecopier
téléphone *m.* telephone
téléphoner (**à**) to telephone, call
téléphonique: **répondeur** (*m.*) **téléphonique** answering machine
téléspectateur (**-trice**) *m., f.* TV viewer
télévisé *adj.* televised
télévision *f.* television
tellement *adv.* so; so much
témoigner (**de**) to show; to testify to
témoin *m.* witness
tempérament *m.* temperament, character
température *f.* temperature
temple *m.* temple; (*Protestant*) church
temps *m.* time; weather; tense; **à mi-temps** part-time, half-time; **avoir le temps de** to have time to; **de temps en temps** from time to time; **emploi** (*m.*) **du temps** schedule; **en ce temps-là** at that time, during that

era; **il est temps de/que** it is time that; **prendre son temps** to take one's time; **quel temps fait-il?** what is the weather like?
tendance *f.* tendency; **avoir tendance à** to have a tendency to
tendresse *f.* tenderness
tendu *adj.* tense; nervous
tenir to hold; to have; *p.p.* **tenu; se tenir** to be held; to stand; **tenir à** to hold dear; to be eager to, anticipate; **tenir au chaud** to keep warm
tennis *m.* tennis; *pl. inv.* running shoes
tension *f.* tension; blood pressure
tentation *f.* temptation
tente *f.* tent
tenter to try, attempt; to tempt
tenu *p.p. of* **tenir**
tenue *f.* outfit, dress
terme *m.* term, expression; end
terminal *m.* (computer) terminal
terminer to end; **se terminer** to come to an end
terminus *m.* end of the line
terrain *m.* ground; field
terrasse *f.* terrace, patio
terre *f.* earth; land; property; **par terre** *adv.* on the ground, on the floor; **pomme** (*f.*) **de terre** potato; **sous terre** *adv.* underground; **tremblement** (*m.*) **de terre** earthquake
Terre-Neuve (*f.*) Newfoundland
terrifiant *adj.* terrifying
terrifier to terrify
terrine *f.* terrine, pâté
territoire *m.* territory; **territoire d'outre-mer** overseas territory
terroriste *n. m., f., adj.* terrorist
tes *adj. pl.* your
tête *f.* head; **avec une tête de** (**touriste**) looking like a (tourist); **avoir la tête qui tourne** to be dizzy; **avoir mal à la tête** to have a headache; **en tête-à-tête** (**avec**) alone (with); **faire la tête** to sulk; **mal** (*m.*) **de tête** headache
texte *m.* text; passage; **traitement** (*m.*) **de texte** word processing
TGV *m.* (**Train à Grande Vitesse**) *French high-speed train*
thé *m.* tea
théâtre *m.* theater; **pièce** (*f.*) **de théâtre** play
théière *f.* teapot
théorie *f.* theory
thermomètre *m.* thermometer
thon *m.* tuna
thorax *m.* thorax, rib cage
thym *m.* thyme
ticket *m.* ticket
(**le/la/les**) **tien**(**ne**)(**s**) *pron.* yours
tiens *int.* well, what do you know! my, my!
tiers *m.* one third, *adj.* third; **tiers monde** *m.* Third World
timbre *m.* stamp; label
timide *adj.* timid, shy
tire-bouchon *m.* cockscrew
tirer to pull, draw; to shoot; **s'en tirer** to escape, extricate oneself; **tirer au sort** to draw lots
tiret *m.* dash (—)
tissu *m.* cloth
toast *m.* toast; **porter un toast** to make a toast
toi *pron.* you; **toi-même** *pron.* yourself
toilette *f.* washing up; *f. pl.* lavatory, toilet; **faire sa toilette** to dress; wash up; **affaires** (*f. pl.*) **de toilette** toiletry articles; **eau** (*f.*) **de toilette** toilet water, cologne
toit *m.* roof
tomate *f.* tomato
tombe *f.* tomb
tombeau *m.* tomb; grave
tombée *f.* (night)fall
tomber to fall; **laisser tomber** to drop; **tomber amoureux** (**-euse**) (**de**) to fall in love (with); **tomber en panne** to break down (*machine*)
ton *adj. m.* your
tonique *adj.* stressed; *pertaining to muscle tone*
tonne *f.* ton
tonnerre *m.* thunder
tonus *m.* energy; *good physical condition*
torche *f.* torch, lamp
torrentiel(**le**) *adj.* torrential
tort *m.* wrong; **avoir tort** to be wrong
tortue *f.* tortoise
tôt *adv.* soon; early; **plus tôt** earlier; **tôt ou tard** sooner or later
total *adj.* total
totalitarisme *m.* totalitarianism
touche *f.* touch; key (*on keyboard*)
toucher to touch; to cash (*a check*)
toujours *adv.* always; still
tour *m.* turn; tour; *f.* tower; **faire demi-tour** to make a U-turn; **jouer un tour** to play a trick; **faire le tour du monde** to take a trip around the world; **Tour** (*f.*) **Eiffel** Eiffel Tower
tourbillon *m.* whirlwind
tourisme *m.* tourism
touriste *m., f.* tourist
touristique *adj.* touristic, tourist
tournedos *m.* steak, beef filet
tournée *f.* round (*of visits*); tour
tourner to turn; **avoir la tête qui tourne** to be dizzy; **tourner un film** to make a movie
tournesol *m.* sunflower
Toussaint *f.* All Saints' Day
tousser to cough
tout (**tous, toute, toutes**) *adj.* all; any; every; each; *pron.* all; everything; each; *adv.* entirely; quite; **à tout moment** at any time; **à toute allure** rapidly; **de toute façon** in any event; **en tout cas** in any case; however; **tous** (**toutes**) **les deux** both; **tout à coup** suddenly; **tout à fait** completely, absolutely; **tout à l'heure** just now, in a little while; **tout de suite** immediately, right away; **tout droit** straight ahead; **tout d'un coup** all at once; **tout en** (+ *gerund*) while; at the same time; **tout le monde** everyone; **tout près** very close by
toutefois *adv.* nevertheless
toux *f.* cough
trace *f.* footsteps; trace
tracé *m.* layout, diagram
tradition *f.* tradition
traditionnel(**le**) *adj.* traditional
traduire to translate; *p.p.* **traduit**
traduit *adj.* translated
tragédie *f.* tragedy
tragique *adj.* tragic
train *m.* train; **Train à Grande Vitesse** (**TGV**) *French high-speed train;* **être en train de** (+ *inf.*) to be in the course of, in the midst of (*doing something*)
traire to milk (*cow*)
traité *m.* treaty
traitement *m.* treatment; **traitement de texte** word processing
traiter to treat
traiteur *m.* caterer, deli owner
trajet *m.* trip, distance, commute
tram *m.* tram, trolley
tranche *f.* slice
tranquille *adj.* quiet; calm
transformer to transform, change
transfusion *f.* transfusion
transport *m.* transport; transportation; **moyen** (*m.*) **de transport** means of transportation; **transport en commun** public transportation; **transports** (*pl.*) **publics** public transportation
trappeur *m.* (*fur*) trapper
travail (**travaux** *pl.*) *m.* work; industry; *pl.* construction work; **Fête** (*f.*) **du Travail** Labor Day
travailler to work
travailleur (**-euse**) *n.* worker; laborer;

adj. hardworking
travers: à travers *prep.* across, through
traverser to cross
tremblement *m.* shaking; **tremblement de terre** earthquake
trembler to tremble, shake
très *adv.* very; most; very much; **très bien** *int.* very good, very well
trésor *m.* treasure
triangle *m.* triangle
tricher to trick, cheat
tricolore *adj.* tricolored; **signal** (*m.*) **lumineu tricolore** traffic light
tricot *m.* knitting; sweater; **tricot de corps** body stocking
triomphe *m.* triumph
tripes *f. pl.* tripe, intestines
triste *adj.* sad
troisième *adj.* third
se tromper (**de**) to be mistaken (about)
trop *adv.* too much; too; over; **trop de** too many
tropical *adj.* tropical
trottoir *m.* sidewalk
trou *m.* hole
trouble *m.* confusion; disorder; uneasiness
troupe *f.* troop
trouver to find; to think, have an opinion; **se trouver** to exist; to be located
tué *adj.* killed
tuer to kill
Tunisie *f.* Tunisia
turbot *m.* turbot (*fish*)
turbulence *f.* turbulence
turquoise *n. m., adj.* turquoise (*color*)
type *m.* type
typique *adj.* typical

U

ultramoderne *adj.* ultramodern
un(**e**) *adj., art.* a; an; any; one
uni *adj.* united; close; **États-Unis** *m. pl.* United States; **Organisation** (*f.*) **des Nations Unies** (**ONU**) United Nations
unification *f.* unification
uniforme *m.* uniform
unique *adj.* unique; only, sole
unir to unite
unité *f.* unity
universel(**le**) *adj.* universal
universitaire *adj.* academic; university
université *f.* university
urbain *adj.* urban
urgence *f.* emergency; **appel** (*m.*) **d'urgence** emergency call; **arrêt** (*m.*) **d'urgence** emergency stop; **de toute urgence** urgently, in a rush
U.R.S.S. *f.* U.S.S.R.
usage *m.* use; usage
usine *f.* factory
utile *adj.* useful
utilisation *f.* utilization, use
utiliser to use, employ

V

vacances *f. pl.* vacation
vaccin *m.* vaccine, vaccination
vache *f.* cow
vague *f.* wave (*ocean, heat*); *adj.* vague
vaincu *adj.* vanquished, beaten
vaisselle *f.* dishes; **faire la vaisselle** to do the dishes
Valentin: la Saint-Valentin Valentine's Day
valeur *f.* worth; value
valise *f.* suitcase; **faire sa valise** to pack one's suitcase
vallée *f.* valley
valoir to be worth; *p.p.* **valu; il vaut mieux** (**que**) it is better (that)
valu *p.p. of* **valoir**
vanille *f.* vanilla
vapeur *f.* steam; vapor; **pommes** (*f. pl.*) **vapeur** steamed *or* boiled potatoes
variété *f.* variety
vase *m.* vase
vaste *adj.* vast, broad
veau *m.* veal
vécu *p.p. of* **vivre**
vedette *f.* star, celebrity
végétation *f.* vegetation
véhicule *m.* vehicle
veille *f.* the day before, the evening before
veine *f.* vein
vélo *m.* bike; **en vélo** *adv.* by bike; **faire du vélo** to go biking
velours *m.* velvet; **velours côtelé** corduroy
vendeur (**-euse**) *m., f.* sales clerk
vendre to sell; *p.p.* **vendu**
vendredi *m.* Friday
venir to come (from), arrive; *p.p.* **venu; venir de** (+ *inf.*) to have just (*done something*)
vent *m.* wind
vente *f.* sale; **en vente** for sale, selling
ventre *m.* abdomen, belly
venu *p.p. of* **venir**
verbe *m.* verb
verdure *f.* greenery, greenness
vérifier to verify
véritable *adj.* genuine; true
vérité *f.* truth
verre *m.* glass
vers *prep.* toward; to; about
Verseau *m.* Aquarius
verser to pour; to spill
vert *n. m.* green; *adj.* green; hearty
vertige *m.* vertigo, fear of heights
vertu *f.* virtue
veste *f.* jacket
vestimentaire *adj. pertaining to clothing*, clothing
vêtement *m.* garment; *pl.* clothes; **sous-vêtements** *m. pl.* undergarments, underwear
vétérinaire *m., f.* veterinarian, vet
vexer to vex, annoy
viande *f.* meat; **viande hachée** chopped meat
vibrer to vibrate
victime *f.* victim
victoire *f.* victory
vide *adj.* empty
vidéo *f.* video (*tape, show*); **bande** (*f.*) **vidéo** videotape; **jeux** (*m. pl.*) **vidéo** video games; **vidéo-clip** *m.* music video
vidéocassette *f.* videocassette
vidéotext *m.* Telefax
vie *f.* life; **eau** (*f.*) **de vie** brandy, spirits
vieille *f.* old woman
vierge *f.* virgin; Virgo; **Vierge Marie** Virgin Mary
Vietnam *m.* Vietnam
vieux (**vieil, vieille, vieux, vieilles**) *adj.* old; aged; *m.* **mon vieux** old friend; old chap
vif (**vive**) *adj.* bright; lively
vigne *f.* vine
vignette *f.* vignette; (*tax*) label
villa *f.* (*single-family*) house
village *m.* village
ville *f.* city; **centre-ville** *m.* downtown; **en ville** in the city, in town
vin *m.* wine; **coq** (*m.*) **au vin** *chicken dish with wine*
vinaigrette *f. oil and vinegar salad dressing*, vinaigrette
vingt *adj.* twenty; **quatre-vingts** *adj.* eighty; **quatre-vingt-dix** *adj.* ninety
vingtaine *f.* about twenty
viol *m.* rape
violence *f.* violence
violent *adj.* violent
violet(**te**) *n. m., adj.* violet (*color*); **violette** *f.* violet (*flower*)
violon *m.* violin
virage *m.* (*sharp*) turn
visa *m.* visa; signature
visage *m.* face
visible *adj.* visible

visite *f.* visit; **en visite** visiting; **rendre visite à** to visit (*a person*)
visiter to visit (*a place*)
visiteur (**-euse**) *m., f.* visitor
vitamine *f.* vitamin
vite *adv.* quickly, fast
vitesse *f.* speed; gear; **à toute vitesse** in a hurry; **excès** (*m.*) **de vitesse** exceeding the speed limit; **levier** (*m.*) **de vitesse** gear shift (*stick*); **Train** (*m.*) **à Grande Vitesse** (**TGV**) *French high-speed train;* **vitesse de croisière** cruising speed
vitrail (**vitraux** *pl.*) *m.* stained-glass window
vitre *f.* windowpane; windshield
vitrine *f.* shop window; **en vitrine** in the (shop) window; **faire du lèche-vitrines** to go window-shopping
vitro: in vitro *in an artificial environment;* "test tube"
vivant *adj.* living, alive
vive...! *int.* long live . . . !
vivre to live; *p.p.* **vécu**
vocabulaire *m.* vocabulary
vodka *f.* vodka
vœu *m.* vow; wish; **carte** (*f.*) **de vœux** greeting card
voici *prep.* there is (are); this is; these are
voie *f.* way; passage; lane; **en voie de développement** developing (*country*)
voilà *prep.* there; there is (are); that is; **voilà... que** it's been . . . since/that
voile *f.* sail; sailing; **faire de la voile** to sail, go sailing; **planche** (*f.*) **à voile** windsurfing; (wind) surfboard
voilé *adj.* veiled
voilier *m.* sailboat
voir to see; *p.p.* **vu; se voir** to see each other (oneself)
voire *adv.* indeed; **voire même** and even, or even
voisin(**e**) *m., f.* neighbor; *adj.* neighboring
voiture *f.* car, vehicle; **en voiture** by car; **garer la voiture** to park the car
voix *f.* voice; vote; **à haute voix** *adv.* aloud, out loud; **voix passive** (**active**) passive (active) voice
vol *m.* flight; robbery, theft
volaille *f.* poultry
volant *m.* steering wheel; **au volant** at the wheel
volcan *m.* volcano
voler to fly; to steal, rob
voleur (**-euse**) *m., f.* thief, robber
volley-ball *m.* volleyball
volonté *f.* will; **à volonté** *adv.* at will, at pleasure
volontiers *adv.* gladly, certainly
volume *m.* volume (*loudness; book*); tome
vos *adj. pl.* your
vote *f.* vote; **droit** (*m.*) **de vote** right to vote
voter to vote
votre *adj.* your
(**le/la/les**) **vôtre**(**s**) *pron.* yours; your own
vouloir to want, desire; *p.p.* **voulu; vouloir dire** to mean, signify; *p.p.* **voulu**
voulu *p.p. of* **vouloir**
vous *pron.* you; yourself; to you; **chez vous** where you live; **s'il vous plaît** please; **vous-même** *pron.* yourself
voyage *m.* trip; **agence** (*f.*) **de voyages** travel agency; **agent** (*m.*) **de voyages** travel agent; **bon voyage** *int.* have a good trip; **chèque** (*m.*) **de voyage** traveler's check; **faire un voyage** to take a trip; **voyage d'affaires** business trip; **voyage de noces** wedding trip, honeymoon; **voyage organisé** (package) tour
voyager to travel
voyant(**e**) *m., f.* fortune teller, seer; *adj.* brightly colored
voyons *int.* let's see
vrai *adj.* true, genuine; **à vrai dire** to tell the truth, actually
vraiment *adv.* really; truly
vu *p.p. of* **voir**
vue *f.* view; sight

W

wagon *m.* car (*train*); **wagon-restaurant** dining car (*in trains*)
Walkman *m.* Walkman, portable stereo
les W.C. *m. pl.* restroom, toilet
week-end *m.* weekend
western *m.* western (*movie*)
whisky *m.* whisky

Y

y *adv., pron.* there; here; within; **il y a** there is (are)
yacht *m.* yacht
yaourt *m.* yogurt
yeux *m. pl.* eyes
yodler to yodel
youpie *m., f. fam.* yuppie

Z

Zaïre *m.* Zaire
zaïrois(**e**) **Zaïrois**(**e**) *m., f. person from Zaire; adj.* from Zaire
zeste *m.* zest (*outer skin of orange, lemon*)
zinc *m.* zinc; counter (*in a bar*)
zone *f.* zone, area; **zone piétonnière** pedestrian zone
zoo *m.* zoo
zut! *int.* darn! hang it (all)!

Index

ABOUT THE AUTHORS

Tracy D. Terrell is Professor of Linguistics in the Department of Linguistics at the University of California, San Diego. He received his Ph.D. in Spanish Linguistics from the University of Texas at Austin and has published extensively in the area of Spanish dialectology, specializing in the sociolinguistics of Caribbean Spanish. Professor Terrell's publications on second-language acquisition and on Natural Approach are widely known in the United States and abroad.

Claudine Convert-Chalmers is an agrégée from France who has taught all levels of French at the College of Marin in California. She holds degrees in French and English literature from the University of Nice, where she completed her CAPES and agrégation training and is presently a doctoral candidate in French Civilization. She has lived and taught in Marin County, California, for the last twelve years, and is coauthor of several books.

Marie-Hélène Bugnion, a native of Switzerland, received her B.A. in Writing and French Literature from the University of California, San Diego. For the past five years she has taught French to English speakers as a Teaching Assistant in the Departments of Linguistics and Literature at the University of California, San Diego.

Michèle Sarner is a translator-interpreter from France who has taught all levels of French to Spanish and English speakers. She graduated from the Universidad Autónoma de Barcelona and followed intensive training in methodology at the Alliance Française and the Institut Français. She is currently a writer/editor for Random House.